新編高麗史全文

張東翼

景仁文化社

이 저서는 2016년 대한민국 교육부와 한국연구재단의 지원을 받아 수행된
연구입니다(NRF-과제번호)(NRF-2016S1A5B1017675)

新編高麗史全文

세가1책

태조-목종

目　次

머 리 말

　15세기 중엽에 편찬된 『고려사』와 『고려사절요』는 고려왕조의 역사를 전반적으로 정리한 대표적인 연대기이다. 이들은 춘추관의 관원들이 편찬에 참여하여 기고(起稿)에서 완성까지 거의 60년의 세월이 지났기에 큰 흠집이 없는 사서로 받아들여지고 있다. 또 4차에 걸친 편찬의 실패 끝에 이루어진 결과물이기에 인내심을 갖고 번거로움을 피하지 않은 채 세심하게 사실의 기록이 이루어졌을 것으로 판단되기도 하였다.

　두 연대기는 모두 체제와 내용에 있어서 중국의 정사(正史)에 비해 크게 손색이 없을 정도로 잘 편찬된 사서임은 분명하지만, 고려 시대와 다른 칭원법(稱元法)의 적용, 저본(底本)과 서술 체제가 다른 기전체의 채택, 그리고 조판 과정에서 발생한 오류 등으로 인해 약간의 한계가 없지 않다. 현재 이것이 검정되지 않은 채, 각종 영인본이 만들어져 기본 텍스트로 이용되고 있다. 또 이들 영인본을 통해 두 사서의 체제, 내용, 그리고 성격 등이 검토되었고, 이의 주석본도 발간되었다. 그렇지만 여러 판본을 대조하여 교감한 교정본이 만들어지지 않았기에 영인본 사이의 월차(月次), 자구(字句) 등에 있어서 미소한 차이가 있다.

　이러한 한계는 연대기의 모든 기사를 편년체로 전환해 약간의 교정을 가하면 쉽사리 보완될 수 있을 것이지만 그보다 더 큰 문제는 근대 이전의 사서가 지닌 특징의 하나인 제왕(帝王)을 정점으로 하여 유교적 소양을 지닌 문신(文臣)을 중심으로 편찬되었다는 점이다. 이로 인해 왕실의 적장자(嫡長子), 중앙의 정계와 지배층, 유학(儒學)에 입각한 정통(正統)과 숭문(崇文), 그리고 한인(漢人)에 의해 건립된 왕조 등과 관련된 내용이 주된 서술의 대상이 되었고, 그 외의 사실은 거의 겉으로 들어난 모습만을 다루고 있다는 것이다.

　게다가 조선왕조 초기의 시대적 풍조의 반영인지는 알 수 없지만 특정 제왕(特定帝王)의 연대기에 상세함과 소략함이 착종(錯綜)되어 있는데, 이는 역대 제왕의 정치적 성격 또는 사회의 변화상과 어떤 관련성이 있는 것 같다. 곧 태조, 성종, 현종, 문종, 숙종, 예종, 인종, 원종, 충렬왕, 공민왕, 공양왕 등의 치세(治世)에 대한 기록은 여타의 시기에 비해 상세한 편인데, 이때는 사회의 변화가 크게 일어났거나 유교적인 정치가 비교적 잘 이행된 시기였던 것으로 추측된다. 소략한 제왕의 시기에도 왕실의 의례적인 행사, 국정의 운영과 외교, 국가적인 연례행사 등은 언제나 거의 같은 날짜에 이루어졌을 것이므로 빠진 사실은 상세함을 통해 가필(加筆)될 수 있을 것이다.

　또 현존의 『고려사』가 지니고 있는 한계는 앞으로 여러모로 검토되어야 하겠지만, 筆者가 여러 영인본을 살펴본 바에 의하면 다음과 같은 문제점이 있다.

첫째, 처음 을해자(乙亥字)『고려사』를 조판(組版)할 때 오자, 탈자, 전도(顚倒) 등의 오류가 발생하였지만, 이를 복각한 여러 목판본에서 교정되지 못했다.

둘째, 조선시대에 유년칭원법(踰年稱元法)으로 변경되면서 시기의 정리에 실패한 사례[繫年錯誤]가 있고, 편년체로 기록된 사실을 기전체로 재편성하면서 오류가 생긴 것도 있다.

셋째, 기사의 정리에서 삭일(朔日), 날짜[日辰], 월차(月次) 등의 잘못으로 인해 시기의 정리가 적절하지 못한 내용도 많이 찾아진다.

넷째, 사실(事實)의 전후를 고려하지 않아 관작(官爵), 인명, 지명 등에 오류를 범한 경우도 있는데, 이는 북방민족(北方民族)의 경우 더욱 심하다.

다섯째, 고려 전기(前期)에 이루어진 제왕(帝王)의 언행(言行)을 제후(諸侯)의 그것으로 지위 격하시킨 경우가 많이 있다.

여섯째, 여러 사람에 의한 분찬(分撰)으로 인해 일관성(一貫性)이 결여되어 같은 사실이 특정 시기에는 특정한 사실이 전혀 기록되지 않은 경우도 있다.

이러한 문제점은 『고려사』가 완성된 후 일부 사관(史官)에 의해 제기되기도 했지만, 개정되지 못했다. 이제 560여년이 경과된 『고려사』와 『고려사절요』가 지닌 오류를 바로잡고 소략한 것을 보완할 시점에 이르렀다. 그래서 필자는 『고려사』 세가편을 근간으로 하여 각 편목의 내용, 『고려사절요』의 기사, 각종 문집, 금석문, 고문서, 중국과 일본의 자료 등을 정리하여 새로운 편년체의 『고려사』를 재구성하였다. 이 과정에서 고려시대에 편년체로 편찬되었던 실록(實錄)을 위시한 각종 사서를 기전체로 전환하면서 발생한 수많은 오류들이 찾아졌다. 이들은 자료의 출처(出處)가 동일한 자료[同源史料], 출처(出處)를 달리하는 자료[異源史料], 외국자료 등과 비교하여 사실의 잘잘못을 가릴 수 있었지만, 쉬운 일이 아니었다.

이 책자도 필자가 국내외의 각종 자료에 수록되어 있는 고려왕조에 관련된 기사들을 정리하였던 작업의 연장선에서 이루어졌다. 이는 편년체로 이루어졌던 『고려사전문』의 복원과 같은 범주에 해당될 수 있는 작업이므로 감히 『신편고려사전문』이라는 이름으로 새로운 자료집을 간행한 셈이다. 이 역시 필자에 의한 기왕의 자료집과 같이 여러 가지로 미비한 점이 많을 것으로 예상되지만, 향후 시간적인 여유를 보다 많이 가질 수 있을 것이므로 더욱 세련된 책자가 될 수 있도록 거듭 노력하겠다.

2022년 5월 10일 張東翼 올림.

일 러 두 기

첫째, 이 책은 편년체로 정리되어 있는 『고려사』 세가편과 우왕(禑王)·창왕(昌王)의 열전을 골격으로 하여 관련된 자료를 전재하고, 새로운 자료를 바탕으로 각종 오류를 수정(修正)하고 소략한 내용을 보완한 것이다.

둘째, 기사의 교정에서 자료의 원형을 그대로 유지하면서 첨자(添字)로서 정정(訂定)된 내용을 기재하였다. 또 기사의 편년(編年)에 문제가 있어 다른 위치로 옮길 경우, 원래의 위치와 옮겨진 위치에 같은 자료를 동시에 수록(收錄)한 후 이동 사유(移動事由)를 밝혔다.

셋째, 교정에 있어 삭일(朔日)이 빠진 곳은 [朔]으로 보충하였고, 탈자(脫字), 생략된 글자는 첨자로 추가하였다.

넷째, 현존의 『고려사』는 처음에는 편년체의 사서였으나 최종단계에서 기전체로 전환하였기에 사실이 여러 편목(篇目)에 분산되어 세가편이 소략하게 된 점이 많이 발견된다. 이를 보완하기 위해 여러 편목 및 『고려사절요』에서 사실을 전재(轉載)하기도 하였고, 국내의 수많은 여러 유형의 자료를 통해 새로운 사실을 보충하였다.

다섯째, 전근대의 역일(曆日, 天文曆)에 의해 기록된 날짜를 아라비아 숫자로 계산하여 사실의 전개를 생동감이 있게 파악할 수 있도록 하였는데, 전거로서 사료를 인용할 때는 사료의 연호(年號)와 일진(日辰)을 그대로 표기하였다.

여섯째, 연대기의 기사(記事)에 대한 새로운 주석(注釋)이 가해진 경우가 많은데, 이는 기왕의 업적에서는 사실의 설명에 한정되었지만, 이 책에서는 기사의 잘못을 주된 대상으로 하여 설명 부족, 전거(典據) 불분명, 추가된 사실 등에 대한 보완이다. 이들 새로운 주석을 통해 고려왕조가 중심인 된 『고려사』를 북동아시아 3국의 역사 속의 고려시대사로 그 외연(外延)을 확대시키고, 더 나아가 세계사로 연결시키려고 한다.

일곱째, 천재지변을 위시한 천문(天文), 오행(五行), 기상(氣象), 질병(疾病) 등에 관한 사항은 보다 구체적인 이해를 얻기 위해 지리적으로 인접한 중국, 일본의 자료를 망라, 비교하여 그 실상에 보다 접근할 수 있도록 하였다.

여덟째, 인명과 같이 어려운 한자나 아래아한글에 없는 글자는 비슷한 한자로 바꾸어 사용한 경우도 있다. 필자가 읽은 책자들은 현재(現在)와 같이 교점(校点)된 활자본이나 전산화(電算化)된 데이터베이스(data base)가 아니고, 비교적 원문(原文)에 가까운 판본을 이용하였기에 주변에서 쉽사리 볼 수 있는 책자(冊子)와 자구(字句)가 다를 수도 있다. 또 필자는 장기간에 걸쳐 수많은 책자를 참고하였지만, 이 책들을 모두 정독(精讀)하지 않았기에 그 본의(本意)를 파악하지 못한 경우도 있을 것이다.

아홉째, 필자는 일상사를 돌아보지 않고 문헌자료를 찾아 분주하게 떠도는 학인(學人)이었지만, 국내의 금석문, 고문서, 고고미술자료 등은 거의 실견(實見)하지 못했다. 그래서 이들 자료가 지닌 제반 한계, 또는 이의 판독 과정에서 발생한 오류를 일일이 교정할 수 없었다. 그러므로 동학(同學)들은 본서(本書)의 각주(脚注)를 이용(利用)할 때, 반드시 원전(原典)을 확인해야 할 것이고, 설사 이 책자에서도 오탈자, 판독잘못 등과 같은 오류가 있다 하더라도 필자의 허물이라고 지적하지 않았으면 좋겠다.

[新型小銃을 支給받은 步兵은 스스로 彈着點을 確認한다]

進高麗史箋

正憲大夫·工曹判書·集賢殿大提學·知經筵春秋館事兼成均大司成臣鄭麟趾等^{輔國崇祿大夫·議政府左}
^{贊成·監集賢殿經筵春秋館成均館事·世子貳奉·臣金宗瑞等} 誠惶誠恐, 稽首稽首, 上言. 竊聞, '新柯視舊柯以爲則,
後車鑑前車而是懲'. 盖已往之興亡, 實將來之勸戒, 玆紬編簡, 敢瀆晃旒. 惟王氏之肇興, 自泰
封以堀起, 降羅滅濟, 合三韓而爲一家. 舍遼事唐, 尊中國而保東土. 爰革煩苛之政, 式恢宏遠之
規, 光廟臨軒策士, 而儒風稍興, 成宗建祧立社, 而治具悉備. 宣讓^{穆宗}失御, 運祚幾傾, 顯濟中興
之功, 宗祏再定, 文闡大平^{大平}之治, 民物咸熙. 迨後嗣之昏迷, 有權臣之顓恣, 擁兵而窺神器, 一
啓於仁廟之時, 犯順而倒大阿, 馴致於毅宗之日. 由是, 巨姦迭煽, 而置君如碁奕, 强敵交侵, 而
刈民若草菅. 順孝定大亂於危疑, 僅保祖宗之業. 忠烈昵群嬖於遊宴, 卒構父子之嫌. 且自忠肅以
來, 至于恭愍之世, 變故屢作, 衰微益深, 根本更蹙於僞朝, 歷數竟歸於眞主.

我太祖·康獻大王, 勇智天錫, 德業日新, 布聖武而亨屯艱, 克綏黎庶, 握貞符而乘乹御,[1] 肇造
邦家. 顧麗社雖已丘墟, 其史策不可蕪沒, 命史氏而秉筆, 倣'通鑑'之編年. 及太宗之繼承, 委輔
臣以讎校,[2] 作者非一, 書竟未成. 世宗莊憲大王, 逾追先猷, 載宣文化, 謂修史, 要須該備, 復
開局, 再令編摩. 尚紀次之非精, 且脫漏者亦夥, 況編年有異於紀傳表志, 而敍事未悉其本末始
終, 更命庸愚, 俾任纂述. 凡例皆法於'遷史', 大義悉稟於聖裁, 避本紀爲世家, 所以示名分之重.
降僞辛於列傳, 所以嚴僭竊之誅, 忠侫·邪正之彙分. 制度文□^物爲之類聚, 統紀不紊, 年代可稽.
事跡務盡其詳明, 闕謬期就於補正. 嗟, 玉署鈆槧之未訖, 而鼎湖弓劍之忽遺. 臣麟趾等^{宗瑞等}, 誠
惶誠恐, 稽首稽首.

恭惟主上殿下, 誕紹宏圖, 增光洪烈, 惟精惟一, 聖學極於高明, 不顯不承, 至孝彰于繼述, 念
前史之未就, 令微臣以責成, 臣麟趾等^{宗瑞等}, 俱以譾才, 叨承隆寄, 採稗官之雜錄, 發秘府之故藏,

---

1) 『고려사』에서 乹字는 乾字와 並用병(幷用)되어서 卷數에 關係없이 乹德殿이 乾德殿으로, 乾坤이 乹坤으로
각각 달리 表記되어 있다.
2) 讎校는 '怨讐[仇, 讎]가 서로 是非를 가리는 것과 같이 兩本을 對照하여 엄격하게 校定한다'는 의미를 지
니고 있다. 그렇지만 그렇게 만들어진 典籍은 없을 것이고, 이 冊子도 마찬가지일 것이다.
· 『資治通鑑』 권6, 秦紀1, 昭襄王 52년(BC255), "楚春中君以荀卿爲蘭陵令, … 荀卿曰, 不然, … 若仇讎, 人
之情, 雖桀·跖, 豈有肯爲其所惡, 賊其所好者哉[胡三省注, 字書, 仇, 讎, 皆匹也. 說文, 仇, 讎也. 讎猶應也.
左傳, 怨耦曰仇. 記曰, 父之讎, 不與共戴天. 蓋謂仇之初匹也. 至於耦而成怨, 則爲仇. 讎, 校也. 兩本相對, 覆
校是非也. 殺父之人一旦相對, 覆校是非, 則不共戴天矣. 仇讎之義, 全此爲甚, 後世率以爲言], 是猶使人之子孫
自賊其父母也".

祗竭三載之勞, 勒成一代之史. 稽遺跡於前代, 僅能存筆削之公, 揭明鑑於後人, 期不沒善惡之實. 所撰'高麗史', 世家四十六卷, 志三十九卷, 表二卷, 傳五十卷, 目錄二卷, 通計一百三十九卷, 謹具草成帙, 隨箋以聞, 無任激切屛營之至. 臣麟趾等^{宗瑞等}, 誠惶誠恐, 稽首稽首, 謹言.

　　景泰二年^{文宗1年}八月二十五日^{庚寅}, 正憲大夫·工曹判書·集賢殿大提學·知經筵春秋館事兼成均大司成·臣鄭麟趾等^{輔國崇祿大夫·議政府左贊成·監集賢殿經筵春秋館成均館事·世子賓客·臣金宗瑞等}上箋.3)

---

3) 「進高麗史箋」의 冒頭와 末尾는 添字와 같이 고쳐야 어느 정도 實狀에 가깝게 될 것이다(→修史官 金宗瑞의 脚注). 또 이 箋은 『문종실록』 권9, 1년 8월 25일(庚寅)에도 수록되어 있으나 字句에 出入이 있다[不一致].

高麗世系

高麗之先, 史闕未詳. '太祖實錄' 卽位二年,[1] 追王三代祖考, 冊上始祖尊諡曰元德大王, 妣爲貞和王后, 懿祖爲景康大王, 妣爲元昌王后, 世祖爲威武大王, 妣爲威肅王后.[2] ○金寬毅'編年通錄'云, "有名虎景者, 自號聖骨將軍. 自白頭山遊歷, 至扶蘇山左谷, 娶妻家焉, 富而無子. 善射以獵爲事, 一日與同里九人, 捕鷹平那山. 會日暮, 就宿巖竇, 有虎當竇口大吼. 十人相謂曰, '虎欲咯我輩, 試投冠, 攬者當之'. 遂皆投之, 虎攬虎景冠. 虎景出, 欲與虎鬪, 虎忽不見, 而竇崩, 九人皆不得出. 虎景還告平那郡, 來葬九人, 先祀山神, 其神見曰, '予以寡婦主此山, 幸遇聖骨將軍, 欲與爲夫婦, 共理神政, 請封爲此山大王'. 言訖, 與虎景俱隱不見. 郡人因封虎景爲大王, 立祠祭之. 以九人同亡, 改山名曰九龍.[3] ○虎景不忘舊妻, 夜常如夢來合, 生子曰康忠. 康忠體貌端嚴, 多才藝, 娶西江永安村富人女, 名具置義, 居五冠山摩訶岬. 時新羅監干八元, 善風水, 到扶蘇郡, 郡在扶蘇山北, 見山形勝而童, 告康忠曰, '若移郡山南, 植松使不露巖石, 則統合三韓者出矣'. 於是, 康忠與郡人, 徙居山南, 栽松遍嶽, 因改名松嶽郡, 遂爲郡上沙粲.[4] 且以摩訶岬第, 爲永業之地, 往來焉. 家累千金, 生二子, 季曰損乎述, 改名寶育. 寶育性慈惠, 出家, 入智異山修道, 還居平那山北岬, 又徙摩訶岬. 嘗夢登鵠嶺, 向南便旋, 溺溢三韓山川, 變成銀海. 明日, 以語其兄伊帝建, 伊帝建曰, '汝必生支天之柱'. 以其女德周妻之. 遂爲居士, 仍於摩訶岬, 構木菴. ○有新羅術士見之曰, '居此, 必大唐天子來, 作壻矣'. 後生二女, 季曰辰義, 美而多才智. 年甫笄, 其姊夢登五冠山頂而旋, 流溢天下. 覺與辰義說, 辰義曰, '請以綾裙買之'. 姊許之. 辰義令更說夢, 攬而懷之者三, 旣而身動若有得, 心頗自負. ○唐肅宗皇帝潛邸時, 欲遍遊山川, 以明皇天寶十二載癸巳春, 涉海到浿江西浦,[5] 方潮

---

1) 『太祖實錄』은 太祖 王建(918~943 在位)의 실록으로서 1011년(현종2) 1월 契丹의 聖宗 耶律隆緖(文殊奴)가 開京을 함락시켰을 때 燒盡되었을 것이다. 위의 기사에서 인용된 『태조실록』은 1013년(현종4) 9월 史館의 체제가 정비될 때, 吏部尙書·參知政事 崔沆(監修國史), 禮部尙書 金審言(修國史), 禮部侍郞 周佇, 內史舍人 尹徵古, 侍御史 黃周亮, 右拾遺 崔沖(以上 修撰官) 등이 편찬에 착수하여 1034년(덕종3) 경에 완성된 태조~목종까지의 실록인 『七代實錄』36권에 포함되어 있었던 복원된 『太祖實錄』을 가리키는 것으로 추정된다. 이는 成俔(1439~1504)이 춘추관에 재직할 때 열람한 적이 있다고 한다.
또 『칠대실록』은 『七代事跡記』·『七代事跡』으로도 불렸던 것으로 추정되지만, 이들이 別個의 史書라는 견해(周藤吉之 1980년 435~436面)와 同一한 史書라는 견해(金成俊 1984년 149~153面)가 있지만, 일반적으로 後者가 받아들여지고 있다.

2) 妣는 『고려사』 권1, 세가1, 태조 2년 3월 13일의 기사에서 妃字로 되어 있는데, 이 기사에서 妣로 改書된 사유는 알 수 없다.

3) 九龍山은 聖居山이라고도 한다.
· 『고려사』 권56, 지10, 지리1, 開城府, 牛峯郡, "九龍山, 國祖聖骨將軍祠在焉, 故又號聖居山".

4) 康忠이 소나무를 심은 곳을 神嵩山으로 불렀던 것 같다.
· 『企齋集』 권12, 次高麗王故宮韻[注, 神嵩, 山名, 卽麗祖康忠種松處].

5) 이 시기의 浿江西浦, 곧 浿水는 古今의 遼河, 淸川江 또는 大同江의 西浦가 아니라 禮成江 河口의 어느

退, 江渚泥淖, 從官取舟中錢, 布之, 乃登岸. 後名其浦爲錢浦".[6] [□注, 閔漬'編年綱目'引碧巖等'禪錄'云,[7] "宣宗年十三, 當穆宗朝, 戲登御床, 作揖群臣勢, 穆宗了武宗心忌之. 及武宗卽位, 宣宗遇害於宮中, 絶而後蘇, 潛出遠適, 周遊天下, 備嘗險阻. 塩官安禪師黙識龍顔, 待遇特厚, 留塩官最久. 又宣宗嘗爲光王, 光卽楊州[揚州]屬郡, 塩官杭州屬縣, 皆接東海, 爲商船往來之地方. 當懼禍, 猶恐藏之不深, 故以遊覽山水爲名, 隨商船渡海. 時'唐史'未撰, 於唐室之事, 無由得詳. 但聞肅宗宣皇帝時, 有祿山之亂, 未聞宣宗遭亂出奔之事, 誤以宣宗皇帝, 爲肅宗宣皇帝云". 又世傳, "忠宣王在元, 有翰林學士從王遊者. 謂王曰, '嘗聞王之先出於唐肅宗, 何所據耶? 肅宗自幼未嘗出閤, 祿山之亂, 卽位靈武, 何時東遊, 至有子乎?' 王大慚不能對, 閔漬從旁對曰, '此我國史誤書耳. 非肅宗, 乃宣宗也'. 學士曰, '若宣宗, 久勞于外, 庶或然也'. ○遂至松嶽郡, 登鵠嶺南望曰, '此地必成都邑'. 從者曰, '此八眞仙處也'.[8] 抵摩訶岬養子洞, 寄宿寶育第,[9] 見兩女悅之, 請縫衣綻. 寶育認是中華貴人, 心謂果符術士言. 卽令長女應命. 纔踰閾, 鼻衄而

나루터인 것 같다. 또 13세기 후반 江浙行省 寧海縣(現 浙江省 寧波市 管內)에 머물고 있던 胡三省(1230~1302)이 『資治通鑑』을 注釋할 때, 蕃使를 訪問하여 浿水에 대해 諮問하였던 것 같다. 이 蕃使는 高麗使臣이 아니라 高麗를 왕래하면서 兩國의 情勢를 傳達하던 宋商일 가능성이 높다.

· 『자치통감』 권21, 漢紀13, 武帝元封 2년(B.C.109, 以下 B.C.를 BC로 表記한다) 1월, "初, 全燕之世, 嘗略屬眞番·朝鮮, 爲置吏, 築障塞. 秦滅燕, 屬遼東外徼. 漢興, 爲其遠難守, 復修遼東故塞, 至浿水爲界[胡三省注, '班志', 浿水出遼東塞外, 西南至樂浪縣西入海. '水經', 浿水出樂浪鏤方縣, 東南過臨浿縣, 東入海. 酈道元註曰, [갋]苩白浿水而至朝鮮, 若浿水東流, 無渡浿之理. 余[胡三省]訪蕃使, 言城在浿水之陽, 其水西流, 逕樂浪郡朝鮮縣, 故志引'浿水至增地縣入海', 經誤], 屬燕".

6) 錢浦와 관련된 기사로 다음이 있다.
· 『新增東國輿地勝覽』 권4, 開城府上, 山川, "錢浦, 在府西三十六里. '周官六翼', 唐宣宗隨商船渡海, 初到開州西浦, 時方潮退, 泥濘滿, 諸從官取船中錢布泥上, 然後卜陸, 因名之. 按金寬毅'通錄', 以布錢爲肅宗事, 辨在形勝下".

7) 여기에서 『碧巖錄』은 臨濟宗을 중심으로 하는 禪宗의 諸派가 중시하는 佛典인 『佛果圓悟禪師碧巖集』을 指稱하는 것 같지만, 현존하는 宋版에서는 上記의 내용은 찾아지지 않는다. 이 책에서 唐 宣宗에 관한 내용은 찾아지지 아니하고 肅宗(玄宗의 3子, 756~762 在位)에 대한 기사는 本則(혹은 古則公案) 18則, 99則이 있다. 이를 통해 볼 때, '碧巖等禪錄'은 『벽암록』과 같은 唐代 이후에 만들어진 中原의 禪籍이 아니라 羅末麗初에 만들어진 圖讖 또는 地理에 관한 仙·佛의 書冊[秘錄]이었을 것으로 추측된다.
· 『벽암록』 권2, 18則, 本則, 慧忠國師無縫塔, "擧, 肅宗大王[注, 本是代宗, 此誤]問南陽慧忠國師, '百年後所須何物', 國師云, '與老僧作箇無縫塔, …'.
· 『벽암록』 권10, 99則, 本則, 肅宗十身調御, "擧, 肅宗帝問南陽慧忠國師, '如何是十身調御', 國師云'檀越, 踏毗盧頂上行', …". 이들은 다음의 자료를 축약한 것이다(『祖堂集』 권3, 慧忠國師에도 같은 기사가 있다).
· 『景德傳燈錄』 권5, 第33祖惠能大師法嗣, "西京光宅寺慧忠國師者, 越州諸曁人也, 姓冉氏, 自受心印, 居南陽白崖山黨子谷, 四十餘祀, 不下山門, 道行聞于帝里. 唐肅宗上元二年, 勅中使孫朝進, 齎詔徵赴京, 對以師禮, … 肅宗問, '師得何法?', 師曰, '陛下見空中, 一片雲麽', 帝曰見, 師曰, '釘釘著懸掛著'. 又問, '如何是十身調御?', 師乃起立曰, '還會麽', 曰不會, 師曰, '與老僧過淨瓶來'. 又曰, '如何是無諍三昧?', 師曰, '檀越, 踏毗盧頂上行'. … 代宗曰, '師滅道後, 弟子將何所記?', 師曰, '告檀越, 造取一所無縫塔', 曰'就師請取塔樣', 師良久曰, '會麽', …".

8) 八眞仙은 道敎의 傳說에 의한 八神仙, 八仙을 가리키는 것으로 추측되는데, 後日 이곳에 八仙宮이라는 祠宇가 造營되었던 것 같다. 또 1376년(우왕2) 무렵 韓山君 李穡이 妻子와 社稷을 위해 八仙宮에서 二拜를 올렸다고 한다(『목은시고』 권6, 拜八仙宮).

出, 代以辰義, 遂薦枕. 留期月[□注, 閔漬'編年□□^{鼎珊}'或云一年], 覺有娠, 臨別云, '我是人唐貴姓'. 與弓矢曰, '生男則與之'. 果生男, 曰作帝建. 後^{人祖2年}追尊寶育爲國祖·元德大王, 其女辰義爲貞和王后. ○作帝建幼而聰睿神勇. 年五六, 問母曰, '我父誰?', 曰, '唐父'. 盖未知其名故耳. 及長, 才兼六藝, 書射尤絶妙. 年十六, 母與以父所遺弓矢, 作帝建大悅, 射之百發百中, 世謂神弓. 於是, 欲覲父, 寄商船, 行至海中, 雲霧晦暝, 舟不行三日. 舟中人卜曰, '宜去高麗人[□^鼎, 閔漬編年□□^{鼎珊}'或云, 新羅金良貞, 奉使入唐, 因寄其船, 良貞夢, 白頭翁曰, 留高麗人, 可得順風]", 作帝建執弓矢, 自投海. 下有嚴石, 立其上, 霧開風利, 船去如飛. ○俄有一老翁拜曰, '我是西海龍王. 每日晡, 有老狐作熾盛光如來像, 從空而下, 羅列日月星辰, 於雲霧閒,[10] 吹螺擊鼓, 奏樂而來, 坐此嚴, 讀臃腫經, 則我頭痛甚. 聞郎君善射, 願除吾害'. 作帝建許諾. [□^鼎, 閔漬編年□□^{鼎珊}'或云, '作帝建於嚴邊, 見有一徑, 從其徑, 行一里許, 又有一嚴, 嚴上復有一殿. 門戶洞開, 中有金字寫經處, 就視之, 筆點猶濕. 四顧無人, 作帝建就其坐, 操筆寫經, 有女忽來前立. 作帝建謂是觀音現身, 驚起下坐, 方將拜禮, 忽不見. 還就坐, 寫經良久, 其女復見而言, 我是龍女, 累載寫經, 今猶未就. 幸郎君善寫, 又能善射, 欲留君, 助吾功德, 又欲除吾家難. 其難則待七日, 可知]. ○及期, 聞空中樂聲, 果有從西北來者. 作帝建疑是眞佛, 不敢射, 翁復來曰, '正是老狐, 願勿復疑'. 作帝建撫弓撚箭, 候而射之, 應弦而墜, 果老狐也. 翁大喜, 迎入宮, 謝曰, '賴郎君, 吾患已除, 欲報大德. 將西入唐, 覲天子父乎? 富有七寶,[11] 東還奉母乎?' 曰, '吾所欲者, 王東土也'. 翁曰, '王東土, 待君之了孫三建必矣. 其他惟命'. 作帝建聞其言, 知時命未至, 猶豫未及答, 坐後有一老嫗戲曰, '何不娶其女而去?'. 作帝建乃悟請之, 翁以長女昃旻義妻之. ○作帝建賚七寶將還, 龍女曰, '父有楊杖與豚勝七寶, 盍請之'. 作帝建請還七寶, 願得楊杖與豚, 翁曰, '此二物, 吾之神通, 然君有請, 敢不從?'. 乃加與豚. 於是, 乘漆船, 載七寶與豚, 泛海倐到岸, 卽昌陵窟前江岸也. 白州正朝劉相晞等聞曰, '作帝建娶西海龍女來, 實大慶也'. 率開·貞·塩·白四州, 江華·喬桐·河陰三縣人, 爲築永安城, 營宮室. 龍女初來, 卽往開州東北山麓, 以銀盂掘地, 取水用之, 今開城<u>大井</u>是也.[12] 居一年, 豚不入牢, 乃語豚曰, '若此地不可居, 吾

---

9) 寶育의 邸宅[寶育第]은 後日 喜捨하여 寺刹이 되어 崇福院이라고 하였고, 仁宗이 이를 興聖寺라고 하였다(→인종 3년 3월 27일). 그런데 寶育의 舊宅이 靈通寺(현재 북한의 국보유적 제192호)였다고 하는 기록도 있다(→次面 '龍女初來'의 脚注)
   · 『동국이상국집』 권7, 遍閱院宇還讀石碑復用前韻感舊記事, "^{興聖}寺, 是寶育之古家, 捨以爲寺, 仁宗重刱, 嘗幸于此, 命立碑".

10) 閒字는 여러 版本의 『고려사』에서 모두 正字로 刻字하였으나 일부 俗字인 間字로 刻字한 경우도 있는데, 이는 中原의 版本에서도 유사한 사례가 발견된다.

11) 七寶에 대한 간략한 설명으로 다음이 있다.
   · 『여유당전서』 권25, 小學紺珠, 七之類, "七寶者, 裝飾之珍品也. 一曰車栗[注, 卽大貝], 二曰璘瑚[卽珊瑚], 三曰琥珀[卽松脂所化], 四曰瑪瑙[石次玉], 五曰火齊[珠也, 似雲母], 六曰良玉[出於山], 七曰眞珠[出於水], 此之謂七寶也. 七寶之名, 出雲笈七籤".

12) 大井과 관련된 기사로 다음이 있다.
   · 지10, 地理1, 開城縣, "有井, 名曰大井, 世傳, 懿祖取龍女, 初到開城山麓, 以銀盂掘地, 水隨涌, 因以爲井".
   · 『세종실록』 권148, 지리지, 開城留後司, 開城人井, "在宣義門外十一里, 有泉湧出, 滿深二尺許, 春秋行固祭, 遇旱則禱. 與朴淵·德津, 號三所龍王. 諺云, 井水赤沸, 則後必有兵變".

將隨汝所之'. 詰朝, 豚至松嶽南麓而臥, 遂營新第, 卽康忠舊居也.[13] 往來永安城, 而居者三十餘年. 龍女嘗於松嶽新第寢室窓外鑿井, 從井中, 往還西海龍宮, 卽廣明寺東上房北井也. 常與作帝建約曰, '吾返龍宮時, 愼勿見. 否則不復來'. 一日, 作帝建密伺之, 龍女與少女入井, 俱化爲黃龍, 興五色雲.[14] 異之, 不敢言. 龍女還怒曰, '夫婦之道, 守信爲貴, 今旣背約, 我不能居此'. 遂與少女, 復化龍入井, 不復還. 作帝建晩居俗離山長岬寺, 常讀釋典而卒. 後追尊爲懿祖·景康大王, 龍女爲元昌王后. ○元昌□□生四男, 長曰龍建, 後改隆, 字文明, 是爲世祖. 貌魁偉美鬚髥, 器度宏大, 有幷吞三韓之志. 嘗夢見一美人, 約爲室家.[15] 後自松嶽, 往永安城, 道遇一女惟肖, 遂與爲婚. 不知所從來, 故世號夢夫人. 或云'以其爲三韓之母, 遂姓韓氏'. 是爲威肅王后. 世祖居松嶽舊第, 有年又欲創新第於其南, 卽延慶宮奉元殿基也. ○時桐裏山祖師道詵入唐, 得一行地理法而還. 登白頭山, 至鵠嶺, 見世祖新構第曰, '種穄之地, 何種麻耶?'.[16] 言訖而去. 大人聞而以告, 世祖倒屣追之, 及見, 如舊識. 遂與登鵠嶺, 究山水之脉, 上觀天文, 下察時數曰, '此地脉, 自壬方白頭山水母木幹來, 落馬頭明堂. 君又水命, 宜從水之大數, 作宇六六, 爲三十六區, 則符應天地之大數, 明年必生聖子, 宜名曰王建'. 因作實封, 題其外云, '謹奉書, 百拜獻書于未來統合三韓之主人原君子足下'. 時唐僖宗乾符三年四月也.

[→初, 世祖築室松嶽之南, 僧道詵來, 憩門外樹下, 嘆曰, '此地當出聖人'. 世祖聞之, 倒屣出迎, 相與登松嶽, 道詵俯察仰觀, 就爲書一封, 授世祖曰, '公明年, 必得貴子, 旣長, 可以與之, 書秘, 世莫知也': 節要轉載].[17] ○世祖從其言, 築室以居. 是月, 威肅有娠, 生太祖[注, 閔漬'編年', 太祖年十七, 道詵復至

• 『懶齋集』 권1, 遊松都錄(1477년 3월), "乙酉[18日], … 暮過廣明寺, 寺乃高麗太祖故居, 道詵所謂種穄之地. 寺前有井, 人傳龍女所遊處也".

13) 康忠·寶育의 舊居는 後□ 靈通寺가 되었다고 한다.
• 『고려사』 권10, 지10, 지리1, 개성부, 臨江縣, "靈通寺, 山水之勝, 爲松京第一, 卽阿干康忠·寶育聖人所居, 摩阿岬之地".
• 『梅軒集』 권4, 靈通寺西樓次韻[注, 寺是王氏國祖, 寶育所居之地, 金富軾所撰碑在焉].

14) 五色에 대한 설명으로 다음이 있다.
• 『여유당전서』 권25, 小學紺珠, 五之類, "五色者, 物采之辨也. 東方曰靑, 南方曰赤, 西方曰白, 北方曰墨, 中央曰黃, 此之謂五色也. 五色之名, 出'虞書'[其目見'考工記']".

15) 여기에서 室家는 夫婦, 家族, 家庭을 가리키는 것 같다.
• 『詩經』, 周南, 桃夭, "桃之夭夭, 灼灼其華. 之子于歸, 宜其室家[孔穎達疏, 左傳曰, 女有家, 男有室".
• 『자치통감』 권31, 漢紀23, 成帝永始 3년(BC14) 12월, "故南昌□尉九江梅上書曰, … [京兆尹]王章非有反畔之辜而殃及室家[胡三省注, 言王章妻子坐徙也. 左傳曰, 女有家, 男有室. 謂男處妻之室, 女安夫之家, 夫婦共爲家室. 故謂夫婦家室之道爲室家也]".

16) 이와 같이 밑줄[underline, 下部線]이 있는 句節에서 脚注의 설명이 없는 것은 다른 資料와의 差異가 있거나 다른 記事에서 이것이 필요한 경우를 나타내기 위한 標識이다(以下 同一).

17) 이와 관련된 기사로 다음이 있다.
• 『세종실록』 권151, 지리지, 靈巖郡, "周官六翼云, 道詵入唐, 傳得一行禪師地理之法而還, 踏山自白頭山至鵠嶺, 因過世祖宅, 見其新構處. 乃曰, '種穄之地[鄕言稷, 與王音異忌同故云], 何種麻耶'. 言訖而去. 夫人聞而入告世祖, 倒屣追之, 及見, 如舊相識, 請與同遊, 共登鵠嶺, 究觀山水之脈. 詵上觀天文, 下察時數曰, '此地脈, 自壬方白頭山水母木幹來, 落馬頭明堂, 宜從水之人數, 作宇六六爲三十六區, 則符應天地之人數. 若依此訣, 必生聖子, 宜名曰王建', 因作實封一道, 外封云, '謹奉書百拜, 獻于未來統合三韓原之主大原君子足下'. 世祖卽從密

請見曰, '足下應百六之運, 生於天府名墟, 三季蒼生待君弘濟'. 因告以出帥置陣·地利天時之法[18]·望秩山川感通保佑之理. 乾寧四年五月, 世祖薨于金城郡, 葬永安城江邊石窟, 號曰昌陵,[19] 以威肅王后合葬. '實錄', 顯宗十八年,[20] 加上世祖諡曰元烈, 后曰惠思, 高宗四十年,[21] 加世祖曰敏惠, 后曰仁平].

李齊賢曰,[22] ⓐ"金寬毅云又言,[23] 聖骨將軍虎景生阿干康忠. 康忠生居士寶育, 是爲國祖·元德大王. 寶育生女, 配唐貴姓而生懿祖. 懿祖生世祖, 世祖生太祖. 如其所言,[24] 唐貴姓者, 於懿祖爲皇考, 而寶育皇考之舅也. 而稱爲國祖, 何也?". ○又言, "太祖追尊三代祖考及其后妃, 考爲世祖·威武大王, 母爲威肅王后, 祖爲懿祖·景康人王, 祖母爲元昌王后, 曾祖母爲貞和王后貞明王后,[25] 曾祖母之父寶育, 爲國祖·元德人王云. 略曾祖, 而書曾祖母之父, 謂之三代祖考, 何也?. 按'王代宗族記'云, '國祖, 太祖之曾祖也, 貞和貞明, 國祖之妃也'. '聖源錄'云, '寶育聖人者, 元德大王之外祖也'. 以此觀之, □□國祖·元德大王,[26] 是唐貴姓者之子, 而於懿祖爲考也, 貞和貞明王后是寶育之外孫婦外孫女,[27] 而於懿祖爲妣也. 其以寶育爲國祖·元德大王者, 誤矣". ○又曰,[28] "金寬毅云, '懿祖得唐父所留弓矢, 涉海而遠覲'. 然則其志深切矣, 龍王問其所欲, 卽求東歸. 恐懿祖不如是也. '聖源錄'云, '昕康大王景康大王[卽懿祖]之妻龍女者,[29] 平州人豆恩坫角干之女子也'. 則與寬毅所記者, 異矣". ○又曰, ⓑ"金寬毅云, '道詵見世祖松嶽南第曰, 種穄之田, 而種麻也. 穄之與王, 方言相類, 故太祖因姓王氏□□云云,[30] 父在而子改其姓, 天下豈有是理乎? 嗚呼, 其謂我

訣, 造屋居之, 明年, 果誕太祖".

18) 이 구절은 다음의 자료에 의거한 것 같다.
　・『孟子』, 公孫丑章句下, 冒頭, "孟子曰, 天時不如地利, 地利不如人和, 三里之城, 七里之郭, 環而攻之而不勝".
　・『孫臏兵法』, 月戰篇, "孫子曰, 間于天地之間, 莫貴于人. 戰□□□□不單. 天時·地利·人和, 三者不得, 雖勝有殃. …".
19) 昌陵은 太祖 王建의 父母인 世祖(王隆)와 威肅王后의 陵(現 開城市 開豊郡 南面 昌陵里)인데(列傳1, 太祖妃, 보존급유적 554호, 張慶姬 2013년 ; 洪榮義 2018년), 이 王陵이 位置한 곳의 軍事的側面의 중요성을 제시한 趙翼(1579~1655)의 議論이 있다(『浦渚集』 권23, 松京昌陵穿滿議).
20) 이는 1027년(현종18) 4월에 諡號가 덧붙여진 것이다[加上].
21) 이는 1253년(고종40) 6월 4일(辛亥) 諡號가 덧붙여진 것이다[加上].
22) 이 資料를 비롯하여 以下 李齊賢의 解說은 『櫟翁稗說』前集1에 수록되어 있는 內容을 크게 세 段落으로 나누어 順序를 逆順으로 바꾸어서 전재한 것이다(『櫟翁稗說』의 순서를 여기에서는 a, b, c으로 表記하였다).
23) 云은 『櫟翁稗說』(역옹패설)에는 又言으로 되어 있다.
24) 言은 『櫟翁稗說』에는 云으로 되어 있다.
25) 貞和王后는 『櫟翁稗說』前集1에는 貞明王后로 되어 있다.
26) 『櫟翁稗說』前集1에는 國祖가 더 들어 있다.
27) 外孫婦는 『櫟翁稗說』前集1에는 外孫女로 되어 있다.
28) 曰은 『櫟翁稗說』前集1에는 言으로 되어 있다.
29) 昕康大王(作帝建)은 『櫟翁稗說』前集1에서도 이 기사의 앞부분에서 景康大王이라고 표기하였고, 「高麗世系」의 冒頭에 인용된 『太祖實錄』에서도 同一하게 표기되었다. 『櫟翁稗說』의 같은 記事에서 달리 표기된 이유를 알 수 없으나 忠穆王의 이름인 昕을 避하여 昕康人王이 景康人王으로 改書되었을 可能性도 없지 않다(森平雅彦 2011年 23面). 그렇지 않으면 高麗初期의 人名表記가 昕康大王이었으나 점차 雅化되어 景康大王으로 改書되었을 가능성도 있다.
30) 『櫟翁稗說』前集1에는 云云이 더 들어 있다.

太祖爲之乎? 且太祖逮世祖, 仕弓裔. 裔^{弓裔}之多疑忌,[31] 太祖無故, 獨以王爲姓, 豈非取禍之道乎? 謹按‘王氏宗族記^{王代宗族記}’,[32] 國祖姓王氏. 然則非至太祖, 始姓王也, 種穄之說, 不亦誣哉”. ○又云, “‘懿祖‧世祖諱下字^建, 與太祖諱並相同. 金寬毅以開國之前, 俗尙淳朴, 意其或然, 故書之‘王代曆^{王代宗錄}’.[33] 懿祖通六藝, 書與射, 妙絶一時, 世祖少蘊器局, 有雄據三韓之志. 豈不知祖考之名爲不可犯, 而自以爲名, 且以名其子乎? 況太祖創業垂統, 動法先王, 寧有不得已, 而恬於非禮之名乎? 竊謂新羅之時, 其君稱麻立干 [□^尼, 麻立, 方言橛也, 新羅之初, 君臣聚會, 立橛爲其君位, 因號其君曰麻立干, 謂當橛者也, 干則新羅俗, 相尊之辭:追加],[34] 其臣稱阿干‧人阿干, 至於鄉里之民, 例以干, 連其名而呼之, 盖相尊之辭也. 阿干或作阿粲‧閼餐,[35] 以干‧粲‧餐三字,[36] 其聲相近也. 懿祖‧世祖諱下字, 亦與干‧粲‧餐之聲爲相近, 乃所謂相尊之辭, 連其名而呼之者之轉也, 非其名也. 太祖適以此字爲名, 好事者遂附會,[37] 而爲之說曰, ‘三世一名, 必王三韓’. 盖不足信也”.[38]

○論曰, “載稽舊籍, 同知樞密□□^{院事}‧兵部尙書金永夫,[39] 徵仕郎^{徵事郎}‧檢校軍器監金寬毅,[40] 皆毅宗朝臣. 寬毅作‘編年通錄’, 永夫採而進之, 其剳子亦曰, ‘寬毅訪集諸家私蓄文書’. 其後, 閔漬撰‘編年綱目’, 亦因寬毅之說. 獨李齊賢援據‘宗族記’‧‘聖源錄’, 斥其傳訛之謬, 齊賢一代名儒, 豈無所見, 而輕有議於時君世系乎? 其云肅宗‧宣宗者, 以‘唐書’考之, 則肅宗自幼, 未嘗出閣, 果如元學士之言矣. 宣宗雖封光王, ‘唐史’無藩王就封之制. 而其遭亂避禍之說, 亦是禪錄‧雜記, 二說皆無所據, 不足信也. 況龍女之事, 何其荒怪, 若是之甚邪? ○‘太祖實錄’, 乃政堂文學‧脩國史^{脩國史}黃周亮所撰也.[41] 周亮仕太祖孫顯宗

---

31) 裔는 『櫟翁稗說』前集1에는 弓裔로 되어 있다.

32) 王氏宗族記는 『櫟翁稗說』前集1에는 王代宗族記로 되어 있는데, 後者가 옳을 것이다. 또 앞에서 王代宗族記로 표기되어 있다.

33) 王代曆은 이 기사의 原典인 『역옹패설』前集1에는 王代錄으로 달리 표기되어 있다. 또 이는 『益齋亂藁』권9하에는 金寬毅의 王代宗錄으로 되어 있는 점을 통해 볼 때, 王代錄은 王代宗錄에서 宗字가 脫落된 것이다. 그러므로 王代曆은 王代宗錄으로 고쳐야 옳게 될 것이다.

34) 『역옹패설』에는 麻立干에 注가 더 들어 있다.

35) 阿粲‧閼餐은 『역옹패설』前集1에는 阿餐‧閼粲으로 되어 있는데, 이는 新羅의 京位 17官等 중의 6官等 阿湌의 다른 표기이다.

36) 粲‧餐은 『역옹패설』前集1에는 餐‧粲으로 되어 있다.

37) 附會는 『역옹패설』前集1에는 傅會로 되어 있는데, 같은 의미이다[牽强附會, 穿鑿附會].

38) 諱字(혹은 敬字, 避諱字)에 대한 설명으로 다음이 있다.
  ‧『자치통감』권199, 唐紀15, 太宗貞觀 23년(649) 6월, “甲戌朔, 高宗卽位, 赦天下. 丁丑^{4일}, … 以疊州都督李勣爲特進‧檢校洛州刺史‧洛陽宮留守[胡三省注, 李世勣去世字, 避太宗^{世民}二名也]”. 先是, 太宗二名, 令天下不連言字勿避, 至是, 始改官名犯先帝諱字[注, 孔穎達曰, ‘曲禮’, 卒哭乃諱. 註云, 敬鬼神之名也. 諱, 避也. 生者不相避名. 衛侯名惡, 大夫有名惡, 君臣同名, 春秋不非. 按昭^{昭王}七年, 衛侯惡卒. ‘^{春秋}穀梁傳’云, 昭元年有衛齊惡, 今衛侯惡何? 謂君臣同名也, 君子不奪人親所名也.

39) 同知樞密은 同知樞密院事의 略稱이다.

40) 徵仕郎은 徵事郎으로 하여야 옳게 될 것이다. 徵事郎을 徵仕郎으로 改稱한 時期는 1362년(공민왕11)이다(『고려사』권77, 지31, 百官2, 文散階). 또 徵仕郎은 『三國遺事』권2, 金傅大王에는 登仕郎(正9品下)로 되어 있다.

之朝, 太祖時事, 耳目所及, 其於追贈, 據實書之. 以貞和爲國祖之配, 以爲三代, 而略無一語及於世傳之說. 寬毅乃毅宗時微官, 且去太祖二百六十餘年, 豈可舍當時實錄, 而信後代無稽雜出之書邪? 竊觀'北史', 拓拔氏以爲軒轅之後, 而神元皇帝天女所生, 則其荒誕此矣. 且言, 慕容氏爲慕二儀之德, 繼三光之容, 宇文氏爲出自炎帝, 得皇帝玉璽, 而其俗謂天子曰宇文, 故因以爲氏. 先儒議之曰, '其臣子從而爲之辭, 以緣飾耳'. 嗚呼, 自古論人君世系者, 類多恠異, 而其間或有附會之說, 則後之人, 不能不致疑焉. 今以'實錄'所載追贈三代爲正, 而寬毅等說, 亦世傳之久, 故幷附云".

---

41) 여러 版本의 『고려사』에서 脩國史로 되어 있으나 같은 글자인 修國史로 하는 것이 좋을 것이다.

修 史 官[42)]

[輔國崇祿大夫·議政府左贊成·知集賢殿經筵春秋館成均事·世子賓客·臣金宗瑞:節要轉載].[43)]

正憲大夫·工曹判書·集賢殿大提學·知經筵春秋館事兼成均大司成·臣鄭麟趾[44)]

[正憲大夫·禮曹判書·集賢殿提學·□[同]知春秋館事·世子右賓客·臣許詡:節要轉載].[45)]

嘉善大夫·中樞院副使·同知春秋館事·臣金銚[46)]

嘉善大夫·藝文館提學·同知春秋館事·世子左副賓客·臣李先齊[47)]

[嘉善大夫·吏曹參判·修文殿提學·同知經筵春秋館事·臣李季甸:節要轉載].[48)]

通政大夫·集賢殿副提學·知製敎·經筵侍講官兼春秋館編修官·臣鄭昌孫[49)]

通政大夫·集賢殿副提學·知製敎·世子左輔德兼春秋館編修官·臣辛碩祖[50)]

通政大夫·司諫院左司諫大夫·知製敎兼春秋館編修官·臣崔恒[51)]

---

42) 이에 수록된 修史官의 名單은 『고려사』의 편찬에 참여하였던 前後 春秋館의 官員을 정리한 것으로 1451년(문종1) 8월 25일 左贊成 金宗瑞가 文宗에게 『고려사』를 獻上하기 이전에 작성된 것이기에 당시의 官銜[散階와 官職]과 약간 차이가 있는 인물도 찾아진다. 또 이 명단에는 癸酉靖難과 端宗復位에 관련된 피살된 金宗瑞·許翊·李季甸·朴彭年 등과 같은 인물은 삭제되었지만, 『고려사』보다 먼저 印出된 『고려사절요』, 修史官에서 원래의 모습을 찾을 수 있다. 그리고 이 명단이 작성된 시기는 1449년(세종31) 12월 26일(壬申)에서 1450년(문종 즉위년 7월 6일(戊申) 以前으로 추측된다(→許詡의 脚注).

43) 『고려사절요』, 修史官에 수록된 金宗瑞의 관함은 "大臣·輔國崇祿大夫·議政府右議政·領集賢殿經筵事·監春秋館事·世子傅"이다. 이를 통해 볼 때 『고려사』에서는 "輔國崇祿大夫·議政府左贊成·知集賢殿經筵春秋館成均事·世子□賓客"로 기록되어 있었을 것이지만, 賓客 중에서 左·右를 알 수 없다. 또 當時 世子賓客의 하위직의 사례로 "景泰三年歲在壬申六月旣旬資憲大夫·前藝文館大提學·集賢殿大提學·知春秋館事·世子左副賓客耽津安止謹跋"이 찾아진다(『梅軒集』跋).

44) 鄭麟趾의 官銜은 『고려사절요』와 같은데, 이해[是年]에 그가 作成한 글에서도 同一하다(『梅軒集』, 梅軒先生集序).

45) 許詡의 관함은 그가 禮曹判書로 재직했고, 鄭麟趾가 工曹判書로 재직했던 1449년(세종31) 12월 26일(壬申)에서 1450년(문종 즉위년 7월 6일(戊申) 以前의 것을 추측하여 기재하였다.

46) 金銚는 7월 13일 이래 漢城府尹으로 재직하였지만(『문종실록』 권8, 1년 7월 己酉[13日]), 『고려사절요』, 修史官에는 수록되어 있지 않다.

47) 李先齊의 관함은 『고려사절요』와 같다.

48) 李季甸은 1450년(문종 즉위년) 7월 6일 都承旨에 임명된 후 『고려사』가 완성될 때까지 계속 재직하고 있었다(『문종실록』 권2, 즉위년 7월 戊申[6日], 권9, 1년 8월 乙未[30日]).

49) 鄭昌孫은 같은 해 8월 30일에 大司憲으로 재직하였고(『문종실록』 권9, 1년 8월 乙未[30日]), 『고려사절요』에는 수록되어 있지 않다.

50) 辛碩祖의 관함은 『고려사절요』와 같다.

51) 崔恒은 같은 해 7월 13일 이래 集賢殿副提學으로 재직하였고(『문종실록』 권8, 1년 7월 己酉[13日]), 『고려

果毅將軍·虎賁侍衛司上護軍兼知兵曹事春秋館編修官·臣<u>盧叔仝</u>[52]

中訓大夫·集賢殿直提學·知製敎·世子左弼善兼春秋館記注官·臣<u>李石亨</u>[53]

中訓大夫·集賢殿直提學·知製敎·世子右輔德兼春秋館記注官·知承文院事·臣<u>申叔舟</u>[54]

[中訓大夫·集賢殿直提學·知製敎·經筵侍讀官兼春秋館記注官·臣<u>朴彭年</u>:節要轉載].[55]

中訓大夫·藝文館直提學兼春秋館記注官·臣<u>崔德之</u>[56]

奉正大夫·直集賢殿·知製敎·世子右弼善兼春秋館記注官·臣<u>魚孝瞻</u>[57]

奉列大夫·直集賢殿·知製敎·世子右^左弼善兼左中護春秋館記注官·臣<u>金禮蒙</u>[58]

[奉列大夫·守藝文館直提學兼春秋館記注官·臣金孟獻:節要轉載].

奉列大夫·成均司藝·知製敎兼春秋館記注官·臣<u>金淳</u>[59]

通德郎·集賢殿校理·知製敎·世子右文學兼春秋館記注官·臣<u>梁誠之</u>[60]

通善郎·集賢殿校理·知製敎·經筵副檢討官兼春秋館記注官·臣<u>李芮</u>[61]

奉直郎·守吏曹正郎 兼春秋館記注官·臣<u>金之慶</u>[62]

奉直郎·守成均直講兼春秋館記注官·臣<u>金閏福</u>[63]

『사절요』에는 수록되어 있지 않다.

52) 盧叔仝의 관함은 현존의 『고려사』가 편찬되기 이전인 1442년(세종24, 正統7)에 행해진 文班이 武散階·武班職을 兼帶할 수 있게 한 결과이거나 服喪·治罪·解職·貶職[左遷]·休官侍親 등과 같은 有故로 인해 일시 임명된 武散階와 武班職[官衛]으로 추측된다. 또 그는 『고려사절요』에는 수록되어 있지 않다.
· 『佔畢齋集』, 彝尊錄上, 先公紀年第2, "正統七年壬戌二月, 考滿, 入爲南部令. 是年, 上命東班皆兼帶武階, 公金叔滋例授承義校尉·中軍攝副司直兼成均主簿·南學敎授官".

53) 李石亨은 『고려사절요』에는 수록되어 있지 않다.

54) 申叔舟는 『고려사절요』에는 中直大夫(從3品上)·集賢殿直提學·知製敎·世子右輔德兼春秋館記注官·知承文院事로 되어 있는데, 이 직위는 같은 시기의 다른 자료에서도 확인된다(『保閑齋集』 권15, 慶尙監司李公詩卷序).

55) 朴彭年은 1450년(문종 즉위년) 9월에 奉列大夫(정4品하)·守集賢殿直提學·知製敎·世子右輔德兼春秋館記注官이었고, 『고려사』가 완성된 3개월 후인 11월 8일의 직위가 위의 기사와 同一하다(『朴先生遺稿』, 賜几杖詩序, 崔直提學德之歸田詩卷跋). 이때 朴彭年이 陞級한 것은 1451년(문종1) 9월 2일 『고려사』의 편찬에 참여한 3품관 이하 중에서 만5개월[什滿五朔] 이상 근무한 인물들을 모두 1資級 승진시킨 결과일 것이다(『문종실록』 권9, 1년 8월 乙未30日, 9월 丁酉2日).

56) 崔德之는 『고려사절요』에는 수록되어 있지 않는데, 그는 『고려사절요』가 완성되기 전에 歸鄕하였다고 한다(『朴先生遺稿』, 崔直提學德之歸田詩卷跋 ; 『成謹甫集』 권1, 送崔直提學德之歸田).

57) 魚孝瞻은 『고려사절요』에는 수록되어 있지 않다.

58) 金禮蒙의 職位는 添字와 같이 고쳐야 옳게 되는데, 『고려사절요』에는 바르게 되어 있다.

59) 金淳은 『고려사절요』에는 수록되어 있지 않다.

60) 梁誠之는 『고려사절요』에는 朝奉大夫·集賢殿應敎·知製敎·世子左文學兼春秋館記注官으로 되어 있다.

61) 李芮는 『고려사절요』에는 通德郎·集賢殿校理·知製敎·經筵副檢討官兼春秋館記注官으로 되어 있다.

62) 金之慶은 『고려사절요』에는 通善郎·吏曹正郎兼春秋館記注官으로 되어 있다.

63) 金閏福은 『고려사절요』에는 通善郎·成均直講兼春秋館記注官으로 되어 있다.

[奉直郎·守成均直講兼東部儒學敎授官·春秋館記注官·臣金漢啓:節要轉載].[64]

[奉直郎·集賢殿副校理·知製敎·世子右文學兼春秋館記事官·臣柳誠源:節要轉載].

承議郎·守集賢殿副校理·知製敎·世子右司經兼春秋館記事官·臣李克墡[65]

承議郎·集賢殿修撰·知製敎·經筵司經兼春秋館記事官·臣尹起畎[66]

[奉訓郎·行工曹佐郎兼春秋館記事官·臣朴元貞:節要轉載].

[承議郎·成均注簿兼春秋館記事官·臣金碩:節要轉載].

承議郎·成均注簿兼春秋館記事官·臣金命中[67]

進勇校尉·行右軍攝副司直兼承文院副校理·春秋館記事官·臣趙瑾[68]

宣敎郎·守成均注簿兼中部儒學敎授官·春秋館記事官·臣洪禹治~~洪若治~~[69]

[承訓郎·行司醞注簿~~宣敎郎·行司醞注簿~~兼春秋館記事官·臣李翊:節要轉載].[70]

宣敎郎·守承文院副校理兼春秋館記事官·臣芮承錫[71]

宣敎郎·集賢殿副修撰·知製敎·經筵司經兼春秋館記事官·臣尹子雲[72]

宣敎郎·司贍注簿兼春秋館記事官·臣李孝長[73]

宣務郎·守成均注簿兼西部儒學敎授官·春秋館記事官·臣李仁全[74]

宣務郎·行藝文奉敎兼春秋館記事官·臣柳子文[75]

---

64) 金漢啓는 1449년(세종31) 12월 무렵 承訓郎·司諫院右正言·知製敎에 임명되어 明年 7월 3일까지 이 職位에 있었고, 9월 7일 記事官으로 활동하고 있음을 보아 『고려사』가 완성되기 1년 전에 기사관을 겸직하였던 것 같다(『문종실록』 권2, 즉위년 7월 乙巳[3일], 권3, 즉위년 9월 戊申[7일]).
   ·「金漢啓朝謝文書」, "□□夫爲朝謝, 准事司憲府吏房書吏卞璜, 正統拾肆年」名關, 正統拾肆年拾貳月拾柒日」, □□夫金漢啓, 爲承訓郎·司諫院□□右正言·知製敎」, 朝謝由移關爲等以合行, 牒須至故牒者」右故牒」司諫院右正言金」正統拾肆年拾貳月拾柒日」朝謝准」牒」判書手決」參判手決」參議」守正郎手決」守正郎手決」守正郎手決」守佐郎」守佐郎」".

65) 李克墡은 『고려사절요』에는 奉訓郎·集賢殿副校理·知製敎·世子左司經兼春秋館記事官으로 되어 있다.

66) 尹起畎은 『고려사절요』에는 奉訓郎·承文院校理·知製敎兼春秋館記事官으로 되어 있다.

67) 金命中은 『고려사절요』에는 수록되어 있지 않다.

68) 趙瑾의 관작은 服喪·治罪와 같은 有故로 인해 일시 임명된 武散階와 武班職으로 추측된다. 또 그는 『고려사절요』에는 수록되어 있지 않다.

69) 洪禹治는 洪若治의 오자인데, 『고려사절요』에는 "承訓郎·成均注簿兼中部儒學敎授官·春秋館記事官·臣洪若治"로 되어 있다.

70) 李翊의 官階는 洪若治와 같은 宣務郎이고, 관직은 行司醞注簿兼春秋館記事官이었을 것이다.

71) 芮承錫은 『고려사절요』에는 수록되어 있지 않다.

72) 尹子雲은 『고려사절요』에는 수록되어 있지 않다.

73) 李孝長은 『고려사절요』에는 承訓郎·行司贍注簿兼春秋館記事官으로 되어 있다.

74) 李仁全은 『고려사절요』에는 수록되어 있지 않다.

75) 柳子文은 『고려사절요』에는 수록되어 있지 않다.

務功郎·藝文奉敎兼春秋館記事官·臣全孝宇[76]

[務功郎·藝文奉敎兼春秋館記事官·臣李尹仁:節要轉載].

通仕郎·藝文待敎兼春秋館記事官·臣金勇[77]

通仕郎·行藝文檢閱兼春秋館記事官·臣韓瑞鳳[78]

[通仕郎·行藝文檢閱兼春秋館記事官·臣尹子榮:節要轉載].

通仕郎·行藝文檢閱兼春秋館記事官·臣吳伯昌[79]

[增補].[80]

---

[76] 全孝宇는 『고려사절요』에는 宣務郞·行藝文奉敎兼春秋館記事官으로 되어 있다.

[77] 金勇은 『고려사절요』에는 啓功郞·行藝文待敎兼春秋館記事로 되어 있다.

[78] 韓瑞鳳은 『고려사절요』에는 啓功郞·行藝文檢閱兼春秋館記事官으로 되어 있다.

[79] 吳伯昌은 『고려사절요』에는 수록되어 있지 않다.

[80] 이상과 같은 修史官들은 기본적으로 文翰能力이 크게 뛰어난 인물일 뿐만 아니라 이들 사이에도 血緣, 學問에 있어서 紐帶가 있었던 것 같다. 곧 『고려사』의 편찬과정에서 유대가 있었던 인물로는 李季甸(權近의 外孫), 崔恒(權近의 外孫壻, 權踶의 甥姪壻), 李石亨(權踶의 門生) 등이 있다. 이러한 사유로 인해 特定 事案에 대한 記述, 人物의 褒貶 등에서 편파적일 수도 있었을 것이다.

· 『四佳集』詩集권31, 贈蔡應敎壽, "高麗官制, 有藝文應敎, 秩雖卑, 必擇其有文章重望, 他日可主文盟者, 爲之, 其選至重, 本朝仍之. 我外祖陽村權文忠公, 道德文章, 爲百世師範, 嘗經藝文應敎, 終典文衡, 止齊文景公踶, 克承先業, 文景傳之韓山李文烈公李甸, 文烈卽陽村之外孫, 傳之寧城崔文靖公恒, 亦陽村之外孫壻也. 居正承之, 繼寧城, 居正雖不肖, 亦陽村之外孫也. 一家之內, 八九十年之間, 由父及子·外孫三人, 相繼爲藝文應敎, 終秉文柄". 여기서 徐居正은 權近의 外孫, 李甸의 外女孫이다(『四佳集』詩集권52, 送成上人還白巖寺).

· 『四佳集』文集增補1, 崔恒墓碑銘幷序, "… 公諱恒, 字貞父, 朔寧人, 皇曾祖諱忠, 生潤文, 潤文生進士柔, 於公爲皇考, 寬厚長者. 年十八, 連中己卯定宗1年生員·進士兩科, 中壬午太宗2年文科. 歷藝文春秋·臺諫·郎曹, 至成均司藝".

· 『四佳集』詩集권5, 辛酉世宗23年二榜壯元李中樞石亨, 率二榜, 獻壽于恩門止齋權踶, 大夫人李氏, 年踰七秩, 康强無恙. 有子若贊成擥, 承旨摯, 中樞攣, 司僕摯, 皆一時勳臣, 功名煥赫. …. 여기에서 權踶는 權近의 아들이고, 權擥의 父이다.

纂修高麗史凡例

一. 世家

○按史記, 天子曰紀, 諸侯曰世家. 今纂'高麗史', 王紀爲世家, 以正名分. 其書法, 準'兩漢書'及'元史', 事實與言辭, 皆書之.[81]

○凡稱宗·稱陛下·太后·太子·節日·制·詔之類, 雖涉僭踰, 今從當時所稱, 書之, 以存其實.

○如圓丘·籍田·燃燈·八關等常事,[82] 書初見, 以著其例, 若親行則必書.

○'高麗世系', 出於雜記, 率皆荒誕, 今以黃周亮所撰實錄, 追贈三代爲正, 附以雜記所傳, 別作世系.

一. 志

○按歷代史志, 代各不同, 至於唐志, 以事實組織成篇, 難於攷覈. 今纂'高麗史'志, 準'元史', 條分類聚, 使覽者易攷焉.

○高麗制度·條格, 史多闕略, 今取'古今詳定禮'·'式目編修錄'及諸家雜錄, 作諸志.[83]

一. 表

○按歷代史表, 詳略有異, 今纂'高麗史'表, 準金富軾'三國史', 只作年表.

一. 列傳

○首以后妃, 次宗室, 次諸臣, 終之以叛逆. 其有事功卓異者, 雖父子別傳, 餘各以類附.

○辛禑父子, 以逆旽之蘖,[84] 竊位十六年, 今準'漢書'王莽傳, 降爲列傳, 以嚴討賊之義.

一. 歷代史紀·傳·表·志之末, 皆有論. 今纂'高麗史', 準'元史'不作論贊, 惟世家, 舊有李齊賢等贊, 今仍之.

○凡詔·敎及諸臣書疏所載, 條件可分者, 各以類摘取, 分入諸志, 餘則書世家及傳.

○諸儒文集及雜錄, 事蹟可攷者, 亦採增入. 且如制·詔·表·冊之類, 節其繁文以書.

[仁同人 張東翼 校注, 增補].

---

81) 여기에서『고려사』가『漢書』,『後漢書』,『元史』의 편찬 방식에 의거하였다고 하지만, 그 文體와 내용을 찬찬히 살펴보면 前·後漢書와『宋史』를 典範으로 삼은 흔적이 많이 찾아진다. 또『원사』의 경우는 외형적 체제를 본받기도 했지만, 그보다는 사상계의 주도적 위치에 있었던 佛敎에 대한 사실을 대거 削除했다는 점에서 영향을 크게 받았다고 할 수 있을 것이다.

82)『고려사』에서 圓丘는 圜丘와 함께 사용되었다[竝用].

83) 式目編修錄은『고려사』권59, 지13, 禮1, 序文에 式目編錄이라고 되어 있으나 修가 脫落되었을 것이다.

84) 蘖(벽)은 孽(얼)의 誤字'일 것이다.

『高麗史』 卷一 世家卷一

[輔國崇祿人夫·議政府左贊成·知集賢殿經筵春秋館成均事·世子賓客·臣金宗瑞奉敎撰]

正憲大大·工曹判書·集賢殿大提學·知經筵春秋館事兼成均大司成·臣鄭麟趾奉敎修

太祖 一

太祖·應運·元明·光烈·人定·睿德·章孝·威穆·神聖人王,[1] 姓王氏, 諱建, 字若天. [漢州:節要轉載] 松嶽郡人, 世祖金城太守隆之長子, 母曰威肅王后韓氏.[2]

唐□□^{僖宗}乾符四年丁酉正月^{癸酉朔},[3] 丙戌^{14日}, 生於松嶽南第.[4] 神光紫氣, 耀室充庭, 竟日盤

---

1) 이들 중에서 廟號인 太祖는 太祖의 死後인 943년(惠宗 卽位年) 6월에 붙여진 것이고, 諡號인 神聖大王은 太祖의 生涯 중에 群臣이 올렸던 尊號를 그대로 사용한 것 같다(境淸禪院慈寂禪師凌雲塔碑, 941년 建立, 金明鎭 2016년b). 餘他의 두 글자들은 後世의 帝王들에 의해 덧붙여진 것[加上]으로서 元明은 1002년(穆宗5) 4월에, 光烈은 1014년(顯宗5) 4월에, 大定은 1027년(顯宗18) 4월에, 章孝는 1056년(文宗10) 10월에 각각 덧붙여진 諡號이다. 그런데 應運·睿德·威穆의 세 종류의 諡號는 덧붙여진 시기가 찾아지지 않고, 1140년(仁宗18) 4월의 仁勇, 1253년(高宗40) 6월 4일(辛亥)의 勇烈 등은 이 자료에서 脫落되어 있다. 이 자료에서의 諡號가 덧붙여진 시기의 순서대로 정리하였던 것으로 추측되므로 應運은 975년(景宗 卽位年) 10월 6代 先祖의 尊號를 덧붙일 때 붙여진 諡號일 것이다. 그리고 睿德·威穆 등은 덧붙여진 시기를 알 수 없다.

2) 添字는 『고려사절요』 권1에서 달리 표기된 것이다.

3) 이보다 거의[大略] 3년 전에 作帝建의 妻(龍女, 王建의 祖母, 追尊 元昌王后)가 그의 아들 □隆(王建의 父, 追尊 世祖)로 하여금 了悟順之를 五冠山 龍嚴寺(龍嚴寺, 瑞雲寺의 前身, 位置不明)로 招致하여 住錫하게 하였다고 한다(金杜珍 1975년 ; 鄭東樂 2010년 115面).
   · 『祖堂集』 권20, 五冠山瑞雲寺, 順之傳, 冒頭, “乾符初, 松嶽郡女檀越元昌王后及子威武大王^{王隆}, 施五冠山龍嚴寺^{無嚴寺}, 便往屆焉, 今改瑞雲寺也”.
   · 「開豊瑞雲寺了悟利尙眞原塔碑」 陰記, “… 元昌王后請住五冠龍嚴, 永爲禪那別舘, 是以便停寶盖, 尋駐禪林, …”(許興植 1984년 286面 ; 李智冠 2004년 1冊 48面).

4) 이날의 日辰[時辰, 日付, 날짜]에 대해서 『고려사절요』 권1에는 “唐乾符四年·新羅憲康王三年丁酉正月十四日丙戌生”으로 되어 있다. 이해(是年, 877년)의 1월 14일이 丙戌이라면 이달의 朔日은 癸酉로서 韓·中·日의 三國이 同一하다. 그렇다면 北東아시아[亞細亞, 아시아]의 三國이 모두 唐의 宣明曆에 의한 曆日을 사용하고 있었음을 알 수 있고, 그 구체적인 내용을 알 수 없는 高麗前期의 曆日은 기본적으로 宣明曆에 의거하여 製作되었음을 알 수 있다(張東翼 2012년b·2014년a).
   또 이날은 율리우스曆으로 1월 31일이고, 現行의 그레고리曆으로 2월 4일인데, 後者가 1582년(宣祖5) 11월부터 改曆이 되었기에, 이 책에서 西曆으로의 계산은 율리우스曆에 의거한 것이다. 太陽曆인 율리우스曆은 1년을 365.25日로, 1582년(宣祖15)부터 사용된 그레고리曆은 1년을 365.2425日로 결정하였지만, 太陽年의 1년은 365.242189…日이다.

세가1책(태조 즉위 이전) 29

旋, 狀若蛟龍. 幼而聰明睿智, 龍顔日角, 方頤廣顙. 氣度雄深, 語音洪大, □□^{光庠},⁵⁾ 有濟世之量.

[^{唐昭宗}景福二年癸丑,⁶⁾ 太祖年十七, 道詵復至, 請見曰, "足下値百六之會, 三季蒼生, 待公弘濟". 因告以出師置陣, 地利天時之法, 望秩山川, 感通保佑之理:節要轉載].⁷⁾ 時新羅政衰, 群賊競起. ^{光化三年}甄萱叛據南州, 稱後百濟, ^{門四年}弓裔據高句麗之地, 都鐵圓,⁸⁾ 國號泰封. 世祖, 時爲松嶽郡沙粲.

^{唐昭宗}乾寧三年丙辰,⁹⁾ □□^{世祖}以郡歸于裔, 裔大喜, □^郡以爲金城太守.¹⁰⁾ 世祖說之曰, "大王若欲王朝鮮·肅愼·卞韓之地, 莫如先城松嶽, 以吾長子爲其主". 裔從之, 使太祖築勃禦塹城,¹¹⁾ 仍爲城主. 時太祖年二十.

^{唐昭宗}光化元年戊午,¹²⁾ □^弓裔移都松嶽.¹³⁾ 太祖^{下建}來見, 授精騎大監.¹⁴⁾ [時太祖年二十二:追加].

---

5) 添字는 『고려사절요』 권1에 의거하였다.

6) 이해[是年]은 율리우스曆[西曆]으로 893년(眞聖女王7)에 해당한다.

7) 이는 『고려사절요』 권1, 태조 1년 6월에서 轉載한 것이다.

8) 이 기사에서 필자가 添字로 追加한 光化 3년(900, 庚申, 효공왕4)은 後百濟王 甄萱이, 光化 4년(天復 1, 辛酉, 901)은 弓裔가 각각 正式으로 稱王, 稱國을 내세운 年度이다. 또 鐵圓의 都城은 現在 江原道 鐵原郡 鐵原邑 非武裝地帶의 軍事分界線 北方限界線 以南에 위치한 楓川原 地域(현재의 非武裝地帶인 南方限界線에 위치한 月精驛의 北方)으로 추측된다(이재 2019년).
   · 『고려사』 권58, 지12, 지리3, 交州道 東州, "… 及太祖卽位, 徙都松嶽, 改鐵圓, 爲東州[注, 弓裔宮殿古基, 在州北二十七里, 楓川之原]".

9) 이해[是年]은 율리우스曆[西曆]으로 896년(眞聖女王10)에 해당한다.

10) 添字는 『고려사절요』 권1에 의거하였다. 여기에서 金城은 鐵圓郡의 다른 표기인데, 『삼국사기』에는 後者로 되어 있다.

11) 이 勃禦塹城은 開京의 동쪽에 있었던 것 같고, 禮成江邊에 있던 永安城과 함께 거의 파괴되어 19세기 전반에는 形址[形趾]의 모습조차 알아볼 수 없게 되었다고 한다. 勃禦塹城은 현재 북한의 국보유적 제129호인데, 이는 俗稱으로 菩提塹城이라고도 하며, 조선시대 開城府의 歸仁門에 있었다고 한다. 開京이 後高句麗의 首都가 된 이후에는 都城으로 기능하다가 易姓革命이 이루어진 후, 皇城의 城壁과 연결되어 둘레가 약 8.2km에 달하였다. 당시의 土壘는 1915년의 見聞에 의하면 滿月臺의 뒤쪽 언덕에서 동쪽은 谿谷을 따라 내려오다가 中臺水를 넘어 尹氏牧場의 土壁→松都高等普通學校의 工業場의 서쪽→廣明洞水[廣明川]의 下流→朱雀峴에 이르고, 서쪽은 廣明洞의 남쪽을 따라 내려가 都察峴→朱雀峴에서 동쪽과 합쳤다고 한다(張東翼 2014년 1책 75面).
   · 『淵泉集』 권7, 大興山城重修記, "… 然高麗時王及所謂東有勃禦塹城, 西有卵山城, 禮成江上, 有永安城者, 今皆夷爲朽壤, 不可復問其形趾之彷彿. 獨大興城, 始築於肅廟二年, 而亦往往阤地隤缺, 當事者鮮克以爲意. …".

12) 唐 昭宗이 898년(乾寧5) 8월 27일(甲子)에 光化로 改元하였다(『舊唐書』 권20上, 본기20상, 昭宗 光化 1년 8월 甲子). 또 이해[是年] 3월 17일(丙戌) 道詵(827~898)이 入寂하였다고 하며, 그의 眞影은 道岬寺에 소장되어 있다(全羅南道 靈巖郡 郡西面 道岬里, 全羅南道 有形文化財 第176號).
   · 『신증동국여지승람』 권40, 光陽縣, 佛宇, "玉龍寺, 在白鷄山, 唐咸通五年, 道詵所創. 崔惟淸所撰碑, :"師

[光化]三年庚申,[15] □弓裔命太祖, 伐廣·忠·青三州及唐城·槐壤等郡縣, 皆平之, 以功授阿粲.[16]
[是年, 新羅西面都統指揮兵馬制置使甄萱, 稱後百濟王於完山:追加].[17]

[唐昭宗天復元年辛酉,[18] 後百濟王甄萱, 建元政開. 弓裔, 稱後高麗王:追加].[19] [時太祖年二十五:追加].

諱道詵, 俗姓金氏, 新羅靈巖人也. … 言訖而寂, 時大唐光化元年三月十七日也. 享年七十二, □□□□[塵五十七]”. 여기에서 添字는 筆者가 任意로 追加하였다. 이날은 율리우스曆으로 898년 4월 11일(그레고리曆 4월 15일)에 해당한다.

13) 이 기사와 같이 弓裔가 松岳郡으로 遷都한 것이 898년(戊午)이었다는 기록, 이보다 1년 전인 897년(丁巳)에 기록의 兩說이 있다.
• 『삼국사기』 권12, 신라본기12, 효공왕 2년, “秋七月, 弓裔取浿西道及漢山州管內三十餘城, 遂都於松岳郡”.
• 『삼국사기』 권50, 열전10, 弓裔, “[乾寧]四年丁巳, 仁物縣降. 善宗[弓裔], 以松岳郡漢北名郡, 山水奇秀, 遂定爲都”.
• 『삼국유사』 권1, 王曆第1, “弓裔, 大順庚戌始投北原賊良吉屯. 丙辰都鐵圓城[今東州也], 丁巳移都松岳郡”.

14) 이와 관련된 기사로 다음이 있다. 또 이때 水城郡人 金七·崔承珪 등 200餘人이 王建에게 歸順協力[歸順效力]하여 水城郡의 邑格이 水州(現 京畿道 水原市 地域)로 승격하게 되었던 것 같다(朴大植 1988년 ; 鄭淸柱 1993년).
• 『삼국사기』 권50, 열전10, 弓裔, “光化元年戊午春二月, 葺松岳城, 以我太祖爲精騎大監”.
• 『고려사』 권50, 지10, 지리1, 楊廣道 水州, “本高句麗買忽郡, 新羅景德王, 改爲水城郡. 太祖南征, 郡人金七[金柒]·崔承珪等二百餘人, 歸順效力, 以功, 陞爲水州”.
• 「崔精墓誌銘」, “君姓崔諱精, 其先水州人, 少誦靑衿, 歲在戊子[唐乾3年], 以外高祖父·三韓功臣·大相金柒蔭, 始爲胥史, 又中賢科, 山補龍崗[楊廣縣縣尉, …”. 여기에서 胥史는 胥吏와 같은 意味이지만, 龍崗은 添字와 같이 고쳐야 옳게 될 것이다.

15) 이해[是年]은 율리우스曆[西曆]으로 900년(孝恭王4)에 해당한다.

16) 이와 관련된 기사로 다음이 있는데, 靑州는 淸州의 誤字, 또는 高麗 初期에 행해졌던 淸州의 다른 表記일 것이다.
• 『삼국사기』 권50, 열전10, 弓裔, “[光化]三年庚申, 又命太祖, 伐廣州·忠州·唐城·靑州[靑州](或云靑川[靑川])·槐壤等, 皆平之, 以功授太祖阿湌之職”.

17) 이는 다음의 자료에 의거하였는데, b와 같이 甄萱이 完山州를 근거로 삼고, 後百濟를 稱한 것은 892년(진성여왕6, 景福1)이라고 한 기록도 있다.
• a 『삼국사기』 권50, 열전10, 甄萱, “[甄萱], 遂自稱後百濟王, 設官分職, 是唐光化三年, 新羅孝恭王四年也”.
• b 『삼국사기』 권11, 신라본기11, 진성여왕, “六年, 完山賊甄萱據州, 自稱後百濟, 武州東南郡縣降屬”. 이때 甄萱은 百濟國王을 稱하지 않았던 것 같다(甄萱列傳).

18) 唐 昭宗이 901년(光化4) 4월 22일(甲戌)에 天復로 改元하였다(『구당서』 권20上, 본기20상, 昭宗 天復 1년 4월 甲戌).

19) 이는 다음의 자료에 의거하였다(金包光 1928년).
• 「南原實相寺片雲和尙浮屠」, “… 政開十年庚午歲建”. 여기에서 庚午는 西曆 910년(後梁開平4)에 해당하고, 實相寺가 위치한 현재의 全羅南道 南原郡 山內面은 後百濟의 영역이었기에 이를 考慮하면 是年에 후백제가 建元 또는 改元하여 政開元年으로 稱하였던 것 같다.
• 『삼국사기』 권50, 열전10, 弓裔, “天復元年辛酉, 善宗自稱王, 謂人曰, 往者, 新羅請兵於唐, 以罷高句麗, 故平壤舊都, 鞠爲茂草, 吾必報其讎”.
• 『삼국유사』 권1, 王曆第1, 國名, “辛酉, 稱高麗”.

天復三年癸亥, 三月^{壬寅朔}, [某日], □□^{太祖}率舟師, 自西海抵光州界,²⁰⁾ 攻錦城郡拔之, 擊取十餘郡縣, 仍改錦城爲羅州, 分軍戍之而還.²¹⁾

[→遣太祖率兵伐錦城等←乾化元年에서 移動해옴].

是歲, 良州帥金忍訓告急,²²⁾ 裔令太祖往救□^之. 及還, 裔問邊事, 太祖陳安邊拓境之策. <u>左右皆屬目</u>,²³⁾ 裔亦奇之, 進階爲□^重<u>閼粲</u>.²⁴⁾

[^{唐昭宗}天祐元年甲子,²⁵⁾ □□^{弓裔}, 立國號爲摩震, 年號爲武泰. 始置廣評省, 備員:追加].²⁶⁾

[是年秋七月^{癸亥朔}, □□^{弓裔}, 以清州人戶一千, 入鐵圓城爲京:追加].²⁷⁾ [時太祖年二十八:追加].

天祐二年乙丑, □^弓裔還都鐵圓.²⁸⁾

[是年, <u>弓裔</u>據鐵圓, 分定浿西十三鎭:地理3北界轉載].²⁹⁾

[是年八月^{丁亥朔}, <u>弓裔</u>行兵, 侵奪新羅邊邑, 以至竹嶺東北. ^{孝恭}王聞疆埸日削, 甚患, 然力不能

---

20) 光州는 後三國 시기에는 武州로 불리었지만, 惠宗이 즉위한 이후 御諱를 피하기 위해[避諱, 敬諱] 前者로 改稱되었다고 보는 見解와 이를 수긍하지 않는 見解가 있다(尹京鎭 2012년 307面 ; 徐今錫 2018년). 또 安鼎福(1712~1791)이 避諱에 대해 간단히 설명한 바가 있다(『順菴集』 권12, 橡軒隨筆上, 諱名).

21) 이 기사에서 "仍改錦城爲羅州"는 잘못 들어간 기사[衍文]로 추정된다(→乾化元年辛未).

22) 金忍訓에 관한 자료로 다음이 있으나 追贈職으로 추측되는 官銜이 적절하지 못한 것 같다.
 ·『경상도지리지』, 梁山郡, "高麗太祖代, 金仁訓位至門下左侍中, 金克宗位至門下右侍中, 事跡未詳".

23) 여기에서 左右는 近臣을 指稱할 것이다(『자치통감』 권11, 漢紀3, 高帝 6년 9월, "於是叔孫通使, 徵魯諸生三十餘人, … 與所徵三十人西, 及上^{劉邦}左右爲學者[胡三省注, 師古曰, 左右, 謂近臣也. 爲學, 謂素有學術], 與其弟子百餘人, 爲綿蕝, 野外習之, …").

24) 孫字는 『고려사절요』 권1에 의거하였다. 또 閼粲은 阿粲[阿湌]의 別稱이므로 太祖王建의 陞級順序(世系, 阿粲→閼粲→韓粲→波珍湌)를 통해 볼 때, 重閼粲(閼粲의 重位)의 誤謬로 추측된다(→태조 1년 6월 戊辰^{27日}).

25) 唐 昭宗이 904년(大復4, 哀帝 卽位年) 閏4월 11일(乙巳)에 天祐로 改元하였다(『구당서』 권20上, 본기20상, 昭宗 天祐 1년 閏4월 乙巳). 昭宗은 8월 11일(壬寅) 朱全忠에게 弑害되었고, 15일(丙午) 哀帝가 즉위하여 天祐 年號를 그대로 사용하였다.

26) 이는 『삼국사기』 권50, 열전10, 弓裔에 의거하였다.

27) 이는 『삼국사기』 권50, 열전10, 弓裔에 의거하였다.

28) 이와 관련된 기사로 다음이 있다.
 ·『삼국사기』 권50, 열전10, 弓裔, "天祐二年乙丑^{孝恭王9年}, 入新京, 修葺觀闕樓臺, 窮奢極侈, … 平壤城主·將軍黔用降".
 ·『삼국유사』 권1, 王曆第1, "甲戌, 還鐵原". 이에 의하면 914년(甲戌, 신덕왕3)에 鐵原으로 還都한 셈인데, 어떤 착오가 있을 것이다.

29) 이는 다음의 자료에 의거하였다. 이의 冒頭에 '孝恭王九年'이 있는데, 이해[是年]는 905년(乙丑, 天祐2)에 해당하지만, 弓裔가 '稱後高麗王'을 稱했다는 것은 오류일 것이다.
 ·『고려사』 권58, 지13, 지리3, 北界, "… 孝恭王九年^{天祐2年}, 弓裔據鐵圓, 自稱後高麗王, 分定浿西十三鎭".

輿. 命諸城主, 慎勿出戰, 堅壁固守:追加].30)

[天祐]三年丙寅, □^弓裔命太祖, 率精騎將軍黔式等, 領兵三千, 攻尙州沙火鎭, 與甄萱累戰克之.31) 裔以土地益廣, 士馬漸强, 意欲幷呑新羅, 呼爲滅都, 自新羅來附者, 並皆誅殺.32)

[○初^{乾化}, 太祖年三十, 夢見九層金塔立海中, 自登其上←貞明元年에서 移動해옴].33)

[是年, ^{新羅國管內,} 自夏四月至五月不雨. 一善郡以南十餘城, 盡爲甄萱所取]34).

[^{唐哀帝}天祐四年丁卯^{後梁太祖開平元年}, 是年, ^{新羅國管內,} 春夏無雨:追加]35).

[梁開平二年戊辰, 七月庚午^{壬寅朔}, 雲居山道膺下求法僧慶猷, 渡海來着于武州會津縣, 此時兵戈滿地, 賊寇滔天, 三韓鼎立, 四郊多壘:追加].36)

[○是年二月^{壬寅朔}, ^{新羅國管內,} 星孛出于東. 三月, 隕霜. 夏四月, 雨雹:追加].37)

---

30) 이는 『삼국사기』 권12, 본기12, 효공왕 9년 8월에 의거하였다.
31) 戰鬪에서 우세한 武力[大師]으로 敵을 擊破한 것을 克으로 表記한다는 견해가 있지만, 『고려사』에서 이것이 適用되지 않았던 것 같다.
   · 『자치통감』 권6, 秦紀1, 孝文王 1년(BC250), "燕將攻聊城, 拔之, … 聊城亂, 出單克聊城[胡三省注, 用大師曰克]".
32) 이때 後高麗王 弓裔가 신라를 정벌하려고 했던 기록으로 다음이 있다.
   · 『삼국유사』 권1, 紀異第1, 天賜玉帶, "… 後高麗王□□^{弓裔}, 將謀伐羅, 乃曰, '新羅有三寶不可犯, 何謂也?' □□□^{辯答}, '皇龍寺丈六尊像一, 其寺九層塔二, 眞平王天賜玉帶三也'. 乃止其謀". 여기에서 添字가 脫落되었을 것이다.
   · 『삼국유사』 권3, 塔像第4, 皇龍寺九層塔, "後高麗王□□^{弓裔}, 將謀伐羅, 乃曰 '新羅有三寶不可犯也, 何謂也?' □□□^{辯答}, '皇龍火六幷九層塔與眞平王天賜玉帶'. 遂寢其謀. 周有九鼎楚人不敢北窺, 此之類也".
33) 이 기사는 原文에서 乾化四年甲戌(實際는 貞明元年乙亥)에 수록되어 있으나 현존의 『고려사』를 편찬할 때 『태조실록』을 적절히 축약하지 못하였던 결과인 것 같다(張東翼 2015년b, 校正事由).
34) 이는 『삼국사기』 권12, 본기12, 효공왕 10년 5월에 의거하였다.
35) 이는 『삼국사기』 권12, 본기12, 효공왕 11년에 의거하였다. 이해[是年] 4월 18일(甲子) 朱溫(朱全忠의 改名)이 哀帝의 遜位를 받아 梁을 建立하여 開平으로 改元하고 開封府를 首都로 삼았는데, 이를 後梁이라고 한다[五代의 開始]. 또 이해의 1월 13일(庚寅) 契丹太祖 耶律阿保機가 즉위하였다(西曆 907年).
36) 이는 「長淵五龍寺法鏡大師慈燈塔碑」에 의거하였는데, 이 탑비는 북한의 국보유적 제153호이다(『朝鮮金石總覽』 162面; 李智冠 2004년 1冊 217面, 以下 前者를 金石總覽으로 表記함). 여기에서 四郊多壘는 戰爭이 심하여 各地에 防禦施設[軍壁, 堡壘]이 散在해 있다는 意味이다.
   · 『禮記注疏』, 曲禮上第一, 後半部, "… 四郊多壘, 此卿大夫之辱也[注, 壘, 軍壁也. 數見侵伐則多壘. 地廣大荒而不治, 此亦土之辱也". 여기에서 侵伐은 다음과 意味를 지니고 있다고 하는데, 『고려사』에서도 이것이 適用되었던 것 같다.
   · 『자치통감』 권3, 周紀3, 赧王 1년(BC314), "秦人侵義渠, 得二十五城, … [胡三省注, 左傳, 有鐘鼓曰伐, 無曰侵. 穀梁傳, 苞人民, 驅牛馬曰侵, 斬樹木, 壞宮室曰伐]".
37) 이는 『삼국사기』 권12, 본기12, 효공왕 12년에 의거하였다.

梁開平三年己巳, 太祖見□^弓裔日以驕虐, 復有志於閫外. 適裔以羅州^{錦城}爲憂,³⁸⁾ 遂令太祖往鎭之, [進階爲韓粲·海軍大將軍→乾化元年辛未로 移動함]. 太祖推誠撫士, 威惠並行, 士卒畏愛, 咸思奮勇, 敵境讋服. 以舟師, 次于光州塩海縣,³⁹⁾ 獲萱遣入吳越船而還, 裔喜甚, 優加褒獎. [時太祖年三十三:追加].

[是年六月^{乙未朔}, 弓裔命將, 領兵舡, 降珍嶋郡, 又破皐夷嶋城:追加].⁴⁰⁾

[開平四年庚午, □^甄萱怒錦城投于弓裔, 以步騎三千圍攻之, 經旬不解:追加].⁴¹⁾

[^{後梁開平5年}乾化元年辛未,⁴²⁾ b遣太祖率兵伐錦城等→天復 3年으로 移動함, c以錦城爲羅州, 論功以太祖爲韓粲·海軍大將軍:追加].⁴³⁾ [時太祖年三十五:追加].
[是年, 春正月丙戌朔, 日有食之.⁴⁴⁾ ○又是年, 弓裔改國號泰封, 年號水德萬歲:追加].⁴⁵⁾

---

38) 錦城이 羅州로 改稱된 시기는 911년(乾化1)이므로 이 기사에서 添字와 같이 고쳐야 옳게 될 것이다.

39) 塩海縣은 현재의 全羅南道 新安郡 荏子面 荏子島 또는 務安郡 海際面 臨水里로 비정하는 두 견해가 있다(姜鳳龍 2001년 ; 李海濬 1990년 ; 愼成宰 2010년b).

40) 이는 『삼국사기』 권12, 본기12, 효공왕 13년에 의거하였다. 여기에서 皐夷島는 현재의 全羅南道 新安郡 押海面 古耳里 古耳島, 또는 莞島郡 古今面 古今島로 추정하는 두 견해를 위시하여 여러 주장이 있는 것 같다(愼成宰 2019년).

41) 이와 관련된 기사로 다음이 있다.
 ·『삼국사기』 권50, 열전10, 甄萱, "開平四年, 萱怒錦城投于弓裔, 以步騎三千圍攻之, 經旬不解".

42) 後梁 太祖 朱溫(朱全忠)이 911년(開平5) 5월 甲申朔에 乾化로 改元하였다(『구오대사』 권1, 梁書1, 太祖紀1년 4월 甲戌).

43) 이는 다음의 자료에 의거하였는데, 이에는 開平 4년(己巳)의 "進階爲韓粲·海軍大將軍"도 포함되어 있다. 또 이 기사가 追加되어야 惠宗 武의 出生 說話와 附合될 수 있을 것이다(→乾化 2年 是年). 그리고 이들 기사에서 添字를 추가하여야 옳게 될 것이다.
 ·『삼국사기』 권50, 열전10, 弓裔, "a朱梁乾化元年辛未, 改聖冊爲水德萬歲元季, 改國號爲泰封. b遣太祖率兵, 伐錦城等. c以錦城爲羅州. 論功以太祖爲人阿湌^{韓粲}·□□□^{海軍}大將軍". 여기에서 a과 c를 연결시키고, b는 903년(天復3)으로 移動시켜야 좋을 것이다(愼成宰 2005년 ; 金明鎭 2008년)
 · 지11, 지리2, 羅州牧, "羅平, 甄萱稱後百濟王, 盡有其地, 未幾, 郡人附于後高麗王弓裔. 弓裔命人祖, 爲精騎大監, 率舟師攻取. □□□□□□^{乾化元年辛未}, 改爲羅州".
 ·『세종실록』 권151, 지리지, 長興都護府, 武珍郡, "甄萱二十年辛未[梁太祖乾化元年], □□^{先是}, 後高麗王弓裔, 以高麗人祖爲精騎大監. □□^命, 帥舟師, 略定武珍界. 城主池萱, 乃甄萱之壻也, 與甄萱相應, 堅守不降".
 · 지11, 지리2, 海陽縣, "眞聖十六年, 甄萱襲據, 稱後百濟, 尋移都全州. 後, 後高麗王弓裔, 以太祖, 爲精騎大監. □^命, 帥舟師, 略定州界, 城主池萱, 以甄萱壻, 堅守不降".

44) 이는 『삼국사기』 권12, 본기12, 효공왕 13년에 의거하였는데, 이날[是日] 後梁에서도 일식이 있었다(『구오대사』 권6, 梁書6, 太祖紀6, 乾化 1년 1월 丙戌朔).

45) 이는 『삼국사기』 권12, 본기12, 효공왕 13년에 의거하였다.

[乾化二年壬申:追加],[46) 奉封國弓裔]又使太祖修戰艦于貞州,[47) 以閼粲宗希·金言等副之, 領兵二千五百, 往擊光州珍島郡. 拔之, 進次皐夷島, 城中人望見軍容嚴整, 不戰而降. 及至羅州浦口, 萱親率兵列戰艦, 自木浦至德眞浦[德津浦],[48) 首尾相銜, 水陸縱橫, 兵勢甚盛. 諸將患之, 太祖曰, "勿憂也. 師克, 在和不在衆".[49) 乃進軍急擊, 敵船稍却. 乘風縱火, 燒溺者大半, 斬獲五百餘級,[50) 萱以小舸遁歸.

○初, 羅州管內諸郡, 與我阻隔, 賊兵遮絶, 莫相應援, 頗懷虞疑. 至是, 挫萱銳卒, 衆心悉定. 於是, 三韓之地, 裔有大半. 太祖復修戰艦備糧餉, 欲留戍羅州. 金言等自以功多無賞, 頗解體. 太祖曰, "愼勿怠, 唯戮力無貳心, 庶可獲福. 今主上恣虐, 多殺不辜, 讒諛得志, 互相浸潤. 是以在內者, 人不自保, 莫如外事征伐, 殫力勤王, 以得全身之爲愈也". 諸將然之.

○[壬申]遂至光州西南界潘南縣浦口, 縱諜賊境. 時有壓海縣賊帥能昌起海島, 善水戰, 號曰水獺. 嘯聚亡命, 遂與葛草島小賊相結, 候太祖至, 欲邀害之. 太祖謂諸將曰, "能昌已知我至, 必與島賊謀變. 賊徒雖小, 若并力合勢, 遏前絶後, 勝負未可知也. 使善水者十餘人, 擐甲持矛, 乘輕舫, 夜至葛草渡口, 擒往來計事者, 以沮其謀, 可也". 諸將皆從之. 果獲一小舸, 乃能昌也. 執送于裔, 裔大喜, 乃唾昌面曰, "海賊皆推汝爲雄, 今爲俘虜, 豈非我神筭乎?". 乃示衆斬之.

---

46) 이 기사에서 後半部의 王建이 德津浦(現 全羅南道 靈巖郡 德津面 德津里) 戰鬪에서 승리하고 能昌을 체포한 것은 912년(乾化2)에 이루어진 일인데, 이와 관련된 자료로 다음이 있다(愼成宰 2007년·2010년 ; 金明鎭 2014년a 120面 ; 張東翼 2015년b). 이해[是年]는 912년(後梁乾化2, 後唐大祐9로 表記됨, 水德萬歲2)인데, 8월에 弓裔[前主]의 命을 받은 王建이 舳艫船을 이끌고 羅州에 이르자, 그곳은 항복하고 武州[武府]는 저항하였다고 한다. 또 이해의 6월 2일(戊寅) 後梁太祖 朱溫이 피살되고 朱友珪가 卽位하였다(西曆912).
   · 『삼국사기』 권50, 열전10, 甄萱, "乾化二年, 萱與弓裔戰于德津浦".
   · 「康津無爲寺先覺大師遍光塔碑」, "至[天祐]九年八月中, 前主[弓裔]永平北□□□□□□□發舳艫, 親駐車駕, 此時, 羅州歸命, 屯軍於浦嶼之傍, 武府逆鱗, 動衆於郊畿之場".
47) 貞州(現 開城市 開豊郡 豊德里 地域으로 推定됨)는 1108년(예종3) 昇天府로 승격되었다가 1310년(충선왕2)에 知海豊郡事로 降等되었다가 조선시대에 豊德郡으로 改稱되었다(『신증동국여지승람』 권13, 풍덕군, 建置沿革).
48) 木浦는 現在의 全羅南道 羅州市 榮山洞 榮山江의 浦口, 또는 木浦市 榮山浦라는 두 견해가 있는데(文秀鎭 1987년), 前者일 가능성이 높다. 또 德眞浦는 德津浦의 오자일 것이다(金明鎭 2014년a 120面).
   · 『老村集』 권1, 錦城雜曲, [注, 高麗人祖木浦之戰, 詳「高麗史」, 第一句, '灌錦江', 卽木浦一名].
   · 『신증동국여지승람』 권35, 靈巖郡 山川, "德津浦, 在郡北五里, 出月出山入海".
49) "師克, 在和不在"은 『春秋左氏傳』, 桓公 11년 春, 楚의 大夫 鬪廉이 말한 "師克, 在和不在衆"을 引用한 것이다.
50) 여기에서 餘級은 餘人을 가리킨다.
   · 『자치통감』 권2, 周紀2, 顯王 10년(BC359), "衛鞅欲變法, 秦人不悅, … 告姦者與斬敵首同賞[胡三省注, 索隱曰, 謂告姦一人則得爵一級, 故云與斬敵首同賞]".
   · 『자치통감』 권2, 周紀2, 顯王 15년(BC354), "秦敗魏師于元里, 斬首七千及[胡三省注, 秦法戰而斬敵人一首者, 賜爵一級, 因謂之級]".

[是年, 太祖子武生:惠宗總書轉載].[51]

[○夏四月, ^{新羅}王薨. 諡曰孝恭, 葬于師子寺北. 以無嗣子, 其國人推戴朴景暉爲王, 是神德王也:追加].[52]

乾化三年癸酉,[53] ^{泰封國弓裔,} 以太祖屢著邊功, 累階爲波珍粲兼侍中, 以召之.[54] 水軍之務, 盡委副將金言等, 而征討之事, 必令禀太祖行之. 於是, 太祖位冠百僚, 然非素志, 且畏讒, 不樂居位. 每出入公門, 平章國計, 惟抑情謹愼, 務得衆心, 好賢嫉惡. 每見人被讒, 輒悉觧救.

○有靑州人阿志泰, 本^諂詐,[55] 見裔喜讒, 乃譖同州人笠全·辛方·寬舒等. 有司推之, 數年未決, 太祖立別眞僞, 志泰伏辜, 衆情稱快. 由是, 轅門將校,[56] 宗室勳賢, 智計儒雅之輩, 莫不風靡景從, 太祖懼禍及, 復求閫外.[57]

[是年夏四月^{癸酉朔,} ^{新羅國管內,} 隕霜, 地震:追加].[58]

---

51) 原文에는 "後梁乾化二年辛未生"으로 되어 있다. 또 이와 관련된 기사로 다음이 있다.
  • 『고려사』 권88, 列傳1, 后妃1, 莊和王后 吳氏, "未幾, 太祖以水軍將軍, 出鎭羅州, 泊舟木浦, 望見川上, 有五色雲氣. 至則后浣布, 太祖召幸之, 以側微, 不欲有娠, 宣于寢席, 后卽吸之, 遂有娠生子, 是爲惠宗□^也". 여기에서 『고려사』의 敍述方式대로 하면 添字가 追加되어야 할 것이다(→태조 4년 12월 10일의 脚注).
  • 『신증동국여지승람』 권35, 羅州牧, 佛宇, "黑龍寺, 在錦江津北. 高麗太祖莊和王后, 吳氏祖富他, 父多憐君, 世家州之木浦. 多憐君娶沙干連位女德交, 生后. 后嘗夢浦龍來入腹中, 驚覺以語父母, 共異之. 未幾, 太祖以水軍將軍出鎭羅州, 泊舟木浦, 臯見洲上有五色雲氣, 至則后浣布. 太祖召幸之. …".
52) 이는 『삼국사기』 권12, 본기12, 효공왕 16년 4월, 神德王 1년 4월에 의거하였다. 神德王의 경우는 筆者가 文句를 적절히 바꾸었다.
53) 이해의 1월 1일(甲辰) 後梁이 鳳曆으로 改元하였으나 2월 17일(庚寅) 朱友珪가 逝去하여 朱友貞[末帝]이 즉위하여 다시 乾化三年이라고 하였다(西曆913).
54) 이와 관련된 기사로 다음이 있다.
  • 『삼국사기』 권50, 열전10, 弓裔, "三年癸亥, 以太祖爲波珍湌·侍中".
55) 諂字는 여러 판본의 『고려사』에서 모두 諂(도)로 되어 있으나, 의미상으로 볼 때 諂(첨)이 옳을 것이다(東亞大學 2008년 1책 425面). 글자를 쓸 때 諂(첨)을 疑心하다는 의미의 諂(도)로 잘못 쓰기도 한다(『字學』, 行久義異).
56) 轅門은 帝王이 出幸할 때 行宮의 門, 또는 軍營의 門을 가리키므로, 여기에서의 轅門將校는 禁軍 또는 親衛軍의 高級將校로 추측된다.
  • 『周禮注疏』 권6, 天官, "掌舍, 掌王之會同之舍, … 設車宮轅門[注, 謂王行止, 宿阻險之處, 備非常, 次車以爲藩, 則仰車以其轅表門]".
  • 『春秋穀梁傳註疏』 권17, 昭王 8年, "秋蒐于紅. 音義, 因蒐狩, 以習用武事, 禮之大者也. 艾蘭以爲防, 置旃以爲轅門. 注, 旃, 旌旗之名, 周禮通帛旃, 轅門, 卬車以其轅表門".
  • 『史記』 권7, 項羽本紀第七, "… 於是, 已破秦軍, 項羽召見諸侯將, 入轅門, 無不膝行而前, 莫敢仰視, 項羽由是, 始爲諸侯上將軍, 諸侯皆屬焉".
57) 淸州 出身의 阿志泰가 同鄉人을 弓裔王에게 誣告한 이유를 알 수 없지만, 궁예의 입장에서는 청주 지역의 內部分裂을 이용하여 보다 효과적인 政令 執行를 企圖했을 것이라는 추측이 있다(李貞信 1984년 ; 洪承基 2001년b 11面).

^{乾化}四年甲戌, ^{泰封國}□^弓裔又謂, "水軍帥賤, 不足以威敵". 乃觧太祖侍中, [爲百船<u>將軍</u>:追加],⁵⁹⁾ 使復領水軍. 就貞州浦口, 理戰艦七十餘艘, 載兵士二千人, 往至羅州, 百濟與海上草竊知太祖復至, 皆懾伏莫敢動. 太祖還告舟楫之利, 應變之宜, 裔喜謂左右曰, "我諸將中, 誰可比擬乎?".

[是年三月^{戊戌朔}, ^{新羅國管內}, 隕霜. ○^{泰封國}, 弓裔改水德萬歲爲政開元年:追加].⁶⁰⁾

[^{梁乾化5年}貞明元年乙亥,⁶¹⁾ ^{泰封國}□□^{弓裔}夫人康氏, 以王多行非法, 正色諫之. 王惡之曰, "汝與他人奸, 何耶?". 康氏曰, "安有此事?". 王曰, "我以神通觀之". 以熱火鐵杵, <u>憧</u>^撞其陰殺之, 及其兩兒, 爾後多疑急怒, 諸寮佐・將吏, 下至平民, 無辜受戮者, 頻頻有之, <u>斧壤・鐵圓</u>之人, 不勝其毒焉:追加].⁶²⁾ [時太祖年三十九:追加].

○時□^弓裔誣構叛罪, 日殺百數, 將相遇害者, 十有八九. 常自云, "我得彌勒觀心法, 能知婦人陰私. 若有干我觀心者, 便行峻法". 遂鍛造三尺鐵杵, 有欲殺者, 輒熱之, 以撞其陰, 烟出口鼻死. 由是, 士女股慄, 怨憤日甚.

○一日急召, 太祖入內, □^弓裔方檢點誅殺人<u>籍沒</u>金銀寶器・床帳之具,⁶³⁾ 怒目熟視太祖曰, "卿昨夜, 聚衆謀叛, 何耶?". 太祖顔色自若, 輾然而笑曰, "烏有是哉?". 裔曰, "卿莫紿我. 我能觀心, 所以知也. 我將入定以觀, 了說其事". 乃合眼負手, 仰天良久. 時掌奏<u>崔凝</u>在側, 佯墜筆, 下庭取之, 因趨過太祖, 微語曰, "不服則危". 太祖乃悟曰, "臣實謀叛, 罪當死". 裔大笑曰, "卿可謂直也". 卽以金銀粧鞍轡賜之曰, "卿勿復<u>紿我</u>".⁶⁴⁾

---

58) 이는 『삼국사기』 권12, 본기12, 신덕왕 2년 4월에 의거하였다.

59) 이는 『삼국사기』 권50, 열전10, 弓裔에 의거하였다.

60) 이는 『삼국사기』 권12, 본기12, 신덕왕 3년 3월에 의거하였다.

61) 後梁 末帝 朱友貞이 915년(乾化5) 11월 9일(乙丑)에 貞明으로 改元하였다[『구오대사』 권8, 梁書8, 末帝紀中 貞明 1년 11월 乙丑].

62) 이는 『삼국사기』 권50, 열전10, 弓裔에 의거하였는데, 原文에는 '斧壤鐵圓'으로 되어 있으나 斧壤과 鐵圓은 같은 지역이다. 이는 傳寫하던 過程에서 後世人이 注記로 했던 '斧壤[鐵圓]'에서 [ ]가 脫落되어 注가 原文과 識別할 수 없는 本文이 되고 말았던 것 같다. 한편 이 시기에 泰封의 일부 官僚들은 國運을 크게 걱정하고 있었던 것 같다[茫然自失].
   ・『東州集』前集권6, 泰封故都, "十里宮城枕古丘, 千廻水咽有餘愁, 山疑翠黛雲縈曉, 草學羅裙露泣秋, 豈使獨夫開嗣業, 只關眞主啓鴻崿, 沈吟百蓿先生, 天地風塵空涕流[注, 先生史失名, 相弓裔, 見朝政日亂, 優游不事事, 自號百蓿軒, 有遺塋]". 여기에서 百蓿(목숙)은 多年生의 콩과[豆日] 植物인 牧草를 가리킨다(Clover, Medicago).

63) 籍沒은 犯罪人[罪囚]의 家財와 田宅[家産], 家族[家屬]을 沒收. 帳簿에 紀錄하여 官廳[官府]에 納入하는 것을 가리킨다.
   ・『자치통감』 권190, 唐紀6, 高祖武德 7년(624) 3월 己亥, "… 會趙郡王孝恭<u>籍沒</u>賊黨田宅[<u>胡三省</u>注, 籍沒者, 舉籍賊黨所有田宅, 沒而入官], …".

64) 이때 崔凝의 역할은 『고려사』 권92, 열전5, 崔凝에도 수록되어 있다.

○^{王建}遂以步將康瑄詰·黑湘·金材瑗等副太祖, 增治舟舸百餘艘, 大船十數, 各方十六步, 上起樓櫓, 可以馳馬. 領軍三千餘人, 載粮餉, 往羅州.

是歲, 南方饑饉, 草竊蜂起. 戌卒皆食半菽,⁶⁵⁾ 太祖盡心救恤, 賴以全活.⁶⁶⁾

[○初, 太祖年三十, 夢見九層金塔立海中, 自登其上→天祐三年으로 移動해감].

[是年十月頃, 泰封遣使如契丹:追加].⁶⁷⁾

---

65) 半菽은 米豆와 菜蔬가 半半인 밥[半菜半糧의 飯食], 곧 품질이 좋지 못한 食事를 가리키다.
 · 『漢書』 권31, 項籍^{項籍}傳第一, "秦三年, … 天寒大雨, 士卒凍飢. ^項羽曰, '將戮力而攻秦, 久留不行. 今歲飢民貧, 卒食半菽, 軍無見糧, 乃飮酒高會, 不引兵渡河因趙食', …[^顏師古曰, 高會, 大會也. 孟康曰, 半, 五升器名也. 臣瓚曰, 士卒食蔬菜, 以菽雜半之. 師古曰, 瓚說是也, 菽謂豆也]".
 · 『자치통감』 권8, 秦紀, 二世皇帝 3년(BC207) 10월, "^{上將軍}宋義行至安陽, … 乃遣其子宋襄相齊, 身送之無鹽, 飮酒高會[胡三省注, 高會者, 人會也], 天寒人雨, 士卒凍飢. 項羽曰, 將戮力而攻秦, 久留不行. 今歲饑民貧, 士卒食半菽[胡三省注, 菽, 豆也. 臣瓚曰, 士卒食蔬菜, 以菽雜半之], 軍無見糧, 乃飮酒高會, 不引兵渡河因趙食', …".

66) 이 시기를 전후하여 한반도에서는 旱魃이 계속 되었을 가능성이 있고, 이 기사에서 是歲는 冒頭에 있는 乾化四年甲戌이 914년(政開1)에 該當하는 사실인지는 분명하지 않다. 이 점은 한반도에 東南風이 불어오는 陰曆[太陰太陽曆, 舊曆] 3月 이후에 발생하는 日本의 氣象을 念頭에 두지 않을 수 없다(→太祖 14년 2월 12일). 곧 봄[春]의 가뭄[旱魃]이 잦았던 한반도에서 陰曆 5月 下旬 頃에 北上하는 熱帶性의 低氣壓은 萬物을 回生시키는 甘雨였다. 그렇다면 궁예의 泰封國이 존속했던 시기에 일어난 일본의 旱魃이 주목되는데, 908년(延喜1) 6月, 910년(延喜10) 6~7月, 913년, 915년(延喜15) 등의 경우 全國에서 旱魃이 심하였고, 917년(延喜17) 7~12월에는 京畿에서 旱魃이 있었다고 한다(中央氣象臺 1941年 2冊 ; 力武常次 等 2010年).
 이 사실을 통해 볼 때 한반도에서의 한발은 더욱 극심하였을 것이고, 915년(신덕왕4) 이래 弓裔의 專制政治, 彌勒信仰, 無道한 收取, 悖倫 등에 의해 民心이 離叛된 것은 旱魃과 이로 인한 疾疫의 영향이 있었을 것이다(→태조 1년 8월 11일).
 · 『日本紀略』後篇1, 延喜 8년 6월, "是夏, 旱".
 · 『扶桑略記』第23, 延喜 8년, "夏月, 大下旱魃".
 · 『日本紀略』後篇1, 연희 10년 6월, 7월, "今月炎旱. … ^{七月}十日, 日來炎旱. 詔諸國神祀山川奉幣投牲, 又掩骸埋胔, 禁獵制漁, 又赦天下".
 · 『扶桑略記』第23, 연희 10년, "六, 七月, 大下旱魃".
 · 『부상략기』 제23, 연희 13년, "夏月, 大下旱魃".
 · 『부상략기』 第23, 연희 15년[裏書], "九月九日, 止重陽宴, 依諸國旱損疫之有也". 여기에서 裏書[우라가키]는 書狀에서 記錄하는 紙面의 餘白이 부족할 때, 보다 구체적인 사실을 裏面에 기록한 것을 指稱한다.
 · 『일본기략』後篇1, 연희 15년 9월, "九口, 止重陽宴, 依諸國中不堪佃出也".
 · 『일본기략』後篇1, 연희 17년 7월, 12월, "七月以後, 炎旱連月, 民庶飢渴, 群盜滿于巷. … ^{十二月}十九日甲子, 從去九月, 雨澤不降, 井泉枯渴, 其最甚者, 二條以北也 …".

67) 이는 다음의 자료에 의거하였는데, 이때 泰封國[高麗]이 契丹에 사신을 파견했던 것 같다. 여기에서 添字와 같이 고쳐야 옳게 될 것인데, 後者는 『遼史』에서의 表記 方式이다. 또 몽골제국 시기에 契丹[Kitai]의 讀音[音註]을 기록한 자료도 있다.
 · 『요사』 권1, 본기1, 태조1, 9년, "十月戊申^{4日}, 釣魚于鴨淥江^{鴨綠江}, 新羅遣使貢方物, 高麗遣使進寶劍".
 · 『요사』 권105, 열전45, 二國外記, 高麗, "自太祖皇帝神冊間, 高麗遣使進寶劍".
 · 『자치통감』 권190, 唐紀6, 高祖武德 5년(622) 10월 甲寅^{6日}, "… 契丹寇北下[胡三省注, 北下郡, 下州. 契, 欺訖翻, 又音喫]". 여기에서 翻은 우리말(韓語)의 反切, 또는 翻切을 가리킨다.

[**貞明**二年丙子, 秋八月^{癸未朔}, ^{後百濟國}甄萱攻大耶城, <u>不克</u>. 冬十月^{癸未朔}, ^{新羅國}地震, 聲如雷: 追加].⁶⁸⁾

[**貞明**三年丁丑, 春正月^{辛亥朔}, 某日, 太白犯月. 秋七月, ^{新羅國}王薨. 諡曰神德, 葬于竹城. 太子朴昇英嗣位, 是景明王也:追加].⁶⁹⁾

貞明四年[戊寅:追加], 三月^{甲戌朔}, [某日], 唐商客王昌瑾, 忽於市中, 見一人, 狀貌瓌偉, 鬚髮皓白, 頭戴古冠, 被居士服, 左手持三隻梡, 右手擎一面古鏡, 方一尺許. 謂昌瑾曰, "能買我鏡乎?". 昌瑾以二斗米買之. 鏡主將米沿路, 散與乞兒而去, 疾如旋風.⁷⁰⁾

○昌瑾, 懸其鏡於市壁, 日光斜映, 隱隱有細字可讀. 其文曰, "三水中四維下, 上帝降子於辰馬, 先操雞後搏鴨, 此謂運滿一三甲. 暗登天, 明理地, 遇子年中興大事, 混蹤跡沌名姓, 混沌誰知愼^言與聖.⁷¹⁾ 振法雷揮神電, 於巳年中二龍見, 一則藏身靑木中, 一則現形黑金東. 智者見愚者盲, 興雲注雨與人征, 或見盛或視衰, 盛衰爲滅惡塵滓. 此一龍子三四, 遞代相承六甲子. 此四維定滅丑, 越海來降須待酉. 此文若見於明王, 國泰人安帝永昌. 吾之記, 凡一百四十<u>七</u>字".

○昌瑾, 初不知有文, 及見之, 謂非常, 獻于裔. 裔令昌瑾物色求其人, 彌月竟不能得. 唯東州勃颯寺熾盛光如來像前, 有塡星古像,⁷²⁾ 如其狀, 左右亦持梡鏡. 昌瑾喜, 具以狀白, 裔歎異之, 令文人宋含弘·白卓·許原等, 觧之. 含弘等曰, "三水中四維下, 上帝降子於辰馬者, 辰韓馬韓也. 巳年中二龍見, 一則藏身靑木中, 一則現形黑金東者, 靑木松也, 謂松嶽郡人, 以龍爲名者之子

· 『아언각비』 권3, 契丹·冒頓, "契丹, 讀之如乞闌[注, 音결란], 冒頓, 讀之如墨特[音묵특]. 昔有學士讀之如字, 至今傳笑, 然乞旣誤讀[乞木音글, 故入於物韻], 今讀之爲걸誤. 丹木如字[契丹之丹亦音단]. 則二字竟皆誤讀矣[當讀爲글단]. 墨雖不誤[冒音묵], 頓當音突[頓音돌, 見'月韻'], 則一字未免誤讀矣, 何笑焉. 大抵字音之訛, 十居七八, 不可勝言[牡丹之丹, 亦讀爲闌, 無攸據]".

68) 이는 『삼국사기』 권12, 본기12, 신덕왕 5년 8월, 10월에 의거하였다. 또 이해는 契丹太祖 14년으로 2월 11일(丙申) 神冊으로 建元하였다(西曆916年).

69) 이는 『삼국사기』 권12, 본기12, 신덕왕 6년 1월, 7월, 경명왕 1년 7월에 의거하였다.

70) 王昌瑾은 이보다 먼저 中原에서 鐵圓으로 건너와서 市廛에 定着하고 있던 商人이었다. 또 王昌瑾이 가지고 있었다는 古鏡의 銘文은 일찍이 李丙燾敎授에 의해 면밀하게 검정되었다(李丙燾 1948년·1961년).
· 『삼국사기』 권50, 열전10, 弓裔, "先是, 有商客王昌瑾, 自唐來, 寓鐵圓市廛".

71) 여러 판본의 『고려사』에서 愼으로 되어 있으나 眞의 誤字일 것인데(李丙燾 1961년 29面 ; 東亞大學 2008년 1책 425面), 이는 契丹의 興宗의 漢字名인 宗眞(只骨, 夷不菫)을 避諱한 결과로 추측된다(→문종 2년 2월 是月의 脚注). 또 銘文이 147字로 되어 있으나 위의 기사는 모두 145字이므로 七은 五의 誤字이거나 銘文에서 두 글자가 脫落되었을 가능성이 있다(李丙燾 1961년 31面).

72) 塡星古像은 『삼국사기』 권50, 열전10, 弓裔에는 鎭星塑像으로, 『고려사절요』에는 鎭星古像으로 表記하였는데, 塡星은 鎭星·德星으로도 表記된 土星(Saturn)의 別稱이다(『자치통감』 권3, 周紀3, 赧王 10년(BC 305), "彗星見[胡三省注, 塡, 讀曰鎭]"→성종 8년 9월 16일의 脚注).

孫, 可以爲君主也. 王侍中, 有王侯之相, 豈謂是歟. 黑金鐵也, 今所都鐵圓之謂也. 今主初盛於此, 殆終滅於此乎? 先操雞, 後搏鴨者, 王侍中御國之後, 先得鷄林, 後收鴨綠之意也". 三人相謂曰, "王猜忌嗜殺, 若告以實, 王侍中必遇害, 吾輩亦且不免矣". 乃詭辭告之.[73]

[時太祖年四十二:追加].

[是月頃, 泰封遣使如契丹:追加].[74]

至六月壬寅朔, 乙卯[14日], 騎將洪儒·裴玄慶·申崇謙·卜智謙等密謀, 夜詣太祖第, 共言推戴之意. 太祖固拒不許, 夫人柳氏手提甲領被太祖, 諸將扶擁而出.[75]

[→將言推戴之意, 不欲令夫人柳氏知之, 謂柳氏曰, "園中豈有新瓜乎? 可摘來". 柳氏知其意出, 從北戶, 潛入帳中. 於是, 諸將曰, "今王, 政僭刑濫, 殺妻戮子, 誅夷臣僚, 民墜塗炭, 疾之如讎, 桀紂之惡, 無以加也. 廢昏立明, 天下之大義, 請公行殷·周之事". 太祖作色, 拒之曰, "吾以忠義自許, 王雖暴亂, 安敢有二心, 以臣伐君, 斯謂革命, 予實不德, 敢效湯·武之事乎? 恐後世, 將以爲口實, 古人云, 一日爲君, 終身爲主, 況延陵季子曰, 有國, 非吾節也, 乃去而耕焉, 吾豈過季子之節乎?". 諸將曰, "時難遭而易失, 天與不取, 反受其咎. 國中民庶, 受毒痛者, 日夜思欲復之, 且權位重者, 皆遭殺戮. 今之德望, 未有居公之右者, 衆情所以望於公也. 公若不從, 吾等死無日矣. 況王昌瑾鏡文如彼, 豈可違天, 死於獨夫之手乎?".[76] 柳氏出, 謂太祖曰, "擧義代虐, 自古而然, 今聞諸將之議, 妾猶憤發, 況大丈夫乎?". 手提甲領, 以被之, 諸將扶擁而出, 黎明, 坐於積穀之上, 行君臣之禮:節要轉載].[77]

---

73) 鴨綠江은 白頭山에서 서쪽으로 흘러서 義州 闊洞앞의 九龍淵에 이르러 두 支流로 나뉘는데, 하나는 狄江으로 동쪽으로 흐르고[鴨綠江], 다른 한 갈래는 義州城 아래에서 서쪽으로 흘렀고[西江], 양 갈래 사이에 灘子島·於赤島·威化島·黔同島 등의 沙洲가 있었다고 한다(『연산군일기』 권40, 7년 5월 癸丑[6일] ; 『중종실록』 권9, 4년 9월 戊午[29일]).

74) 이는 다음의 자료에 의거하였는데, 이때 泰封國이 契丹에 사신을 파견했던 것 같다.
· 『요사』 권1, 본기1, 태조1, 神冊 3년 2월, "晉·吳越·渤海·高麗·回鶻·阻卜·黨項及幽·鎭·定·魏·潞登州, 各遣使來貢".
· 『요사』 권105, 열전45, 二國外記, 高麗, "自太祖皇帝神冊間, 高麗遣使進寶劍".

75) 이날은 율리우스曆으로 918년 7월 24일(그레고리曆 7월 29일)이다.

76) 獨夫는 匹夫와 같은 의미를 지니고 있다.
· 『자치통감』 권28, 漢紀20, 元帝初元 2년(BC47) 7월, "… 上[元帝]器重[關內侯]蕭望之不已, 欲倚以爲相, [中書令弘]恭·[僕射石]顯及許·史兄弟, 侍中·諸曹側目於望之等. [宗正劉]更生乃使其外親上變事[胡三省注, 外親, 謂母黨也], 言 '地震殆爲恭等, 不爲[三善]婦動[注, 應劭曰, 三獨夫, 謂望之·[光祿大夫]周堪及[宗正劉]向. 師古曰, 獨夫, 猶言匹夫也. 殆, 近也], …".

77) 이상의 기사는 『삼국사기』 권50, 열전10, 弓裔 ; 『고려사』 권88, 열전1, 太祖妃, 神惠王后柳氏 ; 권92, 열전5, 洪儒에도 수록되어 있으나 字句에 출입이 있다. 이때 王建이 居住했던 第宅이 조선시대에 鐵原府의 鄕校로 사용되었던 것 같다.

○令人馳且呼曰, "王公已擧義旗矣". 於是, □□[國人]奔走來赴者,[78] 不可勝記, 先至宮門, 鼓譟以待者, 亦萬餘人. 裔聞之驚駭曰, "王公得之, 吾事已矣". 乃不知所圖, 以微服, 出自北門亡去, 內人淸宮以迎.[79] 裔遁于巖谷, 信宿飢甚, 偸截麥穗而食, 尋爲斧壤民所害.[80]

戊寅[太祖]元年 : 天授元年, 後梁貞明四年, (契丹神册三年), [西暦918年]

918년 2월 14일(Gre曆2월 19일)에서 919년 2월 3일(Gre曆2월 8일)까지, 355일

夏六月[壬寅朔人盡,建己未], 丙辰[15日], □□[太祖]卽位于布政殿, 國號高麗, 改元天授.[81]

丁巳[16日] 詔曰,[82] "前主當四郡土崩之時, 剗除寇賊, 漸拓封疆. 未及兼幷海內, 俄以酷暴御衆,

- 『東州集』前集권6, 東游錄(1621年), 麗祖故宅, 今爲鄕校, "麗王遺宅寄寒山, 虎踞龍盤只等閑, 看取半千年事業, 夕陽無限鎖儒關".
[78] 添字는 『고려사절요』권1에 의거하였다.
[79] 淸宮은 除宮과 같은 意味로 일반적으로 天子가 行幸할 때 殿中을 淸潔하게 整理하여 非常에 對備한다는 것을 가리킨다고 한다. 이에 대해 帝位의 交替時에는 皇帝와 그 姻親과 近侍들을 내보내는 것을 指稱하기도 하는 것 같다.
  - 『자치통감』권13, 漢紀5, 高后 8년(BC180) 後九月, "... 東牟侯興居曰, '誅呂氏, 臣無功, 請得除宮'[胡三省注, 除宮, 淸宮也. 應劭曰, 舊典, 天子行幸, 所至必遣靜室令, 先按行淸淨殿中, 以備非常. 余[胡三省]謂此是群臣雖奉帝卽位, 以少帝猶居禁中, 蓋有所屛除也]".
[80] 泰封國의 皇帝인 弓裔가 그의 臣下 王建에 의해 축출되었다가 被殺된 사실에 대한 『고려사』의 上記와 같은 記述은 미심쩍은 면이 없지 않다. 왕건의 추대 세력에 의해 피살되었다는 기록도 찾아지는데, 事實일 것이다. 또 弓裔는 15일(丙辰) 宮闕에서 脫走하여 이틀 밤[信宿]을 들판에서 지내고서 피살되었고 함을 보아 17일(戊午)에 絶命하였던 것 같은데, 이날은 율리우스曆으로 918년 7월 27일(그레고리曆 8월 1일)에 해당한다.
  - 『삼국사기』권12, 본기12, 경명왕 2년, "夏六月, 弓裔麾下人心忽變, 推戴□□[我]太祖[王建]. 弓裔出奔, 爲下所殺, □□[我]太祖卽位, 稱元".
  - 『朴通事新釋』末尾, "...高麗太祖, 姓王諱建, 表字若天. 年當二十歲時分, 正是唐昭宗乾寧三年. 那時有箇王名弓裔[新羅憲安王之子, 叛居鐵原爲都, 國號泰封], 眞是無道, 無所不爲. 有將牟裴玄慶·洪儒·卜智謙·申崇謙等四箇人, 向太祖商量道. 弓王如此無道. 願公速救百姓之苦. 那時太祖不允. 倒是娘子柳氏出來說道, 征伐無道, 乃國家正理. 如我婦人家, 聽得心內, 尙然不忍, 況爲男子漢的怕甚麼呢. 便檯出金甲一副, 與太祖穿上. 叫衆將軍們, 服侍上馬. 又着人前去, 曉諭衆百姓道, 王公已擧義兵. 百姓們聽得這話, 便搥鼓打鑼, 聚集萬千人, 把弓王圍困. 弓王只得改換衣裝, 逃徃山中去了. 後來有人, 向山中打圍[狩獵], 撞見弓王, 放箭射殺了他, 卽便請太祖, 登布政殿, 卽了王位. 國號高麗. 第二年便移都松岳郡. 這便是, 當年高麗建之故事了".
  - 『資治通鑑』권271, 後梁紀6, 均王下, 龍德 2년(922) 12월, "大封[泰封]王躬乂, 性殘忍, 海軍統帥王建殺之, 自立, 復稱高麗王, 以開州爲東京, 平壤爲西京, 建儉約寬厚, 國人安之".
  - 『陸氏南唐書』권18, 열전15, 高麗, "高麗全五代初, 國名曰人封, 其王高氏, 名躬乂, 躬乂晚年果于誅殺. 吳順義二年, 當梁之龍德二年, 爲海軍統帥王建所殺, 建自立, 去大封之名, 復稱高麗, 以開州爲東京, 平壤爲西京".
[81] 添字는 『고려사절요』권1에 의거하였다. 이날은 율리우스曆으로 918년 7월 25일(그레고리曆 7월 30일)이다.

以姦回爲至道, 以威侮爲要術. 徭煩賦重, 人耗土虛. 而猶宮室宏壯, 不遵制度, 勞役不止, 怨讟遂興. 於是, 竊號稱尊, 殺妻戮子, 天地不容, 神人共怨, 荒墜厥緒, 可不戒乎? 朕資群公推戴之心, 登九五統臨之極, 移風易俗, 咸與惟新. 宜遵改轍之規, 深鑑伐柯之則. 君臣諧魚水之歡, 河海恊^協晏淸之慶,[83] 內外群庶, 宜悉朕懷". ○群臣拜謝曰, "臣等値前主之世, 毒害良善, 滛虐^{淫虐}無辜,[84] 老稚嗷嗷, 莫不含寃. 幸今得保首領, 遭遇聖明, 敢不竭力, 以圖報效".

戊午[17日], 王謂韓粲聰逸曰, "前主信讒好殺, 以卿貫鄕靑州, 土地沃饒,[85] 人多豪傑, 恐其爲變, 將欲殲之. 乃召軍人尹全·愛堅等八十餘人, 俱以非辜, 械繫在途, 卿其亟往, 放還田里".

[○以騎卒泰評爲徇軍郎中. 評, 博涉書史, 明習吏事, 初爲鹽州賊帥柳矜順記室. 矜, 破矜順, 評乃降, 矜怒其久不服, 令屬卒伍, 遂從太祖, 開國之際, 與有力焉:節要轉載].[86]

庚申[19日], 馬軍將軍桓宣吉謀逆, 伏誅.

---

82) 秦始皇이 처음으로 帝王[天子]의 王言[命令]을 詔書, 制書라고 命名하였던 것 같다.
 · 『자치통감』 권7, 秦紀2, 始皇帝 26년(BC221), "王初幷天下, 自以爲德兼三皇, 功過五帝, 乃更號曰皇帝, 命爲制, 令爲詔[胡三省注, 師古曰, 天子之言, 一曰制書, 二曰詔書. 制書, 謂其制度之命也. 如淳曰, 詔, 告也. 自秦·漢以上, 唯天子得稱之], 自稱曰朕[胡三省注, 古者君臣之間通稱曰朕, 自秦定制, 唯天子獨稱], 追尊莊襄王爲太上皇[太上者, 極尊之稱也. 始皇自號曰始皇帝, 故追尊莊襄王爲太上皇. 自漢高帝以尊太公, 此後不復爲追號], …".
 · 『자치통감』 권11, 漢紀3, 高帝 5년(BC202), "二月甲午, 王^{漢王劉邦}卽皇帝位于氾水之陽, 更王后曰皇后, 太子曰皇太子, 追尊先媼^{劉邦母}曰昭靈夫人. 詔曰[胡三省注, 如淳曰, 詔, 告也. 自秦·漢以下, 唯天子獨稱之. 漢制度, 帝之下書有四, 一曰策書, 二曰制書, 三曰詔書, 四曰誡敕. 策書者, 編簡也, 其制長二尺, 短者半之, 篆書, 起年月日, 稱皇帝以命諸侯王, 三公以罪免, 亦賜策, 而以隸書, 用尺一木, 兩行, 此爲異也. 制書, 帝者制度之命, 其文'制詔三公,' 皆璽封, 尚書令印重封, 露布州郡也. 詔書, 告也, 其文曰'告某官如故事'. 誡敕, 謂敕刺史·太守, 其文曰'有詔, 敕某官'. 他皆倣此], …".
83) 여러 판본의 『고려사』에서 恊(協의 俗字)으로 되어 있으나 의미상으로 볼 때 協으로 바꾸어야 옳을 것이다(東亞大學 2008년 1책 425面).
84) 滛(제)는 『고려사』 및 『고려사절요』에서 滛(제)로 되어 있으나 의미상으로 淫(음)이 옳을 것이다(東亞大學 2008년 1책 425面). 行書로 글자를 쓸 때 淫을 滛로 잘못 쓴다고 한다(『字學』, 二字相似). 또 無辜淫虐은 '無辜한 사람에게 淫虐하고 暴虐하여', 또는 '무고한 사람을 지나치게 虐待하여'라는 두 가지로 飜譯할 수 있으나[讀] 여기에서는 後者가 더 적절할 것이다.
 · 『春秋左氏傳』傳, 昭公 1년 3월 末尾, "… 夫以强取, 不義而克, 必以爲道. 道以淫虐, 弗可久已矣".
 · 『자치통감』 권32, 漢紀24, 成帝綏和 1년(BC8) 11월, "… 衛尉·侍中淳于長有寵於上, 大見信用, 貴傾公卿, 外交諸侯, 牧·守賂遺[胡三省注, 牧, 州牧也. 守, 郡守也], 賞賜累鉅萬, 淫於聲色[注, 淫, 過也, 方也]".
85) 여기에서 淸州 地域[靑州]이 肥沃하여 産物이 豊足하다[豊饒]는 것은 당시 그곳이 水利施設[灌漑]이 잘 되어 있었다고 理解할 수도 있을 것이다.
 · 『자치통감』 권11, 漢紀3, 高帝 5년(BC202) 5월, "齊人婁敬戍隴西, 過洛陽, … 上^{高祖劉邦}問張良, 良曰, '洛陽雖有此固, 其中小不過數百里, 田地薄, 四面受敵, 此非用武之國也. 關中左殽·函, 右隴·蜀, 沃野千里[胡三省注, 師古曰, 沃者, 漑灌也, 言其土地皆有漑灌之利, 故曰沃野], 南有巴·蜀之饒, 北有胡苑之利, …".
86) 이는 『고려사절요』 권1, 태조 1년 6월에서 전재한 것이고, 같은 기사가 열전5, 王順式, 泰評에도 수록되어 있다. 以下에서 『高麗史節要』의 구체적인 典據를 提示하지 않는다.

[→初, 宣吉與其弟香寔, 俱^{事太祖}有翊戴之功, 王^{拜宣吉爲馬軍將軍}委以腹心, 常令率精銳, 以宿衛. 其妻謂曰, "子才力過人, 士卒服從, 又有大功, 而政柄在人, 可不懊乎?". 宣吉心然之, 遂陰結兵士, ^欲伺隙爲變. ^{爲馬軍將軍}卜智謙知之, 密告, 王以跡未形, 不納. 一日, 王坐殿上, 與學士數人, 議^論^討國政, 宣吉與其黨五十餘人, 持兵^{甲突}^入,87) 突入內庭, 直欲犯之. 王策杖而立, 厲聲叱之曰, "朕雖以汝輩之力至此, 豈非天乎? 天命已定, 汝敢爾耶?". 宣吉見王辭色自若, 疑有伏甲, 與衆走出, 衛士追^{及捕斬}^{宣吉}殺之. 香寔後至, 知事敗亦亡, 追兵殺之:節要轉載].88)

辛酉^{20日}, 詔曰, "設官分職, 任能之道斯存, 利俗安民, 選賢之務是急. 誠無官曠, 何有政荒. 朕叨膺景命, 顯馭丕圖, 顧臨菈以難安, 念庸虛之可懼. 唯慮知人不明, 審官多失, 俾起遺賢之歎, 深乖得士之宜. 寢興載懷, 職此而已. 內外庶僚, 並稱其職, 則匪獨今時之致理, 足貽後代之可稱. 宜其登庸列辟, 歷試群公, 勉務精選, 咸使僉諧. 自中及外, 其悉朕懷".

○遂以韓粲金行濤爲廣評侍中, 韓粲黔剛爲內奉令, 韓粲林明弼^{林名必}爲徇軍部令,89) 波珍粲林曦爲兵部令, 蘇判陳原爲倉部令, 韓粲閻萇爲△^守義刑臺令, 韓粲歸評爲都航司令, 韓粲孫逈爲物藏省令, 蘇判秦勁爲內泉部令, 波珍粲秦靖爲珍閣省令. 是皆禀性端方, 處事平允, 咸從創業之始, 俱罄佐命之勳者也.90)

○閼粲林積璵爲廣評侍郎, 前守徇軍部卿能駿·倉部卿權寔並爲內奉卿, 閼粲金堙·英俊並爲兵部卿, 閼粲崔汶·堅術並爲倉部卿, 一吉粲朴仁遠·金言規並爲白書省卿, 林湘煖爲都航司卿, 姚仁暉·香南並爲物藏卿, 能惠·曦弼並爲內軍卿. 是皆夙達事務, 淸謹, 可稱奉公無怠, 敏於決斷, 允愜衆心者也.

○前廣評郎中康允珩爲內奉監, 前徇軍部郎中韓粲申一·林寔並爲廣評郎中, 前廣評史國鉉爲員外郎, 前廣評史倪言爲內奉理決, 內奉史曲矜會爲評察, 前內奉史劉吉權爲徇軍郎中.

○其餘司省, 各置郎·史, 用備員數, 一無所缺. 盖開國之初, 妙簡賢材, 以諧庶務也.

壬戌^{21日}, 以韓粲朴質榮爲侍中.91)

---

87) 政廳[正殿]의 동쪽에 있는 房[室]을 指稱하는 것 같다
· 『자치통감』 권12, 漢紀4, 高帝 10년(BC197) 7월, "定陶戚姬有寵於上^{劉邦}, 生趙^王如意, … 上欣然而笑. 呂后側耳於東廂聽[胡三省注, 韋昭曰, 東廂, 殿東堂也. 師古曰, 正寢之東西室皆曰廂, 言似箱筴之形], 旣罷, 見^{御史大夫周}昌, 爲跪謝, 曰, 微君, 太子幾廢".

88) 添字는 열전40, 叛逆1, 桓宣吉에 의거하였다.

89) 林明弼은 태조왕건의 肅穆夫人 林氏의 父인 鎭州人 林名必과 동일한 인물로 추측된다(『고려사』 권88, 열전1, 후비1, 태조, 肅穆夫人, 申虎澈 2002년 393面; 東亞大學 2008년 1책 85面; 金甲童 2021년 91面).

90) 閻萇은 이보다 수일 후에 韓粲·守義刑臺令을 띠고 있음을 보아(『고려사절요』 권1; 『고려사』 권127, 열전40, 叛逆1, 伊昕巖), 이 기사에서 守字가 탈락되었음을 알 수 있는데, 여타 인물들이 임명된 관직에도 같은 樣相을 지니고 있을 것이다. 또 이때의 守職이 後代의 施行된 行守法에 의한 것인지, 臨時로[暫時] 임명된 權守의 守職인지는 분명히 알 수 없으나 後者일 가능성이 있다.

○以蘇判宗偘, 少爲僧, 務行姦詐, 內軍將軍狄鉥, 幼爲髡鉗. 巧言取容, 皆得幸弓裔, 好行浸潤, 多陷良善, 誅之.

癸亥^{22日}, 隱士朴儒來見, [王以禮待之, 謂曰, "致理之道, 惟在求賢, 今卿之來, 如得傳巖·渭濱之士". 因:節要轉載]賜冠帶, [令管機要, 賜姓王. 儒, 性質直, 通經史, 初仕弓裔, 爲員外□^郞, 遷至東宮記室, 見裔政亂, 遂出家, 隱於山谷, 聞王卽位, <u>乃來</u>:節要轉載].⁹²⁾

乙丑^{24日}, 詔曰, "爲國, 當務節儉, 民富倉實, 雖有水旱饑饉, 不能爲患. 所有內莊及東宮食邑積穀, <u>歲久</u>, 必多朽損, 其以內奉郞中能梵爲審穀使. 以內奉員外郞尹珩爲內奉郞中, 內奉史李矜會爲內奉員外□^郞".⁹³⁾

[→詔曰, "爲國, 當務節儉, 民富倉實, 雖有水旱·飢饉<u>之災</u>, <u>可無患也</u>, 所有內莊及東宮食邑積穀, 多致朽損, 其以內奉郞中能梵爲審穀使":節要轉載]

戊辰^{27日}, 以白書省孔目直晟爲白書郞中, 徇軍郞中閔剛爲內軍將軍.

○□□□□^{始定官制},⁹⁴⁾ 詔曰, "朕聞, 乘機革制, 正謬是詳, 導俗訓民, 號令必愼. 前主以新羅階官·郡邑之號, 悉皆鄙野, 改爲新制, 行之累年, 民不習知, 以至惑亂. 今悉從新羅之制, 其名義易知者, <u>可從新制</u>".⁹⁵⁾

[○是時, 官階, 用新羅之制, 不分文武. 曰大舒發韓, 曰舒發韓, 曰夷粲, 曰蘇判, 曰波珍粲, 曰韓粲, 曰閼粲, 曰一吉粲, □□□^{曰沙湌}, 曰級粲□^等:百官2文散階轉載].⁹⁶⁾

---

91) 이때 廣評侍中이 1일 만에 金行濤에서 朴質榮으로 교체된 것은 革命의 渦中에 어떠한 문제가 있었던 것 같다(金甲童 2021년 91面).

92) 이와 같은 기사가 열전5, 崔凝에도 수록되어 있다.

93) □에 郞字가 들어가야 옳게 되지만, 간혹 員外郞을 員外로 略稱하여 表記하는 경우도 있으므로, 郞字가 없어도 無妨하다.

94) 『고려사절요』 권1에는 始定官制가 덧붙여 있는데, 이것이 『태조실록』에 있었는지, 아니면 『고려사절요』의 編纂者가 任意로 追加하였는지는 알 수 없다.

95) 이와 관련된 기사로 다음이 있다. 이때 後高句麗의 황제였던 弓裔에 의해 만들어졌다는 新制는 官府의 職制·職名이 아니라 官階[計官]의 名稱이었다(邊太燮 1981년 ; 朴龍雲 2009년 50面).
    · 志30, 百官1, 序文, "高麗太祖, 開國之初, 參用新羅·泰封之制, 設官分職, 以諧庶務. 然其官號, 或雜方言, 蓋草創未暇革也".
    · 志31, 百官2, 文散階, "太祖以泰封主任情改制, 民不習知, 悉從新羅, 唯名義易知者, 從泰封之制"가 있다.

96) 이는 다음의 기사를 轉載하여 적절히 變改하였다. 이는 新羅式의 官等을 그대로 이용하였던 것으로 추측된다. 여기에서 [ ]은 新羅의 17官等인데, 그중에서 8官等 沙湌은 탈락되었고, 9官等 級粲 이하의 관등은 생략되었던 것 같다. 또 1관등 大舒發韓의 다음에 2관등 舒發韓이 존재하고 있음을 보아 태봉 때에 신라의 경위 17관등이 唐制의 18官品에 의거하여 18官等으로 再整備되었던 것 같다. 또 이때 사용된 新羅式의 官等은 922년(태조5) 무렵부터 泰封式의 官階로 交替되었고, 이후 관직과 관계는 모두 태봉의 그것으로 변경되었던 것 같다(張東翼 2015년a).
    · 志31, 百官2, 文散階, "國初官階, 不分文武. 曰人舒發韓[1伊伐湌], 曰舒發韓, 曰夷粲[2伊湌], 曰蘇判[3], 曰波珍粲[4], 曰韓粲[5大阿湌], 曰閼粲[6阿湌], 曰一吉粲[7一吉湌], 曰級粲[9], 新羅之制也".

[○一吉粲能允家園, 生瑞芝一本, 九莖三秀, 獻于王, 賜內倉穀:五行1・節要轉載].[97]

己巳[28日], □[革]馬軍大將軍伊昕巖謀叛, 棄市.[98]

[→昕巖, 業弓馬, [無他才識], 見利躁求, 事弓裔, 以鉤距, 得見任用. 至裔末年, [將兵]襲取熊州, 因而鎭之, 聞王創位, 潛懷禍心, 不召自至, 士卒多亡, 熊州復爲百濟所有. [熊州]守義刑臺令閻萇, 與昕巖比隣, [萇]知其陰謀, 具奏. 王曰, "昕巖棄鎭自來, 以喪邊疆, 罪實難原, 然與我竝肩事主, 情分有素, 不忍加誅. 且其叛形未露, 彼必有辭". 萇請密令伺之, 王遣內人, 至萇家, 從帳中候之, 昕巖妻桓氏至厠, 謂其無人, 旋已長吁曰, "吾夫事若不諧, 則吾受禍矣", 言訖而入. 內人以狀聞, 遂下昕巖獄, 具伏[其辜], 令百僚議其罪, 皆曰, "當誅". 王親讓之曰, "汝素畜兇心, 自陷刑辟, 法者, 天下之公也, 不可私撓". 昕巖流涕而已, 令斬於市, 籍其家, 黨與不問[千門萬與:節要轉載].[99]

[是月, 入唐求法新羅僧忠湛歸還:追加].[100]

秋七月壬申□[朔][小盡建庚申], 以廣評郎能寔爲徇軍郎中.[101]

[庚寅[19日], 詔曰, "泰封主, 以民從欲, 惟事聚斂[聚歛],[102] 不遵舊制, 一頃之田, 租稅六碩, 置[管]驛之戶, 賦絲三束. 遂使百姓, 輟耕廢織, 流亡相繼. 自今, 租稅征賦, 宜用天下通法[舊法], 以爲恒例":節要轉載].[103]

---

97) 瑞芝는 芝草, 靈芝草를 가리키며 전통 사회의 人民들이 吉祥이라고 믿었던 것 같다.
　・『자치통감』권21, 漢紀13, 武帝元封 2년(BC109), "六月, 甘泉房中産芝九莖[胡三省注, 時芝山於甘泉齋房, 九莖連葉. '論衡', 芝生於土, 土氣和則芝草生. '瑞命記', 王者慈仁則芝草生], 上[武帝]爲之赦天下".

98) 이 기사에서 以字가 추가되어야 옳게 될 것이다. 棄市는 人民이 雲集하는 市廛(場市)에서 被刑者를 處刑하고, 그 尸身을 放置하여 人民들로 하여금 反國家的 또는 反人倫的인 行爲하지 못하게 하려는 刑罰일 것이다.
　・『자치통감』권18, 漢紀10, 武帝元光 3년(BC132) 末尾, "… 收繫[爲相]夫及支屬, 皆得棄市罪[胡三省注, 刑人於市, 與衆棄之, 故殺之於市者爲之棄市. 景帝中元年, 改磔曰棄市. 應劭曰, 先諸士煏皆磔於市, 今改曰棄市, 自非妖逆, 不復磔也. 師古曰, 磔, 爲張其尸也. 棄市, 殺之於市也]".

99) 添字는 열전40, 伊昕巖에 의거하였다.

100) 이는 「原州興法寺眞空大師塔碑」에 의거하였다(보물 제463호, 국립중앙박물관 소장, 金石總覽 144面 ; 李智冠 2004년 1冊 134面).

101) 壬申에 朔이 탈락되었다. 당시에 宣明曆을 이어 받은 後梁의 曆日과 日本의 曆日에서 모두 7월의 朔日은 壬申이다.

102) 여러 판본의 『고려사』에서 聚歛(취감)으로 되어 있으나 聚斂(취렴)으로 고쳐야 옳게 된다. 일반적으로 斂을 쓸 때 바란다[欲念]는 의미의 歛으로 잘못 쓴다고 한다(『字學』, 行久義異). 그렇지만 古代에는 歛과 斂[收集, 聚集]을 같은 글자로 사용하기도 하였다고 하지만, 여기서는 學問後續世代들을 위해 모두 고쳐 놓았다.

103) 이는 『고려사절요』권1에서 전재한 것인데, 같은 자료가 『고려사』권78, 지32, 食貨1, 租稅에도 수록되어 있는데, 添字는 이에 의거하였다. 이날의 날짜[日辰]는 人司憲 趙浚이 私田改革을 위한 上疏에서 太祖 王建이 즉위한지 34일 만에 위의 詔令을 내렸다고 한 것에 의거하였다. 이에 의하면 태조 왕건은

癸巳22日, 廣評侍郎荀弼病免, 以兵部卿列評, 代之.

丙申25日, 靑州領軍將軍堅金·副將連翌·興鉉:節要轉載]來見. [各賜馬一匹, 綾帛有差. 初, 王以靑州人多變詐, 不早爲備, 必有後悔, 乃遣州人能達·文植·明吉等, 往覘之. 能達還奏云, 無他. 文植·明吉, 私謂州人金勤謙·寬駿曰,[104] "能達, 雖奏無他, 新穀熟, 恐有變". 及是, 堅金等言, "本州人與勤謙·寬駿·金言規等, 在京都者, 其心異同, 去此數人, 可無患矣". 王曰, "予心存止殺, 有罪者, 尙欲原之, 況彼數人, 皆有宣力扶義之功, 欲得一州, 而殺忠賢, 予不爲也". 堅金等, 慚懼而退, 勤謙·言規等聞之, 奏曰, "日者能達, 復曰無他, 臣等固以爲不然, 今觀堅金等所言, 不可保其無他, 請留之, 以觀其變", 王從之. 旣而, 謂堅金等曰, "今汝所言, 雖不能從, 深嘉乃忠, 可早歸, 以安衆心". 堅金等言, "臣等冒陳利害, 反類誣譖, 不以爲罪, 惠莫大焉, 歸骨之後, 誓以赤心輔國. 然一州之人, 人各有心, 如有始禍, 恐難制也, 請遣官軍, 爲之聲援". 王然之, 遣馬軍將軍洪儒·庾黔弼等, 率兵千五百, 鎭鎭州, 以備之. 是後, 道安郡奏, "靑州密與百濟, 通好, 將叛". 王將軍能植, 將兵鎭撫. 由是, 不克叛:節要轉載].[105]

○以前兵部卿職預爲泰評侍郎廣評侍郎.[106]

八月辛丑朔大盡,建辛酉, 己酉9日, 諭群臣曰, "朕慮諸道寇賊, 聞朕初卽位, 或構邊患. 分遣單使, 重幣卑辭, 以示惠和之意". 歸附者果衆, 獨甄萱不肯交聘.[107]

田租를 1/10의 原則에 1負에 3升으로 고쳤다고 한다.
· 世家49[←高麗史 권137, 列傳50], 昌王 즉위년 7월 某日, "簽書密直司事韓人司憲趙浚等上書曰, 夫仁政, 必自經界始. 正田制, 而足國用, 厚民生, 此當今之急務也. … 新羅之末, 田不均, 而賦稅重, 盜賊群起. 太祖龍興, 卽位三十有四日, 迎見群臣, 慨然嘆曰, 近世暴斂, 一頃之租, 收至六石, 民不聊生, 予甚憫之. 自今, 宜用什一, 以田一負, 出租三升, 遂放民閒三年租".

104) 金勤謙은 그의 6世係인 玄化寺住持·僧統 德謙(1083~1150)의 墓誌銘에 의하면, 死後에 守司徒·三重大匡에 追贈되었던 것 같다(金龍善 2006년 116面). 여기에서 引用되는 翰林人學에서 在職했던 金龍善教授는 李基白教授가 크게 자랑했던 弟子로서 高麗時代史의 研究에서 그의 앞에 나설 學者는 거의 없을 것이다. 가히 後世에 '靑出於藍, 靑於藍'으로 불릴 學者일 것이고, 그의 影響 下에 크게 도움을 받고 있는 우리들은 發憤, 勉學하여야 할 것이다(筆者의 私見일 수도 있다).
· 『世說新語』권上之下, 文學第4, "鄭玄在馬融門下, 三年不得相見, 高足弟子傳授而已. …"(四庫全書本10左1行).
105) 이 기사는 열전5, 洪儒에 축약되어 있고, 王順式·堅金에는 보다 상세하게 기록되어 있다.
106) 이는 여러 판본의 『고려사』에서 泰評侍郎으로 되어 있으나, 『고려사절요』권1에는 廣評侍郎으로 되어 있는데, 의미상으로 後者가 옳을 것이다(東亞大學 2008년 1책 428面).
107) 太祖 王建이 936년(태조19) 9월 후삼국을 통일하기 이전까지 『고려사』에서 來·來投·降 등으로 표기된 인물은 自身과 眷屬들을 거느리고 투항한 것이고, 歸附로 표기된 인물은 지배 영역을 거느리고 歸順해 온 것을 의미하는 것 같다.
· 『신오대사』권2, 梁本紀2, 太祖下, 開平 3년 6월 注釋, "以身歸曰降, 以地歸曰附, 亦文理宜然爾".

庚戌[10日], [秋分].[108] 朔方鶻巖城帥尹瑄來歸. [瑄, 沈勇善韜鈐, 弓裔末, 避禍, 走入北邊, 有衆二千餘人, 居鶻巖城, 召黑水蕃, 侵害邊郡, 至是, 聞王遣使招諭, 遂來降, 北邊以寧:節要轉載].[109]

辛亥[11日], 詔曰, "前主視民如草芥, 而惟欲之從. 乃信讖緯, 遽棄松嶽, 還居斧壤, 營立宮室, 百姓困於土功,[110] 三時失於農業. 加以饑饉荐臻, 疾疫仍起, 室家棄背, 道殣相望. 一匹細布, 直米五升, 至使齊民, 賣身鬻子, 爲人奴婢, 朕甚悶焉. 其令所在, 具錄以聞". 於是, 得一千餘口, 以內庫布帛, 贖還之.

[□[주]詔曰, "周武黜殷, 發粟散財, 漢高滅項, 令民保山澤者, 各歸田里. 朕深慚寡德, 獲統丕基, 雖資天助之威, 亦賴民推之力. 冀使黎元按堵, 比屋可封. 然承圮運, 苟不蠲租稅, 勸農桑, 何以臻家給人足乎? 其免民三年租役, 流離四方者, 令歸田里, 仍大赦, 與之休息":節要轉載].[111]

[→"朕聞, 昔漢高祖, 收項氏之亂後, 令民保山澤者, 各歸田里, 減征賦之數, 審戶口之虛耗. 又周武王, 黜殷紂之虐, 乃發鉅橋之粟, 散鹿臺之財, 以給貧民者. 盖爲亂政日久, 人不樂其生故也. 朕深慚寡德, 獲統丕基, 雖資天助之威, 亦賴民推之力. 冀使黎元按堵, 比屋可封. 然承前主之圮運, 苟不蠲租稅·勸農桑, 何以臻家給人足乎?. 其免民三年租役, 流離四方者, 令歸田里". 仍大赦, 與之休息:食貨3恩免之制轉載].

○又詔曰, "人臣運佐時之奇略, 樹盖世之高勳者, 錫之以分茅胙土, 褒之以峻秩崇班, 是百代之常典, 千古之宏規也. 朕出自側微, 才識庸下, 誠資群望, 克踐洪基, 當其廢暴主之時, 竭忠臣之節者, 宜行賞賚, 以獎勳勞. 其以洪儒·裴玄慶·申崇謙·卜智謙爲第一等, 給金銀器·錦·繡綺被褥·綾羅·布帛有差.[112] 堅權·能寔·權愼·廉湘·金樂·連珠·麻煖爲第二等, 給金銀器·錦繡·綺被褥·綾帛有差. 其第三等二千餘人, 各給綾帛·穀米有差. 朕與公等, 欲救生民, 未能終守臣節, 以此爲功, 豈無慚德, 然而有功不賞, 無以勸將來, 故有今日之賞, 公等明知朕意".

○甄萱遣一吉粲閔郃來, 賀卽位, 命廣評侍郎韓申一等, 迎于甘彌縣. 郃至, 厚禮遣之.[113]

---

108) 近代以前의 社會에서는 天災地變, 天文異變 등과 같은 자연환경의 변화가 인간의 삶을 크게 좌우하였다. 특히 사회생산력의 중요한 지표의 하나가 農作이었기에 太陰曆과 太陽曆을 적절히 배합한 農曆[天文曆, 太陰 太陽曆]에서 節氣는 무엇보다 중요하였던 것 같다. 이와 같은 사실에 소략했던 年代記의 기사를 보다 잘 이해할 수 있도록 **節氣에 해당되는 日辰이 있으면 [節氣名]을 추가하였다.**

109) 이와 같은 기사가 열전5, 王順式·尹瑄에도 수록되어 있다.

110) 土功은 延世大學本, 東亞大學本에는 上功으로 되어 있으나, 前者가 옳을 것이다.

111) 이는 『고려사절요』 권1에서 전재한 것인데, 같은 자료가 『고려사』 권80, 지34, 식화3, 賑恤, 恩免之制에도 수록되어 있다. 또 志33, 食貨2, 農桑의 序文에 "太祖創位之初, 首詔境內, 放三年田租, 勸課農桑, 與民休息"으로 되어 있다.

112) 이 기사는 열전5, 洪儒에도 수록되어 있다.

113) 閔郃(민합)에 관련된 자료로 다음이 있다.
· 『삼국사기』 권50, 열전10, 甄萱, "貞明四年戊寅, 鐵圓京衆心忽變, 推戴我太祖卽位, 萱聞之, 秋八月, 遣一

甲寅[14日], 以兵部卿萱寔爲內奉卿.

癸亥[23日], 以熊·運等十餘州縣, 叛附百濟, 命前侍中金行濤爲東南道招討使·知牙州諸軍事, □□□以備之.[114]

丙寅[26日], 以倉部郎中柳問律爲廣評郎中.

[戊辰[28日], 虎入都城黑倉垣內, 射獲之. 筮之曰, "虎猛獸不祥, 是主兵也":五行2轉載].[115]

九月[辛未朔大盡,建壬戌], 乙酉[15日], 徇軍史林春吉等謀叛, 伏誅.

[→馬軍將軍卜智謙奏曰, "徇軍史林春吉, 與其鄉靑州人裴念規·季川人康吉·阿次貴·昧谷人景琮, 謀叛". 王使人, 執而訊之, 皆伏, 命誅之. 念規逃免:節要轉載].

[→又徇軍吏林春吉者, 靑州人, 與州人裴念規, 季川人康吉·阿次□囊, 昧谷人景琮謀反, 欲逃歸靑州. 智謙以聞, 太祖使人執訊之. 皆服, 並令禁錮, 唯念規知謀洩乃逃. 於是, 欲盡誅其黨, 靑州人玄律奏, "景琮姊, 乃昧谷城主龔直妻也. 其城甚固, 難以攻拔, 且隣賊境, 若或誅琮, 龔直必反, 不如宥以懷之". 太祖欲從之. 馬軍大將軍廉湘進曰, "臣聞, 景琮嘗語馬軍箕達曰, '姊之幼子, 今在京師, 思其離散, 不堪傷情. 況觀時事亂, 靡有定會, 當伺隙, 與之逃歸'. 琮謀今果驗矣". 太祖大悟, 便令誅之:列傳40桓宣吉轉載].

庚寅[20日], 以□□□淸州人徇軍郎中玄律爲[爲徇軍郎中, 馬軍將軍玄慶·崇謙等言, "往者, 林春吉爲徇軍吏, 圖□廨不軌, 事泄伏辜, 此乃典兵權, 而以靑州爲恃也. 今又以玄律爲徇軍郎中, 臣等竊惑之". 王曰善, 乃改授:節要轉載]兵部郎中.[116]

癸巳[23日], 以前侍中具鎭爲羅州道大行臺侍中.[117] 鎭辭以久勞前主, 不肯行. 王不悅, 謂劉權說

吉粲閱部稱賀".

114) 『고려사절요』 권1에는 添字가 더 있는데, 그렇게 해야 옳게 될 것이다. 이때 熊州, 運州 等地가 후백제에 귀부한 것은 熊州에 出鎭해 있던 伊昕巖이 任意로 衛戍地域을 離脫하였다가 太祖 王建에 의해 誅殺된 결과로 추측된다(→是年 6월 28일, 李內藏 1961년 36面).

115) 이와 관련된 기사로 다음이 있는데, 이때는 고려가 창건된 지 72일 후이므로 黑倉이 태조 왕건에 의해 創置된 것이라고 하기 보다는 泰封의 弓裔에 의해 만들어진 官府로 이해하는 것이 옳을 것이다.
· 지34, 食貨3, 常平·義倉, 序文, "… 昉於漢唐, 饑不損民, 豊不傷農, 誠救荒之良法也. 國初, 租其意, 而創置黑倉".

116) 添字는 『고려사』 권92, 열전5, 裴玄慶 ; 『고려사절요』 권1에 의거하였다.

117) 行臺는 中原에서 魏晉時代 이래 大規模의 出征이 이루어질 때 해당지역에 最高 政務機關의 分司가 임시로 설치되고, 이의 長官이 臨機應變[聽自置官屬, 以便宜從事]의 權限을 부여 받아 政令을 執行하게 되었다. 이는 北魏後期에 尙書大行臺가 설치되면서 餘他의 行臺는 폐지되었고, 전쟁이 끝나면 철폐되었다. 唐帝國의 경우 創業期에 行臺尙書令 또는 行臺左·右僕射 1人이 各地의 行臺, 大行臺의 책임자가 되어 예하의 여러 總管府를 통해 軍事와 行政을 總括하였다. 이 行臺의 令, 僕射, 尙書, 侍郎에서 郎中, 主事에 이르기까지의 員吏 品秩은 京師(長安)의 그것에 비해 1等級 아래였고, 員數는 크게 小數였던 것

曰, "昔予歷試險阻, 而未嘗告勞者, 實懼嚴威也. 今鎭固辭不行, 可乎?". 權說對曰, "賞以勸善, 罰以懲惡, 宜加嚴刑, 以戒群下". 王然之. 鎭懼謝罪, 遂行.

甲午[24日], 尙州賊帥阿字盖, 遣使來附.[118] 王命備儀迎之, 習儀於毬庭, 文武官俱就班, 廣評郎中柳問律與直省官朱瑄劫爭列. 王□□[聞之]曰,[119] "讓爲禮宗, 敬乃德本. 今接賓以禮, 將觀厥成, 而問律·瑄劫爭列, 豈敬愼者乎? 宜並徒邊, 以彰其罪". 以徇軍郎中景訓, 代問律爲廣評郎中.

乙未[25日], [立冬]. 以前內奉監金篆榮·能惠並爲內軍卿.

丙申[26日], 諭群臣曰, "平壤古都, 荒廢雖久, 基址尙存. 而荊棘滋茂, 蕃人遊獵於其閒, 因而侵掠邊邑, 爲害大矣. 宜徙民實之, 以固藩屛, 爲百世之利". 遂[分黃·鳳·海·白·鹽□[等]諸州人戶, 居之: 節要轉載], 爲大都護□[府].[120] 遣堂弟□[于]式廉·廣評侍郎列評守之. [仍置參佐四五人: 節要轉載].

丁酉[27日], 以珍閣省卿柳陟良, 當革命之際, 群僚倉卒散走, 獨不離本省, 所典倉庫, 無所亡失, 特授廣評侍郎.

冬十月[辛丑朔小盡,建癸亥], 庚申[20日], 以守義刑臺卿能律爲廣評侍郎, 廣評侍郎職預爲內侍書記.

辛酉[21日], 靑州帥·波珍粲陳瑄, 與其弟宣長謀叛, 伏誅.[121]

같다. 그 후 各地의 분권적인 群雄勢力을 격파되어 전쟁이 종식되고, 626년(武德9) 6월 秦王·天策上將·領司徒·陝東道大行臺尙書令 李世民이 皇太子로 책봉되어 政權을 장악하자 폐지되고, 이것을 대신하여 大都督府가 설치되었다.

이러한 점을 고려하면 上記의 羅州道大行臺侍中은 羅州道大行臺廣評侍中의 縮約이고, 그것의 職掌은 唐制의 그것과 同一하였을 것이고, 集權體制를 唐制로 轉換시켰던 成宗代 이후 行營都兵馬事의 역할과 유사하였을 것이다. 또 行臺는 王建이 泰封에서 廣評侍中으로 재직하다가 羅州에 山陣하였음을 고려하면 弓裔政權 때부터 後百濟를 牽制[控制]하기 위한 중요한 군사거점인 羅州, 熊州 地域 등에 설치되어 있었을 것으로 추측된다.

· 『자치통감』 권189, 唐紀5, 高祖武德 4년(621) 7월 癸酉, "… 是時, 諸道有事則置行臺尙書省名, 無事則罷之".

118) 阿字盖[阿玆盖]와 관련된 기사로 다음이 있는데, 時期가 7월로 되어 있다.

· 『삼국사기』 권12, 신라본기12, 景明王 2년, "秋七月, 尙州賊帥阿玆盖, 遣使降於太祖".

119) 『고려사절요』 권1에는 孫字가 더 있는데, 그렇게 해야 옳게 될 것이다.

120) 大都護는 大都護府의 약칭일 것이고, 이와 관련된 기사로 다음이 있다.

· 지31, 百官2, 外職, 西京留守官, "太祖元年, 置平壤大都護府, 遣重臣二人, 守之, 置參佐四五人".

121) 이 시기에 木州(現 忠淸南道 天安市 東南區 木川邑)에서 謀叛이 있었다는 所聞이 있었다고 하는데, 지역적으로 가까운 淸州와 연계되었을 가능성이 있다고 한다(金明鎭 2012년). 또 다음 기사의 場은 내용을 고려하면 獐의 오자일 것이다(金甲童 2017년).

· 『新增東國輿地勝覽』 권16, 忠淸道 木川縣, 姓氏, "… 諺傳, 高麗太祖開國, 以木州人屢叛, 嫉之, 賜其邑姓, 皆以畜獸, 後改牛爲于, 改象爲尙, 改豚爲頓, 改場[獐]爲張".

· 『淸江集』 권4, 尙震行狀, "公諱震, 字起夫, 木川人. 其先本縣吏, 高麗太祖統合三韓, 本州人以百濟遺民, 累有警擾, 賜姓畜獸, 以辱之. 公之先, 得象爲姓, 後改以尙焉"(이 자료는 尙震, 『泛虛亭集』 권7에도 수록되어 있다)".

十一月庚午朔大盡,建甲子, [癸未^{14甲}:比定], 始設八關會, 御儀鳳樓^{威鳳樓}觀之,[122) 歲以爲常.[123)

[→設八關會. 有司言, "前王每歲仲冬, 大設八關齋, 以祈福, 乞遵其制". 王曰, "朕以不德, 獲守大業, 盍依佛敎, 安輯邦家". 遂於毬庭, 置輪燈一所, 香燈旁列, 滿地光明徹夜. 又結綵棚兩所, 各高五丈餘, 狀若蓮臺, 望之縹緲. 呈百戲歌舞於前, 其四仙樂部, 龍鳳象馬車船, 皆新羅故事.[124) 百官袍笏, 行禮, 觀者傾都, 晝夜樂焉. 王御威鳳樓, 觀之. 名爲供佛樂神之會. 自後, 歲以爲常:節要轉載].

[十二月庚子朔^{人盡,建乙丑}:追加].

[是年頃, 贈諡上之師僧逈微爲先覺大師, 塔爲遍光靈塔, 仍賜其寺額, 號爲太安:追加].[125)
[增補].[126)

---

122) 이 기사는 지23, 禮11, 仲冬八關會儀에도 수록되어 있지만, 字句에 出入이 있다. 이날의 날짜[日辰, 日付] 比定은 팔관회가 898년(光化1) 11월 궁예 정권 때에 처음 시행된 것(『삼국사기』 권50, 열전10, 弓裔)을 계승하여 거행한 것으로 14일의 小會, 15일의 大會가 개최되었음을 감안하였다.
또 儀鳳樓는 『고려사절요』 권1에는 威鳳樓로 되어 있는데, 후자가 옳을 것이다. 이 威鳳樓는 泰封國의 首都인 鐵圓京에 있었던 宮闕의 樓閣으로서 그 門은 威鳳門이었던 것 같다. 明年 1월 松嶽으로 遷都한 후 새로운 궁궐을 조성할 때도 그 명칭을 그대로 답습하였던 것 같고, 같은 해 11월 팔관회가 개최될 때 태조 왕건이 이곳에 幸次하여 觀覽하였다. 이는 1031년(덕종 즉위년) 6월을 전후하여 神鳳樓와 神鳳門으로 改稱되었다가 1138년(인종16) 5월 16일 殿閣과 宮門을 改稱할 때 儀鳳樓와 儀鳳門으로 바뀌었다.
123) 여기에서 爲常은 爲常式, 爲常例[爲法式, 爲常規]의 縮約일 것이다.
124) 故事는 '옛일을 바탕으로 하여 推測, 檢定하다'는 의미를 지니고 있다.
· 『자치통감』 권30, 漢紀22, 成帝建始 4년(BC29) 11월, "會西域都護段會宗爲烏孫兵所圍, 驛騎上書, … 上曰, '奈何? 其解可必乎? 度何時解?', ^{前西域都護副校尉韓}湯知烏孫瓦合, 不能久攻[注, 師古曰, 謂如碎瓦之雜居, 不齊同], 故事不過數日[師古曰, 故事, 謂以舊事測之], 因對曰, '已解矣', …".
125) 이는 「康津無爲寺先覺大師遍光塔碑」에 의거하였다(金石總覽 170面 ; 李智冠 2004년 1冊 271面).
126) 契丹[Kitai]은 이해[是年] 2월 20일(癸亥) 皇都(上京, 現 內蒙古自治區 巴林左旗 林東鎭의 東南地域)의 城郭을 築造하기 시작하였고(內蒙古文物考古研究所 2015년), 이달[是月]에 後晋·吳越·渤海·高麗 등이 使臣을 보내어 貢物을 바쳤다고 한다[『遼史』 권1, 本紀1, 神冊 3년·권70, 屬國表·권115, 二國外記, 高麗]. 또 3월에 高麗·西北諸蕃이 使臣을 보내와 貢物을 바쳤다고 한다(『요사』 권70, 屬國表). 그리고 『요사』 권115, 열전45, 二國外記, 高麗에 "自太祖皇帝神冊間, 高麗遣使進寶劒, 天贊三年來貢"의 기록이 있다.
이들 기사를 本紀의 내용과 비교·검토하면, 神冊年間의 내용은 太祖 9년(915)의 사실이고 天贊 3년의 내용은 神冊 3년(918)의 사실임을 알 수 있다(馮家昇 1959년). 이 시기에 契丹에 사신을 파견한 高麗國의 성격을 둘러싸고 여러 견해가 제시되고 있으나 弓裔의 고려국으로 비정하는 것이 일반적이다(宋基豪 1995년). 그 외에 『요사』의 高麗列傳에 대한 검토(魏志江 1996년)와 『金史』 권60~62, 交聘表에 의거하여 『遼史』交聘表를 만들어 본 업적(張亮采 1958년)도 있다.

己卯[太祖]二年:天授二年, 後梁貞明五年, [西曆919年]

919년 2월 4일(Gre월 일)에서 920년 1월 23일(Gre월 일)까지, 354일

春正月^{庚午朔小盡,丙寅}, [某日], 定都于松嶽之陽, [□□□^{爲開州}:地理1轉載], 創宮闕, 置三省·六尙書·官九寺. 立市廛, 辨坊里, 分五部,¹²⁷⁾ 置六衛.¹²⁸⁾

[□□□^{是月頃}, 改鐵圓京爲東州:地理3東州轉載].¹²⁹⁾

[二月己亥朔^{人盡, 丁卯}:追加].

三月^{己巳朔小盡,戊辰}, [某日], 創法王·王輪等十寺于都內,¹³⁰⁾ 兩京塔廟·肖像之廢缺者, 並令修葺.
[史臣曰, "太祖創業, 甫踰年, 而作十寺于都城, 修塔廟于兩京. 鳴呼, 其昧於輕重緩急之宜耶. 抑怵於禍福因果之說耶. 于時, 二大强國未平, 諸城未下者, 亦多矣, 而攻戰未已也, 瘡痍未復也, 何汲汲於無益之作, 至此也. 繼有開泰之設, 窮極奢侈, 至有手迤疏語, 大會僧徒, 以落之, 甚矣, 佛氏之溺人心也. 滔滔流俗, 趨奉施捨, 猶恐不及, 以太祖之光明正大, 猶不能不混於衆流之中, 況其下者乎?. 況其臣民, 則效於君者乎?, 惜哉. 其新羅作寺速亡之戒, 豈亦晚年悔悟之作歟?. 貽謀之弊, 流至後昆, 崇信之至, 一日施米, 至於七萬, 歲飯僧徒, 至于三萬, 寺院肖像, 無非金銀之飾, 千函萬軸, 無不金銀其字. 宮殿, 爲梵唄之堂, 緇髡, 居師傅之位, 然亦無救於亂亡, 佛

---

127) 이와 관련된 기사로 지31, 백관2, 五部, "太祖二年立[東·南·西·北·中, 五部]"가 있다.

128) 이와 관련된 자료로 다음이 있는데, 이들에서 "置三省·六尙書·官九寺", "置六衛" 등은 일관되게 기록되어 있지 않다. 또 이들의 내용은 당시의 사실과 부합되지 않으므로 『태조실록』에 의거한 것이 아니라 『고려사』의 편찬자가 任意로 추가한 것으로 추측된다(邊太燮 1971년 5面; 朴龍雲 2009년 51面).
  • 지10, 지리1, 王京開城府, "太祖二年, 定都于松嶽之陽, 爲開州, 創宮闕, 立市廛, 辨坊里, 分五部".
  • 지35, 兵1, 五軍, "太祖二年正月, 置六衛".
  • 『고려사절요』 권1, 태조 2년 1월, "定都于松嶽之陽, 陞其郡爲開州, 立市廛, 辨坊里, 分五部, 置六衛".
  • 『삼국사기』 권12, 신라본기12, 景明王 3년, "□□^{是歲}, 我太祖移都松岳郡". 여기에서 添字가 추가되어야 바르게 옳게 될 것이다.

129) 原文에는 "新羅景德王, 改爲鐵城郡. 後弓裔起兵, 略取高句麗舊地, 自松岳郡, 來都, 修葺宮岦, 窮極奢侈, 國號泰封. 及太祖卽位, 徙都松嶽, 改鐵圓, 爲東州[弓裔宮殿古基, 在州北二十七里, 楓川之原]"으로 되어 있다. 또 이와 관련된 자료로 다음이 있다.
  • 『八谷集』 권2, 東州十詠次頤菴韻, "… 右楓川訪古, 楓川原, 在府北二十七里, 卽弓裔故都".

130) 이때 창건된 開京의 十大寺院은 法王寺·王輪寺·慈雲寺(宮城의 동쪽)·內帝釋院(帝釋院)·舍那寺(舍那禪院)·普濟寺·新興寺·文殊寺·靈通寺·地藏寺(開城 北山에 位置) 등이다.
  • 『삼국유사』 권1, 工曆第1, 太祖, "己卯, 移都松岳郡. 是年, 創法工·慈雲·工輪·內帝釋·舍那. 又創天禪院[卽普膺^{寺地}]·新興·文殊·□通·地藏. 前十大寺, 皆是年, 所創".

氏之禍于國, 害于人, 慘矣, <u>可不戒哉</u>?":節要轉載].[131]

辛巳[13日], 追<u>謚</u>三代, 以曾祖考爲<u>始祖</u>⁼⁼·元德大王,[132] 妃爲貞和王后, 祖考爲懿祖·景康大王, 妃爲元昌王后, 考爲世祖·威武大王, 妃爲威肅王后.

[夏四月戊戌朔^小盡,己巳:追加].

[五月丁卯朔^小盡,庚午:追加].

[六月丙申朔^大盡,辛未:追加].

[秋七月丙寅朔^小盡,壬申:追加].

秋八月^乙未朔人盡,癸酉, 癸卯[9日], 以靑州首鼠順逆, <u>訛言屢興</u>, <u>親幸慰撫</u>, 遂命城之.[133]
[→幸靑州. 時靑州反側, 訛言屢興, 親往慰撫, 而城之, 乃還:節要轉載].
[某日, 改烏山城, 爲<u>禮山縣</u>, 遣大相哀宣·^大相洪儒, 安集流民<u>五百餘戶</u>:節要轉載].[134]

九月^乙丑朔人盡,甲戌, 癸未[19日], 吳越國文士酋彦規來投.

冬十月^乙未朔大盡,乙亥, [某日], 城<u>平壤</u>.[135]

[十一月乙丑朔^小盡,丙子:追加].

---

131) 이 史論은 내용으로 짐작해 볼 때 고려시대의 史官이 修撰한 것이 아니라 『고려사』의 편찬자가 지은 것으로 추측된다.

132) 始祖는 『고려사절요』 권1에는 國祖로 달리 표기되어 있는데, 後者가 옳을 것이다. 始祖는 世系에서 推尋할 수 있는 최초의 祖上이므로 태조 왕건의 시조는 聖骨將軍을 稱한 虎景이다.
   • 『儀禮疏』 권10, 喪服, "諸侯及其<u>大祖</u>⁼⁼, 天子及其始祖之所自出[鄭玄注, 始祖者, 感神靈而生, <u>若稷契也</u>]". 여기에서 添字와 같이 고쳐야 옳게 될 것이다.
   • 『儀禮疏』 권30, "云始祖, 感神靈而生, 若后稷契也".

133) 帝王의 擧動[行次]은 幸次로 표기한다.
   • 『자치통감』 권14, 漢紀6, 文帝前 3년(BC177) 5월, "上<u>幸</u>甘泉[注, 蔡邕曰, 天子車駕所至, 民以爲僥倖, 故曰幸]".

134) 이와 관련된 기사로 다음이 있다. 또 禮山縣은 禮山鎭일 가능성이 높으며 그 위치도 禮山縣(現 忠淸南道 禮山郡)이 아니고, 같은 해[是年]에 축성하였다는 平壤大都護府에 가까운 龍岡縣이었을 것이라는 새로운 견해가 있지만(尹京鎭 2010년a), 보다 신중한 검토가 요청된다.
   • 지10, 지리1, 禮山縣, "本百濟烏山縣, 新羅景德王, 改名孤山, 爲任城郡領縣. 太祖二年, 更今名".
   • 열전5, 洪儒, "^太祖二年, 改烏山城爲禮山縣, 遣^大相哀宣及大相哀宣, 安集流民五百餘戶".

135) 이 기사는 지36, 兵2, 城堡에도 수록되어 있다.

[十二月甲午朔^{大盡,丁丑}:追加].

[是年, 城龍岡縣一千八百七閒, 門六, 水口一:兵2城堡·節要轉載].
[○遣佐良尉金立奇如吳:追加].[136)

庚辰[太祖]三年:天授三年, 後梁貞明六年, [西曆920年]

920년 1월 24일(Gre1월 29일)에서 921년 2월 10일(Gre2월 15일)까지, 13개월 384일

春正月^{甲子朔大盡,戊寅}, [某日], 新羅始遣使來聘.[137)

[二月^{甲午朔小盡,己卯}, 某日],[138) 康州將軍閏雄, 遣其子一康爲質, 拜一康阿粲, 以卿行訓之妹, 妻之.
[某日], 遣郎中春讓於康州, 慰諭歸附.

[三月^{癸亥朔大盡,庚辰}, 某日, 以北界鶻巖鎭, 數爲北狄所侵, 會諸將曰, "今南兇未滅, 北狄可憂, 朕癏瘝^{관관}憂懼. 欲以黔弼往禦如何?". 僉曰, "可". 遂命黔弼, 率開定軍三千, 築大城, 守之. 由是, 北方晏然:節要轉載].[139)

---

136) 이는 다음의 자료에 의거한 것이다. 이에 의하면 당시 吳에 사신을 파견한 것은 泰封國의 弓裔로 되어 있으나, 이때는 왕건에 의해 궁예가 축출된 지 1년이 경과한 시점이므로 司馬光(1019~1086)이 이를 認知하지 못하였을 가능성이 있다. 이 기사는 年代編成[繫年]에 문제가 있어 향후 보다 상세한 검정이 필요하다. 그리고 金立奇가 띠고 있는 佐良尉는 虎騎尉(王式廉)·第五虎騎尉(庚黔弼) 등과 같은 勳官(勳階)級의 下位에 위치한 位階로 추측된다(열전5, 王式廉 ; 庚自偶墓誌銘).
· 『자치통감』권270, 後梁紀5, 均王 中, 貞明 5年(919), "七月內戌^{20日}, 初, 唐滅高麗. 天祐初, 高麗石窟寺眇僧躬乂^{弓裔}, 聚衆據開州稱王, 號大封國^{泰封國}. 至是, 遣佐良尉金立奇, 入貢于吳^{吳越}". 여기에서 吳는 臨安錢氏가 杭州를 首都로 삼던 吳越國(907~978)을 指稱하고, 그 領域은 현재의 浙江省 全地域, 서쪽으로 江蘇省 蘇州市, 동남쪽으로 上海市, 福建省 福州市 등의 地域에 걸쳐 있었다(企甲童 2017년c : 2021년 298面).
137) 이와 관련된 기사로 다음이 있다.
· 『삼국사기』권12, 신라본기12, 景明王 4년, "春正月, 王與太祖, 交聘修好".
138) 이와 관련된 기사로 다음이 있고, 이에 의하면 閏雄이 歸附한 것은 2월로 되어 기록되어 있어 『고려사』의 1월은 2월일 가능성이 높다.
· 『삼국사기』권12, 신라본기12, 경명왕 4년, "二月, 康州將軍閏雄, 降於太祖".
139) 이와 유사한 자료로 다음이 있다.
· 지36, 兵2, 鎭戍, "以北界鶻巖城, 數爲北狄所侵, 命庚黔弼, 率開定軍三千, 至鶻巖, 於東山, 築一大城以居, 由是, 北方晏然".
· 열전5, 庚黔弼, "累轉大匡. 太祖以北界鶻岩鎭, 數爲北狄所侵, 會諸將議曰, '今南兇未滅, 北狄可憂, 朕癏瘝

[夏四月癸巳朔^{小盡,辛巳}:追加].

[五月壬戌朔^{小盡,壬午}:追加].

[六月辛卯朔^{小盡,癸未}:追加].

[閏六月庚申朔^{大盡,癸未}:追加].

[秋七月庚寅朔^{小盡,甲申}:追加].

[八月己未朔^{大盡,乙酉}:追加].

秋九月^{己丑朔人盡,丙戌}, 辛丑^{13日}, <u>甄萱</u>遣阿粲功達, 獻孔雀扇·智異山竹箭.¹⁴⁰⁾

[是月, 築咸從·安北二城:節要轉載].

[→城咸從縣二百三十六閒, 門四, 水口三, 城頭四. 遮城二:兵2城堡轉載].

冬十月^{己未朔小盡,丁亥}, [某日], <u>甄萱</u>侵新羅, 取大良·仇史二郡, 至于進禮郡. 新羅遣阿粲<u>金律</u>來求援, 王遣兵救之, 萱聞之引退, 始與我<u>有隙</u>.¹⁴¹⁾

[十一月戊子朔^{大盡,戊子}:追加].

[十二月戊午朔^{大盡,己丑}:追加].

是歲, 巡幸北界, □□^{□□□}¹⁴²⁾

[○立油市於<u>乳岩</u>^{乳巖}下, 故今俗利市云乳下:追加].¹⁴³⁾

寐憂懼. 欲遣<u>黔弼</u>, 鎭之如何'. 僉曰, '可'. 乃命之, <u>黔弼</u>卽日, 率開定軍三千以行. 至鶻岩, 於東山, 築大城以
居, 招集北蕃酋長三百餘人, 盛設酒食, 饗之, 乘其醉, 脅以威, 酋長皆服. 遂遣使諸部曰, '旣得爾酋長, 爾等
亦宜來服'. 於是, 諸部相率來附者千五百人, 又歸被虜三千餘人. 由是, 北方晏然, 太祖特加褒奬'.

140) 이와 관련된 자료로 다음이 있다.
 ·『삼국사기』권50, 열전10, <u>甄萱</u>, "遂獻孔雀扇及智異山竹箭".
141) 이와 관련된 자료로 다음이 있다.
 ·『삼국사기』권12, 신라본기12, 경명왕 4년, "冬十月, 後百濟主<u>甄萱</u>率<u>步騎</u>一萬, 攻陷大耶城, 進軍於進禮,
 王遣阿湌<u>金律</u>, 求援於太祖. 太祖命將出師, 救之. 萱聞乃去".
 ·『삼국사기』권50, 열전10, <u>甄萱</u>, "^{寅明}六年, 萱步騎一萬攻陷大耶城, 移軍於進禮城, 新羅王遣阿粲<u>金律</u>救援
 於太祖, 太祖出師, <u>萱聞之引退</u>. 萱與我太祖, 陽和而陰剋".
142) 添字는 『고려사절요』권1에 의거하였다.
143) 이는 다음의 자료에 의거하였는데, 乳岩(乳巖) 아래에 油市가 있었다는 것은 1024년(현종15) 5部의 坊
 里를 改定할 때, 中部의 出岩坊이 이곳에 위치하였을 가능성을 보여주는 것이다.
 ·『삼국유사』권제1, 王曆1, 太祖, "庚辰, 乳岩下立油市. □□^{辛巳}十月, 創大興寺, 或系壬午^{太祖5年}".

辛巳[太祖]四年:天授四年, 後梁貞明七年→5月龍德元年, [西曆921年]
921년 2월 11일(Gre2월 16일)에서 922년 1월 30일(Gre2월 4일)까지, 354일

[春正月戊子朔^{人盡,庚寅}:追加].

春二月^{戊午朔小盡,辛卯}, 甲子^{7日}, 黑水酋長高子羅, 率百七十人來投.
壬申^{15日}, 達姑狄^{達姑狄}百七十一人侵新羅, 道由登州, 將軍堅權邀擊大敗之, 匹馬無還者. 命賜有功者穀, 人五十石. 新羅王聞之喜, 遣使來謝.¹⁴⁴⁾

[三月^{丁亥朔大盡,壬辰}, 己酉^{23日}, 五龍寺僧慶猷入寂, 年五十一, 臘三十三. 後諡法鏡大師, 塔名普照慧光之塔:追加].¹⁴⁵⁾

夏四月^{丁巳朔小盡,癸巳}, 乙酉^{29日晦}, 黑水阿於閒率二百人來投.¹⁴⁶⁾

[五月<u>丙戌朔</u>^{小盡,甲午}:追加].¹⁴⁷⁾
[六月乙卯朔^{小盡,乙未}:追加].
[秋七月甲申朔^{大盡,丙申}:追加].
[八月甲寅朔^{小盡,丁酉}:追加].

秋九月^{癸未朔大盡,戊戌}, 己亥^{17日}, 遣郎中撰行, 往巡邊郡, 存撫百姓.

冬十月^{癸丑朔小盡,己亥}, 丁卯^{15日}, 創<u>大興寺</u>于<u>五冠山</u>, 迎置僧<u>利言</u>^{利嚴?}, 師事之.¹⁴⁸⁾

---

144) 『고려사』의 여러 판본에서 狄(은)으로 되어 있으나 『고려사절요』권1에서는 狄(적)으로 되어 있는데, 의미상으로 후자가 옳을 것이다(東亞大學 2008년 1책 433面). 이와 관련된 자료로 다음이 있는데, 達姑狄이 靺鞨의 別種[別部]이라고 기록한 점이 주목된다.
· 『삼국사기』권12, 신라본기12, 경명왕 5년 2월, "靺鞨別部達姑衆來, 寇北邊. 時太祖將堅權, 鎭朔州, 率騎擊大破之, 匹馬不還. 王喜 遣使移書, 謝於太祖".
145) 이는 「開城府五龍寺法鏡人師普照慧光塔碑」에 의거하였다.
146) 『고려사절요』권1에는 阿於閒은 阿於間으로 되어 있는데, 間이 閒의 俗字이므로 어느 글자를 취하더라도 無妨하다.
147) 이날[是日] 後梁은 龍德으로 改元하였다.
148) 이와 관련된 자료로 다음이 있는데, 孫字가 탈락되었을 것이다. 또 利言이 어떠한 인물인지는 알 수 없으나 태조가 스승으로 섬겼다고 한 점을 보아 眞澈大師 利嚴(870~936)의 다른 表記일 가능성이 크

壬申[20日], 幸西京.[149]

[十一月壬午朔^{大盡,庚子}:追加].

十二月^{壬子朔人盡,辛丑}, 辛酉[10日], 冊子武爲正胤. 正胤卽太子□^世.[150] [初, 武年七歲, 太祖知有繼統之德, 恐其母吳氏側微, 不得立, 乃以故笥盛柘黃袍, 賜吳. 吳以示大匡朴述熙, 述熙□^揣知其意, 請立爲正胤:節要轉載].[151]

[□□^{是月}],[152] 百濟人宮昌·明權等來投, 賜田宅.

[是年, 城雲南縣:節要·兵2城堡轉載].

[○置禮賓省:百官1轉載].[153]

[○置海會, 選緇徒. 下制, "以藏義寺僧坦文, 主掌其事":追加].[154]

[增補].[155]

다. 곧 『고려사』에서 高僧들의 法名이 그들의 塔碑銘에 새겨진 그것과 달리 표기되는 경우가 많이 찾아진다.

149) 西京은 919년(태조2) 10월 이후에서 921년(태조4) 10월 20일 사이에 平壤大都護府가 副都[陪都]로 昇格되었던 것으로 추측된다(李丙燾 1961년 38面).

150) 『고려사』에서 어떤 用語를 설명하는 句節에는 모두 끝에 也로 마무리 지었음을 考慮하면, 이곳에 也가 탈락되었을 것이다. 『고려사절요』 권1에는 바르게 되어 있다.

151) 이와 같은 기사로 다음이 있는데, 添字는 이에 의거하였다.
  • 열전1, 后妃1, 人祖, 莊和王后吳氏, "年七歲, 人祖知有繼統之德, 恐母微不得嗣位, 以故笥盛柘黃袍, 賜后. 后示大匡朴述熙, 述熙揣知其意, 請立爲正胤".
  • 열전5, 朴述熙, "惠宗生七歲, 太祖欲立之, 以其母吳氏側微, 恐不得立, 乃以故笥, 盛柘黃袍, 賜吳. 吳以示述熙, 述熙揣知太祖意, 請立惠宗爲正胤, 正胤卽太子也". 여기에서 '正胤卽太子也'는 『太祖實錄』에서는 '正胤卽皇太子也'로 되어 있었을 것인데, 『고려사』를 편찬할 때 皇字를 삭제하였을 것으로 추측된다. 이는 正胤이 '嫡統의 胤嗣[皇嗣]'로 解釋할 수 있기 때문이다.

152) 이곳에서 是月이 탈락되었을 것이다.

153) 이는 지30, 百官1, 禮賓寺에서 전재하였다.

154) 이는 「瑞山普願寺法印國師寶乘之塔碑」에 의거하였다(보물 제106호, 金石總覽 223面 ; 李智冠 2004년 2冊 86面). 또 海會는 佛敎界에서 바다와 같이 功德이 높은 高僧, 또는 그러한 僧侶들이 많이 모인 集會를 가리킨다.
  • 『華嚴經隨疏演義鈔』 권1, "… 云被難思之海会者, 以深廣故. 謂普賢等衆, 行德齋佛, 數廣利塵, 故稱爲海. 深超情表, 是不可思, …".

155) 이해(是年, 唐大祐18)]의 여름[夏]에 入唐僧 慶甫가 船舶을 타고 全州 臨陂縣에 도착하여 이곳을 관할하던 後百濟王 太傅 甄萱의 招請을 받아 全州 남쪽의 南福禪院을 머물었다고 한다(光陽玉龍寺洞眞大師寶雲塔碑). 또 7月에 璨幽가 船舶으로 康州 德安浦에 도착하여 곧장 眞鏡大師 審希가 거주하던 金海府 義安縣 鳳林寺(現 慶尙南道 昌原市 義昌區 鳳林洞 165, 慶尙南道 記念物 第127號 鳳林寺址)에 들어갔다고

壬午[太祖]五年:天授五年, 後梁龍德二年, [契丹天贊元年], [西曆922年]

922년 1월 31일(Gre2월 5일)에서 923년 1월 19일(Gre1월 24일)까지, 354일

[春正月壬午朔^{大盡,工寅}:追加].

春二月^{壬子朔小盡,癸卯}, [某日], 契丹□□^{遣使}來, 遺橐駝馬及氈.[156]
[是月癸酉^{22日}, 契丹改神冊七年爲天贊元年:追加].

[三月辛巳朔^{大盡,甲辰}:追加].

夏四月^{辛亥朔小盡,乙巳}, [某日], 創日月寺于宮城西北.[157]

[五月庚辰朔^{大盡,丙午}:追加].

六月^{庚戌朔小盡,丁未}, 丁巳^{8日}, 下枝縣將軍元奉來投.

[夏某月, 後百濟某等造成金馬郡彌勒寺塔:追加].[158]

秋七月^{己卯朔小盡,戊申}, 戊戌^{20日}, 溟州將軍順式遣子, 降附. [初, 王以順式不服, 患之. 侍郎□^勸權說曰, "父而詔子, 兄而訓弟, 天理也, 順式父許越, 今爲僧在內院, 宜遣往諭之"., 王從之. 順式遂遣長子守元, 歸款. 賜姓王, 給田宅:節要轉載].[159]

한다(驪州高達院元宗大師慧眞之塔碑).

156) □□에 添字를 추가하여 옳게 될 것이다.
157) 이와 관련된 기사로 다음이 있는데, 或系辛巳는 잘못일 것이다.
　　·『삼국유사』권제1, 王曆1, 人祖, "壬午, 又創日月寺, 或系辛巳^{太祖4年}.
158) 이해[是年]의 여름[夏]에 後百濟의 金馬郡(後日의 益山) 彌勒寺塔이 造成되었다고 한다(許興植 1986년 582面).
　　·「葛陽寺惠居國師塔碑」, "… 龍德二年夏, 特被彌勒寺開塔之恩, 仍赴禪雲山選佛之場, 登壇說法, …".
159) 이와 같은 기사가 열전5, 王順式에도 수록되어 있다. 또 內院은 일반적으로 宮闕의 안쪽에 위치한 妃嬪의 殿閣 또는 彌勒菩薩이 거처하는 兜率天의 內·外 二院 중의 內院, 곧 善法堂을 指稱한다. 이 기사의 內院은 宮闕內에 위치한 사원인 內願堂, 혹은 內佛堂·舍那內院·內帝釋院을 指稱하는 것으로 추측된다. 內帝釋院의 遺址는 松嶽山 山麓에 위치한 宮城의 最頂上에 있는 小規模 建物遺址인 景靈殿의 아래쪽에 위치한 大型建物趾로 추측된다.

[八月戊申朔^{大盡,己酉}:追加].

[九月戊寅朔^{小盡,戊戌}:追加].

[冬十月丁未朔^{大盡,辛亥}:追加].

冬十一月^{丁丑朔小盡壬尒}, 辛巳^{5日}, 眞寶城主洪術遣使請降, 遣元尹王儒·□□卿含弼等, 慰諭之.[160]

[十二月丙午朔^{大盡,癸丑}:追加].

是歲, 徙大丞質榮·行波等父兄子弟及諸郡縣良家子弟, 以實西京.

○幸西京, 新置官府員吏.

○始築在城, [凡六年而成:節要轉載].

[→始築西京在城[注, 在者, 方言畎也], 凡六年而畢:兵2城堡轉載].[161]

○親定牙善城民居.

[○置^{西京}廊官[注, 廊者官號, 方言曹設], 侍中一人·侍郞二人·郞中二人·上舍一人·史十人. 衙官[衙亦官名, 方言豪幕], □具壇一人·卿二人·監一人·粲一人·理決一人·評察一人·史一人.[162] 兵部, 令具壇一人·卿一人·大舍一人·史二人. 納貨府, 卿一人·大舍一人·史二人. 珍閣省, 卿一人·大

---

160) 이해[是年]에 高麗로 투항해 갔던 元逢, 順式, 洪術[洪述]에 대한 기록으로 다음이 있는데, 모두 1월에 일어난 것으로 기술하였다.
  · 『삼국사기』 권12, 신라본기12, 경명왕 6년, "春正月, 下枝城將軍元逢·溟州將軍順式, 降於太祖. 太祖念其歸順, 以元逢本城爲順州, 賜順式姓, 曰王. 是月, 眞寶城將軍洪述^{洪術}, 降於太祖".

161) 이 在城을 西京[平壤]의 外城으로 比定해본 다음의 자료가 있다. 여기에서 外城이 唐浦에 인근에 있었다고 하는데, 唐浦는 西京의 남쪽에 있던 多慶樓가 唐浦古城 門樓의 改稱이었다고 한다(→예종 11년 4월 19일). 또 『周官六翼』의 '在者, 方言畎也'로 되어 있으나 在城은 漢語가 아니기에 이 구절은 '在者, 華言畎也'의 잘못일 수가 있다. 또 畎은 田間, 田地를 指稱하므로 畎城은 田間의 城郭 곧 外城일 가능성이 높다.
  · 『신증동국여지승람』 권51, 平壤府, 城郭, "外城, 在唐浦上. 石築, 周八千二百尺, 土築, 一萬二千五尺, 並高三十二尺. 有二門, 南曰車避, 西曰多景, 今皆頹壞. … 高麗太祖五年, 始築西都在城, 凡六年而畢, 疑卽此城. '周官六翼', 在者, 方言畎也".
  · 『신증동국여지승람』 권51, 平壤府, 古跡, "迎春樓·淸遠樓, 崔滋賦, '多景跨滄海, 淸遠撑半空'. 多景樓, 俱在府西九里揚命浦上. 對岸築石, 架樓其上, 樓下可通舟楫, 今遺址存焉. 按'□麗史', '睿宗十一年, 幸唐浦古城門樓, 置酒歡賞, 名樓曰多景'. 樓在處與今所指處不同, 兩存之, 以俟知者". 이 책의 餘他 表記方式에 따르면 添字가 脫落된 것 같다.

162) □에 添字가 탈락되었던 것 같은데, 이는 兵部와 內泉府의 長官이 令具壇임을 통해 알 수 있다. 또 令具壇의 의미를 알 수 없으나 後高麗[摩震]의 중앙관제에 南廂壇, 水壇 등이 설치되어 있었다(『삼국사기』 권50, 열전10, 弓裔).

舍二人·史二人. 內泉府, 令具壇一人·卿二人·大舍二人·史二人:百官2西京留守官轉載].¹⁶³⁾

[是年頃, 改官階, 用泰封之制, 曰<u>大匡</u>·正匡·大丞·□□^{佐丞}·大相之號:百官2文散階轉載].¹⁶⁴⁾

癸未[太祖]六年:天授六年, 後梁龍德三年, 後唐同光元年, [西曆923年]

923년 1월 20일(Gre1월 25일)에서 924년 2월 7일(Gre2월 12일)까지, 13개월 384일

[春正月丙子朔^{大盡,甲寅}:追加].
[二月丙午朔^{小盡,乙卯}:追加].

春三月乙亥朔^{大盡,丙辰}, 甲申^{10日}, 以下枝縣將軍元奉爲元尹. [陞其縣, 爲順州:節要轉載].
辛丑^{27日}, 命旨城將軍<u>城達</u>, 與其弟伊達·端林來附.

[夏四月乙巳朔^{大盡,丁巳}, 某日, 大匡庾黔弼招諭北蕃, 歸附者一千五百人. 北蕃歸我被虜三千餘人: 節要轉載].
[是月己巳^{25日}, 後唐莊宗<u>李存勗</u>卽位, 改後唐天祐二十年爲同光元年, 定都洛陽:追加].

[閏四月乙亥朔^{小盡,丁巳}:追加].

---

163) 이는 지31, 百官2, 外職, 西京留守官에서 전재하였다. 이 내용은 918년(태조1)에 설치된 平壤大都護府의 행정체제를 정리한 것으로 추측되는데, 이때 廣評省의 체제를 준용하여 屬官 중의 첫째 官府인 郎官에 侍中·侍郎·郎中 등을 설치하였던 것 같다. 그렇다면 이 체제는 後日 西京에 설치된 分司體制와 같은 형태의 행정조직이 정비되어 있음을 보여주는 것으로 이해될 수 있을 것이다.

164) 明年(태조6) 3월 10일(甲申) 下枝縣將軍 元奉을 元尹으로 삼았다는 기사를 통해 볼 때, 이해[是年]에 泰 封의 官階를 사용하였던 것 같다. 이때 사용된 관계의 내용은 다음의 자료를 전재하여 적절히 變改하 였는데, 『고려사』를 편찬할 때 같은 底本[同源資料]를 이용하였으나 각각 佐丞과 大丞이 탈락되었음을 알 수 있다.
- 지31, 百官2, 文散階, "尋用大匡·正匡·<u>大丞</u>·大相之號".
- 지31, 百官2, 武散階, "國初, 武官亦以大匡·正匡·<u>佐丞</u>·大相爲階".
이 시기의 18等級의 官階는 아래와 같이 구성되어 있었을 것으로 추측된다(張東翼 2012년).

官 等	1品	2品	3品	4品	5品	6品	7品	8品	9品
官等名	三重大匡 重大匡	大匡 正匡	大丞 佐丞	大相 □□^{佐相?}	元甫 正甫	元尹 佐尹	止朝 正位	甫尹 □□^{不明}	軍尹 中尹
等 級	1, 2	3, 4	5, 6	7, 8	9, 10	11, 12	13, 14	15, 16	17, 18

[五月甲辰朔:^{大盡,戊午}追加].

夏六月^{甲戌朔小盡,己未}, 癸未^{10日}, <u>福府卿尹質使梁</u>,[165] 還, 獻五百羅漢畫像, 命置于<u>海州嵩山寺</u>.[166]
癸巳^{20日}, 吳越國文士朴巖來投.

[秋七月癸卯朔^{小盡,庚申}:追加].

秋八月壬申□^{朔人盡,辛酉}, 碧珍郡將軍<u>良文</u>, 遣其甥圭奐來降, 拜圭奐元尹.[167]

[九月壬寅朔^{小盡,壬戌}:追加].

[冬十月辛未朔^{大盡,癸亥}:追加].[168]
[是月戊寅^{8日}, 後梁末帝自盡:追加].

冬十一月^{辛丑朔小盡,甲子}, 戊申^{8日}, 眞寶城主洪術, 遣其子王立, 獻鎧三十, 拜王立元尹.

[十二月庚午朔^{大盡,乙丑}:追加].

---

165) 여기에서 福府卿은 福府의 長官 또는 次官으로 추측되지만, 福府의 機能은 알 수 없다. 後代에 외교를 담당하던 官署가 禮部임을 감안하면 福府는 禮府의 오자일 가능성도 없지 않다(金大植 2008년).

166) 이 五百羅漢像은 普覺國師 一然에 의하면, 고려후기까지 北崇山 神光寺에 보관되어 있었다고 한다. 그런데 元末明初의 危素(1303~1372)에 의하면, 是年 봄[春]에 僧侶 俊呈이 後梁에서 阿羅漢 若干軸을 구입하여 오다가 難破되었지만, 箱子[櫃]는 海州에 漂流되어 왔다고 한다.
• 『삼국유사』권3, 塔像第4, 前後所將舍利, "… 後唐同光元年癸未^{太祖6年}, 本朝太祖創位六年, 入朝使尹質所將五百羅漢像, 今在北崇山神光寺".
• 『危太樸文續集』권3, 高麗海州神光寺碑, "… 按寺在高麗海州之北, 新羅大澄大師所刱也. 後梁隆德三年^{太祖6年}春, 沙門俊呈來遊大梁, 得畫阿羅漢若干軸, 緹襲櫝藏泛海東還, 次仇公島風濤壞其舟, 後數日櫝浮出, 於州南槌浦州. 以狀聞國王, 命取置州之僧舍, 旣而見夢於王, 遷奉今寺. …".

167) 壬申에 朔이 탈락되었다. 당시에 宣明曆을 이어 받은 後梁曆과 日本曆이 모두 8월의 朔日은 壬申이다. 또 碧珍郡將軍 良文을 같은 지역의 장군이었던 李悤言과 同一人으로 추측하는 견해도 있다(旗田 巍 1972年 27面 ; 金泳斗 1996년b). 그리고 城達과 良文이 고려에 투항한 것이 7월이라는 기록도 있다.
• 『삼국사기』권12, 신라본기12, 경명왕 7년, "秋七月, 命旨城將軍城達·京山府將軍良文等, 降於太祖".

168) 이날 後梁과 日本에서는 日食이 있었지만, 한반도는 中心蝕帶에서 벗어나 있었다(渡邊敏夫 1979年 302面).
• 『舊五代史』권139, 지1, 天文志, 日食, "龍德三年十月辛未朔, 日有蝕之".
• 『日本紀略』後篇1, 延長 1년 10월, "一日辛未, 日蝕, 廢務".

[是年, 倂平壤大都護府之內泉府于珍閣省:百官2轉載].[169]

[○王子生, 賜名堯:轉載].[170]

甲申[太祖]七年:天授七年, 後唐同光二年, [契丹天贊三年], [西曆924年]

924년 2월 8일(Gre2월 8일)에서 925년 1월 26일(Gre1월 31일)까지, 354일

[春正月庚子朔^{小盡,丙寅}:追加].

[二月己巳朔^{大盡,丁卯}:追加].

[三月己亥朔^{大盡,戊辰}:追加].

[夏四月己巳朔^{小盡,乙巳}:追加].

[五月戊戌朔^{大盡,庚午}:追加].

[六月戊辰朔^{大盡,辛未}:追加].

秋七月^{戊戌朔小盡,壬申}, [某日], 甄萱遣子湏彌康^{一作彌康}·良劒等來. 攻曹物郡. 命將軍哀宣·王忠救之. 哀宣戰死, □□^{曹物}郡人固守, 須彌康等失利而歸.[171]

八月^{丁卯朔大盡,癸酉}, [某日], 甄萱遣使來, 獻絕影島驄馬一匹.[172]

---

169) 이는 지3, 百官2, 外職, 西京留守官에서 전재하였다.

170) 이는 세가2, 定宗, 總書에서 전재하였다.

171) 湏(회)는 여러 판본의 『고려사』에서 湏(회)로, 『고려사절요』에는 須(수)로 되어 있는데, 의미상으로 후자가 옳을 것이다(東亞大學 2008년 1책 436面). 또 添字는 『고려사절요』 권1에 의거하였고, 이와 관련된 기사로 다음이 있다. 그리고 曹物郡(혹은 曹物城)의 위치는 현재의 경상북도 龜尾市 金烏山城(池內宏 1937년 2冊 28面 ; 柳永哲 2005년 78面), 安東市와 尙州市 사이의 金泉市 助馬面(李丙燾 1961년 42面), 軍威郡 孝令面(朴漢卨 1985년 175面), 義城郡 金城面(文暻鉉 1987년 139面)이라는 견해가 있다(金甲童 2008년b : 2021년 198面).
   • 『삼국사기』 권50, 열전10, 甄萱, "同光二年秋七月, □□^{曹物}遣子須彌强, 發人耶·聞韶二城卒, 攻曹物城, 城人爲太祖, 固守且戰, 須彌强失利而歸".

172) 이와 관련된 기사로 다음이 있고, 絕影島의 牧場은 조선 후기에도 良馬가 産出되었다고 한다. 또 1502년(선조25) 임진왜란 이후에 일시 牧馬가 없어 採樵地로 변했으나 1637년(仁祖15) 10월 무렵 點馬烙印 때에 牧馬 管理者[牧子]가 20餘人이었다고 한다.
   • 『삼국사기』 권50, 열전10, 甄萱, "^{同光二年}八月, 遣使獻驄馬於太祖".
   • 『息山集』 別集권4, 金井□記, "… 又南束下古縣, 縣束絕影島, 産良馬".
   • 『河陰集』 권4, 點馬時陳弊狀啓, "… 臣^{中楨}本月初一日, 入絕影島, 驅馬烙之際, 本場牧子二十人, 聯名呈狀,

九月「酉朔小盡,甲戌」, [某日], 新羅王昇英薨, 其弟魏膺立, 來告喪. 王□□^{母之}舉哀, 設齋追福, 遣使弔之.[173]

[冬十月丙寅朔^{小盡,乙亥}:追加].
[是月頃, 遣使如契丹:追加].[174]

[十一月乙未朔^{大盡,丙子}:追加].
[十二月乙丑朔^{小盡,丁丑}:追加].

是歲, 創外帝釋院·九耀堂^{九曜堂}·神衆院[·興國寺:追加].[175]
[○入唐僧玄暉還自江南四明縣, 上遣使奉迎郊外, 翌日, 延入禁內, 賜階三重, 對以國師. 尋請住錫中州淨土寺, 暉便挈帶眷屬, 以行:追加].[176]
[增補].[177]

歷陳各浦水營, 侵困牧子之患, …”.

173) 添字는 『고려사절요』 권1에 의거하였다. 또 이와 같은 기사로 다음이 있는데, 景明王은 8월에 薨去하였다.
· 지18, 禮6, 隣國喪, “九月, 新羅王昇英薨. □使來告喪. 王舉哀, 遣使弔之”. 여기에서 添字가 추가되어야 좋을 것이다.
· 『三國史記』 권12, 신라본기12, 경명왕 8년, “秋八月, 王薨. 諡曰景明, 葬于黃福寺^{一作皇}北. 人祖遣使弔祭. 景哀十立. 諱魏膺, 景明十同母弟也. 元年^{景明8年}九月, 遣使聘於太祖”. 여기에서 添字와 같이 고쳐야 옳게 될 것인데, 黃福寺는 金富軾이 『三國史記』를 편찬할 때 고려가 金과 宋에 대해 稱臣하고 있었던 時代相이 反映되어 改字되었을 것이다.
174) 이는 다음의 자료에 의거하였는데, 『요사』 권2, 본기2, 天贊 3년에는 기록이 없고, 明年(天贊4) 10월에 기록이 있어 兩者가 동일한 사실인지, 아니면 兩次에 걸쳐 사신이 파견되었는지는 알 수 없다(陳述 2018年 3658面).
· 『요사』 권105, 열전45, 二國外記, 高麗, “天贊三年, 來貢”.
175) 九耀堂은 九曜堂의 오자일 것이며, 『고려사절요』 권1에는 옳게 되어 있다. 또 추가한 부분은 다음의 자료에 의거하였다.
· 『삼국유사』 권제1, 王曆1, 太祖, “甲申, 創外帝역釋·神衆院·興國寺”.
176) 이는 「忠州淨土寺法鏡大師慈燈塔碑」에 의거하였다(보물 제17호, 金石總覽 149面 ; 李智冠 2004년 1冊 187面).
177) 이해[是年] 4월 15일(癸未)에 新羅의 朝請大夫·守執事侍郎·賜紫金魚袋 崔仁滾(改彦撝)이 北原小京(原州) 佘生郡(寧越縣) 興寧寺의 澄曉大師^{折中}塔碑를 撰하였다(寧越興寧寺澄曉大師寶印塔碑, 寶物 第612號). 또 7월에 入唐僧 兢讓이 海路로 全州 喜安縣(高麗時期의 古卓郡 保安縣)에 도착한 후 山中에 숨어 있다가 康州 伯嚴寺(現 慶尙南道 陜川郡 草溪面 位置)로 옮겼다고 한다(聞慶鳳巖寺靜眞大師圓悟塔碑).

乙酉[太祖]八年:天授八年, 後唐同光三年, [契丹天贊四年], [西曆925年]

925년 1월 27일(Gre2월 1일)에서 926년 2월 14일(Gre2월 19일)까지, 13개월 384일

[春正月甲午朔:追加].

[二月甲子朔:追加].

春三月^{癸巳朔人盡,庚辰}, [癸丑^{21日}, 蟾出宮城東魚堤, 多不可限:五行3·節要轉載].[178]

丙辰^{24日}, 蚯蚓出宮城, 長七十尺. 時謂渤海國來投之應:五行3·節要轉載].[179]

[某日], 幸西京.

[夏四月癸亥朔^{小盡,辛巳}:追加].

[五月壬辰朔^{大盡,壬午}:追加].

[六月壬戌朔^{大盡,癸未}:追加].

[秋七月壬辰朔^{小盡,甲申}:追加].

[八月辛酉朔^{大盡,乙卯}:追加].

秋九月^{辛卯朔小盡,丙戌}, 丙申^{6日}, 渤海將軍申德等五百人來投.

庚子^{10日}, 渤海禮部卿大和鈞·均老, 司政大元鈞·工部卿大福謨·左右衛將軍大審理等, 率民一百戶來附.[180]

○渤海本粟末靺鞨也, 唐武后時, 高句麗人大祚榮^{高王}走, 保遼東, 睿宗封爲渤海郡王. 因自稱渤海國, 幷有扶餘·肅愼等十餘國. 有文字·禮樂·官府制度, 五京·十五府·六十二州, 地方五千餘里, 衆數十萬, 隣于我境, 而與契丹世讎. 至是^{是年十二月}, 契丹主謂左右曰, "世讎未雪, 豈宜安處^당^{宜女眞}?",[181] 乃大擧攻渤海^{哀王}大諲譔, 圍忽汗城.[182] ^{哀王}大諲譔戰敗乞降, 遂滅渤海. 於是, 其國人

---

178) 이는 志9, 五行3에서 전재하였다.

179) 이는 志9, 五行3에서 전재하였는데, 그중에서 後者는 『고려사절요』 권1, 태조 8년 3월에도 수록되어 있다.

180) 이들 渤海의 歸附人이 띠고 있는 관직 중에서 司政은 政堂省의 大內相 아래의 左·右司政일 것이고, 左右衛將軍은 十衛, 곧 左右猛賁衛·左右熊衛·左右羆衛·南北左右衛의 大將軍 아래의 將軍일 것이다. 그런데 禮部卿과 工部卿은 검토가 요청되는데, 발해의 禮部는 唐의 刑部에 해당하고, 工部는 없고 이에 該當하는 官署로 信部가 있었다. 그렇다면 이 기사의 작성에서 渤海의 官職名을 唐制로 改書하였을까, 아니면 발해의 後期에 6部의 명칭을 唐制로 改稱하였을까 하는 두 가지의 추측이 있을 수 있다.

181) 豈宜安處는 添字와 같이 고쳐야 옳게 될 것이다.

· 『요사』 권2, 本紀2, 太祖下, 大贊 4년, "十二月乙亥, 詔曰, '所謂兩事, 一事已畢, 惟渤海世讎未雪, 豈宜

來奔者相繼.[183]

甲寅^{24日}, 買曹城將軍能玄遣使, 乞降.

[是月頃, 遣廣評侍郎上柱國韓申一·副使春部少卿朴巖如唐, 獻方物:追加].[184]

[○遣使如契丹:追加].[185]

冬十月^{庚申朔人盡,丁亥}, 己巳^{10日}, 高鬱府將軍能文^{能乂}, 率士卒來投.[186] 以其城近新羅王都, 勞慰遣

安駐'. 乃大擧兵親征渤海大諲譔. 皇后·皇太子·大元帥堯骨皆從'.

182) 忽汗城(現 黑龍江省 寧安市 西南地域)은 발해의 上京龍泉府를 가리킨다(吉本道雅 2013年 127面).

183) 이후 渤海 王族인 大氏들이 契丹帝國의 支配層으로 존재했던 樣相을 연구한 업적도 있다(王善軍 2004年, 2008年).

184) 이는 다음의 자료에 의거하였다. 또 여기에서 朴巖의 관직인 春部는 泰封王朝의 壽春部를 계승한 官府로 추측하는 견해도 있다(金仁圭 1996년).
  · 『舊五代史』 권33, 唐書9, 莊宗紀7, 同光 3년 11월, "丁未^{18日}, 高麗國遣使, 貢方物'.
  · 『新五代史』 권5, 唐本紀5, 莊宗下, "^{同光三年}十一月丁未, 高麗遣使者來'.
  · 『신오대사』 권74, 四夷附錄3, 高麗, "同光元年^{三年}, 遣使廣評侍郎韓申一·副使春府少卿朴巖來. 而其國土姓名, 史失不紀". 여기에서 元年은 三年의 오자일 것이다.
  · 『五代會要』 권30, 高麗, "後唐同光三年十一月, 遣使廣評侍郎上柱國韓申一·副使春部少卿朴巖來貢方物, 至四年正月, 授韓申一朝散大夫·試殿中監, 朴巖朝散郎·試祕書卿'.
  · 『冊府元龜』 권972, 外臣部17, 朝貢5, "^{同光三年}十月, … 高麗國遣使韋伸貢方物". 여기에서 韋伸은 韓申一의 誤字일 것이다(許仁旭 2016년).
  · 『淸異錄』 권上, 器具, 光濟叟, "同光□三年, 高麗行人至, 副使·春部少卿·上柱國朴崟攺, 文雅如中朝賢士. 旣行, 吏掃除其館舍, 得餘燭半梃, 其末紅印篆文, 曰光濟叟, 叟蓋以命燭也". 여기에서 三字가 탈락되었을 것이다.
  · 『淸異錄』 권下, 酒漿, 林廬漿, "後唐時, 高麗遣其廣評侍郎韓申一來, 申一通書史, 臨回召對便殿, 出新貢林廬漿, 而賜之".

185) 이는 다음의 자료에 의거하였는데, 『요사』 권105, 열전45, 二國外記, 高麗에는 기록이 없고, 前年(天贊3)에 기록이 있어 兩者가 동일한 사실인지, 兩次에 걸쳐 사신이 파견되었는지는 알 수 없다(陳述 2018年 3658面).
  · 『요사』 권2, 本紀2, 太祖2, 大贊 4년 10월, "辛巳^{22日}, 高麗國來貢'.

186) 『慶尙道地理志』에 의하면, 신라 말에 骨火縣의 金剛城將軍 皇甫能長이 무리를 이끌고 귀순해 오자 左丞(佐丞, 3品下)에 임명하고, 그가 거느리고 있던 骨火·苩也火郡·道同縣·史丁火縣 등을 합하여 永州로 승격시켰다고 한다. 또 『고려사』 권92, 열전5, 庾黔弼에 의하면, 933년(태조16) 5월 征南大將軍 庾黔弼이 義城府(現 慶尙北道 義城郡)를 지키고 있을 때, 태조가 이보다 먼저 후백제가 신라를 공격할 것에 대비하여 大匡(2品上) 能乂·英周·烈弓·恩希 등을 보내 진압하게 하였다고 한다.
  그렇다면 能長과 能乂는 같은 이름의 다른 표기임을 알 수 있고, 또 能文의 文字를 行書로 쓸 때 乂字와 類似하게 쓰므로 『고려사』를 乙亥字로 조판할 때 能乂을 能文으로 잘못 探字(혹은 植字)하였을 가능성이 높다(『고려사』 권92, 열전5, 庾黔弼). 또 皇甫能長의 墓所라고 전해지는 墳墓가 경상북도 永川市 古鏡面 倉下里 483-1번지(陸軍第三士官學校 境內)에 있다(경상북도 기념물 제51호).
  · 『경상도지리지』, 安東道, 永川郡, "當新羅之季, 骨火縣金剛城將軍皇甫能長, 見高麗太祖勃興, 知天命人心之所歸, 遂擧衆助順. 太祖嘉賞, 授以在丞^{佐丞}, 乃合能長所起之地, 骨火等四縣, 爲永川^{永州}, 此土姓皇甫所由始也". 여기서 添字와 같이 고쳐야 옳게 될 것이다.

還□^쏘.¹⁸⁷⁾ 唯留麾下侍郎盃近·大監明才·相述·弓式等.¹⁸⁸⁾

○遣征西大將軍庾黔弼, 攻百濟[燕山鎭, 殺將軍吉奐. 又攻任存郡, 殺獲三千餘人:節要·列傳5 庾黔弼轉載].¹⁸⁹⁾

乙亥^{16日}, 王自將, 及甄萱戰于曹物郡,¹⁹⁰⁾

[→曹物郡之戰, 太祖部分三軍, 以大相^{皇甫}帝弓爲上軍, 元尹王忠爲中軍, ^朴守卿·殷寧爲下軍. 及戰, 上軍·中軍失利, 守卿等獨戰勝. 太祖喜陞元甫, 守卿曰, 臣兄守文, 見爲元尹, 而臣位其 上, 寧不自愧. 遂幷爲元甫:列傳5 朴守卿轉載].

[→幸曹物郡, 遇甄萱與戰, 萱兵銳甚, 未決勝負. 王欲與相持, 以老其師:節要轉載]. 黔弼引兵 來會. 萱懼乞和, 以外甥眞虎爲質. 王亦以堂弟元尹王信交質, 以萱十年之長, 稱爲尙父. [王欲 召萱至營論事. 黔弼諫曰, "人心難知, 豈可輕與敵相狎乎?". 王乃止:節要轉載].¹⁹¹⁾

[→太祖與甄萱, 戰於曹物郡, 萱兵銳甚, 未決勝負. 太祖欲與相持, 以老其師, 黔弼引兵來會, 兵勢大振. 萱懼乞和, 太祖許之, 欲召萱至營論事. 黔弼諫曰, "人心難知, 豈可輕與敵相狎^乎?". 太祖乃止. 仍謂曰, "卿破燕山·任存, 功旣不細, 待國家安定, 當策卿功":列傳5 庾黔弼轉載].¹⁹²⁾

[□□^{是日}], 新羅王聞之, 遣使曰, 萱反復^而多詐, 不可和親. 王然之.¹⁹³⁾

- 지11, 지리2, 永州, "高麗初, 合新羅臨皐郡·道同·臨川二縣, 置之[一云高鬱府]".
187) 添字는『고려사절요』권1에 의거하였다. 또 이와 같은 기사로 다음이 있다.
- 『삼국사기』권12, 신라본기12, 경애왕 2년, "冬十月, 高鬱府將軍能文, 投於太祖, 勞諭還之, 以其城迫近 新羅王都故也".
188) 唯는『고려사절요』권1에는 惟로 표기되어 있으나 두 글자가 通用된다.
189) 이때 庾黔弼이 공격한 燕山鎭은 燕山郡 또는 一牟山城과 같은 곳이고 현재의 위치는 忠淸北道 淸州市 上黨區 文義面의 壤城山城으로 추측되고 있지만(忠北大學 中原文化硏究所 2001년 ; 金明鎭 2012년), 湯 井郡의 主山인 燕山에 위치했다는 견해도 있다(尹京鎭 2010년a).
- 『신증동국여지승람』권15, 忠淸道 文義縣 古跡, "燕山鎭, 高麗太祖以庾黔弼爲征西大將軍, 攻百濟燕山 鎭, 殺將軍吉奐".
190) 이 전투에서 京山府(現 慶尙北道 星州郡)의 將軍 李能一·裴申乂·裴崔彦 등이 참전하여 공을 세웠던 것 같다. 이 자료는 현재까지 찾아지는 天授年號를 사용한 마지막 시기(925년, 태조8)의 사례이다.
- 『慶尙道地理志』(1938년 活字本), 尙州道, 星州牧官, "京山府將軍李能一·裴申乂·裴崔彦, 在高麗太祖統合 三韓時, 天授乙酉^{太祖8年}, 率六百人, 佐太祖勝百濟. 以其勞厚賞. 合所居星山·狄山·壽同·福山·本彼五縣, 升爲 京山府, 并封壁上功臣·三重大匡".
191) 이와 관련된 기사로 다음이 있는데, 이를 통해 볼 때 和解를 먼저 요청한 것은 甄萱이 아니라 王建이 었음이 당시의 實情에 더 적합할 것이다(李内燾敎授는 이에 반대하였다. 1961년 42面). 또 後百濟王 甄 萱은 "咸通八年丁亥生"으로 되어 있는데, 이에 의하면 867년(咸通8, 景文王7)에 出生한 셈인데, 本文의 기사에서 견훤이 877년(乾符4, 헌강왕3)에 출생한 왕건보다 10년 年長이었다는 내용과 일치한다.
- 『삼국사기』권50, 열전10, 甄萱, "同光三年冬十月, 萱率三千騎至曹物城, 太祖亦以精兵來, 與之确. 時萱 兵銳甚, 未決勝否. 太祖欲權和, 以老其師, 移書乞和, 以堂弟王信爲質, 萱亦以外甥眞虎交質".
- 『삼국유사』권2, 紀異, 後百濟甄萱, "… 咸通八年丁亥生".
192) 여기에서 添字가 脫落되었을 것이다.

十一月^{庚寅朔大盡,戊子}, <u>己丑</u>^{某日}, 耽羅貢方物.¹⁹⁴⁾

十二月^{庚申朔小盡,己丑}, [某日, 契丹滅渤海. 渤海, 本粟末靺鞨也, 唐武后時, 高句麗人大祚榮, 走保遼東, 睿宗封爲渤海郡王. 因自稱渤海國, 幷有扶餘·肅愼等十餘國, 有文字·禮樂·官府制度. 五京十五府六十二州. 地方五千餘里, 衆數十萬. 隣于我境, 而與契丹, 世讎. 契丹主大擧攻渤海, 圍忽汗城, 滅之, 改爲<u>東丹國</u>.¹⁹⁵⁾ □□^{共後} 其世子<u>大光顯</u>及將軍申德, 禮部卿大和鈞, □□□^{★均} 老, 司政大元鈞, 工部卿大福謩, 左右衛將軍大審理, <u>小將冒豆干</u>, <u>檢校□□</u>·<u>開國男朴漁</u>,¹⁹⁶⁾ 工部卿吳興等, 率其餘衆, 前後來奔者, 數萬戶. 王待之甚厚, 賜光顯姓名王繼, 附之宗籍, 使奉其祀, 僚佐皆賜爵:節要轉載].¹⁹⁷⁾

戊子^{29日}, 渤海<u>左首衛</u>^{左右衛}小將冒豆干, <u>檢校□□</u>·開國男朴漁等, 率民一千戶來附.¹⁹⁸⁾

[閏十二月己丑朔^{小盡,己丑}:追加].

[是年, 城成州六百九十一閒, 門七, 水口五, 城頭七, 遮城一, 堞垣八十七閒:兵2城堡轉載].

---

¹⁹³⁾ 이와 같은 기사로 다음이 있는데, 이와 같이 反復은 添字와 같이 고치는 것이 좋을 것이다.
　·『삼국사기』 권12, 신라본기12, 경애왕 2년, "十一月, 後百濟主<u>甄萱</u>, 以姪<u>眞虎</u>質於高麗. 王聞之, 使謂太祖曰, '甄萱反覆多詐, 不可和親'. 太祖然之".

¹⁹⁴⁾ 이해의 11월은 大盡(혹은 大建, 1個月의 日數가 30日은 大盡, 29日은 小盡)이고 초하루[朔日]는 庚寅이다. 宣明曆에 의하면 이달에는 己丑이 없고, 10월의 마지막날[晦日]인 30일이 己丑이다. 이는 後唐과 日本의 曆에서도 同一하고, 10월과 11월이 모두 大盡이므로 己丑은 誤字일 것이다.

¹⁹⁵⁾ 渤海의 故地에 건립된 東丹國(926~952頃)은 '동쪽의 契丹'이라는 의미를 지니고 있고, 예리 아포치(耶律阿保機, 872~926)의 長子 耶律倍(耶律突欲, 李贊華, 人皇王이라고 불림, ?~935)가 國王으로 임명되었다. 耶律倍는 928년(大顯3) 首都를 忽汗城(발해의 上京龍泉府)에서 東平[遼陽]으로 遷都하였고, 930년(天顯5) 그의 弟인 皇帝 耶律德光(堯骨, 太宗)과의 불화로 後唐에 망명하여 실질적으로 멸망한 것과 같았다. 그렇지만 국가의 이름은 명목상으로 존재하여 그의 長子 耶律阮이 國王이 되었다. 또 947년(天祿1) 9월 東丹國이 재건되어 耶律安端이 국왕[明王]이 되었지만, 952년(應曆2) 12월 安端이 逝去하자 국가도 없어졌던 것 같다(澤木光弘 2008年).

¹⁹⁶⁾ 이 句節은 下記 29일의 記事와 중복된다.

¹⁹⁷⁾ 渤海의 太子[世子] 大光顯이 고려에 귀순해 온 것은 934년(태조17) 7월이므로 其後를 추가하여야 할 것이다. (→태조 17년 7월 某日) 또 大光顯이 인솔해 온 발해의 집단은 926년 발해가 멸망한 이후 독립적인 세력을 형성하고 있던 後渤海로 추측된다(吉本道雅 2013年 129面). 그리고 均老의 관직과 姓氏인 大가 脫落되었을 것이다.

¹⁹⁸⁾ 左首衛는 『고려사절요』 권1에는 左右衛로 되어 있는데, 渤海의 官制가 唐制를 바탕으로 조직된 것이기에 後者가 옳을 것이다. 또 職名이 脫落된 檢校官은 正職이 아닌 一種의 權授職 혹은 待遇職인데, 이것도 渤海가 唐制를 受用한 것을 보여주는 하나의 사례일 것이다.
　·『자치통감』 권188, 唐紀4, 高祖武德 3년(620) 4월 壬戌, "… <u>秦王李世民</u>留<u>李仲文</u>鎭幷州, <u>劉武周</u>數遣兵入寇, <u>仲文</u>輒擊破之, 下城堡百餘所. 詔<u>仲文</u>檢校幷州總管[<u>胡三省</u>注, 檢校官未爲眞]".

[○王子生, 賜名昭:轉載].199)

丙戌[太祖]九年:天授九年, 後唐同光四年→4月天成元年, [契丹天顯元年], [西暦926年]

926년 2월 15일(Gre2월 20일)에서 927년 2월 4일(Gre2월 9일)까지, 355일

[春正月^{戊午朔大盡,庚寅}, 某日, 遣使如契丹:追加].200)

[二月戊子朔^{小盡,辛卯}:追加].

[是月壬辰^{5日}, 契丹改天贊五年爲天顯元年:追加].

[三月丁巳朔^{人盡,壬辰}:追加].

夏四月^{丁亥朔小盡,癸巳}, 庚辰^{某日}201), 甄萱質子眞虎病死, 遣侍郎弋萱送其喪. 甄萱謂我殺之, 殺王信, 進軍熊津. 王命諸城, 堅壁不出. 新羅王遣使曰, "甄萱違盟擧兵, 天必不祐, 若大王奮一鼓之威, 萱必自敗". 王謂使者曰, "吾非畏萱, 俟惡盈而自僵耳". 萱聞讖云, "絶影名馬至, 百濟亡". 至是悔之, 使人請還其馬, 王笑而許之.202)

[某日, 西京東部禪院鐘, 自鳴九十聲:五行1鼓妖轉載].203)

---

199) 이는 세가2, 光宗, 總論에 의거하였다.
200) 이는 다음의 자료에 의거하였다.
  • 『요사』 권2, 本紀2, 天顯 1년 2월, "丁未^{20日}, 高麗·濊貊·鐵驪·靺鞨來貢".
201) 이달에는 庚辰이 없고, 庚辰은 3월 24일, 5월 25일이므로 날째[日辰]에 어떤 착오가 있었던 것 같다.
202) 이와 관련된 기사로 다음이 있다.
  • 『삼국사기』 권12, 신라본기12, 경애왕 3년, "夏四月, 眞虎暴死. 萱謂高麗人故殺, 怒擧兵進軍於熊津. 太祖命諸城, 堅壁不出. 卄遣使曰, '甄萱違盟擧兵, 天必不祐. 若大卄奮, 一皱之威, 甄萱必自破矣'. 太祖謂使者曰, 非畏萱, 俟惡盈而自彊僵耳". 여기에서 添字와 같이 고쳐야 옳게 될 것이다.
  • 『삼국사기』 권50, 열전10, 甄萱, "^{同光}四年, 眞虎暴卒, 萱聞之疑故殺, 卽囚王信獄中, 又使人請還前年所送驄馬, 太祖笑還之".
203) 鼓妖는 『고려사』 五行志에 項目名이 提示되지 않아서 『漢書』, 『隋書』, 『新唐書』 등의 五行志의 項目에 의해 追加하였는데, 以下 五行志에서 여러 項目이 提示된 것은 모두 이 事例와 同一하다(東亞大學 2011년 15冊 11面). 또 鼓妖는 疾病, 妖孽, 또는 止體가 不明한 怪聲을 가리키고, 이것이 나타나면 좋지 않은 徵兆[兆朕, 迹象, 不祥之兆]로 받아들여졌다.
  • 『漢書』 권27中下, 五行志第7中下, "左傳曰, 釐公三十二年十二月己卯, 晋文公卒, 庚辰, 將殯于曲沃, 山絳,

[是月丁亥朔, 後唐莊宗中流矢崩. 丙午^{20日}, 明宗李嗣源卽位, 甲寅^{28日}, 改元天成:追加].

[五月丙辰朔^{大盡,甲午}:追加].

[六月丙戌朔^{小盡,乙未}:追加].

[秋七月乙卯朔^{大盡,丙申}:追加].²⁰⁴⁾

[八月乙酉朔^{大盡,丁酉}:追加].

[九月乙卯朔^{小盡,戊戌}:追加].

[冬十月甲申朔^{大盡,己亥}:追加].

[十一月甲寅朔^{大盡,庚子}:追加].

冬十二月^{甲申朔大盡,辛丑}, 癸未^{卄卄}, 幸西京, 親行齋祭, 巡歷州鎭, [而還:節要轉載].²⁰⁵⁾

是歲, 遣張彬如唐.²⁰⁶⁾

[○增置平壤大都護府國泉部, 令具壇一人, 卿二人, 大舍二人, 史四人:百官2轉載].²⁰⁷⁾

柩有聲如牛. 劉向以爲近鼓妖也. 象, 凶事, 聲如牛, 怒象也. 將有急怒之謀, 以生兵革之禍".
　・『隋書』권23, 지18, 五行下, 序, "洪範五行傳曰, 視之不明, 是謂不知. 厥咎舒, 厥罰常煥, 厥極疾. 時則有草妖, 有羽蟲之孽, 故有羊禍, 故有目疾, 有亦眚亦祥, 有水沴火". 이와 같은 내용이 『한서』 권27中下, 五行志第7中下, 序에도 수록되어 있으나 字句에 出入이 있다.
　・『수서』 권23, 지18, 五行下, 鼓妖, "梁天監四年十一月, 天淸明,庶男有雷光, 有雷聲二. 易曰, '鼓之以雷霆', 霆近鼓妖".

204) 이달 27일(辛巳) 契丹太祖 耶律阿保機(872~927)가 逝去하였다.

205) 이달에는 癸未가 없고, 11월 30일이 癸未이므로『고려사』의 편찬에서 어떤 착오가 있었던 것 같다. 이 때 齋祭의 對象은 東明王 朱蒙으로 比定되고 있다(尹京鎭 2014년b). 또 태조 왕건이 친히 敬虔하게 祭祀를 올린 것[齋戒祭祀]은 이해[是年] 1월 渤海國의 멸망, 7월 耶律阿保機의 逝去 등에 따른 遼東地域의 情勢 變動과 어떤 관련이 있었을 것이다.
　・지12, 지리3, 西京留守官平壤府, "… 東明王墓, 在府東南, 中和境龍山, 俗號珍珠墓. 又仁里坊有祠宇, 高麗以時降御押, 行祭, 朔望亦令其官, 行祭. 邑人至今有事輒禱. 世傳東明聖帝祠". 東明王陵은 현재 北韓의 國寶遺跡 第36號이다.

206) 이 기사에서 고려가 張彬(張芬)을 後唐에 파견한 것으로 되어 있으나, 『삼국사기』에는 新羅가 다음 해 (927) 2월 兵部侍郎 張芬을 후당에 파견한 것으로 되어 있다. 중국 측의 기록에는 같은 해 2월 1일(壬午) 後唐에 도착한 것으로 되어 있음을 보아, 이해[是年]에 신라가 파견한 것으로 보는 것이 옳을 것이다(『삼국사기』 권12, 신라본기12, 경애왕 4년 ; 『신오대사』 권6, 唐本紀6, 明宗 ; 『구오대사』 권38, 唐書14, 明宗紀4).

207) 이는 지3, 百官2, 外職, 西京留守官에서 전재하였다.

丁亥[太祖]十年:天授十年, 後唐天成二年, [契丹天顯二年], [西曆927年]

927년 2월 5일(Gre2월 10일)에서 928년 1월 25일(Gre1월 30일)까지, 355일

春正月^{癸丑朔小盡,壬寅}, 乙卯^{3日}, 親伐百濟龍州, 降之. 時甄萱違盟, 屢擧兵侵邊, 王含忍久之. 萱益稔惡, 頗欲强呑, 故王伐之. ○新羅王出兵, 助之.[208]

乙丑^{13日}, 甄萱送王信之喪, 遣信弟育, 迎之.

[二月壬午朔^{大盡,癸卯}:追加].

三月^{壬子朔小盡,甲辰}, 甲寅^{3日}, 渤海工部卿吳興等五十人·僧載雄等六十人來投.

辛酉^{10日}, 王入運州, 敗其城主兢俊於城下.[209]

甲子^{13日}, 攻下近品城^{近嵒城}.[210]

[夏四月辛巳朔^{人盡,乙巳}:追加].

夏四月^{五月辛亥朔小盡,丙午}[211], 壬戌^{12日}, 遣海軍將軍英昌·能式等, 率舟師往擊康州, 下轉伊山·老浦·平西山·突山等四鄕, 虜人物而還.[212]

---

208) 이와 같은 기사로 다음이 있다. 또 龍州는 현재의 慶尙北道 醴泉郡 龍宮面 일대로 추측된다(金明鎭 2018년a).
   • 『삼국사기』권12, 신라본기12, 경애왕 4년, "春正月, 太祖親征百濟, 王出兵助之".

209) 이와 관련된 기사로 다음이 있는데, [ ]가 脫落되었을 것이다.
   • 지10, 지리1, 洪州, "… 太祖實錄, 十年三月, 王入運州[註云, 卽今洪州]".

210) 近嵒城은 近嵒城의 誤字일 것이다. 곧 『삼국사기』의 本紀에는 近巖城으로, 甄萱列傳에는 近品城으로 되어 있는데, 後者는 近嵒城을 잘못 刻字하였을 것이다. 그런데 甄萱列傳의 注에는 '景哀王本紀'에 의거하여 近嵒城, 혹은 近巖城이라고 하였음을 보아 近巖城(現 聞慶市 山陽面 縣里)이 옳을 듯하다. 또 嵒은 巖의 略字로서 岩, 嵓, 嵒으로도 표기되었다.
   • 『삼국사기』권12, 신라본기12, 경애왕 4년 3월, "太祖親破近巖城".
   • 『삼국사기』권50, 열전10, 甄萱, "天成二年秋九月, 萱攻取近品[品, 當作嵒, 本紀作巖故也]城燒之".
   • 『삼국유사』권2, 紀異第2, 후백제, 甄萱, "萱攻取近品城 [今山陽縣], 燒之".
   • 『貞蕤閣集』初集, 白門逢朴燕嵒, 趾源 ; 燕嵒朴趾源 ; 松石雲龍圖歌, 戱爲燕嵒作.

211) 이해의 4월은 人盡(30日)이고 초하루[朔日]는 辛巳이다. 이달에는 壬戌이 없고, 5월 12일이 壬戌(陽6월 14일)이며, 이 기사 다음의 기사인 乙丑도 5월 15일이므로 이달은 5월의 오자일 것이다.

212) 이와 관련된 기사로 다음이 있다.
   • 『삼국사기』권12, 신라본기12, 경애왕 4년 4월, "康州所管突山等四鄕, 歸於太祖".

乙丑^{15日}, 王攻熊州, 不克.

[六月庚辰朔^{大盡,「末」:追加}].

秋七月^{庚戌朔小盡,戊申9日}, 戊午^{9日}, 遺元甫在忠·金樂等, 攻破大良城, 虜將軍鄒許祖等三十餘人, [破其城而還:節要轉載].

八月^{己卯朔人盡,己酉}, 丙戌^{8日}, 王狥^{「巡」}康州,²¹³⁾ □□^{行遣}高思葛伊城, 城主興達, [先遣其子:節要轉載]歸欵. 於是, 百濟諸城守, 皆降附.²¹⁴⁾
[→百濟所置守城官吏, 亦皆降附. 王嘉之, 賜興達靑州祿, 其長子俊達珍州祿, 二子雄達寒水祿, 三子玉達長淺祿. 又賜田宅:節要轉載].²¹⁵⁾
[是月, 修拜山城, 命正朝悌宣, 領兵二隊, 戍之:節要·兵2鎭戍轉載].
[○溟州將軍順式, 遣子長命, 以卒六百, 入宿衛:節要轉載].²¹⁶⁾

九月^{己酉朔大盡,庚戌}, [某日], 甄萱攻燒近品城^{近嵒城}, 進襲新羅高鬱府, 逼至郊畿. 新羅王遣連式告急. 王謂侍中公萱·大相孫幸·正朝聯珠等曰, 新羅與我同好已久, 今有急, 不可不救. 遣公萱等, 以兵一萬赴之. [□□□□^{以救兵}未至, □□□□□^{冬十一月}萱猝入新羅都城. 時羅王與妃嬪·宗戚, 出遊鮑石亭, 置酒娛樂. 忽聞兵至, 倉卒不知所爲. 王與夫人, 走匿城南離宮,²¹⁷⁾ 從臣·伶官·宮女, 皆被陷沒. ○萱縱兵大掠, 入處王宮, 令左右索王, 置□^之軍中, 逼令自盡. 强辱王妃, 縱其下, 亂其嬪妾. 立王表弟金傅爲王, 虜王弟孝廉·宰臣英景等, 盡取子女·百工·兵仗·珍寶, 以歸. ○王聞之大怒, 遣使弔祭, 親帥精騎五千, 邀萱於公山桐藪, 大戰不利. 萱兵圍王甚急, 大將申崇謙·金樂, 力戰死之, 諸軍破北, 王僅以身免→11月로 옮겨감]. [○□□□□^{十二月萱}萱乘勝, 取大

---

213) 狥(순)은 여러 판본의 『고려사』에서 狥으로 되어 있으나, 『고려사절요』 권1에는 徇으로 되어 있다. 의미상으로 後者가 옳을 것이다(東亞大學 2008년 1책 439面).

214) 『고려사절요』 권1과 열전5, 興達에 의거하면 添字가 탈락되었음을 알 수 있다.

215) 이와 같은 기사가 열전5, 王順式, 興達에도 수록되어 있다. 이때 태조 왕건은 高思葛伊城(現 慶尙北道 聞慶市)을 거쳐 康州(現 慶尙南道 晋州市)로 巡幸하였던 것 같은데, 이 지역은 洛東江의 서쪽[右岸]으로 後百濟의 영향력이 강하게 미치고 있었던 지역이다.

216) 이와 같은 기사가 열전5, 王順式에도 있다.

217) 離宮은 別宮이라고도 한다.
· 『자치통감』 권5, 周紀5, 赧王 45년(BC270), "秦謁者王稽使於魏, 范睢夜見王稽, 稽潛載與俱歸, 薦之於王, 王見之於離宮[胡三省注, 離宮, 別宮也]".

木郡, 燒盡田野積聚→12월로 옮겨감].[218]

冬十月^{己卯朔小盡,辛亥}, [某日], 甄萱遣將, 侵碧珍郡, 芟大·小木二郡禾稼.

十一月^{戊申朔大盡,壬子}, [某日], 燒碧珍郡稻穀, 正朝索湘□^與戰, 死之.[219]

[某日, □□□□□^{以高麗救兵}未至, □^甄萱猝入新羅都城. 時羅王與妃嬪·宗戚, 出遊鮑石亭, 置酒娛樂. 忽聞兵至, 倉卒不知所爲. 王與夫人, 走匿城南離宮, 從臣·伶官·宮女, 皆被陷沒.[220] ○萱縱兵大掠, 入處王宮, 令左右索王, 置□^之軍中,[221] 逼令自盡. 强辱王妃, 縱其下, 亂其嬪妾. 立王表弟金傅爲王, 虜王弟孝廉·宰臣英景等, 盡取子女·百工·兵仗·珍寶, 以歸. ○王聞之大怒, 遣使弔祭, 親帥精騎五千, 邀萱於公山桐藪, 大戰不利. 萱兵圍王甚急, 大將申崇謙·金樂力戰死之, 諸軍破北.[222] 王僅以身免←9월에서 옮겨옴].

---

218) 이와 관련된 기사로 다음이 있는데, 이들 자료를 통해 볼 때 『고려사』의 時期 整理[繫年]에 문제가 있는 것 같다. 그래서 年紀가 분명한 『삼국사기』 권12, 新羅本紀12에 의거하여 사실을 재정리하여야 할 것이다[校正事由].
· 『삼국사기』 권12, 신라본기12, ^①景哀王 4년, "秋九月, 甄萱侵我軍於高鬱府. 王請救於太祖, 命將出勁兵一萬往救. 甄萱以救兵未至, ^②以冬十一月, 掩入王京. 王與妃嬪·宗戚, 遊鮑鮑石亭宴娛, 不覺賊兵至. 倉猝不知所爲, 王與妃奔入後宮, 宗戚及公卿大夫·士女四散, 奔走逃竄. 其爲賊所虜者, 無貴賤皆駭汗匍匐, 乞爲奴僕而不免. 萱又縱其兵, 剽掠公私財物略盡, 入處宮闕, 乃命左右索王. 王與妃·妾數人在後宮, 拘致軍中, 逼令王自盡, 强淫王妃, 縱其下亂其妃妾. 乃立王之族弟權知国事, 是爲敬順王. ^③敬順王 1년 11월, "敬順王立. 諱傅, 文聖大王之裔孫, 孝宗伊湌之子也, 母桂娥大后. 爲甄萱所擧即位. 擧前王屍, 殯於西堂, 與羣下慟哭. 上謚曰景哀, 葬南山蟹目嶺. 太祖遣使弔祭. 元年十一月, 追尊考爲神興大王, 母爲王太后. 十二月, 甄萱侵大木郡, 燒盡田野積聚".
· 『삼국사기』 권50, 열전10, 甄萱, "天成二年秋九月, 萱攻取近品[注, 品, 當作嵒, 本紀作巖故也]城燒之, 進襲新羅高鬱府, 逼新羅郊圻, 新羅王求救於太祖. 冬十月, 太祖將出師援助, 萱猝入新羅王都. 時王與夫人嬪御, 山遊鮑石亭, 置酒娛樂, 賊至狼狽, 不知所爲. 與夫人歸城南離宮, 諸侍從臣寮及宮女·伶官皆陷沒於亂兵. 萱縱兵大掠, 使人捉王, 至前戕之. 便入居宮中, 强引夫人亂之. 以王族弟金傅嗣立. 然後虜王弟孝廉·宰相英景, 又取國帑·珍寶·兵仗, 子女·百工之巧者, 自隨以歸".
· 『삼국유사』 권3, 塔像第4, 三所觀音, 衆生寺, "羅季天成中, 正甫崔殷諴久無胤息, 詣玆寺大慈前祈禱, 有娠而生男. 未盈三朔, 百濟甄萱襲犯京師, 城中大潰. 殷諴抱兒來告曰, '隣兵奄至, 事急矣, 赤子累重不能俱免, 若誠大聖之所賜, 願借大慈之力覆, 養之, 令我父子再得相見'. 涕泣悲愴三泣, 而三告之, 裹以襁褓藏諸猊座下, 眷眷而去. 経半月寇退, 來尋之, 肌膚如新浴兒體嬽好乳香尚痕於口. 抱持歸養, 及壯聰惠過人. 是爲丞魯^{一作老}, 位至正匡. 丞魯^{一作老}生中崔肅, 肅生郎中齊顏焉, 自此継嗣不絶. 殷諴隨敬順王入本朝爲大姓".
219) 이 기사에서 添字를 추가하여야 옳게 될 것이다.
220) 伶官은 樂工을 가리킨다.
· 『詩經』, 邶風, "[序]簡兮, 詩者, 刺不用賢也. 衛之賢者, 仕於伶官. 皆可以承事王者也. 鄭氏^{鄭玄}箋, 伶官, 樂官也. 伶氏, 世掌樂而善焉, 故後世多號樂官爲伶官".
221) 添字는 『고려사절요』 권1에 의거하였다.
222) 金樂은 後□ 衛社功臣·太師·三重大匡에 追增되었던 것 같지만(金尹覺墓誌銘 ; 金龍善 2015년), 그와 같

[是月壬戌^{15日}, 契丹太宗耶律德光卽位, 不改元:追加].

十二月^{戊寅朔大盡,癸丑}, [□□^{某甲}, □^甄萱乘勝, 取大木郡, 燒盡田野積聚←9월에서 옮겨옴].

[某日], 甄萱寄書于王曰,²²³⁾ "昨者, 新羅國相金雄廉等, 將召足下入京, 有同鼈應黿聲, 是欲鷃披隼翼, 必使生靈塗炭, 社稷丘墟. 是用, 先著^箸祖鞭,²²⁴⁾ 獨揮韓鉞, 誓百僚如皎日, 諭六部以義風. 不意姦臣遁逃, 邦君薨變, 遂奉景明王之表弟, 憲康王之外孫, 勸卽尊位. 再造危邦, 喪君有君, 於是乎在. 足下不詳忠告, 徒聽流言, 百計窺覦, 多方侵擾. 尙不能見僕馬首, 拔僕牛毛. 冬初, 都頭索湘, 束手於星山陣下, 月內, 左相^{佐相}金樂,²²⁵⁾ 曝骸於美利寺前. 殺獲居多, 追擒不少, 强嬴若此, 勝負可知. 所期者, 掛弓於平壤之樓, 飮馬於浿江之水. 然以前月七日, 吳越國使班尙書至,²²⁶⁾ 傳王詔旨, '知卿與高麗, 久通歡好, 共契隣盟. 比因質子之兩亡, 遂失和親之舊好, 互侵彊境, 不戢干戈. 今專發使臣赴京^卿,²²⁷⁾ 本道又移文高麗, 宜相親比, 永孚于休'. 僕義篤尊王, 情深事大, 及聞詔諭, 卽欲祗承. 但慮足下, 欲罷不能, 困而猶鬪. 今錄詔書寄呈, 請留心詳悉. 且獟獹迭憊, 終必貽譏, 蚌鷸相持, 亦爲所笑. 宜迷復之爲戒, 無後悔之自貽".

[□□^{某甲}, 王甚哀二人之死, 以金樂弟鐵·崇謙弟能吉·子甫, 並爲元尹, 創□^智妙寺, 以資冥福. 崇謙, 光海州人, 勇猛長大, 常從征伐有功, 後^{成宗13年?}諡^謚壯節, 配享太祖廟庭:節要轉載].²²⁸⁾

이 戰歿하였던 同鄕人 金哲과 함께 그 功績이 太祖의 廟庭에 配享된 裴玄慶·申崇謙 등의 6人에 미치지 못하였던 것 같다. 그리고 金哲은 金樂의 弟인 金鐵과 혼동될 수도 있으나 別人이다.

· 지12, 지리3, 北界, 西京留守官, 中和縣, "忠肅王九年, 以太祖統合功臣金樂·金哲內鄕, 陞爲郡, 當令如故".
· 열전33, 尹紹宗, "^{右散騎常侍}紹宗言, '賞罰國之大柄, 不可濫也. 我太祖征伐四十年, 稱功臣者止六人, 金樂·金哲代太祖而死, 尙不與六功臣之列. 今殿下旣以和寧伯等九人, 告廟行賞. 尹虎等之功, 人所未聞, 請削之'. 不聽".

223) 이 書狀은 『삼국사기』 권50, 열전10, 甄萱과 『동문선』 권57, 代甄萱寄高麗王書에 수록되어 있는데, 崔承祐(生沒年不詳)가 지은 글이라고 한다.

224) 行書에서 著를 잘못하여 着으로 쓰기도 하는데, 着은 원래 字書에 없는 글자라고 한다(『字學』, 行久義異).

225) 左相은 어떠한 官職 또는 官階인지는 알 수 없었으나, 고려초기의 官階에 대한 새로운 見解에 의하면 4品下에 해당하는 佐相의 다른 表記일 가능성이 있다(張東翼 2012년).

226) 吳越國의 使臣 班尙書는 어떠한 人物인지는 알 수 없으나 6部尙書의 직위를 띤 高位官職者가 後百濟에 파견된 것은 양국이 긴밀한 관계를 구축하고 있었음을 보여 준다. 이 점은 당시 후백제의 管內였을 것으로 짐작되는 현재의 晋州城 矗石樓 外廊에서 寶正(혹은 寶貞·保貞, 太祖 錢鏐가 926~931년에 使用함)이라는 吳越의 年號가 刻字된 기와[瓦]가 발굴된 것을 통해서도 알 수 있을 것이다(國立晋州博物館 2002년).

227) 京은 『고려사』의 여러 版本에서 京으로 되어 있으나, 『삼국사기』와 『고려사절요』에서 卿으로 되어 있는데, 의미상으로 볼 때 後者가 옳을 것이다(東亞大學 2008년 1책 440面).

228) 이는 『삼국유사』에 의거하였는데, 여기에서 妙寺로 되어 있어 智가 탈락되었을 것이다. 그런데 이 자료와 같이 이해[時年] 9월 公山戰鬪에서 申崇謙·金樂이 戰死하자, 太祖 王建이 심히 애통하게 여겨 智妙寺를 建立하여 이들의 冥福을 빌게 하였다고 한 점을 통해 볼 때, 이 사찰은 智妙寺(現 大邱市 東區

是歲, 遣<u>林彦</u>如唐.[229]

戊子[太祖]十一年：天授十一年, 後唐天成三年, [契丹天顯三年], [西曆928年]

928년 1월 26일(Gre1월 31일)에서 929년 2월 12일(Gre2월 17일)까지, 13개월 384일

春正月^{戊申朔小盡,甲寅}, 壬申^{25日}, 溟州將軍順式□□^{幸實}, 來朝. [賜姓王, 拜大匡, 其子長命, 賜名廉, 拜元甫, 小將官景, 亦賜姓王, 拜大丞:節要轉載].[230]

乙亥^{28日}, 元尹金相·正朝直良等, 將往救康州, 經草八城, 爲城主興宗所敗, <u>金相死之</u>.[231]

是月, 王答<u>甄萱</u>書曰,[232] "伏奉吳越國通和使班尙書所傳詔書一道, 兼蒙足下辱示長書敍事者. 伏以華軺膚使, 爰致制書, 尺素好音, 兼承敎誨. 捧芝檢而雖增感激, 闢華牋而難遣嫌疑, 今托回軒, 輒敷危衽. 僕仰承天假, 俯迫人推, 過叨將帥之權, 獲赴經綸之會. 頃以三韓厄會, 九土凶荒, 黔黎多屬於黃巾, 田野無非於赤土, 庶幾弭風塵之警, 有以救邦國之災. 爰自善隣, 於焉結好, 果見數千里農桑樂業, 七八年士卒閑眠. 及至酉年, 維時陽月, 忽焉生事, 至於交兵. 足下始輕敵以直前, 若螗蜋之拒轍, 終知難而勇退, 如蚊子之負山. 拱手陳辭, 指天作誓, '今日之後, 永世歡

智妙洞 526番地 位置)임이 분명하다. 또 태조 왕건은 春川에 있는 신숭겸의 墓所를 지키기 위한 30戶와 墓비 9,000步를 下賜하였다고 하는데, 이는 조선왕조 때에도 계속되었다고 한다.
- 『삼국유사』 권제1, 王曆1, 太祖, "丁亥, 創□^善妙寺". 여기에서 添字가 追加되어야 옳게 될 것이다.
- 열전5, 申崇謙, "^{太祖}十年, 太祖與甄萱, 戰於公山桐藪, 不利. 萱兵圍, 太祖甚急, 崇謙時爲大將, 與元甫金樂, 力戰死之. 太祖, 甚哀之, 諡壯節, 以其弟能吉, 子甫, 樂弟鐵, 並爲元尹, 創智妙寺, 以資冥福".
- 『警修堂全藁』 권5, 太師墓秋享, "麗太祖置守塚三十戶, 入我朝, 特命仍之".
- 『警修堂全藁』 권6, 春享太師墓, "麗太祖賜墓田輪, 廣九千步, 我朝命仍之", "麗氏置守塚軍三十戶, 我朝命仍之".
- 『敬亭集』 권4, 過平山, 憶申太師^{申崇謙}[注, 縣有弓位田], "將軍射雁錫爰田, 塞翮離披御榻前, 曾詔龍驤江上塚, 外家先烈至今傳[注, 紫塞翮, 本杜詩. 太師墓在春川江上, 先人爲監司時, 余兄弟奠謁, 故及之]. 여기에서 宮位田[弓位田]은 祠廟를 管理, 維持하기 위한 位田을 가리키는 것 같다.

229) 이와 관련된 기사와 중국 측의 기록을 통해 볼 때, 林彦은 고려가 파견한 것이 아니라 權知康州事 ·王逢規가 파견한 것이다.
- 『삼국사기』 권12, 신라본기12, 경애왕 4년, "夏四月, 知康州事^{懷化大將軍}王逢規, 遣使林彦入後唐, 朝貢. 明宗召對中興殿, 賜物".
230) 이와 같은 기사가 열전5, 王順式에도 수록되어 있다. 또 添字는 『고려사절요』 권1에 의거하였다.
231) 이와 같은 기사로 다음이 있다.
- 『삼국사기』 권12, 신라본기12, 경순왕 2년, "春正月, 高麗將金相與草八城賊興宗戰, 不克死之".
232) 이 書狀은 『삼국사기』 권50, 열전10, 甄萱과 『동문선』 권57, 代高麗王答甄萱書에 수록되어 있는데, 作者는 알 수 없다고 한다. 또 이 書狀은 『고려사절요』 권1에는 25일(壬申)의 기사보다 앞쪽에 위치해 있음을 보아 甄萱에게 24일(辛未) 이전에 발급되었을 것이다.

和, 苟或渝盟, 神其殛矣'. 僕亦尙止戈之武, 期不殺之仁, 遂解重圍, 以休疲卒, 不辭質子, 但欲安民. 此則我有大德於南人也, 豈謂歃血未乾, 兇威復作, 蜂蠆之毒, 侵害於生靈, 狼虎之狂, 爲梗於畿甸, 金城窘迫, 黃屋震驚. 仗義尊周, 誰似桓文之霸. 乘間謀漢, 唯看莽‧卓之姦, 致使王之至尊, 枉稱子於足下, 尊卑失序, 上下同憂. 以謂非有元輔之忠純, 豈得再安於社稷? 以僕心無匿惡, 志切尊王, 將援置於朝廷, 使扶危於邦國. 足下見毫釐之小利,233) 忘天地之厚恩, 斬戮君王, 焚燒宮闕, 葅醢卿士, 虔劉士民. 嬪姜則取以同車, 珍寶則奪之稇載, 元惡浮於桀紂, 不仁甚於獍梟. 僕怨極崩天, 誠深却日. 庶效鷹鸇之逐, 以申犬馬之勤, 再擧干戈, 兩更槐柳. 陸戰則雷馳電擊, 水攻則虎搏龍騰, 動必成功, 擧無虛發. 逐尹邠於海岸, 積甲如山, 擒鄒祖於邊城, 伏屍蔽野. 燕山郡畔, 斬吉奐於軍前, 馬利城邊, 戮隨晤於纛下. 拔任存之日, 邢積等數百人捐軀, 破靑州之時, 直心等四五輩授首. 桐藪望旗而潰散, 京山含璧以投降, 康州則自南而來歸, 羅府則自西而移屬. 侵攻若此, 收復寧遙. 必期泜水營中, 雪張耳千般之恨, 烏江亭上, 成漢王一捷之功, 竟息風波, 永淸寰海. 天之所助, 命將何歸. 況承吳越王殿下, 德洽包荒, 仁深字小, 特出綸於丹禁, 諭戢難於靑丘. 旣奉訓謨, 敢不尊奉. 若足下祗承睿旨, 悉戢凶機, 不惟副上國之仁恩, 抑亦紹東海之絶緒. 若不過而能改, 其如悔不可追".

[二月^{丁丑朔人盡,乙卯}, 某日, 遣大相廉相卿^{幸卿}‧能康等, 城安北府, 以元尹朴權爲鎭頭, 領開定軍七百人, 戍之:節要轉載].234)

三月^{丁未朔小盡,丙辰}, 戊申^{2日}, 渤海人金神等六十戶來投.

---

233) 小利(혹은 少利)는 글자 그대로는 '작은 利得'일 것이고, 戰鬪에서 小利를 얻었다는 것은 兵力을 꽤 많이 損失한 失利를 指稱하는 경우도 있는 것 같다.
  · 『논어』, 子路第13, "子夏爲莒父宰, 問政, 子曰, 無欲速, 無見小利, 欲速則不達, 見小利, 則人事不成". 여기에서 '莒父宰'는 子夏가 魯國의 小邑인 '莒父(現 山東省 日照市 莒縣)의 長官이 되어 施政의 방법을 물었다'라고 해석하면 좋을 것이다[讀].
  · 『자치통감』 권5, 周紀5, 赧王 57년(BC258), "正月, ^{秦將}王陵攻邯鄲, 少利[胡三省注, 少利, 謂兵頗失利也], 益發卒佐陵, 陵亡五校^{4千人}". 여기에서 1校는 軍士編制에서 800人이었다고 한다(→원종 10년 8월 是月條의 脚注).
  · 『자치통감』 권8, 秦紀3, 二世皇帝 3년(BC207) 12월, "^{長安侯}項羽已殺卿子冠軍, 威震楚國, 乃遣當陽君^{黥布}‧蒲將軍將卒二萬渡河救鉅鹿, 戰少利[胡三省注, 言其戰略有利也], 絶章邯甬道, 王離軍乏食".
234) 이와 관련된 기사로 다음이 있는데, 이에 의거하면 上記의 記事에 잘못 들어간 글자[衍字]가 발생한 것 같다.
  · 지36, 병2, 鎭戍, "^{太祖}十一年二月, 遣大相廉卿‧能康等, 城安北府, 以元尹朴權爲鎭頭, 領開定軍七百人, 戍之".

夏四月^{丙子朔小盡, 丁巳}, 庚子^{25日}, [小滿]. 幸湯井郡.

[是月, 城運州玉山, 置戍軍:節要·兵2鎭戍轉載].[235]

[○命庾黔弼, 城湯井郡:兵2城堡轉載].[236]

五月^{乙巳朔小盡,戊午}, 庚申^{16日}, 康州元甫珍景等, 運粮于古子郡. 甄萱潛師, 襲康州. 珍景等還戰敗, 死者三百餘人, 將軍<u>有文</u>降于萱.[237]

六月甲戌□^{朔人盡,己未}, 碧珍郡地震.[238]
癸巳^{20日}, 伊飱進慶卒, 贈大匡.[239]

秋七月^{甲辰朔小盡,庚申}, 辛亥^{8日}, 渤海人大儒範率民來附.
丙辰^{13日}, [立秋]. 自將擊三年山城, 不克, 遂幸靑州.
[→<u>王</u>自將擊三年城^{三年山城}, 不克, 遂幸靑州:節要轉載].[240]
[○百濟遣將來, 侵靑州. 時, 庾黔弼受命, 城湯井郡, 夢一大人言, "明日, 西原有變, 宜速往".

---

235) 이 기사는 지36, 병2, 城堡에도 수록되어 있으나 '太祖十一年'이 탈락되었다. 玉山에 쌓은 城은 『大東地志』를 참고할 때, 月山城(혹은 白月山城)으로 推定된다고 한다(이는 『신증동국여지승람』 권19, 洪州牧, 古跡, 崔鍾奭 2006년 ; 金明鎭 2015). 이에 대해 礪陽山城 또는 月山城(金甲童 2004년), 龍鳳山城(尹龍爀 2007년)을 제시한 견해도 있다고 한다(金明鎭 2015년).

236) 이 기사는 지36, 병2, 城堡에도 수록되어 있으나, 위의 기사와 같이 '太祖十一年'이 탈락되었다. 이에서 庾黔弼이 帝命을 받은 時期는 분명하지 않으나, 이해 7월 13일(丙辰) 人祖 王建이 三年山城(現 忠淸北道 報恩郡 報恩邑 漁巖里 位置)에서 後百濟軍과 싸우다가 패배하자 유금필이 구원하러 갔다는 점을 고려하여 볼 때, 이 시기일 가능성이 높다(→是年 7월 13일).

237) 이와 관련된 기사로 다음이 있다.
  ·『삼국사기』 권12, 신라본기12, 경순왕 2년, "夏五月, 康州將軍有文, 降於甄萱".
  ·『삼국사기』 권50, 열전10, 甄萱, "^{天成三年}夏五月, 萱潛師, 襲康州. 殺三百餘人, 將軍有文生降".

238) 甲戌에 朔이 탈락되었을 것이고, 後唐曆과 日本曆에서 6월의 朔日은 甲戌이다. 이날 日本에서도 저녁[夕]에 地震이 있었으나 어느 지역인지는 알 수 없다. 또 이달에 慶州지역에서도 지진이 있었던 것 같은데, 이들 세 지역에서 모두 6월 1일에 지진이 발생했는지는 알 수 없다.
  ·『扶桑略記』 권24, 醍醐下, 延長 6年, "六月一日^{甲戌}, 夕, 地震".
  ·『삼국사기』 권12, 신라본기12, 경순왕 2년, "六月, 地震".

239) 이날은 율리우스曆으로 928년 7월 9일(그레고리曆 7월 14일)에 해당한다.

240) 여기에서 王은 어떠한 意圖에 의해 들어간 필요가 없는 글자[衍字]인데, 中原에서도 帝王의 擧動에는 主體者를 나타내는 主語가 생략되었다. 굳이 넣겠다면 고려시대의 표기방식으로 한다면 帝 또는 上이 적절할 것이다. 또 三年山城은 그 由來가 3년에 걸쳐 築造된 것에서 나온 것이기에 添字와 같이 고쳐야 옳게 될 것이다.
  ·『삼국사기』 권3, 신라본기3, 慈悲麻立干, "十三年, 築三年山城. 三年者, 自興役始終三年訖功, 故名之".

黔弼驚覺, 徑趣靑州, 與戰敗之, 追至禿岐鎭, 殺獲三百餘人:節要轉載].

[→^{太祖}十一年, 以王命, 城湯井郡. 時, 百濟將金萱·哀式·漢丈等, 領三千餘衆來, 侵靑州. 一日, 黔弼登郡南山, 坐睡, 夢一大人言, "明日, 西原必有變, 宜速往". 黔弼驚覺, 徑趣靑州, 與戰敗之, 追至禿歧鎭, 殺獲三百餘人. 馳詣中原府, 見太祖, 具奏戰狀. 太祖曰, "桐藪之戰, 崇謙·金樂二名將死, 深爲國家憂, 今聞卿言, 朕意稍安":列傳5庾黔弼轉載].

八月^{癸酉朔大盡,辛酉}, [某日], 幸忠州[而還:節要轉載].²⁴¹⁾

[某日], 甄萱使將軍官昕城陽山.

[某日], 王遣命旨城□□^{將軍}元甫王忠, 率兵擊走之.

[某日], 官昕退保大良城, 縱軍芟取大木郡禾稼. 遂分屯烏於谷, 竹嶺路塞.²⁴²⁾

[某日], 命^{元甫}王忠等, 往諜于曹物城.

[某日], 新羅僧洪慶自唐閩府, 航載大藏經一部, 至禮成江, 王親迎之, 置于帝釋院.²⁴³⁾

[是月], 原州山澗寺鐵佛, 汗三日:五行2轉載].

[閏八月癸卯朔^{大盡,辛酉}:追加].

九月^{癸酉朔小盡,丁戌}, 丁丑^{5日}, 大相權信卒.²⁴⁴⁾ □^僧, 嘗以破黃山郡功, 授重阿餐.²⁴⁵⁾

丁酉^{25日}, 渤海人隱繼宗等來附, 見於天德殿三拜, 人謂失禮. 大相含弘^{朱今弘}曰, "失土人三拜, 古之禮也".²⁴⁶⁾

---

241) 『고려사절요』 권1에서는 이 기사와 다음 기사의 순서가 바뀌어 있다.

242) 이상의 사실과 관련된 기사로 다음이 있는데, 여기에서 陽山은 현재의 忠淸北道 永同郡 陽山面으로 추측된다.
  · 『삼국사기』 권12, 신라본기12, 경순왕 2년, "秋八月, 甄萱命將軍官昕, 築城於陽山. 太祖命命旨城將軍王忠, 率兵擊走之. 甄萱進屯於大耶城下, 分遣軍士, 芟取大木郡禾稼".
  · 『삼국사기』 권50, 열전10, 甄萱, "秋八月, 萱命將軍官昕, 領衆築陽山, 太祖命命旨城將軍王忠擊之. 退保大耶城".

243) 이와 관련된 내용이 『삼국유사』 권3, 塔像第4, 前後所將舍利에 있다. 여기에는 洪慶이 默和尙으로 달리 표기되어 있다. 閩府는 福州·建州 등의 지역(現 中國의 東南部에 위치한 福建省 地域)을 據點으로 하고 있던 十國 중의 하나인 閩國(909~945)이다. 이 자료에서 唐閩府로 기록한 것은 閩이 後唐에 臣屬하고 있던 藩國이었기 때문으로 추측된다. 또 新羅僧 洪慶이 『大藏經』을 가져 온 이해[是年]는 第3代 太宗 王延鈞(惠帝 鏻, 927~935 在位)의 治世에 해당한다.
  · 『삼국유사』 권3, 塔像第4, 前後所將舍利, "又天成三年戊子, 黙和尙入唐, 亦載人藏經來".

244) 이날은 율리우스曆으로 928년 10월 21일(그레고리曆 10월 26일)에 해당한다.

245) 이 기사에서 添字를 추가하여야 餘他의 敍述과 調和를 이룰 것이다.

[冬十月壬寅朔^{大盡,癸亥}:追加].

冬十一月^{壬申朔大盡,甲子}, [某日], 甄萱選勁卒, 攻拔烏於谷城, 殺戌卒一千. 將軍楊志·明式等六人出降.²⁴⁷⁾

[某日], 王命集諸軍于毬庭, 以^{楊志·明式等}六人妻子, 徇諸軍, 棄市.

[十二月壬寅朔^{大盡,乙丑}:追加].

是歲, 巡幸北界, [移築鎭國城, 改名通德鎭, 以元尹忠仁, 爲鎭頭:節要轉載].²⁴⁸⁾

己丑[太祖]十二年:天授十二年, 後唐天成四年, [西曆929年]

929년 2월 13일(Gre2월 18일)에서 929년 2월 1일(Gre2월 6일)까지, 354일

[春正月壬申朔^{小盡,丙寅}:追加].
[二月辛丑朔^{大盡,丁卯}:追加].

[三月^{辛未朔小盡,戊辰}, 某日, 遣大相廉相, 城安定鎭, 以元尹彦守考, 鎭之. 又城永淸縣:節要·兵2鎭戌轉載].²⁴⁹⁾

---

246) 이해[是年]에 이루어졌던 渤海人의 來投에 관한 中原의 기록으로 다음이 있다. 여기에서 東契丹國[東丹國]의 國土은 太祖 耶律阿保機의 長子인 耶律倍(耶律突欲, 899~937)이다.
　　·『요사』 권3, 본기3, 태종3, 天顯 3년 12월, "甲寅, 次杏堝, 唐使至, 遂班師. 時, ^{東丹國王}人皇在皇都, 詔遣耶律羽之遷東丹民以実東下, 其民或亡入新羅·女直. …".

247) 이와 관련된 기사로 다음이 있다.
　　·『삼국사기』 권12, 신라본기12, 경순왕 2년, "冬十□一月, 甄萱攻陷武谷城^{烏於谷城}". 여기에서 添字와 같이 고쳐야 옳게 될 것이다.
　　·『삼국사기』 권50, 열전10, 甄萱, "冬十一月, 萱選勁卒, 攻拔缶谷城, 殺守卒一千餘人, 將軍楊志·明式等生降".

248) 이 기사와 관련된 자료로 다음이 있다.
　　·지36, 병2, 城堡, "□□□□□^{太祖十一年}, 巡北界, 移築鎭國城". 이 기사에서 十一年이 탈락되었다.
　　·지12, 지리3, 北界, 安北大都護府, 肅州, "太祖十一年, 移築鎭國城, 改名通德鎭".

249) 이 기사와 관련된 자료로 다음이 있다.
　　·지36, 병2, 鎭戌, "^{太祖}十二年三月, 遣人相廉相, 城安定鎭, 以元尹彦守考, 鎭之".
　　·지36, 병2, 城堡, "^{太祖}十二年, 城安定鎭, 又城永淸·安水·興德等鎭".

夏四月^{庚子朔小盡,乙巳}, 乙巳^{6日}, 幸西京, 歷巡州鎮, [而還:節要轉載].

[五月^{乙巳朔小盡,庚午}, 某日, 西京民能盃家, 猪生子, 一首兩身:五行1豕禍轉載].²⁵⁰⁾

六月^{戊戌朔人盡,辛未}, 壬寅^{5日}, 以元甫長弼爲大相.

癸丑^{16日}, 天竺國三藏法師摩睺羅來, 王備儀迎之. 明年^{太祖13年}, 死于龜山寺.²⁵¹⁾

庚申^{23日}, 渤海人洪見等, 以船二十艘, 載人物來附.

秋七月^{戊辰朔小盡,壬申}, 己卯^{12日}, 幸基州, 歷巡州鎮, [而還:節要轉載].

辛巳^{14日}, 甄萱以甲卒五千, 侵義城府, 城主將軍洪術戰死. 王哭之慟曰, "吾失左右手矣".

[翌日^{壬午15日}:追加], □^萱又侵順州, 將軍元奉遁.²⁵²⁾

[八月丁酉朔^{大盡,癸酉}:追加].

九月^{丁卯朔小盡,甲戌}, 乙亥^{9日}, 幸剛州.

---

250) 豕禍는 돼지[猪, 豚], 멧돼지[山猪, 野豕]의 異常 現象을 가리키는데, 近代 以前의 人民들은 이를 좋지 않은 일의 徵兆[兆朕]라고 생각했던 것 같다.
· 『漢書』 권27中下, 五行志第7中下, "… 於易坎爲豕, 豕大耳而不聰察, 聽氣毁, 故有豕禍也. 一曰, 寒歲豕多死, 及爲怪, 亦是也".
· 『宋書』 권33, 지23, 오행4, 豕禍, "吳孫皓寶鼎元年, 野豕入右大司馬丁奉營, 此豕禍也. 後奉遣攻穀壤, 無功反, 皓怒, 斬其導軍. 及擧大衆北出, 奉與萬彧等相謂曰, '若至華里, 不得不各自還也'. 此謀泄, 奉時雖已死, 皓追討穀壤事, 殺其子溫, 家屬皆遠徙. 豕禍之應也. 龔遂曰𠫤, '山野之獸, 來入宮室, 宮室將空'. 又其象也".
251) 이와 같은 기사로 다음이 있지만, 添字가 추가되어야 할 것이다.
· 『삼국사기』 권12, 신라본기12, 경순왕 3년, "夏六月, 天竺國三藏□□^{法師}摩睺羅抵高麗".
252) 添字는 『고려사절요』 권1에 의거하였다. 또 洪述과 元奉에 관련된 기사로 다음이 있고, 前者는 후일 義城府의 城隍神으로 推仰되었던 것 같다.
· 『삼국사기』 권12, 신라본기12, 경순왕 3년, "秋七月, 甄萱攻義城府城, 高麗將洪述^{□□}出戰, 不克死之. 順州將軍元逢, 降於甄萱. 太祖聞之怒, 然以元逢前功, 宥之, 但□□^{順州}改順州爲縣".
· 『삼국사기』 권50, 열전10, 甄萱, "^{天成}四年秋七月, 萱以甲兵五千人, 攻義城府, 城主·將軍洪術戰死. 太祖哭之慟曰, '吾失左右手矣'. 萱大擧兵, 次古昌郡瓶山之下, 與太祖戰不克, 死者八千餘人, 翌日^{壬午15日}, 萱聚殘兵襲破順州城, 將軍元奉不能禦, 棄城遁. 萱虜百姓, 移入全州, 太祖以元逢前有功, 宥之. □□^{順州}, 改順州, 號下枝縣". 이상에서 添字가 추가되어야 옳게 될 것이다.
· 『삼국유사』 권2, 紀異第2, 後百濟, 甄萱, "… ^甄萱, 乘勝, 轉掠大木城[今若木]·京山府·康州, 攻缶谷城. 又義成府之守洪述^{□□}拒戰而死. 太祖聞之曰, 吾失右手矣".
· 『潘谿集』 권7, 城隍祭迎送神歌, "史云, 金洪術, 義城人, 高麗太祖與百濟甄萱戰, 人敗, 洪術力戰死之, 太祖嘆曰, '洪術死, 如失吾左右手矣'. 後論功追贈加等, 俗傳縣城隍神, 蓋洪術也, 然未知是否, 至今𨓏巷之民, 多以淫怪荒誕之辭, 和諸簫鼓歌舞以慢神, 其爲鄙野就甚焉. 今觀祀典, 州府郡縣, 有以時祭城隍之文, 故作此歌, 裁以邪正, 以遺縣人, 𠃬申朝令淫祀之禁, 庶幾俾絶荒怪之風云. … [注, 俗傳洪術貌似太祖, 備儀衛, 力戰而死, 故以紀信比焉]". 여기에서 細注의 內容은 申崇謙의 事蹟이 잘못 反映된 것 같다.

丙子^{10日}, 渤海正近等三百餘人來投.

[是月, 遣大相□土式廉, 城安水鎭, 以元尹昕平爲鎭頭. 又城興德鎭, 以元尹阿次城爲鎭頭:節要·兵2鎭戍轉載].²⁵³⁾

冬十月丙申□^{朔人盡,乙亥}, 百濟一吉干廉昕^{廉欣}來投.²⁵⁴⁾

[□□^{是月}],²⁵⁵⁾ 甄[萱將攻高思葛伊城, 城主興達聞之, 欲出戰而浴, 忽見右臂上, 有滅字, 至十日病死:節要轉載].²⁵⁶⁾ ○萱圍加恩縣, 不克.²⁵⁷⁾

[十一月丙寅朔^{人盡,丙子}:追加].

十二月^{丙申朔小盡,丁丑}, [某日], 甄萱圍古昌郡, 王自將救之. [次禮安鎭, 與諸將議曰, “戰而不利, 將如之何?”. 大相公萱·洪儒曰, “如我不利, 宜從間道, 不可從竹嶺而去”. 庾黔弼曰, “臣聞兵凶戰危, 有死之心, 無生之計, 然後可以決勝, 今臨敵不戰, 先慮折北何也. 若不急救, 以古昌三千餘衆, 拱手與敵, 豈不痛哉? 臣願進軍急擊”, 王從之, 黔弼乃自猪首峰, 奮戰大克. 王入其郡, 謂黔弼曰, “今日之事, 卿之力也”:節要轉載].²⁵⁸⁾

[是年, 創龜山寺:追加].²⁵⁹⁾
[○遣廣評侍郎張芬如唐, 獻方物:追加].²⁶⁰⁾

---

253) 이 기사와 관련된 자료로 다음이 있다. 또 이에서 阿次城은 어떠한 인물인지 알 수 없으나, 이름이 세 글자[三字]이어서 特異한데, 그가 女眞人일 가능성이 있다는 견해도 제시되었다(金龍善 2011년 203面).
   · 지36, 병2, 城堡, “太祖十二年, 又城永淸·安水·興德等鎭”.
   · 열전5, 王式廉, “又城安水·興德等鎭, 有功”.
254) 內中에 朔이 탈락되었다. 또 廉昕은 『고려사절요』에는 廉欣으로 되어 있다.
255) 여기에서 是月이 탈락되었을 것이다.
256) 이와 같은 기사가 열전5, 王順式, 興達에도 수록되어 있다.
257) 이와 같은 기사로 다음이 있다.
   · 『삼국사기』 권12, 신라본기12, 경순왕 3년, “朅, 甄萱圍加恩縣, 不克而歸”.
258) 이 기사는 열전5, 庾黔弼에도 수록되어 있으나 자구에 출입이 있다. 또 ‘兵凶戰危’는 다음의 자료를 인용한 것이다.
   · 『漢書』 권49, 鼂錯傳第49, “雖然兵凶器, 戰危事也”.
259) 이는 다음의 자료에 의거하였다.
   · 『삼국유사』 권제1, 王曆1, 太祖, “己丑, 創龜山□^寺”.
260) 이는 다음의 자료에 의거하였다.
   · 『구오대사』 권40, 唐書16, 明宗紀6, ^{大成四年八月}己未, 高麗王王建遣使貢方物”.

庚寅[太祖]十三年:天授十三年, 後唐天成四年→2月長興元年, [西曆930年]

930년 2월 2일(Gre2월 7일)에서 931년 1월 21일(Gre1월 26일)까지, 354일

春正月^{丙寅朔小盡,戊寅}, 丁卯^{2日}, 載巖城將軍善弼來投. [初^{太祖3年}, 王欲通新羅, 而賊起道梗, 王患之. 善弼, 導以奇計, 使得通好. 故今其來朝, 厚禮待之, 以其年老, 稱爲尙父:節要轉載].[261]

丙戌^{21日}, 王自將, 軍□^於古昌郡瓶山, 甄萱軍□^於石山, 相去五百步許. 遂與戰, 至暮萱敗走, 獲侍郞金渥, 死者八千餘人.[262]

是日, 古昌郡奏, "萱遣將, 攻陷順州, 掠人戶而去". 王卽幸順州, 修其城, 罪將軍元奉, [復降爲下枝縣:節要轉載].[263]

庚寅^{25日}, 以古昌郡城主金宣平爲大匡, 權行^{幸丰}·張吉爲大相, [陞其郡爲安東府:節要轉載]. 於是, 永安^{下枝}·河曲·直明^{直寧}·松生等三十餘郡縣, 相次來降.[264]

• 『신오대사』 권6, 唐本紀6, 明宗, "^{天成四年八月}己未, 高麗王建使張彬來".
• 『오대회요』 권30, 高麗, "天成四年八月, 復遣廣評侍郎張昐^{張芬}等五十二人來, 朝貢銀·香獅子·香爐·金裝鈒鏤·雲星刀劍·馬匹·金銀·鷹·縧韝·白紵·白氎·頭髮·人蔘·香油·銀鏤剪刀·鉗鈒·松子等".
• 『책부원귀』 권972, 外臣部17, 朝貢5, "^{天成四年八月} … 高麗國王王建, 遣使廣平^評侍郞張芬等五十三人來, 朝貢銀·香獅子·香爐·金裝鈒鏤·雲星刀劍·馬突·金銀·鷹·韜韝·錦罽腰·白紵·白氎·頭髮·人蔘·香油·銀鏤剪刀·鉗鈦·松子等". 이 기사를 『五代會要』의 내용과 비교해 보면 組版하는 과정에서 이루어진 誤字를 가려낼 수 있을 것이다.

261) 이와 같은 기사로 다음이 있다. 또 이때 載巖城이 市城府로 승격하게 되었을 가능성이 있다고 한다(旗田 巍 1972年 20面).
• 열전5, 十順式, 善弼, "善弼, 爲新羅載巖城將軍. 時, 群盜競起, 所至奪掠. 太祖欲通好新羅, 以路梗患之. 弼觀太祖威德, 遂歸款, 以計使通好新羅, 因捍賊, 屢有功, 後以其城內附, 太祖厚加待遇, 以年老, 稱爲尙父".
• 『삼국사기』 권12, 신라본기12, 경순왕 4년, "春正月, 載巖城將軍善弼降高麗, 太祖厚禮待之, 稱爲尙父. 初, 太祖將通好新羅, 善弼引導之, 至是降也. 念其有功且老, 故寵褒之".

262) 瓶山戰鬪에 관한 기사로 다음이 있다.
• 『신증동국여지승람』 권24, 안동대도호부, 山川, "瓶山, 在府北十里. ○高麗太祖與甄萱戰, 萱敗走, 獲侍郞金渥, 死者八千餘人".

263) 이와 관련된 기사로 다음이 있지만, 添字가 추가되어야 옳게 될 것이다.
• 지11, 지리2, 豊山縣, "新羅下枝縣[有下枝山, 一名豊岳], 景德王, 改名永安, 爲醴泉郡領縣. □□□□□□^{景初六年, 縣人元逢元奉}, 太祖六年, 縣人元逢^{元奉}, 有歸順之功, 陞爲順州. 十三年, 陷於甄萱, 復降爲下枝縣, 後更今名".

264) 이와 관련된 기사로 다음이 있는데, 權行은 權幸의 오자일 가능성이 높다. 또 永安縣은 下枝縣의 別稱이고(上記의 脚注), 直明縣은 地理志에서 확인되지 않음을 보아 直寧縣(一直縣)의 오자일 가능성이 있다고 한다(尹京鎭 2001年b).
• 지11, 지리2, 安東府, "太祖十三年, 與後百濟王甄萱, 戰於郡地, 敗之. 郡人金宣平·權幸·張吉, 佐太祖有功, 拜宣平, 爲大匡, 幸·吉, 各爲大相, 陞郡, 爲安東府".
• 「權康墓誌銘」, "權氏始於金幸, 新羅大姓也. 守福州, 太祖旣卽位, 攻新羅行至福, 幸能知天命所歸, 擧邑以降, 太祖喜曰, '幸也, 可謂有權矣', 因賜姓曰權".
• 『신증동국여지승람』 권24, 安東大都護府, 人物, 權幸. 위의 내용과 비슷하여 생략하였다.

二月乙未□^{朔大盡,己卯}, [驚蟄]. 遣使新羅, 告古昌之捷, □^新羅王遣使報聘, 致書請相見. 是時^{甘廿}^{九月},²⁶⁵⁾ 新羅□^國以東沿海州郡部落, 皆來降, 自溟州至興禮府^{或邊城},²⁶⁶⁾ 惣百十餘城.²⁶⁷⁾

- 『삼국사기』 권12, 신라본기12, 경순왕 4년 1월, "太祖與甄萱戰古昌郡瓶山之下, 大捷, 殺虜甚衆. 其永安·河曲·直明·松生等三十餘郡縣, 相次降於太祖".
- 『安東先生案』, "府使金光轍, 嘉善□□^{大夫}, 嘉靖十九年^{中宗35年}庚子七月十一日赴任, 壬寅^{37年}十二月廿四日同知□□□□^{中樞院事}去. 修三功臣廟, 創觀風樓".
- 『숙종실록』 권13, 8년 4월 癸□^{16日}, "安東府有高麗功臣金宣平·權幸·張吉三太師廟, 一行南向, 而金居東, 權居中, 張居西. 金·權兩家子孫副護軍金壽一, 僉知權說各上疏, 請定位次上下, 壽一則曰, '東是首位', 說則曰, '中是正位', 爭說甚多. 事下禮曹, 禮曹覆啓曰, '高麗史'及'東國通鑑', '麗太祖庚寅, 以古昌城主金宣平爲大匡, 權幸·張吉爲大相, 遂以其郡爲安東府, 李滉記文有曰, 麗朝功臣三人, 曰金公宣平·曰權公幸·曰張公吉. 又曰, 爲城主者金公, 倡降麗者權公. 則位次先後, 自可區別. 史籍及先儒之論如此, 宜以金宣平爲首, 權·張次之', 上允之".
- 『谷雲集』 권4, 花山記(1686年撰), "^{十月}二十六日辛巳, 朝, 府伯來話從容, 許以士考栗西碣詩刻板, 揭諸中臺. 食後展謁始祖廟, 廟在府衙後, 金太師位牌在東, 權太師在中, 張太師在西, 皆書曰高麗壁上^{三韓}三重大匡·亞父·功臣金某·權某·張某, 三位皆有香案, 庭左有權太師塔碑. 重建講堂, 壁上新揭退溪記文. 有司權泰時. 戶長權姓人接待, 出示太師舊物金帶二圍及古器, 又有玉笛, 使笛童吹數曲, 其聲淸亮可聽. 權門人, 謂是權太師物, 而旣無文籍可據, 未可知也. 又有恭愍王^十敎福州府使書一紙, 手跡宛然".
- 『退憂堂集』 권10, 南征錄(1660年撰), "^{二月}初七日, 朝謁太師廟, 廟在客館之北, 祠宇三間, 金太師神位在東, 權太師居中, 張太師在西. 立祠之時, 以本府戶長主祀, 厥後, 皆以爲莫重祀典, 不可付之於戶長, 以權家子孫爲有司, 以戶長爲下有司. 春秋享祀, 而權家子孫最盛, 以中爲上, 進爵必先於權太師, 流來已久, 莫敢釐正. 有司之任權氏, 亦不遞送於他姓云. 廟中有權應鼎所撰碑文, 中門外有享官廳, 謁廟後退坐于此, 題名于廟見錄. 戶長言廟中有古器一櫃, 謁廟諸人必來看玩焉, 使之陳列, 則有白玉篴一條, 以金爲帶, 而以銀絲, 宛然如新, 吹之聲甚響亮云. 又有靑紅各色段五六端, 荔枝金帶一, 荔枝銅帶一, 鍍金帶一, 玉貫子二, 雙銀行器一, 銀匙筯各一, 象笏一, 紅漆小大盤各一, 紅漆木如瓢木卓其各一, 福州牧使張志處敎書一度. 此皆恭愍王避紅巾駐此邑, 還都時留賜本府戶長之物云. 敎書紙品長短, 有如詩軸之樣, 初面以草大書敎字, 而其年乃至正二十五年也, 御寶宛然, 而篆文與今所用人異, 不可識也. 本府金姓鄕吏輩之書呈, 則厥數多至五十餘人, 而權姓人則倍多於此, 張姓人僅若干人. 戶長之任, 金權兩姓, 相替爲之云". 여기에서 福州牧使 張志는 '鄭光道'보다 먼저 在職했던 인물이었기에 오류일 가능성이 있고, 敎書에 대한 설명에도 어떤 錯誤가 있었던 것 같다(『안동선생안』, 川西裕也 2019년).
- 『東埜集』 권7, 太師廟櫃藏古物記, "崇報堂有千年古蹟, 皆太師公平日服用之器也, 花紋白錦四段各二尺, 一段一尺, 紅錦一段九尺, 藍錦一段十八尺, 草綠綿二段合二十二尺, 已上並破. 色金緞錦三段, 丹紅金緞一段, 花文靑色繪一段, 已上並裁剪. 香囊一部, 紅紬十尺, 靑黃赤色白花紋十一尺^{三寸}, 已上並破. 荔芰金帶一體, 荔芰錢一箇無, 銅鐵荔芰帶一體, 牧丹金帶一體, 舌皮端無, 烏犀帶一體, 金鉤錢一隅無, 又荔芰金帶, 人錢二箇, 中錢十箇內二無, 小錢四箇, 環金二箇, 白玉帶, 大錢十箇, 小錢五箇, 所湯角大七小五, 環金五, 荔芰錢鐵一, 角帶錢中小合五十一箇內, 十二無, 已上並散敗. 玉貫子二雙內, 一折破, 一隅無, 朱紅漆木食卓臺其一座, 鍮行器盖其一座, 鍮匙一枝, 鍮箸一對, 玉笛一捻, 張志敎書一張, 凡此斷爛數十種. 英宗癸丑^{英祖9年}, 爲新櫃藏之, 不忍忘其舊也. 然旣云太師公舊物而藏之廟, 則無論金權與張公, 似不宜偏主, 乃權氏獨謂之權太師所服用者, 果何所據也. 三公家文獻, 俱係杞宋之不足徵, 則權氏之自作己物, 無亦主之以權無害故耶. 各色錦紬, 疑皆麗祖賞賜之物, 帶是常時所着, 鍮食器匙箸, 本皆純銀, 而中間見失, 改色以置, 存羊之禮也. 玉笛比之東京舊藏, 淸越更勝, 而本府善吹者代不乏人, 今陵洞享禮時, 必侑以是笛, 吾金之獨不然, 又可慨可怪, 第錄所藏件數如此, 以示來許".

²⁶⁵⁾ 이때 현재의 江陵地域[溟州]에서 蔚山地域[興禮府, 皆知邊]까지의 東海沿岸地域이 모두 高麗國의 支配秩序 내에 편입된 것은 9월 7일 皆知邊이 투항해온 이후이므로 添字와 같이 고쳐야 옳게 될 것이다(→是

庚子^{6日}, 幸昵於鎭, [城之, 改名神光鎭, 徙民實之:節要轉載].²⁶⁸⁾

[□□^{地月}:追加],²⁶⁹⁾ 北彌秩夫城主萱達與南彌秩夫城主來, 降.²⁷⁰⁾

[是月辛亥^{17日}, 砥平縣菩提寺僧麗嚴入寂, 年六十九, 臘五十. 謚大鏡大師, 塔名玄機之塔:追加].²⁷¹⁾

[乙卯^{21日}, 後唐改天成五年爲長興元年:追加].

三月乙丑朔小盡,庚辰, 戊辰^{4日}, 以白書省郞中行順·英式並爲內議舍人.

[夏四月甲午朔^{人盡,辛丑}:追加].

夏五月^{甲子朔小盡,壬午}, 壬辰^{29日}, 幸西京.

六月^{癸巳朔小盡,癸未}, 庚子^{8日}, 至自西京.

[秋七月壬戌朔^{人盡,甲申}:追加].

秋八月^{壬辰朔小盡,乙酉}, [某日], 創安和禪院, 爲大匡王信願堂.²⁷²⁾

年 9월 7일, 全德在 2020년b).

266) 이때 울산지역은 皆知邊, 또는 河曲縣, 戒邊城으로 呼稱되었을 것이고, 興禮府(혹은 興麗府)는 그 이후에 改稱된 地名이었을 것이므로 添字와 같이 읽어야[讀] 옳게 될 것이다(→太祖在位年間의 朴允雄에 관한 기사의 脚注).

267) 乙未에 朔이 탈락되었다. 添字는 『고려사절요』 권1에 의거하였다. 또 이와 관련된 기사로 다음이 있는데, 이를 통해 볼 때 原文의 '是時'는 '自是至九月'로 改書하는 것이 좋을 것 같다. 그리고 興禮府의 다른 表記는 興麗府이다(→성종 10년 是年의 脚注).
  · 『삼국사기』 권12, 신라본기12, 경순왕 4년, "二月, 太祖遣使告捷, 王報聘兼請相會. 秋九月, 國東沿海州郡部落, 盡降於太祖".

268) 이와 관련된 기사로 다음이 있는데, 昵於鎭은 新恩縣의 所於의 誤讀일 가능성을 제기하며 神光鎭을 黃州 管內의 新恩縣[新恩鎭]으로 比定할 수 있을 것이라는 견해가 있다(尹京鎭 2010년a).
  · 지36, 兵2, 鎭戍, "城昵於鎭, 改名神光鎭, 徙民實之".

269) 이 기사의 冒頭에 添字가 탈락되었을 것이다.

270) 이와 관련된 기사로 다음이 있다.
  · 『신증동국여지승람』 권22, 興海郡, 古跡, 彌秩大城, "周官八翼, 高麗太祖十三年, 北彌秩大城主萱達與南彌秩夫城主來降, 二彌秩夫, 合爲興海郡".
  · 지11, 지리2, 東京留守官 慶州, "興海郡, 本新羅退火郡, 景德王改爲義昌郡. 高麗初, 改今名".

271) 이는 「砥平菩提寺大鏡大師玄機塔碑」에 의거하였다(보물 제361호, 국립중앙박물관 소장, 金石總覽 130面 ; 李智冠 2004년 1冊 69面). 이날은 율리우스曆으로 930년 3월 19일(그레고리曆 3월 24일)에 해당한다.

272) 이와 관련된 기사로 다음이 있는데, 添字가 탈락되었을 것이다
  · 『삼국유사』 권제1, 王曆1, 太祖, "庚寅, □^創安□□□^{和禪院}".

己亥^{8日}, 幸大木郡^{大木岳郡}, [合東西兜率, 爲天安府, 置都督:節要轉載],²⁷³⁾ 以大丞弟弓爲天安都督府使, 元甫嚴式爲副使.

[某日, 遣大相廉相, 城馬山, 號安水鎭, 以正朝昕平爲鎭頭:節要轉載].²⁷⁴⁾

癸卯^{12日}, 幸靑州, [築羅城:節要轉載].²⁷⁵⁾

丙午^{15日}, 芋陵島遣白吉·土豆□^米, 貢方物, 拜白吉爲正位, 土豆爲正朝.

九月^{辛酉朔大盡,丙戌}, 丁卯^{7日}, 皆知邊遣崔奐□^米, 請降.

[冬十月辛卯朔^{小盡,丁亥}:追加].

[十一月庚申朔^{人盡,戊子}:追加].

冬十二月庚寅□^{朔人盡,己丑}, 幸西京, 創置學校.²⁷⁶⁾

---

273) 人木郡은 人木岳郡의 오류일 가능성이 있다. 『고려사』에 의하면 고려 초기에 人木郡이 두 곳에 있었던 것처럼 보이는데, 그 하나는 現 慶尙北道 漆谷郡 若木面에, 다른 하나는 現 忠淸南道 天安市 東南區 木川邑에 있었던 것으로 비친다. 그렇지만 後者를 百濟의 大木岳郡(統一新羅의 大麓郡, 『삼국사기』 권36, 志5, 지리3, 西原京, 大麓郡 ; 권37, 志6, 지리4, 百濟, 熊川州, 大木岳郡)으로 比定하면 두 개의 人木郡이 존재하지 않았던 것으로 이해할 수 있을 것이다(尹京鎭 2010년a).
또 이와 관련된 기사로 다음이 있다.
· 지10, 지리1, 天安府, "太祖十三年, 合東·西兜率爲天安府, 置都督[注, 諺傳, 術師藝方, 啓太祖云, '三國中心, 五龍爭珠之勢, 若置人官, 則百濟自降'. 太祖乃登山周覽, 始置府".
· 『신증동국여지승람』 권15, 天安府, 建置沿革, "本東·西兜率之地, 高麗太祖十三年, 合爲天安府, 置都督[注, 按李詹集^{雙梅堂篋藏集}, 土氏始祖聽倪方言, 乃分溫井·大木·蛇山之地, 置天安府, 疑是".
· 『雙梅堂篋藏集』 권22, 雜著, 論地理候欸, "一. 新羅古有四畿停, 又有中畿停, 其所謂停, 未詳何謂, 但係於郡縣之卜, 疑則鄕亭之亭, 而猶今之稱部曲也. 地志西畿停, 本豆, 彌分停, 合屬慶州, 今爲密陽府. '部曲集覽'註云, '亭者密行於宿食處', 則停之爲亭, 亦可證也. 一. 嶺南郡縣有甘泉·義興·滎陽·禮安·□□□□□□, 缶溪·河陽·山陰·昆明·班城·□□□□, □□□□, □□□□, □□□□, □□□□, □□□□, 皆不栽. 其四至之內旁近之地, 旣無關地, □□□氏以爲置也. 王氏始祖, 欲降百濟, 地理師倪方, 以其術進之曰, '二國之中, 三陽之地, 實三千□邑, 鍊兵於其地, 則百濟將自降矣'. 乃分湯井·大木·蛇山之地, 寘天安府, 卽今寧州也. 大成四年秋, 甄萱以殘兵襲順州, 將軍元逢棄城夜遁, 降順州爲下枝縣, 卽今豊山也. 以此觀之, 郡縣廢置, 自王氏之初同然, 金文烈^{金富軾}所修止於三國, 故統合以後, 不錄耳. 一. 晋陽屬縣古有屛村者, 今爲晋之直村, 密陽屬縣古有推浦者, 後改爲密津, 今無此縣. 而惟七原·靈山境上, 有濟渡處, 曰滅浦, 疑則其地, 而口聲轉訛耳. 以此推之, 屬縣之爲村里者, 蓋可知也. 一. 慶山古押梁小國, 花原古舌火縣, 今押梁·舌火, 變爲兩縣之屬驛, 則郡縣之爲郵驛者, 亦可知也".

274) 이 기사와 관련된 자료로 다음이 있다.
· 지3, 병2, 鎭戌, "太祖十三年八月, 遣大相廉相, 城馬山, 以正朝昕平爲鎭頭".
· 지36, 병2, 城堡·권58 ; 지12, 지리3, 北界, 安北大都護府, 朝陽鎭, "太祖十三年城馬山, 號安水鎭".

275) 이 자료와 관련된 자료로 다음이 있다.
· 지36, 병2, 城堡, "太祖十三年, 築靑州羅城".

276) 庚寅에 朔이 탈락되었다.

[→先是, 西京未有學, 王命秀才廷鶚, 留爲書學博士, 別創學院, 聚六部生徒·敎授. 後, 王聞其興學, 賜繪帛勸之, 兼置醫·卜二業, 又賜穀百碩, 爲<u>學寶</u>. 寶者, 方言也. [注, 以錢穀施納, 存本取息, 利於久遠, 故謂之寶:節要轉載].[277]

[是年, 城<u>安北府</u>九百一十閒, 門十二, 城頭二十, 水口七, 遮城五.[278] ○城朝陽鎭八百二十一閒, 門四, 水口一, 城頭·遮城各二. ○築靑州羅城·<u>連州城</u>:兵2城堡轉載].[279]

[○置內議舍人:百官1門下府轉載].[280]

[仁同人 張東翼 校注, 增補].

---

277) 이와 같은 기사가 지28, 選擧2, 學校에도 수록되어 있다.
278) 이때의 安北府는 安北府安州로, 또는 安北都護府安州로 表記하여야 西海道 管內의 安州防禦使(後日의 載寧縣)와 分別될 수 있을 것이다. 현재의 淸川江(옛 薩水) 以南에 위치한 安北府 安州城은 현재의 不安南道 安州市의 동쪽에 있다고 한다(국보유적 제158호). 또 『고려사절요』 권1에는 태조 3년 9월에 咸從·安北에 築城하였다고 되어 있는데, 이것이 사실이라면 이때의 축성은 改築일 것이다.
279) 이는 지36, 병2, 城堡에서 전재하였고, 이와 관련된 자료로 다음이 있다.
   · 『고려사절요』 권1, 태조 13년, "是歲, 城連州".
   · 지36, 병2, 城堡, "太祖十三年築連州城".
280) 이는 지30, 百官1, 門下府에서 전재하였는데, 이해의 3월 4일(戊辰)에 內書省郎中 行順과 英式을 함께 內議舍人으로 임명하였다는 기사와 관련이 있다. 『고려사』의 撰者가 이 任命 記事를 통해, 이해에 內議舍人이 설치되었다고 理解하였는지, 아니면 이때 內議舍人이 설치된 후 임명이 이루어졌는지는 알 수 없다.

[輔國崇祿大夫·議政府左贊成·知集賢殿經筵春秋館成均事·世子賓客·臣金宗瑞奉敎撰]
正憲大夫·工曹判書·集賢殿大提學·知經筵春秋館事兼成均大司成·臣鄭麟趾奉敎修

太祖 二

辛卯[太祖]十四年, 天授十四年, 後唐長興二年, [西曆931年]

931년 1월 22일(Gre1월 22일)에서 932년 2월 8일(Gre2월 13일)까지, 13개월 383일

[春正月庚申朔^{小盡,庚寅}:追加].

春二月己丑^{朔大盡,辛卯}, 丁酉^{9日}, 新羅王遣大守謙用□釆, 復請相見.[1]

[庚子^{12日}, 驚蟄. 大雪, 平地二尺:五行1轉載].[2]

辛亥^{23日}, 王如新羅, 以五十餘騎, 至畿內, 先遣將軍善弼, 問起居. 羅王命百官迎于郊, 堂弟相國金裕廉等, 迎于城門外, 羅王出應門外迎拜. 王答拜, 羅王由左, 王由右, 揖讓升殿. 命扈從諸臣, 拜羅王, 情禮備至. 宴□^扵臨海殿,[3] 酒酣, 羅王曰, "小國不天, 爲甄萱椓喪, 何痛如之". 泫然泣下. 左右莫不嗚咽, 王亦流涕, 慰藉之.[4]

---

1) 添字는 『고려사절요』 권1에 의거하였는데, 여기에서 復請相見을 告歸順으로 달리 표기하였지만 오류일 것이다.

2) 일본에서는 2월 13일 京都에서 落雷와 降雹이 있었다고 한다(高麗曆과 同一, 中央氣象臺 1941年 2冊 414面). 筆者는 50代이후 8次에 걸쳐 京都[교토]에 居住한 적이 있었다. 이때의 氣象에 대한 피상적인 경험에 의하면, 대개 봄[春]에서 가을[秋]에는 東南風의 영향으로 北上하는 低氣壓은 한반도에 비해 1日 먼저 京都를 通過하고, 西北風이 南下하는 겨울[冬]에는 그 반대의 현상인 것 같았다.
  · 『日本紀略』後篇2, 承平 1년(延長9) 2월, "十三日辛丑, 午時, 雷人鳴".
  · 『扶桑略記』第25[裏書], 延長 9년(承平1) 2월, "十三日辛丑, 午刻, 天顔暗冥, 雷鳴水雨風烈, 可謂異, 修明門陣座, 雷公入直舍人迷惑無害".
  · 『貞信公記抄』, 承平 1년 2월, "十三日, 園韓神, 依有穢疑, 間定間停止, 雷鳴陣起, … 修明門前樹霹靂".

3) 添字는 『고려사절요』 권1에 의거하였다.

4) 이와 관련된 자료로 다음이 있으나 後者의 年紀는 어떤 착오에 의한 것일 것이다.
  · 『삼국사기』 권12, 신라본기12, 경순왕 5년, "春二月, 太祖率五十餘騎, 至京畿通謁. 王與百官郊迎, 入宮相對, 曲盡情禮. 置宴於臨海殿, 酒酣, 王言曰, '吾以不天, 寖致禍亂, 甄萱恣行不義, 喪我國家, 何痛如之'. 因泫然涕泣. 左右無不嗚咽, 太祖亦流涕慰藉. 因留數旬廻鴐. …".
  · 『삼국유사』 권2, 紀異2, 金傅大王, "明年戊子^{辛卯}春三月, 太祖率五十餘騎巡到京畿, 王與百官郊迎, 入宮相對, 曲盡情禮, 置宴臨海殿. 酒酣, 王言曰. 吾以不天, 侵致禍亂, 甄萱恣行不義, 喪我國家, 何痛如之. 因泫然涕泣,

[三月^{己未朔大盡,壬辰}，某日，庾黔弼被讒，竄鵠島:節要轉載].[5]

[夏四月己丑朔^{小盡,癸巳}:追加].

夏五月^{戊午朔人盡,甲午}，丁丑^{20日}，王遺羅王·太后竹房夫人，與相國裕廉·匝干禮文·波珍粲策宮·尹儒·韓粲策直·昕直·義卿·讓餘·寬封·含宜·熙吉等，物有差.

癸未^{26日}，王還，羅王送至穴城，以□裕廉爲質而從. 都人士女，感泣相慶曰，"昔甄氏之來，如逢豺虎，今王公之來，如見父母".[6]

[是時，神印宗僧廣學·大緣隨從上京，此後隨駕焚修. 賞其勞給二人父母忌日寶于塊白寺田畓若干結:追加].[7]

[閏五月戊子朔^{小盡,甲午}:追加].

[六月丁巳朔^{小盡,乙未}:追加].

[秋七月丙戌朔^{人盡,丙申}:追加].

秋八月^{丙辰朔小盡,丁酉}，癸丑^{某日}，遣甫尹善規等，遺羅王鞍馬·綾羅·綵錦^{節綵}，并賜百官綵帛·軍民

左右莫不鳴咽, 太祖亦流涕. 因留數旬乃迴駕. …". 여기에서 戊子(敬順王2)는 辛卯로 고쳐야 옳게 될 것이다.

[5] 이 기사와 같은 자료가 열전5, 庾黔弼에도 수록되어 있다. 鵠島(곡도)는 骨大島라고도 불렸다고 하며, 현재의 京畿道 甕津郡 白翎島이다(白翎島 地域).
  · 『삼국사기』권37, 志6, 지리4, 高句麗, 漢山州, "鵠島, 今白嶺鎭^{白翎鎭}". 여기에서 添字와 같이 고쳐야 옳게 될 것이다.
  · 『삼국유사』권2, 紀異第2, 眞聖女大王, 居陀知, "… 此王代阿飡良貝, 王之季子也. 奉使於唐, 聞百濟海賊梗於津島, 選弓士五十人隨之. 舡次鵠島[注, 鄕云骨大島], 風濤大作, 信宿浹旬. 公患之, 使人卜之, 曰 '島有神池, 祭之可矣', …".
  · 지12, 지리3, 西海道, 白翎鎭, "白翎鎭, 本高句麗鵠島, 高麗, 改今名, 爲鎭. 顯宗九年, 置鎭將".

[6] 이와 같은 기사로 다음이 있다. 또 이때 金仁允(金之祐의 先祖)이 金裕廉(金漢忠의 先祖)과 함께 王建을 따라 고려에 온 것 같다.
  · 『삼국사기』권12, 신라본기12, 경순왕 5년 2월, "… 因留數旬迴駕, ^{敬順王}送至穴城, 以堂弟裕廉爲質隨駕焉. 太祖麾下軍士肅正, 不犯秋毫. 都人士女相慶曰, 昔甄氏之來也, 如逢豺虎, 今王公之至也, 如見父母".
  · 「金之祐墓誌銘」, "君諱之祐, 字福基, 其先新羅國元聖大王之後, 大王生大匡金禮, 禮生三韓功臣·三重大匡仁允, … 初, 功臣仁允, 事大祖, 統合三澣有功, 隨入祖入京, 家焉. 金氏之族, 世世衣冠顯達, 金姓自此始矣, 至今稱爲貴姓. 母開州郡夫人左僕射·參知政事王瑕之女也".

[7] 이는 다음의 자료에 의거하였다.
  · 『삼국유사』권5, 神呪5, 明朗, 神印, "… 按塊白寺柱貼注脚載. 慶州戶長巨川母阿之女, 女母明珠女, 女母積利女之子廣學人德. 人緣三重□□^{人師}, 古名善會. 昆季二人皆投神印宗. 以長興二年辛卯^{太祖14年}隨太祖上京, 隨駕焚修. 賞其勞給二人父母忌口寶于塊白寺田畓若干結云云." 則廣學·大緣二人隨聖祖入京者. …".

茶·幞頭·僧尼茶·香, 有差.[8]

[九月乙酉朔^{大盡,戊戌}:追加].

[冬十月乙卯朔^{小盡,己亥}:追加].

冬十一月^{甲申朔人盡庚子}, 辛亥^{28日}, 幸西京, 親行齋祭, 歷巡州鎭, [而還:節要轉載].

[十二月甲寅朔^{小盡,辛丑}:追加].

是歲, [置安北府及剛德鎭, 以元尹平奐爲鎭頭:節要轉載].[9]

○詔有司曰, "北蕃之人, 人面獸心, 飢來飽去, 見利忘恥. 今雖服事, 向背無常, 宜令所過州鎭, 築館城外, 待之".[10]

---

8) 이달에는 癸丑이 없는데, 『고려사』를 편찬할 때 誤字가 발생한 것 같다. 이와 같은 기사로 다음이 있는데, 이를 통해 볼 때 原文은 添字와 같이 고쳐야 옳게 될 것이다.
   · 『삼국사기』 권12, 신라본기12, 경순왕 5년 2월, "秋八月, 太祖遣使, 遺王以錦彩·鞍馬, 幷賜羣僚·將士布帛, 有差".
   · 『後漢書』 권73, 陶謙列傳63, "陶謙字恭祖, 丹陽人也. … 初, 同郡人笮融, 聚衆數百, 往依於謙, 謙使督廣陵·下邳·彭城運糧. 遂斷三郡委輸, 人起浮居寺. 上累金盤, 下爲重樓, 又堂閣周回, 可容三千許人, 作黃金塗像, 衣以錦綵. 每浴佛, 輒多設飮飯, 布席於路, 其有就食及觀者, 且萬餘人. 獻帝春秋曰, 融敷席方四五里, 費以巨萬".
9) 『고려사절요』 권1에 의하면, 이 位置에 "置安北府及剛德鎭, 以元尹平奐爲鎭頭"가 더 들어 있다. 원래의 『高麗史全文』이 編年體였기에 原形은 이렇게 되어 있었지만, 1449년(세종31) 2월 紀傳體로 바꿀 때 이 句節이 削除되었을 것이다. 이와 관련된 자료로 다음이 있다
   · 지12, 지리3, 安北大都護府 寧州, "太祖十四年, 置安北府".
   · 지36, 병2, 鎭戍, "^{太祖}十四年, 以元尹平奐爲剛德鎭頭".
10) 이러한 人祖 王建의 女眞[北蕃]에 대한 인식은 古代 中原의 胡[匈奴]에 대한 인식과 비슷한 것 같다.
   · 『자치통감』 권15, 漢紀7, 文帝前 11년(BC169) 6월, "時匈奴數爲邊患, 太子家令鼂錯上言兵事, '… 胡人衣食之業, 不著於地, 其勢易以擾亂邊境, 往來轉徙, 時至時去, 此胡人之生業, 而中國之所以南畮也[師古曰, 南畮, 所以耕種處也]. 今胡人數轉牧, 行獵於塞下, 以候備塞之卒, 卒少則入'. …".

壬辰[太祖]十五年:天授十五年, 後唐長興三年, [西曆932年]

932년 2월 9일(Gre2월 14일)에서 933년 1월 28일(Gre2월 2일)까지, 355일

[春正月癸未朔^{大盡,工寅}:追加].

[二月癸丑朔^{大盡,癸卯}:追加].

[三月癸未朔^{大盡,甲子}:追加].

[夏四月^{癸丑朔小盡,乙巳}, 某日, 西京民張堅家, 雌雞化爲雄, 三月而死:五行2·節要轉載].

夏五月^{壬午朔大盡,丙午}, 甲申^{3日}, [西京大風, 屋瓦皆飛. 王聞之:節要轉載]. 諭群臣曰, "頃完葺西京, 徙民實之, 冀憑地力, 平定三韓, 將都於此. 今者, 民家雌雞化爲雄, 大風官舍頹壞, 夫何災變至此? 昔晋^{東晋}有邪臣^{王敦}, 潛畜異謀, 其家雌雞化爲雄.[11] 卜云, '人懷非分, 天垂警戒'. 不悛其惡, 竟取誅滅. 漢吳王劉濞之時, 大風壞門拔木. 其卜亦同, 濞不知戒, 亦底覆亡.[12] 且祥瑞志^{瑞祥志}云,[13] '行役不平, 貢賦煩重, 下民怨上, 有此之應'. 以古驗今, 豈無所召? 今四方, 勞役不息, 供費旣多, 貢賦未省. 竊恐緣此, 以致天譴, 夙夜憂懼, 不敢遑寧. 軍國貢賦, 難以蠲免. 尙慮群臣不行公道, 使民怨咨, 或懷非分之心, 致此變異. 各宜悛心, 毋及於禍".[14]

六月^{壬子朔小盡,丁末}, 丙寅^{15日}, 百濟將軍龔直來降.

[→□^龔直, 燕山昧谷人, 自幼有勇略. 事百濟, 爲甄萱腹心, 以長子直達·次子金舒及一女爲質. 直, 嘗朝百濟, 謂直達曰, "今見此國, 奢侈無道. 吾雖密邇, 不願復來, 聞高麗王公, 文足以安

---

11) 이는 다음의 자료에 의거한 것 같다.
 ·『晋書』권27상, 지17, 五行上, "^{東晋}元帝太興中, 王敦鎭武昌, 有雌雞化爲雄. 天戒若曰, '雌化爲雄, 臣凌其上'. 其後王敦再攻京師".

12) 이는 다음의 자료에 의거한 것 같다.
 ·『漢書』권27下上, 五行志7下上, "文帝五年, 吳暴風雨, 壞城·官府·民室. 時吳王濞謀爲逆亂, 大戒數見, 終不改寤, 後卒誅滅".

13) 『祥瑞志』는 『瑞祥志』의 誤字로 추측되며(→靖宗 6년 11월 27일 ; 宣宗 7년 8월 19일), 이는 新羅의 文章家인 薛守眞(薩守眞, 『삼국사기』권46, 열전6, 薛聰의 末尾에서 守眞으로 확인됨)이 편찬한 것으로 추측되는 『天地瑞祥志』20권을 가리키는 것이 아닐까 한다. 이 책은 현재 일본의 尊經閣文庫(戰前의 前田利爲所藏本)에 一部가 所藏되어 있고(殘卷), 天文·地象·人事 등의 祥瑞를 항목별로 나누어 정리한 類書이다(權悳永 1999년 ; 金一權 2002년 2002년 ; 趙益 2012年).

14) 이와 관련된 기사로 다음이 있다.
 ·지9, 오행3, "太祖十五年, 五月甲申, 西京大風, 官舍頹壞, 屋瓦皆飛, 王以爲不祥, 聚僧誦經, 以禳之".

民, 武足以禁暴, 故四方無不懷服. 予欲歸附, 汝意何如?". 直達曰, "自入質以來, 觀其風俗, 唯恃富強, 競務驕矜, 安能爲國哉? 今大人, 欲歸明主, 保安弊邑, 不亦宜乎? 予當與弟妹, 俟隙而歸矣. 縱不得歸, 賴大人之明, 餘慶流於子孫, 則予雖死無恨". 直遂決意來附, 與子英舒來朝, 言於王曰, "臣在弊邑, 久聞風化, 雖無助天之力, 願竭爲臣之節". 王喜, 拜大相, 賜白城郡祿·廏馬·彩帛, 拜子咸舒, 爲佐尹. 又以貴戚正朝俊行之女, 妻英舒. 王曰, "卿, 灼見理亂存亡之機, 來歸於我, 朕甚嘉之, 聯姻公族, 用示厚意, 卿, 其益竭心力, 鎭撫邊境". 直謝, 因言曰, "百済一牟山郡, 境接弊邑, 以臣歸化, 常加侵掠, 民不安業, 臣願往攻取, 使弊邑之民, 不被寇竊, 專務農桑, 益堅歸化之誠". 王許之. 萱怒, 收直達及弟妹, 烙斷股筋, 直達死之:列傳5襲直轉載].[15]

秋七月^{辛巳朔小盡,戊申}, 辛卯^{11日}, 親征一牟山城, 遣正胤武, 巡北邊.

[八月庚戌朔^{大盡,己酉}:追加].

九月[庚辰朔^{小盡,庚戌}, 大星見東方, 俄變爲白氣:天文1轉載].[16]
[某日], 甄萱遣一吉粲相貴, 以舟師入侵禮成江, 焚塩·白·貞三州船一百艘, 取猪山島牧馬三百匹, 而歸.[17]

冬十月己酉朔^{大盡,辛亥}, [某日], 甄萱海軍將尙哀等, 攻掠大牛島, 命大匡萬歲等救之, 不利, [王憂之. 庾黔弼, 自鵠島上書曰, "臣雖負罪在貶, 聞百濟侵我海鄕. 臣已選丁壯, 修戰艦, 欲禦之, 願上勿憂". 王見書泣曰, "信讒逐賢, 是予不明也". 遣使召還, 慰之曰, "卿實無辜, 不曾怨憤, 唯思輔國, 予甚愧悔, 庶將賞延于世, 報卿忠節":節要轉載].[18]

---

15) 이와 관련된 기사가 『삼국사기』 권50, 열전10, 甄萱 ; 『고려사절요』 권1, 태조 22년 3월에도 수록되어 있으나 자구에 출입이 있다.

16) 이는 지1, 天文1, 月五星凌犯及星變에서 轉載하였는데, 庚辰에 朔이 탈락되었다. 白氣는 空氣 중의 水蒸氣가 차가운 物體에 부딪쳤을 때 미세한 물방울이 生成되어 떠돌아다니는 현상이다. 이를 前近代人들은 兵亂[刀兵]의 兆朕으로 이해하였던 것 같다. 한편 白氣·赤氣·黑氣·火氣 등의 有色天氣를 流星이 大氣圈의 안으로 들어올 때 폭발하거나 燒却되면서 발생하는 現狀 또는 發光[運氣]이라고 파악한 견해도 있다 (李泰鎭 1996·1997년).

17) 이와 관련된 자료로 다음이 있는데, 猪山島(現 黃海南道 銀川郡 猪島里)는 大同江의 하류에 있다고 한다 (金明鎭 2016년). 또 現地에서 猪山島는 제산도로, 猪島里는 제도리로 읽는다고 한다.
· 『삼국사기』 권50, 열전10, 甄萱, "^{長興三年}秋九月, 萱遣一吉飡相貴, 以兵船入高麗禮成江, 留三日, 取鹽·白·貞三州船一百艘, 焚之. 促猪山島牧馬三百匹, 而歸".

18) 大匡(2品上) 萬歲는 太祖 王建의 從弟[堂弟]이며, 死後에 寧海라는 諡號를 받았던 것 같다(王冲墓誌銘).

[→明年, 甄萱海軍將尙哀等, 攻掠大牛島, 太祖遣大匡萬歲等往救, 不利, 太祖憂之. 黔弼上書曰, "臣雖負罪在貶, 聞百濟侵我海鄕, 臣已選本島及包乙島丁壯, 以充軍隊, 又修戰艦以禦之. 願上勿憂". 太祖見書泣曰, "信讒逐賢, 是予不明也". 遣使召還, 慰之曰, "卿實無辜見謫, 曾不怨憤, 惟思輔國, 予甚愧悔. 庶將賞延于世, 報卿忠節":列傳5庾黔弼轉載].

十一月^{己卯朔小盡,壬子}, 己丑^{11月},¹⁹⁾ 前內奉卿崔凝卒.¹⁹⁾ [凝, 黃州土山人. 初, 其母有娠, 家有黃瓜蔓, 忽結甜瓜, 邑人以告弓裔. 裔卜之, 曰, "生男則不利於國, 愼勿擧". 其父母匿而養之, 旣長, 通五經, 善屬文, 爲裔翰林, 甚見重. 及王卽位, 知元鳳省事, 俄拜廣評郞中. 凝, 曉達吏事, 時譽洽然. 王嘗謂曰, "卿學富才高, 兼識治體, 憂國奉公, 匪躬蹇蹇, 古之名臣, 無以過也". 遷內奉卿, 未幾, 轉廣評侍郞, 凝辭曰, "同僚尹逢,²⁰⁾ 長於臣十年, 請先授之". 王曰, "能以禮讓, 爲國乎何有, 昔聞其語, 今見其人". 遂以逢爲廣評侍郞. 凝恒齋素, 嘗寢疾, 王使東宮, 問疾, 勸令食肉, 凝固辭不食. 王幸其第, 謂曰, "卿不食肉, 有二失, 不保其身, 不得終養其母, 不孝也. 不能永命, 使予, 早喪良弼, 不忠也". 凝乃勉從, 方始食肉, 果平復. 至是病卒, 年三十五, 王慟悼, 贈元甫, 賻□^{布穀}甚厚. 累贈大匡·太子太保, 諡^{一作}熙愷. 後^{顯宗18年}配享太祖廟庭:節要轉載].

[→贈元甫, 賻賵甚厚, 累贈大匡·太子太傅, 諡熙愷. 顯宗十八年, 配享太祖廟庭. 德宗二年, 加贈司徒. 子彬:列傳5崔凝轉載].²¹⁾

[十二月戊申朔^{人盡,癸丑}:追加].

是歲, 遣大相王仲儒^{王儒}如唐, 獻方物.²²⁾

---

19) 이날은 율리우스曆으로 932년 12월 11일(그레고리曆 12월 16일)에 해당한다.
20) 尹逢은 後口의 樹州 守安縣(現 仁川廣域市 富平區 地域)의 出身으로 推測된다(朴天植 1988년 ; 鄭淸柱 1993년).
  ·『동국이상국집』권35, 尹承解墓誌銘, "… 公諱承解, 字子長, 樹州守安縣人也, 二韓功臣·內史令·明義公尹逢之七世孫也. …".
21) 이 기사의 追贈職의 차이처럼[太子太保, 太子太傅], 같은 자료[同源史料]인 『고려실록』에 의거하였을 『고려사』, 『고려사절요』는 人名, 地名, 官爵 등에 差異가 있지만, 어느 쪽이 옳은지를 판단할 잣대가 없는 경우도 많이 있다.
22) 王仲儒는 중국 측의 자료를 통해 볼 때 王儒의 誤字[衍字]일 것으로 推測된다. 이해의 3월 28일 王儒가 後唐에서 貢物을 바쳤는데, 世家篇에서 이해의 作末에 수록된 것은 黃周亮이 『七代實錄』을 편찬할 때 중국 측의 자료를 이용하였던 결과로 추측된다.
  ·『구오대사』권43, 唐書19, 明宗紀9, "^{長興三年三月}庚戌, 高麗國遣使朝貢".
  ·『책부원귀』권972, 外臣部17, 朝貢5, "長興二年三月 … 高麗國遣使人相王儒朝貢".
  ·『오대회요』권30, 高麗, "長興三年二月, 復遣使大相王儒來朝".

○復攻一牟山城, 破之.

[○創海州須彌山廣照寺, 奉送前舍那內院僧利嚴, 以居之:追加].[23]

[○後百濟海軍来侵近畿, 乃請神印宗安惠·朗融之裔廣學·大緣等, 作法禳鎭, 皆明朗之傳系也:追加].[24]

癸巳[太祖]十六年:天授十六年, (3月以後)後唐長興四年, [西曆933年]

933년 1월 29일(Gre2월 3일)에서 934년 1월 17일(Gre1월 22일)까지, 354일

[春正月戊寅朔^{小盡,甲寅}:追加].

[二月丁未朔^{大盡,乙卯}:追加].

春三月^{丁丑朔大盡,內辰}, 辛巳^{5日}, [淸明]. 唐遣王瓊·楊昭業來. 冊王. 詔曰, "王者法天而育兆庶, 體地而安八紘,[25] 允執大中, 式彰無外. 斗極正而衆星咸拱, 溟渤廣而百谷皆宗. 所以居戴履之倫, 窮照臨之境, 弘^宏道修德, 恭己虛懷. 歸心者, 睠爲王人, 嚮化者, 被以風敎. 由是, 擧封崇之命, 稽旌賞之文, 垂於古先, 罔敢失墜. 其有地, 稱平壤, 師擅兼材. 統五族^蕃之强宗, 控三韓之奧壤, 務權鎭靜, 志奉聲明, 爰恊^懀彛章,[26] 是加寵數^敕. 咨爾權知高麗國王事建, 身資雄勇, 智達機鈴, 冠邊城以挺生, 負壯圖而開出. 山河有授, 基址克豐. 踵朱蒙啓土之禎, 爲彼君長, 履箕子作蕃^藩之跡, 宣乃惠和. 俗厚知書, 故能導^訓之以禮義, 風饒尙武, 故能肅之以威嚴. 提封於是謐寧, 生聚以之完輯. 而復行及脣齒, 分篤皮毛. 忿黠虜之挺袄, 恤隣邦而救患. 矧以披肝效順, 秉節納忠, 慕仁壽以康時, 識文思之撫運. 航深梯險^{海航深險}, 輸賝^贐貢琛, 繼陳述職之儀, 茂著勤王之業.

· 『元豐類藁』 권31, 高麗世次, "明宗長興三年, 權知國事王建, 遣使朝貢, 明宗拜爲王".

23) 이는 「海州廣照寺眞澈大師寶月乘空之塔碑」에 의거하였는데(金石總覽 125面 ; 李智冠 2004년 1冊 19面), 이 탑비는 현재 北韓의 國寶遺跡 第85號이다.

24) 이는 다음의 자료에 의거하였다.
· 『삼국유사』 권5, 神呪5, 明朗, 神印, "… 及我太祖創業之時, 亦有海賊来擾, 乃請安惠·朗融之裔廣學·大緣等二大德, 作法禳鎭, 皆明朗之傳系也".

25) 八紘은 大地를 묶는 여덟 개의 紘(혹은 綱)에 둘러싸인 空間, 곧 大下[大地四方]를 指稱한다. 이는 五服과 함께 漢族의 居住地[中華, 海內]를 의미하는 용어로 사용되었다(平勢隆部 2012년).
· 『淮南鴻烈解』, 墬形訓권4, "… 八殥之外, 而有八紘[注, 紘, 維也. 維落天地, 以爲之表, 故曰紘也], … 八紘之外, 乃有八極, … 八紘·八殥·八澤之雲, 以雨九州, 而和中上[注, 中土:冀州], 淮南鴻烈解".

26) 여러 판본의 『고려사』에서 恊(懀의 俗字)로 刻字되어 있는데, 이는 의미상으로 協으로 바꾸어야 옳을 것이다(東亞大學 2008년 1책 451面).

夫推至誠而享豊報, 道之常也, 奠眞封而顯列國, 禮之大也. 勞有所至, 朕無愛焉. 今遣使太僕卿王瓊·使副大府少卿^{大府少卿}兼通事舍人楊昭業等,[27] 持節備禮, 冊命爾爲高麗國王. 於戱, 作善天降之祥, 守正神祚之福. 干戈愼於危事, 文軌資於遠謀, 永爲唐臣, 世服王爵. 往踐厥位, 汝惟欽哉".

○又詔曰, "卿, 珠樹分輝, 金鉤協兆, 領日邊之分野, 冠海外之英雄. 士心同感於撫循, 民意咸歌於惠養. 而又誠堅事大, 志在恤隣, 抹^秣馬利兵,[28] 挫甄萱之黨, 分衣減食, 濟忽汗之人. 繼航海以拜章, 每充庭而致貢. 金石之誠明貫日, 風雲之梗槩凌空, 名播一時, 美流四裔. 忠^志規若此, 賞典寧忘. 特議疏封, 仍升峻秩. 剪桐圭而錫命, 目極蓬山, 睠桃野以傾思, 心隨濟水. 勉祗異禮, 永保崇勛. 今授卿特進·檢校太保·使持節·玄菟州都督·□□□□□^{兼御史大夫}·上柱國·充大義軍使, 仍封高麗國王. 今差使太僕卿王瓊·使副大府少卿^{大府少卿}楊昭業等往彼, 備禮冊命, 兼賜國信銀器·匹段^{匹段}等,[29] 其如別錄, 至當領也".

○又詔曰, "卿, 長淮茂族, 漲海雄著, 以文武之才, 控玆土宇, 以忠孝之節, 來稟化風. 貞規旣篆於旗常, 寵數是覃於簡冊. 如綸如綍, 已成虎穴之榮, 宜室宜家, 足顯鵲巢之美. 俾頒湯沐, 以慶絲蘿, 永光輔佐之功, 式協優隆之命. 諒卿誠素, 知我^开渥恩. 卿妻柳氏, 今封河東郡夫人".[30]

○又賜三軍將吏等詔曰, "朕以王建, 星雲稟秀, 金石輸誠, 信義着於睦隣, 忠孝彰於事大. 領三韓之樂土, 每奉周正, 越萬里之洪波, 常陳禹貢. 勳名已顯, 爵秩未崇, 宜寵錫以桐圭, 俾眞封於桃野. 今封授高麗國王, 差使往彼, 備禮冊命, 便令慰諭, 想宜知悉".[31]

---

27) 使臣團의 副使를 使副로 표기하기도 한다.

28) 抹로 되어 있으나 秣로 바꾸어야 옳을 것이다(東亞大學 2008년 1책 451面).

29) 段(가)로 되어 있으나 段(단)으로 바꾸어야 옳게 될 것이다(東亞大學 2008년 1책 452面).

30) 이때의 冊文은 열전1, 后妃1, 太祖 神惠王后 柳氏에 수록되어 있다. 이 자료는 『全唐文』권112, 後唐明宗에 「冊高麗國王柳氏文」으로 수록되어 있는데, 添字는 달리 표기된 것이다.
· 열전1, 神惠王后 柳氏, "太祖十六年, 後唐明宗, 遣太僕卿王瓊等來, 冊后官告曰, 爲人之妻, 能從夫以貴者, 是爲^冊宜其家矣, 封邑之制, 彝典所垂, 俾增伉儷之光, 以稱國君之爵. 大義軍使·特進·檢校太保·使持節·玄菟^开菟州都督·上柱國·高麗國王妻河東柳氏, 內言必正, 同獎固多, 贊虎幄之嘉謀, 保魚軒之寵數, 輔成忠節, 諒屬柔明, 爰降殊榮, 載踰常等, 勉助^开勤上之志, 是謂報國之規, 可封河東郡夫人".

31) 이들 詔書는 태조 15년 是歲의 脚注에 의하면 前年 3월 28일 高麗國(權知國事 王建)이 大相 王儒를 보내와 조공을 바치고 책봉을 요청한 것에 따른 것이다. 이들 기사는 淸代에 정리된 『全唐文』권108, 後唐明宗에 「冊命高麗國王詔」·「賜高麗三軍將吏詔」로 수록되어 있는데, 添字는 이들 자료와 下記의 자료(五代會要)에서 달리 표기된 것이다. 그중에 弘을 宏으로, 玄菟(현도, 菟, 音塗)를 元菟로 改書한 것은 淸代帝十(乾隆帝 弘曆, 康熙帝 玄燁)의 이름을 避諱한 것이다.
· 『五代會要』권30, 高麗, "^{長興三年}其年六月, 以權知國事王建, 爲特進·檢校太保·使持節玄菟州都督·充大義軍使·兼御史大夫·上柱國·高麗國王".
· 『구오대사』권3, 唐書19, 明宗紀9, "長興三年六月甲寅, 以權知高麗國事王建, 爲檢校太保, 封高麗國王".
· 『신오대사』권6, 唐本紀6, 明宗, "^{長興三年}六月甲寅, 封王建爲高麗國王·大義軍使".
· 『신오대사』권74, 四夷附錄第3, 高麗, "全長興三年, 權知國事王建遣使者來, 明宗乃拜建玄菟州都督·充大義軍使·封高麗國王, 建高麗大族也".

○又賜曆日. 自是, 除天授年號, 行後唐年號.[32]

[夏四月丁未朔^{小盡,丁巳}:追加].

[夏五月^{丙子朔人盡,戊午}, 某日, 征南大將軍庾黔弼, 守義城府. 王遣使謂曰, "予慮新羅, 爲百濟所侵, 嘗遣將鎭之, 今聞百濟, 劫掠槎山城·阿弗鎭等處, 如或侵及新羅國都, 卿宜往救". 黔弼遂選壯士八十人, 赴之, 至槎灘, 謂士卒曰, "若於此遇賊, 吾必不得生還, 但慮汝等同罹鋒刃, 其各善自爲計". 士卒曰, "吾輩盡死則已, 豈可使將軍, 獨不生還乎?" 因相與誓以戮力擊賊, 旣涉灘, 而遇百濟統軍神劍等, 百濟軍見黔弼部伍精銳, 不戰自潰. 黔弼至新羅, 老幼出城, 迎拜, 泣曰, "不圖今日, 得見大匡, 微大匡, 吾其爲魚肉乎?" 黔弼留七日而還, 遇神劍於子道, 大克, 擒其將七人, 殺獲甚多. 捷至, 王驚喜曰, "非黔弼, 孰能如是". 及入朝, 王下殿迎之, 執其手曰, "如卿之功, 古亦罕有, 銘在朕心, 勿謂忘之". 黔弼謝曰, "臣職當爲, 聖上何至如斯". 王益善之:節要轉載].

[→又明年, 爲征南大將軍, 守義城府. 太祖使人謂曰, "予慮新羅爲百濟所侵, 嘗遣大匡能丈·英周·烈弓·恩希等鎭之. 今聞百濟兵已至槎山城·阿弗鎭等處, 劫掠人物, 恐侵及新羅國都, 卿宜往救". 黔弼選壯士八十人, 赴之, 至槎灘, 謂士卒曰, "若遇賊於此, 吾必不得生還. 但慮汝等同罹鋒刃, 其各善自爲計". 士卒曰, "吾輩盡死則已, 豈可使將軍獨不生還乎?" 因相與誓同心, 擊賊. 旣涉灘, 遇百濟統軍神劍等, 黔弼欲與戰, 百濟軍見黔弼部伍精銳, 不戰自潰而走. 黔弼至新羅, 老幼出城, 迎拜垂泣言曰, "不圖今日, 得見大匡, 微大匡, 吾其爲魚肉乎?" 黔弼留七日而還, 遇神劍等於子道, 與戰大克. 擒其將今達·奐弓等七人, 殺獲甚多. 捷至, 太祖驚喜曰, "非我將軍, 孰能如是". 及還, 太祖下殿迎之, 執其手曰, "如卿之功, 古亦罕有. 銘在朕心, 勿謂忘之". 黔弼謝曰, "臨難忘私, 見危授命, 臣職耳. 聖上何至如斯". 太祖益重之:列傳5庾黔弼轉載].

[六月丙午朔^{小盡,己未}:追加].

- 『책부원귀』 권965, 外臣部10, 冊封3·권972, 外臣部17, 朝貢5, "長興三年五月, 制權知高麗國事王建, 可特進·檢校太保·使持節·玄菟州都督·上柱國·封高麗國王·充大義軍使".
- 『책부원귀』 권976, 外臣部20, 褒異3, "^{後唐明宗長興三年}七月, 詔特進·檢校太保·使特節·玄菟州都督·上柱國·高麗國王建妻河束柳氏, 可封河束郡夫人, 高麗入朝使太和王儒奏請也".
32) 이 기사와 같이, 이때 天授年號가 공식적으로 폐지되고 後唐의 年號가 사용되었는가에 대한 判斷은 좀 더 기다려 볼 필요가 있다. 또 이상의 기사를 크게 축약한 기록도 찾아진다.
- 『삼국사기』 권12, 신라본기12, 경순왕 7년, "唐明宗, 遣使高麗錫命".

[秋七月乙亥朔^{大盡,庚申}:追加].

[八月乙巳朔^{小盡,辛酉}:追加].

[九月甲戌朔^{大盡,壬戌}:追加].

[冬十月甲辰朔^{小盡,癸亥}:追加].

[十一月癸酉朔^{大盡,甲子}:追加].

[是月戊戌[26日], 後唐明宗崩:追加].

[十二月癸卯朔^{小盡,乙丑}:追加].

[是月癸卯朔, 後唐李從厚卽位, 是爲閔帝^{愍帝}:追加].

[是年, 置兵衛官, 郎中·史各一人, 以掌戎事:兵1五軍轉載].[33]

甲午[太祖]十七年, 後唐長興五年→1月應順元年→4月淸泰元年, [西曆934年]

934년 1월 18일(Gre1월 23일)에서 935년 2월 5일(Gre2월 10일)까지, 13개월 384일

[春正月壬申朔^{大盡,丙寅}:追加].
[是月戊寅[7日], 後唐改長興五年爲應順元年:追加].

春正月^{閏正月壬寅朔大盡,丙寅},[34] 甲辰[3日], 幸西京, 歷巡北鎭, [而還:節要轉載].[35]

[二月辛未朔^{大盡,丁卯}:追加].

[三月辛丑朔^{小盡,戊辰}:追加].

---

33) 이 기사와 관련된 자료로 다음이 있다. 이때 실제로 兵禁官이 설치되었는지, 아니면 兵禁官의 존재를 보고 『고려사』의 편찬자가 설치되었다고 기술하였는지는 알 수 없다.
　　·『고려사절요』권1, 태조 16년. "是歲, 置兵禁官".
　　·지30, 白官1, 兵曹, "太祖元年, 有徇軍部令·郎中. 十六年, 有兵禁官·郎中·史. 光宗十一年, 改徇軍部, 爲軍部, 其職掌未詳, 疑皆是掌兵之官, 後廢之".
34) 이해의 正月에는 甲辰이 없고, 甲辰은 閏正月의 3日이므로, 이 기사에서 閏字가 탈락되었음을 알 수 있다.
35) 이때의 北鎭은 北界州鎭 또는 州鎭을 의미하는 것으로 추측된다(尹京鎭 2010년a).

[夏四月庚午朔^{大盡,乙巳}:追加].

[是月乙亥^{6日}, 後唐李從珂卽位, 是爲末帝^{廢帝}, 乙酉^{16日}, 改應順元年爲淸泰元年:追加].

夏五月^{庚子朔大盡,庚午}, 乙巳^{6日}, 幸禮山鎭, 詔曰, "往者, 新羅政衰, 群盜競起, 民庶亂離, 曝骨荒野. 前主服紛爭之黨, 啓邦國之基, 及乎末年, 毒流下民, 傾覆社稷. 朕承其危緖, 造此新邦, 勞役瘡痍之民, 豈予意哉? 但草昧之時,[36] 事不獲已. 櫛風沐雨, 巡省州鎭, 修完城柵, 欲令赤子, 得免綠林之難. 由是, 男盡從戎, 婦猶在役, 不忍勞苦, 或逃匿山林, 或號訴官府者, 不知幾許. 王親・權勢之家, 安知無肆暴陵弱, 困我編氓者乎? 予以一身, 豈能家至而目覩, 小民所以未由控告, 呼籲彼蒼者也. 宜爾公卿・將相・食祿之人, 諒予愛民如子之意, 矜爾祿邑編戶之氓. 若以家臣無知之輩, 使于祿邑, 惟務聚歛, 恣爲割剝, 爾亦豈能知之? 雖或知之, 亦不禁制. 民有論訴者, 官吏徇情掩護, 怨讟之興, 職競由此. 予嘗誨之, 欲使知之者增勉, 不知者能誡. 其違令者, 別行染卷, 猶以匿人過爲賢, 不曾擧奏, 善惡之實, 曷得聞知? 如此, 寧有守節改過者乎? 爾等澄我訓辭, 聽我賞罰. 有罪者, 無論貴賤, 罰及子孫, 功多罪小, 量行賞罰. 若不改過, 追其祿俸, 或一年, 二三年, 五六年, 以至終身不齒. 若志切奉公, 終始無瑕, 生享榮祿, 後稱名家, 至於子孫, 優加旌賞. 此則非但今日, 傳之萬世, 以爲令範. 人有爲民陳訴, 勾喚不赴, 必令再行勾喚, 先下十杖, 以治違令之罪, 方論所犯. 吏若故爲遷延, 計日罰責. 又有怙威恃力, 令之不可觸者, 以名聞".[37]

[六月庚午朔^{小盡,辛未}:追加].

秋七月^{己亥朔大盡,壬申}, [某日], 渤海國世子大光顯率衆數萬來投, 賜姓名王繼, 附之宗籍. 特授元甫, 守白州, 以奉其祀. 賜僚佐爵, 軍士田宅, 有差.[38]

---

36) 草昧에 대한 설명으로 다음이 있다.
  ・『자치통감』권195, 唐紀11, 太宗貞觀 12년(638) 5월, "上問侍臣, 創業女守成孰難? 房玄齡曰, 草昧之初[胡三省注, '易'曰, 大造草昧, 王弼註云, 造物之始, 始於冥昧, 故曰草昧也. '廣雅', 草, 造也. 董云, 草昧, 微物], 創業難矣, 魏徵曰, 自古帝王, 莫不得之於艱難, 失之於安逸, 守成難矣, …".

37) '家臣無知之輩'는 『고려사절요』권1에는 '衙內無知之輩'로 되어 있다. '于'는 東亞大學所藏本에는 '予'字로 되어 있으나 于의 오자일 것이다(東亞大學 2008년 1책 453面).

38) 『고려사』권86, 年表와 『고려사절요』권1에는 925년(태조8)에 契丹이 渤海를 멸망시키자 渤海國의 太子[世子] 大光顯이 來附하였다고 되어 있다. 『고려사절요』의 기사는 編年體인 『태조실록』을 축약하였기에 실상을 그대로 반영하였을 가능성이 있지만, 『고려사』의 찬자가 年表를 작성하였기에 문제가 발생할 수 있다는 견해도 있다. 그래서 大光顯의 來投時期를 上記의 기사에 의거하여, 이해[是年, 934]이라고 판단하고 있지만(韓圭哲 1997년), 이에 반대하는 의견도 있다(朴淳佑 2017년).

[八月己巳朔^{小盡,癸酉}:追加].

九月^{戊戌朔大盡,甲戌}, 丁巳^{20日}, [老人星見:節要·天文1轉載].[39]

○自將征運州, 與甄萱戰, 大敗之.

[→甄萱聞之, 簡甲士五千, 至曰, "兩軍相鬪, 勢不俱全, 恐無知之卒, 多被殺傷, 宜結和親, 各保封境". 王會諸將議之, 右將軍庾黔弼曰, "今日之勢, 不容不戰, 願王, 觀臣等破敵, 勿憂也". 及彼未陣, 以勁騎數千, 突擊之, 斬獲三千餘級, 擒術士宗訓·醫師訓謙·勇將尙達·崔弼:節要轉載]. 熊津以北三十餘城, 聞風自降.[40]

[冬十月戊辰朔^{小盡,乙亥}:追加].

[十一月丁酉朔^{大盡,丙子}:追加].

冬十二月^{丁卯朔大盡,丁丑}, [某日], 渤海□□⋆⋆陳林等一百六十人來附.[41]

---

39) 이때 後唐과 일본에서 老人星에 대한 기사는 찾아지지 않는다. 老人星은 南極星의 別稱인데, 人間이 이를 보고서 福과 壽를 祈願하므로 壽星이라고도 한다. 이로 인해 이 별을 祭祀지내기도 하였는데, 고려시대에는 주로 南郊(혹은 南壇)에서 거행하였다. 이 별(Canopus)은 龍骨座(아르고자리)의 alpha星으로 밝기는 -0.7등급인데, 우리나라에서는 중부지역에서는 관측할 수 없고, 남쪽지역에서만 볼 수 있다고 한다(『頤齋遺藁』권13, 題李□□所賦老人星詩後). 1170년(의종24) 2월 3일(甲申) 狼星(큰 개자리의 시리우스星)이 南極에 出現하였는데, 이를 西海道按廉使 朴純嘏가 老人星이라고 虛僞로 報告하기도 하였다. 이 자료와 같이 고려왕조가 이를 관측하였다면 韓半島의 西南部지역에 위치한 錦城地域(現 全羅南道 羅州市 지역)이었을 것이다. 그렇지 않다면 이 記事는 『삼국사기』에 수록된 新羅의 記事를 그대로 轉載하였을 것이다(張東翼 2014년 314面).
    · 『桐溪集』권1, 南極壽星[注, 諺云, 登漢挐山則見之云, 故及之].
    · 『悔軒集』권15, 見老人星記, "… 而惟南極之一大星, 非中國之衡山, 我東之漢挐, 則人不得見. 蓋此所謂老人星, 而司人壽命者也. 星在極南. 惟春秋分乍現, 春分則夕沒於丁, 秋分則曉出於丙, 而非南天欲窮處, 則不可望. 春秋分前後, 則輒晝出而晝沒, 以故見者甚稀, 無異於瑞星之不常現. 余之謫大靜也, 欲registered上漢挐絶頂, 而山猶寒, 爲居人所挽. 居數月, 値春分, 余竊意靜之南, 通豁無礙, 天與眼俱盡, 則宜不待漢挐之高, 而亦可見此星也. … 時壬子^{英祖8年}二月二十三日, 東湖居士^{趙觀彬}, 書于大靜謫中".
    · 『石北集』권7, 耽羅錄(1764년, 영조40) 1월, 初度日, 値春分, … [注, 老人星, 以春秋分, 見大靜海中].
40) 이 기사는 열전5, 庾黔弼에도 수록되어 있다. 또 이 기사는 다음의 자료에도 수록되어 있는데, 그 時點이 이해[是年]의 1월, 9월로 되어 있어 차이가 있다.
    · 『삼국사기』권12, 신라본기12, 경순왕 8년 9월, "運州界三十餘郡縣, 降於大祖".
    · 『삼국사기』권50, 열전10, 甄萱, "淸泰元年春正月, 萱聞太祖屯運州, 遂簡甲士五千至, 將軍□庾黔弼. 及其未陣, 以勁騎數千, 突擊之, 斬獲三千餘級. 熊津以北三十餘城, 聞風自降. 萱麾下術士宗訓, 醫師訓謙, 勇將尙達·崔弼等降於太祖".
41) 陳林은 926년(天成1) 4월 29일(乙卯) 後唐에 도착한 발해의 사신 人陳林으로 추측된다(『책부원귀』권972, 外臣部17, 朝貢 ; 『오대회요』권30, 渤海 ; 『구오대사』권36, 唐書12, 明宗紀2 ; 『신오대사』권5, 唐

是歲, <u>西京</u>旱, 蝗.⁴²⁾

[○遣大相廉相, 城通海鎭, 以元甫才萱爲鎭頭:節要·兵2鎭戍轉載].⁴³⁾

[○增置平壤大都護府官宅司, 掌供賓客之事, 卿二人·大舍二人·史二人, 都航司, 卿一人·大舍一人·史一人, 大馭府, 卿一人·大舍一人·史一人:百官2轉載].⁴⁴⁾

[○遣管押將<u>盧昕</u>而下七十人, 如登州, 市易:追加].⁴⁵⁾

[○遣<u>金吉</u>如唐, 獻方物:追加].⁴⁶⁾

[是年頃, 用術家之言, 作寺, 以處僧學律乘者, 名之曰<u>開國寺</u>:追加].⁴⁷⁾

乙未[太祖]十八年, 後唐淸泰二年, [西曆935年]

935년 2월 6일(Gre2월 11일)에서 936년 1월 26일(Gre1월 31일)까지, 355일

[春正月丙申朔^{大盡,戊寅}:追加].

[二月丙寅朔^{小盡,乙卯}:追加].

本紀6, 明宗 ; 利田 淸 1955年 170面). 여기에서 添字가 추가되어야 옳게 될 것이다.

42) 이해[是年]의 6月 後唐의 首都 洛陽(現 河南省 洛陽市)에서도 크게 가물고 더위가 심하여[大旱酷暑] 死者가 100餘人에 달하였다고 한다. 또 메뚜기(蝗, 누리)는 메뚜기와 메뚜기의 幼蟲[蝝]으로 구분하기도 하는 것 같다.
　·『구오대사』권46, 唐書22, 末帝紀上, 順應 1년 6월, "是月, 京師大旱, 熱芘, 暍死者百餘人".
　·『자치통감』권15, 漢紀, 文帝後 6년(BC158), "夏四月, 大寒, 蝗[注, 師古曰, 蝗, 則螽也, 食苗爲災, 今俗呼爲簸蜙. 說文曰, 一曰蝝, 一曰蝗, 蝗, 戶光翻, 蜙, 音鍾].

43) 이 기사와 관련된 자료로 다음이 있다.
　·지36, 兵2, 城堡, "太祖十七年, 城通海縣五百十二閒, 門五, 水口一, 城頭四".
　·지12, 지리3, 北界, 安北人都護府, 通海鎭, "太祖十七年, 築城".

44) 이는 지3, 百官2, 外職, 西京留守官에서 전재하였다.

45) 이는 다음의 자료에 의거하였다.
　·『책부원귀』권999, 外臣部44, 互市, "淸泰元年七月, 登州言, 高麗船一艘至岸, 管押將<u>盧昕</u>而下七十人, 入州市易".

46) 이는 다음의 자료에 의거하였다.
　·『책부원귀』권972, 外臣部17, 朝貢, "淸泰元年八月, 靑州言, 高麗入貢使<u>金吉</u>船至岸".

47) 이는 다음의 자료에 의거하였는데, 添字와 같이 고쳐야 옳게 될 것이다. 또 여기에서 18年은『고려사』의 時期整理[繫年] 方式에 의하면 17年으로 計算하여야 할 것이다.
　·『익재난고』권6, 重修開國律寺記, "淸泰□十八年, 太祖用術家之言, 作寺其間, 以處方袍之學律乘者, 名之曰開國寺"(『신증동국여지승람』권5, 開城府下, 古跡, 開國寺 所收).

春三月^{乙未朔大盡,庚辰}, [某日], 甄萱子神劒, 幽其父於金山佛宇,⁴⁸⁾ 殺其弟金剛. 初, 萱多妾媵, 有子十餘人, 第四子金剛身長多智, 萱特愛之, 欲傳其位. 其兄神劒·良劒·龍劒等, 知之憂悶. 時 良劒·龍劒出鎭于外, 神劒獨在側, 伊粲能奐使人, 與良劒·龍劒陰謀, 勸神劒作亂.⁴⁹⁾

[夏四月^{乙丑朔小盡,辛巳}, 某日], 王謂諸將曰, "羅州四十餘郡, 爲我藩籬, 久服風化, 近爲百濟劫掠, 六年之間, 海路不通, 誰能爲我撫之". 公卿薦庾黔弼, 王曰, "予亦思之, 然近者新羅路梗, 黔弼 往通之, 想念其勞, 難以再命". 黔弼奏曰, "臣雖年齒已衰, 然是國家大事, 敢不竭力". 王喜垂泣 曰, "卿若承命, 何喜如之". 以黔弼爲都統大將軍, 送至禮成江, 賜御船而遣之. 黔弼往羅州, 經 略而還, 又幸禮成江, 迎勞之:節要轉載].

[→^{太祖}十八年, 太祖謂諸將曰, "羅州界四十餘郡, 爲我藩籬, 久服風化. 嘗遣大相堅書·權直· 仁壹等往撫之, 近爲百濟劫掠, 六年之間, 海路不通, 誰爲我撫之". 洪儒·朴述熙等曰, "臣雖無 勇, 願補一將.". 太祖曰, "凡爲將, 貴得人心". 公萱·大匡^{皇甫}悌弓等奏曰, "黔弼可". 太祖曰, "予亦已思之, 但近者新羅路梗, 黔弼往通之, 朕念其勞, 未敢再命". 黔弼曰, "臣年齒已衰, 然此 國家大事, 敢不竭力". 太祖喜垂涕曰, "卿若承命, 何喜如之". 遂以爲都統大將軍. 送至禮成江, 賜御船遣之, 因留三日, 候黔弼下海, 乃還. 黔弼至羅州, 經略而還, 太祖又幸禮成江, 迎勞之:列 傳5庾黔弼轉載].⁵⁰⁾

[五月甲午朔^{大盡,壬午}:追加].

夏六月^{甲子朔小盡,癸未}, [某日], 甄萱與季男能乂·女哀福·嬖妾姑比等奔羅州, 請入朝. 遣將軍庾黔 弼·大匡萬歲·元甫香乂·吳淡·能宣·忠質等, 領軍船四十餘艘, 由海路迎之. 及至, 復稱萱爲尙 父, 授館南宮. 位百官上, 賜楊州爲食邑, 兼賜金帛·奴婢各四十口·廐馬十匹. 以先降人信康爲 衙官.⁵¹⁾

[秋七月癸巳朔^{大盡,甲申}:追加].

---

48) 金山佛宇는 현재의 全羅北道 金堤市 金山面 金山里 母岳山에 위치한 金山寺로 추정되지만, 조선시대에 는 金溝縣(현 金堤市 金溝面)에 소속되어 있었던 것 같다(『광해군일기』 권87, 7년 2월 乙未^{18日} ; 『海石遺 稿』 권2, 金山寺, 金溝 ; 『동사강목』5하).

49) 이보다 구체적인 기사가 『삼국사기』 권50, 열전10, 甄萱에 수록되어 있다.

50) 여기에서 悌弓은 皇甫悌恭의 다른 표기이다(李樹健 1984년 160面).

51) 이보다 구체적인 기사가 『삼국사기』 권50, 열전10, 甄萱에 수록되어 있다.

[八月癸亥朔^{大盡,乙酉}:追加].

秋九月^{癸巳朔小盡,丙戌}, 甲午^{2日}, [寒露]. 幸西京, 歷巡黃·海州, [而還:節要轉載].

冬十月壬戌□^{朔人盡丁亥}, 新羅王<u>金傅</u>遣□□侍郎<u>金封休</u>, 請入朝. 王遣攝侍中<u>王鐵</u>·侍郎<u>韓憲邕</u>等往報.[52]

十一月^{壬辰朔人盡,戊戌}[53], 甲午^{3日}, 羅王率百僚, 發王都, 士庶皆從之. 香車·寶馬, 連亘三十餘里, 道路塡咽, 觀者如堵. 沿路州縣, 供億甚盛. 王遣人問慰.[54]

癸卯^{12日}, 羅王與<u>王鐵</u>等入開京, 王備儀仗, 出郊迎勞, 命東宮與諸宰□", 從衞而入, 館于柳花宮.[55]

癸丑^{22日}, 御正殿, 會百官備禮, 以長女<u>樂浪公主</u>歸于羅王.[56]

己未^{28日}, 羅王上書曰, "本國久經危亂, 曆數已窮, 無復望保基業, 願以<u>臣禮見</u>". 不允.[57]

十二月辛酉□^{朔小盡己丑}, 群臣奏曰, "天無二日, 土無二王, 一國二君, 民何以堪? 願聽羅王之請".[58]

---

52) 壬戌에 朔이 탈락되었다. 이와 관련된 기사로 다음이 있다. 또 이때 金封休가 띠고 있는 侍郎을 執事省 侍郎으로 본 見解도 있으나(李基白 1974년 187面) 분명하지 않다.
· 『삼국사기』 권12, 신라본기12, 경순왕 9년, "冬十月, ^{敬順}王, 以四方土地盡爲他有, 國弱勢孤, 不能自安, 乃與羣下謀, 擧土降太祖. 羣臣之議, 或以爲可, 或以爲不可. 王子曰, '國之存亡, 必有天命. 只合與忠臣·義士, 收合民心自固, 力盡而後已, 豈宜以一千年社稷, 一旦輕以與人'. 王曰, '孤危若此, 勢不能全. 旣不能强, 又不能弱, 至使無辜之民, 肝腦塗地, 吾所不能忍也'. 乃使侍郎<u>金封休</u>, 齎書請降於太祖. 王子哭泣, 辭王, 徑歸皆骨山, 倚巖爲屋, 麻衣草食, 以終其身".
53) 後唐의 曆日에서 이해[是年]의 11월은 大盡이고 초하루[朔日]는 壬辰이지만, 宣明曆을 바탕으로 한 高麗曆과 日本曆의 朔日은 同一하고 小盡이다.
54) 이와 같은 기사로 다음이 있다.
· 『삼국사기』 권12, 신라본기12, 경순왕 9년, "十一月, 太祖受王書, 送大相<u>王鐵</u>等迎之. 王率百寮, 發自王都, 歸于太祖, 香車·寶馬連亘三十餘里, 道路塡咽, 觀者如堵".
55) 添字는 『고려사절요』 권1에 의거하였다. 또 이와 관련된 기록으로 다음이 있다.
· 『梅山集』 권 2, 羅伏橋, "在松京城外, 卽新羅敬順王歸命麗朝之地也".
56) 樂浪公主와 관련된 기사로 다음이 있다.
· 『삼국사기』 권12, 신라본기12, 경순왕 9년, "太祖出郊迎勞, 賜宮東甲第一區, 以長女<u>樂浪公主</u>妻之".
· 열전4, 公主, 太祖, "安貞淑儀公主, 神明王太后劉氏所生, 新羅王<u>金傅</u>入朝, 以公主歸之. 稱樂浪公主, 一云神鸞宮夫人".
57) 이 기사와 관련된 자료로 다음이 있는데, 『고려사』의 撰者가 "天子之光, 庭臣之禮"와 같은 皇帝國에서 사용된 용어를 避하기 위해 『태조실록』에 수록된 기사를 적절히 變改하였던 것을 확인할 수 있다.
· 『보한집』 卷上, "淸泰二年, 新羅敬順王來朝, 上書, 略曰, 本國禍亂將構, 曆數已窮, 幸觀天子之光, 願作庭臣之禮".
58) 辛酉에 朔이 탈락되었다. 後唐의 曆日에서는 이해[是年]의 12월은 大盡이고 초하루[朔日]는 壬戌이지만,

壬申[12日], 御天德殿, 會[宰臣·:節要轉載]百僚曰, "朕與新羅, 歃血同盟, 庶幾兩國永好, 各保社稷. 今羅王, 固請稱臣, 卿等亦以爲可, 朕心雖愧, 衆意難違". 乃受羅王庭見之禮, 群臣稱賀, 聲動宮掖. 於是, 拜金傅爲政丞, 位太子上, 歲給祿千碩, 創神鸞宮賜之. 其從者並收錄, 優賜田祿. 除新羅國爲慶州, 仍賜爲食邑.[59]

[→"庶幾兩國, 各保社稷, 永以爲好. 今新羅王, 固請稱臣, 卿等亦以爲可, 朕心雖愧, 義難固拒". 乃受傅庭見之禮, 群臣稱賀, 聲動宮掖. 拜傅爲觀光順化衛國功臣·上柱國·樂浪王·政丞·食邑八千戶, 位在太子之上, 歲給祿一千碩. 除新羅國爲慶州, 賜傅爲食邑, 其從者皆錄用, 賜田祿, 優於舊制. 又創神鸞宮, 賜傅, 仍使爲慶州事審, 知副戶長以下官職等事. 於是, 諸功臣亦效之, 各爲其州事審, 事審官始此.[60] ○初, 封休來請降, 王待以厚禮, 使歸告曰, "今, 王以國與寡人,[61] 其爲賜大矣, 願結婚宗室, 以永甥舅之好". 傅聞之, 報曰, "我伯父匝干億廉, 有女, 德容雙美, 非是, 無以備內政". 王遂納之, 是爲神成王后, 生安宗郁:節要轉載].[62]

[李齊賢曰, "金富軾論曰, 新羅敬順王, 歸命我太祖, 雖非獲已, 亦可嘉也. 向使力戰守死, 以抗王師, 必覆其宗族, 害及於無辜之民. 而乃不待告命, 封府庫, 籍郡縣, 以歸之, 其有功於朝廷, 而有德於生民甚大. 昔錢氏, 以吳越入宋, 蘇子瞻蘇軾謂之忠臣, 今新羅功德, 過於彼, 遠矣. 我太祖妃嬪衆多, 子孫繁衍, 而顯宗, 自新羅外孫卽位, 此後繼統者, 皆其子孫, 豈非陰德之報者歟. 金寬毅·任景肅·閔漬, 三家之書, 皆以爲大良院夫人李氏, 太尉正言之女也, 生安王, 未知何據

宣明曆에 의거한 高麗曆과 日本曆은 大盡이고, 초하루는 辛酉이다.

59) 이날은 율리우스력으로 936년 1월 8일(그레고리력 1월 13일)이다. 이때 경순왕이 慶州의 事審으로 임명된 것과 慶州에 堂祭[혹은 堂大等, 후일의 戶長]가 설치된 기록으로 다음이 있다(河日植 2007년). 또 이후 경순왕이 各地를 巡歷한 행적에 대한 逸話가 『五洲衍文長箋散稿』 권20, 經史篇6, 金傅大王辨證說에 수록되어 있다.
· 지29, 선거3, 銓注, 事審官, "太祖十八年, 新羅王金傅來降. 除新羅國, 爲慶州, 使傅爲本州事審, 知副戶長仍號堂祭以下官職等事. 於是, 諸功臣亦効之, 各爲其本州事審, 事審官始此". 여기에서 副戶長은 國初의 지방 세력에 대한 名稱이 아니고 983년(성종2) 이후의 呼稱이며, 이 시기는 堂祭의 예하인 副堂祭(혹은 副堂人 等)이었을 가능성이 높다.
· 『慶州司首戶長行案』, 序文, "… 後唐閔帝淸泰二年乙未太祖18年良中, 第五十六王敬順王, 人祖統合三韓敎是, 時率領百官, 郊迎順命, 始終補佐敎等用良, 新羅乙良, 京號不動東京留守官, 州號乙良慶州爲等如, 排設敎是旀, 千丁丁上乙束給敎是遣, 堂祭丁乙爻定敎是良, 光宗朝良中, 堂祭乙段, 號戶長, 爻八乙制定敎事是置".
60) 事審官에 관한 내용은 지34, 選擧3, 事審官에도 수록되어 있다.
61) 여기에서 太祖 王建이 스스로를 帝王의 呼稱인 朕이라고 하지 않고, 寡人이라고 稱한 것은 新羅에 대해 謙讓을 보인 것이다.
· 『자치통감』 권11, 漢紀3, 高帝 5년(BC202) 5월, "齊王曰橫與其客二人乘傳詣洛陽, 未至三十里, 至尸鄕廐置, 橫謝使者曰, '人臣見天子, 當洗沐'. 因止留, 謂其客曰, '橫始與漢王劉邦俱南面稱孤[胡三省注, 師古曰, 王者自稱曰孤, 蓋爲謙也. 老子道德經日, 貴以賤爲本, 高以下爲基, 是以侯王自謂孤·寡·不穀], 今漢王爲天子, 而橫乃爲亡虜, 北面事之, 其恥固已甚矣', …".
62) 태조 왕건이 神成皇太后 金氏와 혼인한 내용은 열전1, 후비, 태조, 神成皇太后金氏에도 수록되어 있다.

也”:節要轉載].

　　是歲, 遣禮賓卿邢順等如唐.[63]
　　[○城伊勿及肅州:節要·兵2城堡轉載].[64]
　　[○遣王子太相王規·廣評侍郎崔儒等三十餘人如唐, 獻方物:追加].[65]
　　[○康州伯嚴寺僧兢讓, 營構禪室於沙伐州管內聞喜郡曦陽山, 誘引學徒:追加].[66]

丙申[太祖]十九年, 後唐淸泰三年→11月後晋長興七年:天福元年, [西曆936年]

　936년 1월 27일(Gre2월 1일)에서 937년 2월 12일(Gre2월 17일)까지, 13개월 383일

　[春正月辛卯朔^{小盡,庚寅}:追加].

　　春二月^{庚申朔大盡,辛卯}, [某日], 甄萱壻將軍朴英規, 請內附.
　　[→初, ^{昇平郡人朴}英規密語其妻曰, “大王勤勞四十餘年, 功業垂成, 一朝以家人之禍, 失地, 投於高麗. 夫貞女不事二夫, 忠臣不事二主, 若舍^捨吾君,[67] 以事逆子, 則何顔, 以見天下之義士乎.

---

63) 이 자료는 『고려사』에서 年末에 是歲로 처리하였는데, 중국 측의 자료에는 12월에 禮賓卿 邢順이 後唐에 도착하여 조공하였다고 한다(『책부원귀』 권972, 外臣部17, 朝貢5). 그렇다면 고려의 사신은 3~4개월 전에 고려를 출발하였을 것이다. 이 역시 『칠대실록』을 편찬할 때 중국 측의 자료를 이용하였기에 출발의 時點을 파악하지 못했던 것 같다.

64) 伊勿城은 交州(現 江原道 淮陽郡)에 있었다고 하지만, 交州는 文州의 誤謬일 것이라는 견해도 있다(尹京鎭 2011년).
　・지12, 지리3, 交州, “… 新羅景德王, 改爲連城郡, 高麗初, 稱伊勿城”.
　・『신증동국여지승람』 권49, 文川郡, 建置沿革, “古稱妹城. 高麗成宗八年, 築城, 爲文州防禦使, 後合于宜州. … 郡名, 妹城, 文州, 伊均”. 伊均은 伊勿의 다른 表記일 가능성이 있다고 하였다.

65) 이는 다음의 자료에 의거하였다. 이때 1개월 전인 935년 12월에 邢順과 이해[是年]의 初에 들어온 王規에게 동시에 官爵을 下賜한 것으로 추측된다.
　・『책부원귀』 권976, 外臣部20, 褒異3, “淸泰三年正月庚午, 以高麗朝貢使·王子太相王規△^爲檢校尙書右僕射, 副使·廣評侍郎崔儒△^爲試將作監, 其節級三十餘人, 並授可戈·可階”.
　・『책부원귀』 권972, 外臣部17, 朝貢5, “^{淸泰}三年正月, 高麗遣使王子大相王規等來朝貢”.
　・『오대회요』 권30, 高麗, “^{淸泰}三年正月, 以入朝使禮賓卿邢順試將作少監, 副使崔遠試少府監主簿. 其年又遣使王子太相王規等來, 貢方物, 以太相王規檢校尙書右僕射, 副使廣評侍郎崔禹^儒試將作監, 其隨行節級三十餘人, 並授可戈·可階等職”. 여기에서 崔禹는 崔儒의 誤字일 것이다.

66) 이는 「聞慶鳳巖寺靜眞大師圓悟塔碑」에 의거하였다(보물 제172호, 金石總覽 196面 ; 李智冠 2004년 1冊 388面).

67) 近代以前의 社會에서 舍는 捨로 解讀하는 事例가 많았다(“舍, 讀曰捨”).

況聞高麗王公, 仁厚勤儉, 以得民心, 殆天啓也. 必爲三韓之主, 蓋致書, 以安慰我王, 兼及慇懃
於王公, 以圖將來之福乎?". 其妻曰, "子之言, 是吾意也". 於是, 遣人來致意, 且曰, "若擧義兵,
請爲內應, 以迎王師". 王大喜, 厚賜其使, □^令歸報英規曰, "若蒙君惠, 道路無梗, 則先謁將軍,
升堂拜夫人, 兄事而姊尊之, 必終有以厚報之, 天地鬼神, 悉聞此言":節要轉載].⁶⁸⁾

[三月庚寅朔^{小盡,壬辰}:追加].

[夏四月己未朔^{大盡,癸巳}:追加].

[五月己丑朔^{小盡,甲午}:追加].

夏六月^{戊午朔小盡,乙未}, [某日], 甄萱請曰, "老臣遠涉滄波, 來投聖化, 願仗威靈, 以誅賊子耳". 王
初欲待時而動, 憐其固請, 乃從之. 先遣正胤武·將軍述希^{述熙}, 領步騎一萬, 趣天安府.⁶⁹⁾

[秋七月丁亥朔^{大盡,丙申}:追加].

[八月^{丁巳朔大盡,丁酉}, 癸酉^{17日}, 海州須彌山廣照寺利嚴入寂, 年六十七, 臘四十八.⁷⁰⁾ 後左丞相皇
甫悌恭, 前王子大相王儒, 前侍中·大相李陟良, 廣評侍郎鄭承休等, 請諡及塔碑文, 上曰可. 乃
追諡眞澈大師, 塔曰寶月乘空之塔, 命大相崔彦撝撰塔碑銘:追加].

[是月, 上駐蹕於馬津, 先鎖元惡, 似魏皇滅蜀之時:追加].⁷¹⁾

・ 『자치통감』 권23, 漢紀15, 昭帝元鳳 4년(BC77) 7월 乙巳, "… 臣司馬光曰, 王者之於戎狄, 叛則討之, 服則
舍之[胡三省注, 舍, 讀曰捨]. 今樓蘭王旣服其罪, …".

68) 이와 같은 기사가 열전5, 朴英規 ; 『삼국사기』 권50, 열전10, 甄萱에도 수록되어 있는데, 添字는 이에
의거하였다.

69) 述希는 『고려사절요』 권1에는 述熙로 되어 있는데, 後者가 옳을 것이다. 이와 관련된 기사가 『삼국사기』
권50, 열전10, 甄萱에도 수록되어 있다. 『고려사』世家篇의 初期記事(顯宗以前)에서 同一人物의 다른 표기
는 地方勢力家의 固有名을 漢字로 改書할 때 일어날 수도 있겠지만, 관료가 된 이후에도 그러한 양상은
장기간에 걸쳐 지속될 수 없었을 것이다. 같은 인물에 대한 다른 표기가 나타나는 현상은 『고려사』를
처음 乙亥字로 조판할 때 採字(혹은 植字)의 잘못이거나 活字의 量이 충분하지 않았던 것에 起因한 것
으로 추측된다.

70) 이는 「海州廣照寺眞澈大師寶月乘空之塔碑」에 의거하였다. 이날은 율리우스曆으로 936년 9월 5일(그레고
리曆 9월 10일)에 해당한다.

71) 이는 다음의 자료에 의거하였다. 이들 자료를 통해 볼 때 태조 왕건의 馬津(禮山縣의 別稱, 現 忠淸南道
禮山郡)에서의 問罪行爲는 후백제에 최후의 일격을 가하기 위하여 각지의 호족세력을 糾合하고, 영역
내의 反高麗勢力을 처단한 조치로 추측된다. 곧 이해 6월에 前後百濟王 甄萱이 아들 神劍軍을 토벌할
것을 건의하자, 왕건은 利嚴이 入寂한 8월 중순 무렵 현재의 忠淸道 지역에 出鎭하여 軍備를 마련하고
있었던 것 같다.

秋九月「丁亥朔小盡,戊戌, [某日], 王率三軍, 至天安府合兵, 進次一善郡, 神劍以兵逆之.[72]

[□□「茉卄, □于順式自溟州, 率其兵會戰, 破之. 太祖謂順式曰, "朕夢見異僧, 領甲士三千而至, 翼日「翌日, 卿率兵來助, 是其應也".[73] 順式曰, "臣發溟州至大峴, 有異僧祠, 設祭以禱, 上所夢者, 必此也". 太祖異之[列傳5王順式轉載].

甲午「8卄, 隔一利川而陣, 王與甄萱觀兵.[74] 以萱及大相堅權·述希「述希→「皇甫金山, 元尹康柔英等, 領馬軍一萬, 支天軍大將軍元尹能達·奇言「奇彥·韓順明·昕岳·正朝英直·廣世等,[75] 領步軍一萬爲左綱. ○大相金鐵·洪儒·朴守卿·元甫連珠·元尹萱良等, 領馬軍一萬, 補天軍大將軍元尹三順「三順→「俊良·正朝英儒·吉康忠·昕繼等, 領步軍一萬爲右綱.[76] ○溟州「溟州將軍大匡王順式·大相兢俊·王廉·王乂·元甫仁一等,[77] 領馬軍二萬, 大相「大匡庾黔弼·元尹官茂·官憲等,[78] 領黑水·達姑·鐵勒「鐵利諸蕃勁騎九千五百,[79] 祐天軍大將軍元尹貞順·正朝哀珍等, 領步軍一千, 天武軍大將軍元

· 「海州廣照寺眞澈大師寶月乘空之塔碑」, "大師「利嚴謂衆曰, '今歲法緣當盡, 必往他方, 吾與大王「太祖王建, 曩有因緣, 今當際會, 須爲面訣, 以副心期'. 便拏山裝, 旋臻筮卜, 此時上觀眡斾, 問罪馬津, 大師病甚虛羸, 任特, 不得詣螭, 頭留語入, 雞足有期 … 明日肩輿, 到五龍山頥, 使招諸弟子云, '佛有嚴戒, 汝曹勉旃'. 淸泰三年八月十七日, 中夜順化於當寺法堂, 俗年六十有七, 僧臘四十有八".

· 「開豊瑞雲寺了悟和尙眞原塔碑」, "… 遂使□赴塗山之會, 三千列國, 共尋踐土之盟, 所以釃岫遭殃, 馬津問罪, 恭行, 天□弃甲被, 束手以牽羊. 是以, 高仗靈威, 暫勞神用, 先鋤元惡, 似魏皇滅蜀之時".

72) 一善郡은 『익재난고』권9상, 忠憲王世家에는 崇善城으로 되어 있다. 또 이 기사를 통해 태조 왕건이 9월 1일(丁亥) 開京을 출발하였다고 類推하더라도 다음의 기사인 8일(甲午) 一利川(현재의 慶尙北道 龜尾市에 위치한 洛東江의 支流)에 도착할 수 있을까하는 의문이 제기되고 있다(金明鎭 2014년 209面). 그렇지만 위의 자료인 眞澈人師塔碑에 의하면 왕건은 8월 중순에 馬津, 곧 禮山縣에 滯在하고 있었기에, 그날까지 一利川에 도착하는데 문제가 없었을 것이다.

73) 翼日은 翌日과 通用되는 글자인데, 後者는 다음날[明日, 次日, 第二天]을 指稱한다.
· 『書經』, 金縢, (第1節의 末尾), "… 「周公歸, 乃納冊于金縢之匱中, 「武王翼日乃瘳[注, 孔傳, 翼, 明]".

74) 이날은 율리우스曆으로 936년 9월 26일(그레고리曆 10월 1일)이다.

75) 奇言은 『삼국사기』에는 奇彥으로 되어 있다.

76) 洪儒는 이 전투 이후에 행적이 찾아지지 않고, 死後에 忠烈이라는 시호를 받았다고 한다(『고려사』권92, 열전5, 洪儒). 三順은 『삼국사기』에는 王順으로 되어 있는데, 후자가 옳을 것이다.

77) 王乂는 金周元의 後孫이라고 한다.
· 열전1, 后妃1, 太祖, "大溟州院夫人王氏, 溟州人, 內史令乂之女".
· 열전22, 趙廉, 王伯, "初名汝舟, 江陵人. 本姓金, 新羅太宗五世孫周元之後. 遠祖乂佐太祖有功, 官內史令, 太祖納其女爲妃, 賜姓王".

78) 溟州는 溟州將軍으로 하여야 옳게 될 것이다. 大相은 大匡(2品上)으로 하여야 옳을 것인데, 庾黔弼은 923년(태조6) 4월 이전에 大匡이 되었다.

79) 鐵勒[Tigin]은 鐵勒·特勒·特勤으로도 표기되며 阿史那氏의 突厥國을 구성한 여러 부족을 제외한 터키족[突厥族, 위구루, 畏吾兒]의 總稱으로 九姓鐵勒 또는 九姓回鶻로도 불렸다(『唐會要』권98, 廻紇, 石見淸裕 2014年 ; 西村陽子 2016年). 이 기사에 보이는 黑水·達姑·鐵勒 등의 諸蕃勁騎는 靺鞨[女眞]으로 추측되므로 鐵勒은 黑水靺鞨에 속한 鐵利(또는 鐵驪)의 오자일 것이다. 또 『삼국사기』권50, 열전10, 甄萱에도 鐵利로 되어 있어 後者가 옳을 것이다.

尹宗熙・正朝見萱等, 領步軍一千, 杆天軍大將軍金克宗・元甫助杆等, 領步軍一千爲中軍. ○又以大將軍大相公萱・元尹能弼・將軍王含允等, 領騎兵三百・諸城軍一萬四千七百, 爲三軍援兵. 鼓行而前, 忽有白雲, 狀如劍戟, 起我師上, 向賊陣行. ○百濟左將軍孝奉・德述・哀述・明吉等四人, 見兵勢大盛, 免冑投戈, 降于甄萱馬前, 於是, 賊兵喪氣, 不敢動. 王勞孝奉等, 問神劍所在, 孝奉等曰, '在中軍, 左右夾擊, 破之必矣'. 王命大將軍公萱, 直擣中軍, 三軍齊進奮擊, 賊兵大潰. 虜將軍昕康・見達・殷述・今式・又奉等三千二百人, 斬五千七百餘級. 賊倒戈相攻.[80]

[某日], 我師追至黃山郡, 踰炭嶺, 駐營馬城.

[某日], 神劍與其弟菁州城主良劍・光州城主龍劍及文武官僚來降. 王大悅勞慰之, 命攸司虜獲百濟將士三千二百人, 並還本土, 唯昕康・富達・又奉・見達等四十人并妻子, 送至京師. 面責能奐曰, "始與良劍等, 謀囚君父, 立其子者汝也. 爲臣之義, 當如是乎". 能奐俛首不能言. 遂命誅之, 流良劍・龍劍于眞州尋殺之. 以神劍僭位爲人所脅, 罪輕二弟, 又且歸命, 特免死賜官. 於是, 甄萱憂懣發疽, 數日卒于黃山佛舍, [年七十. 萱多娶妻, 有子十餘人, 長子神劍前百濟主, 次子良劍康州都督, 第三子龍劍武州都督, 第四子金剛. 壻三重大匡朴英規:追加].[81]

[某日], 王入百濟都城, 令曰, "渠魁旣已納款, 無犯我赤子. 存問將士, 量才任用, 軍令嚴明, 秋毫不犯". 州縣按堵, 老幼皆呼萬歲相慶曰, "后來其蘇".

[某日], [□又謂英規曰, "自萱, 失國遠來, 其臣子, 無一人慰藉者, 獨卿夫婦, 千里嗣音, 以致誠意, 兼歸款於寡人, 義不可忘". 授以佐丞, 賜田千頃, 許以驛馬三十五匹, 迎致家人, 官其二子:節要轉載].

是月, 王至自百濟, 御威鳳樓, 受文武百官及百姓朝賀. 王旣定三韓, 欲使爲人臣子者, 明於禮節, 遂自製'政誡'一卷・'誡百寮書'八篇, 頒諸中外.[82]

---

80) 今式은 『고려사절요』에는 令式으로 되어 있다.

81) 이때의 전투는 『삼국사기』권50, 열전10, 甄萱에도 수록되어 있지만, 兩者 사이에 약간의 차이가 있으므로 함께 검토되어야 할 것이다. 또 良劍과 龍劍이 安置된 眞州는 貞州(現 開城市 開豊郡 豊德里 一帶)로 추측되지만(李丙燾 1961년 55面), 開京에 인접한 貞州가 貶所로 적합하지 않기에 三陟縣의 別號인 眞州일 가능성이 있다(지12, 지리3, 三陟縣, … 別號眞珠眞州, 金明鎭敎授의 敎示).
그리고 867년(咸通8, 景文王7)에 出生한 甄萱은 이때 70歲(滿 69세)에 薨去하였던 것 같고, 그의 墓所는 公州管內의 德恩縣(現 忠淸南道 論山市 鍊武邑 金谷里 山 18~3)에 있었다고 한다(지10, 지리1, 公州, 德恩縣, "有甄萱墓";『세종실록』권149, 지리지, 公州牧, 恩津縣;『신증동국여지승람』권18, 恩津縣, 塚墓, 朴淳發 2000년).

82) 寮字는 『고려사절요』에는 僚字로 되어 있지만, 『삼국사기』와 『고려사절요』에도 百僚를 百寮로 表記한 경우가 있다. 또 고려시대의 墓誌銘에도 百官을 '群寮百執'으로 표기하고 있음을 볼 때(崔允儀墓誌銘), 당시에는 寮와 僚는 並用되었던 것으로 추측된다. 中原에서도 寮와 僚가 함께 사용된 사례가 찾아진다 (『全唐文』권101, 梁太祖, 加恩前朝官寮詔・권109, 後唐明宗, 加恩臣寮父母勅・권107, 晋高祖, 示百寮御札).

[冬十月丙辰朔^{大盡,己亥}:追加].

[十一月丙戌朔^{大盡,庚子}:追加].
[是月丁酉^{12日}, 石敬瑭卽位於洛陽, 建立後晉, 改長興七年爲天復元年, 是爲高祖:追加].

[閏十一月丙辰朔^{小盡,庚午}:追加].
[是月辛巳^{26日}, 末帝自焚死, 後唐滅亡:追加].

冬十二月^{乙酉朔小盡,辛丑}, 丁酉^{13日}, 大匡裴玄慶卒.⁸³⁾ [玄慶, 慶州人, 膽力過人, 起於行伍. 太祖之東征西討也, 玄慶之功居多. 及疾篤, 王親幸其第, 執其手曰, "嗟乎, 命矣, 夫卿子孫在, 予其敢忘". 王出門, 而玄慶卒. 駐駕, 命官庀葬事, 而後還. 諡^一武烈, 後^{成宗十三年}配享太祖廟庭:節要轉載].⁸⁴⁾

是歲, 創廣興·現聖·彌勒·內天王等寺. 又創開泰寺於連山.⁸⁵⁾
[○改全州京爲安南都護府:地理2轉載].⁸⁶⁾
[○古沙夫里郡爲瀛州觀察使:地理2轉載→이는 성종 14년으로 移動함].⁸⁷⁾
[○百濟滅, ^{故佐平龔直之次子}金舒得還自全州:節要轉載].
[→百濟滅後, 羅州以俘囚百濟將軍具道子端舒, 換金舒, 還於父母:列傳5龔直轉載].

---

83) 이날은 율리우스曆으로 937년 1월 27일(그레고리曆 2월 1일)에 해당한다.
84) 이와 관련된 기사로 다음이 있다.
  · 지18, 禮6, 諸臣喪, "十二月, 大匡裴玄慶疾篤, 王親幸其第, 問疾, 王出門而玄慶卒. 王駐駕, 命官庀葬事, 而後還".
  · 열전5, 裴玄慶, "^{太祖}十九年, 疾篤, 太祖幸其第, 執其手曰, '嗟乎命矣. 夫卿子孫在, 予其敢忘'. 太祖出門, 而玄慶卒, 遂駐駕, 命官庀葬事而後還. 諡武烈, 子殷祐".
85) 이와 관련된 기사로 다음이 있다.
  · 지10, 지리1, 連山郡, "… 有開泰寺, 太祖旣平百濟, 創大刹於黃山之谷, 改山爲大護, 名寺爲開泰".
  · 『頭陀草』9冊, 過開泰寺舊址有感, "麗太祖欲伐甄萱, 以全州地形似鼓, 創開泰於龜頭, 以壓之云. 寺有鐵鑊甚巨, 在燕山鄕校前, 歲旱移動, 輒致雷雨".
  · 『雪汀詩集』권4, 詠開泰寺舊址鐵器, "如錡如鼎又如鉒, 一色蒼然叓有聲, 萬古誰知是神物, 旣能雷雨亦能晴".
86) 原文은 다음과 같다.
  · 지11, 지리2, 全州牧, "又稱完山. 後甄萱, 立都於州, 太祖滅之, 改安南都護府".
87) 原文은 다음과 같은데, 觀察使가 설치된 995년(성종14)으로 移動하여야 할 것이다(尹京鎭 2012년 392面, 校正事由).
  · 지11, 지리2, 古阜郡, "本百濟古沙大里郡, 新羅景德王, 改今名. 太祖十九年^{成宗十二年}, 稱瀛州觀察使".

[○改何瑟羅州爲東原京:地理3溟州轉載].⁸⁸⁾

[○改稱鳧伊縣爲雲鳳縣:追加].⁸⁹⁾

[增補].⁹⁰⁾

丁酉[太祖]二十年, 後晉天福二年[高麗行後唐淸泰四年], [西曆937年]

937년 2월 13일(Gre2월 18일)에서 938년 2월 1일(Gre2월 6일)까지, 354일

[春正月甲寅朔^{大盡,壬寅}:追加].

[二月甲申朔^{大盡,癸卯}:追加].

[三月甲寅朔^{小盡,甲辰}:追加].

[夏四月癸未朔^{小盡,乙巳}:追加].

夏五月^{壬子朔大盡,丙午}, 癸丑^{2日}, □□^{敬本}金傳獻鏤金安玉排方腰帶, 長十圍, 六十二銙. 新羅寶藏, 殆四百年, 世傳聖帝帶. 王受之, 命元尹弋萱, 藏于物藏. 初^{太祖3年}, 新羅使金律來, 王問曰, "聞新羅有三大寶, 丈六金像·九層塔幷聖帝帶也, 三寶未亡, 國亦未亡. 塔像猶存, 不知聖帶, 今猶在耶?". 律對曰, "臣未嘗聞聖帶也". 王笑曰, "卿爲貴臣, 何不知國之大寶". 律慚□^而還, 告其王. ○王問群臣, 無能知者. 時有皇龍寺僧, 年過九十者曰, "予聞聖帶, 是眞平大王所服□^也, 歷代傳之, 藏在南庫". 王遂開庫, 風雨暴作, 白晝晦冥, 不得見. 乃擇日齋祭, 然後見之. 國人以眞平王, 是聖骨之王, 稱曰'聖帝帶'.⁹¹⁾

---

88) 原文에는 "溟州, … 高句麗, 稱河西良[一云何瑟羅州], 新羅善德王, 爲小京, 置仕臣. 太宗王五年, 以地連靺鞨, 罷京爲州, 置都督, 以鎭之. 景德王十六年, 改今名, 惠恭王十二年, 復古. 太祖十九年, 號東原京"으로 되어 있다.

89) 이는 다음의 자료에 의거하였다.
 · 『경상도지리지』, 安東道, 靑松郡, "淸泰內中, 又改雲鳳縣".

90) 이해에 太祖 王建이 用兵하여 新羅·百濟를 격파하고 東夷諸國을 통일하였는데, 2京·6府·9節度·120郡이 있고 10省 4部官이 설치되었다고 전해졌다(『자치통감』 권280, 後晉紀1, 高祖天福 1년 12월 ; 『陸氏南唐書』 권18, 열전15, 高麗 ; 『자치통감강목』 권56, 後晉 高祖天福 1년 12월).

91) 添字는 『고려사절요』 권1에 의거하였다. 또 金律이 고려에 파견된 것은 920년(태조3) 10월이고, 신라에 귀환한 후 三寶에 것을 보고한 것은 明年(태조4, 경명왕5) 1월이다. 그리고 다른 보물의 하나였던 萬波息笛은 조선왕조 전기까지 그 존재가 알려지고 있었던 것 같다.
 · 『삼국사기』 권12, 경명왕 5년 1월, "春正月, 金律告王曰, '臣往年奉使高麗, 麗主問臣曰, 聞新羅有三寶, 所謂丈六尊像·九層塔, 幷聖帶也. 像塔猶存, 不知聖帶今猶在耶?'. 臣不能答. 王聞之, 問群臣曰, '聖帶是何寶物耶?'. 無能知者. 時有皇龍寺僧, 年過九十者曰, '予嘗聞之, 寶帶, 是眞平大王所服也, 歷代傳之, 藏在南庫'.

[六月壬午朔^{小盡,丁未}:追加].

[秋七月辛亥朔^{大盡,戊申}:追加].

[八月辛巳朔^{小盡,己酉}, 丁酉^{17日}, 僧惠雲奉敕撰‘開豊瑞雲寺了悟和尙<u>順</u>之塔碑陰’:追加].[92]

[九月庚戌朔^{人盡,庚戌}, 基州毗盧庵僧□^{慧?}<u>運</u>入寂. 諡眞空大師, 塔名普法之塔:追加].[93]

[冬十月^{庚辰朔人盡,辛亥}, 某日, 契丹遣使, 來:追加].[94]

[己亥^{20日}, 建海州須彌山廣照寺眞澈大師利嚴塔碑:追加].[95]

王遂令開庫, 不能得見. 乃以別□, 齋祭然後, 見之. 其帶粧以金□, 其長, 非常人所可束也. …”.

· 『삼국유사』 권1, 紀異2, 天賜玉帶, [注, 淸泰四年丁酉^{太祖20年}五月, 正承金傳獻鍍金粧方排玉腰帶一條, 長十圍鑴鈑六十二, 曰是眞平王天賜帶也. 太祖受之, 藏之內庫].

· 『연산군일기』 권54, 10년 7월 丙辰^{28日}, “傳曰, 慶州玉笛令本道上送”.

· 『연산군일기』 권55, 10년 8월 癸酉^{16日}, “傳于政院曰, ‘玉笛何以在慶州, 移藏於內庫何如’. 承旨等啓, 新羅舊物, 故藏于舊都耳. 然移於內庫何妨’.

· 『拙翁集』 권3, 鷄林玉笛[注, 笛於壬子年, 爲烈焰所傷, 幾至破壞, 故及之]. 이는 洪聖民(1536~1594)의 詩文이므로 1552년(명종7, 壬子)에 玉笛이 파손되었던 것 같다.

· 『退憂堂集』 권10, 南征錄(1660年撰), “三月十三日, 留慶州, 早食後將發向永川, 大風振地, 人不敢出, 主人府伯再三挽留, 仍停行. 崔龍宮又持酒饌來, 餉作別, 求禮・彦陽亦來, 仍請府尹同參, 取玉簪見之, 爲鬱攸所災, 惟有一掬碎片, 可惜. 又有玉燭三條, 亦是舊物云”.

· 『息山集』 別集권4, “萬波息笛, 歷世所寶云, 而事止常理, 有玉笛, 國初時猶存, 前人多歌詠之, 今不傳, 可欺. 肅廟朝, 有人作室掘土開基, 得一靑玉笛, 而折其央, 遂獻于官, 藏之. 取而觀其制, 長尺有咫, 象竹節十二, 經一寸有奇, 此亦羅對作也. 遂以白臘粘之, 粧以白金, 使工吹弄, 聲甚淸朗, 可聽”.

· 『臺山集』 권3, 詠新羅三物, “東京舊有白玉笛, 世傳麗祖取入松京, 聲不出, 命還之故處. 而樂工能擧者, 亦世僅一人. 其事有無不可知, 以後經火燒破碎不傳, 今在者, 乃碧玉笛. 本朝肅宗時, 得於地中者, 文人賦詠, 猶冒前事, 未免爽實, 而要之亦羅代舊物也. 有二處折傷, 用銀綴束, 吹之勁亮, 異於竹聲”.

· 『守宗齋集』 권8, 南遊日記, 1857년(哲宗8, 丁巳) 4月, “十九日, 偕鄭兄^{哲華}, 率吹玉笛者二人, 登鳳凰臺, 見人定鍾, 上南門樓, 主官^{尹章錫}亦山來. 五侯還衙, 玉笛淸黃各一, 而琢玉如竹形, 甚奇, 其聲淸亮, 則過於竹, 而度曲諧音, 似不如竹”. 여기에서 添字는 筆者가 추가하였고, ‘度曲諧音’의 度曲은 歌唱, 歌聲을, 諧音은 音律, 聲音을 가리키므로 이를 합하여 音律과 聲調라고 생각하면 좋겠다.

[92] 이는 다음의 자료에 의거하였는데, 이에서 是年을 ‘淸泰四年’으로 기록된 것이 주목된다.
· 「開豊瑞雲寺了悟和尙眞原塔碑」 碑陰, “… 淸泰四年八月十七日記”.

[93] 이는 「豊基毗盧庵眞空大師普法之塔碑」에 의거하였다(金石總覽 135面 ; 李智冠 2004년 1冊 90面). 이날은 율리우스曆으로 937년 10월 7일(그레고리曆 10월 12일)에 해당한다.

[94] 이는 다음의 자료에 의거하였는데, 실제로 使臣이 도착하였는지는 알 수 없다.
· 『요사』 권3, 本紀3, 天顯 12년 9월, “辛未^{22日}, 遣使高麗・鐵驪”.

[95] 이는 「海州廣照寺眞澈大師寶月乘空之塔碑」에 의거하였다.

[十一月^{庚戌朔小盡,壬子}, 某日, 軍岳鄉牛生犢, 一身兩頭:五行3轉載].

[十二月己卯朔^{小盡,癸丑}:追加].

[□□^{是歲}],96) 遣王規・邢順如晋, 賀登極.

[○城順州六百十閒, 門五, 水口九, 城頭十五, 遮城六:兵2城堡轉載].

[○遣使如日本, 移牒:追加].97)

[○賜額鵲岬寺爲雲門禪寺:追加].98)

[是年頃, 開州瑞雲寺僧曾玄・朗虛等造成了悟和尙順之塔碑:追加].99)

戊戌[太祖]二十一年, 後晋天福三年[高麗行後唐淸泰五年], [西曆938年]

938년 2월 2일(Gre2월 7일)에서 939년 1월 22일(Gre1월 27일)까지, 355일

[春正月戊申朔^{大盡,甲寅}:追加].

[二月戊寅朔^{人盡,乙卯}:追加].

春三月^{戊申朔大盡,丙辰}, [某日], 西天竺僧弘梵大師喹哩囀日羅來, 本摩竭陁國大法輪菩提寺沙門也.100) 王大備兩街威儀法駕, 迎之.101)

---

96) 여기에서 是歲가 탈락되었을 것이다.

97) 이는 다음의 자료에 의거하였는데, 使臣을 파견한 것인지, 後代와 같이 兩國을 왕래하던 商人을 통해 牒만을 보낸 것인지는 알 수 없다.
   ・『日本紀略』後篇2, 朱雀, 承平 7년 8월, "五日乙酉, 左^{藤原仲平}・右大臣^{藤原恒佐}已卜着左仗, 開見高麗國牒等".

98) 이는 『삼국유사』 권4, 義解5, 寶壤梨木에 의거하였다.

99) 이는 「開豊瑞雲寺了悟和尙眞原塔碑」에 의거하였다. 이 탑비의 前文[本碑] 冒頭가 탈락되어 撰者와 書者를 알 수 없으나 文體를 통해 볼 때, 碑陰記의 冒頭인 "如羆縣制置使・元輔・檢校尙書左僕射・兼御史大夫□□□□□□□□□□^{上柱國崔彦撝奉敎撰}"은 前面의 撰者로 추측되고, 碑陰은 王命을 받은 僧 慧雲이 記述한 것으로 추측된다.

100) 沙門에 대한 설명으로 다음이 있다.
   ・『자치통감』 권191, 唐紀7, 高祖武德 9년(626) 4월 丁卯, "... 太史令傅奕上疏, 請除佛法曰, ... 竊見^{北齊}朝章仵子佗表言, 僧尼徒衆, 糜損國家, 寺塔奢侈, 虛費金帛[胡三省注, 沙門^{saramana}, 或曰桑門, 亦聲相近, 總謂之僧, 皆胡言也. 僧, 譯爲和命衆, 桑門, 爲心息, 比丘, 爲乞, 俗人之信憑道法者, 男曰優波塞, 女曰 優波夷. 其爲沙門者, 初脩十戒, 曰沙彌, 而終二百五十, 則其足成人僧. 佛弟子收奉舍利, 建宮宇, 謂爲塔, 亦胡言, 猶宗廟也, 故世稱塔廟], 爲諸僧附會宰相, 對朝譏毀[注, 言對朝廷而肆譏毀也], ...".

[夏四月戊寅朔[小盡, 丁巳]:追加].

[五月丁未朔[小盡,戊午]:追加].

[六月[丙子朔大盡, 丁巳], 某日, 入吳越國使張訓等還:追加].[102)]

101) 이 기사와 관련된 자료는 다음과 같다.

- 『구오대사』 권76, 晋書2, 高祖紀2, 天福 2년 1월 丙寅[13日], "是日, 詔曰, 西天中印土摩竭陀舍衛國大菩提寺三藏阿闍梨沙門室利縛羅宜, 賜號宏梵大師".
- 『자치통감』 권285, 後晋紀6, 齊王下, 開運 2년(945) 10월 癸巳[20日], "初, 高麗王建用兵, 呑滅鄰國, 頗彊大[强大], 因胡僧囉襪囉言於高祖曰, '渤海, 我昏姻[婚姻]也, 其王爲契丹所虜, 請與朝廷共擊取之'. 高祖不報, 及帝與契丹爲仇, 襪囉復言之, 帝欲使高麗, 擾契丹東邊, 以分其兵勢. 會建卒, 子武自稱權知國事, 上表告喪. 十一月戊戌[5日], 以武爲大義軍使高麗王, 遣通事舍人郭仁遇使其國, 諭指使擊契丹. 仁遇至其國, 見其兵極弱, 曏者襪囉之言, 特建爲誇誕耳, 實不敢與契丹爲敵. 仁遇還, 武更以它故爲解".
- 『자치통감』 권285, 後晋紀6, 齊王下, 開運 2년(945) 11월, "戊戌[5日], 胡注[胡三省注], 宋白曰, 晋天福中, 有西域僧襪囉來朝, 善火卜. 俄辭高祖, 請遊高麗, 王建甚禮之. 時契丹倂渤海之地, 有年矣. 建因從容謂襪囉曰, '渤海吾親戚之國, 其王爲契丹所虜. 我爲朝廷, 攻而取之, 且欲平其舊怨. 師廻, 爲言於天子, 黨定期當襲之'. 襪囉還具奏, 高祖不報. 出帝與契丹交兵, 襪囉復奏之. 帝遣郭仁遇飛詔諭建, 深攻其地, 以牽脅之. 會建已卒, 武知國事, 與其父之大臣不叶, 自相魚肉. 內難稍平, 兵威未振, 且夷人怯懦, 襪囉之言, 皆建虛誕耳". 이는 1001년(咸平4) 宋白(936~1012)이 편찬하였으나 현재는 逸書가 된 『續通典』의 내용을 인용한 것으로 추정된다고 한다(森平雅彦 2012年 95面).
- 『역옹패설』前集1, "通鑑載, 我太祖因胡僧襪囉, 言於晋高祖曰, '渤海我婚姻也, 其王爲契丹所虜. 請與朝廷共擊取之'. 高祖不報. 及少帝與契丹爲仇, 襪囉復言之. 少帝欲使我擾契丹東邊, 以分其兵勢, 遣郭仁遇使我, 見其兵甚弱, 向者襪囉之言, 特誇誕耳, 其言如是".
- 「原州居頓寺圓空國師勝妙塔碑」, "… 年甫八歲, 强抛跨竹, 擬駕眞乘, 忽罷弄璋, 思探法寶. 會弘梵三藏來, 寓舍那寺, 遂踵門而詑乞, 主善爲師, 便合投針, 容令落髮. 方依隅座, 未換簷灰, 及梵尋泛人洋, 却歸中印, 旣不同舟, 而濟固當送往事". 이는 圓空國師 智宗이 8歲에 舍那寺에 居住하고 있던 印度僧 弘範三藏에게 나아가 落髮하고 得度한 모습으로, 그의 나이로 계산하면 937년에 해당하는데, 塔碑를 편찬할 때 착오가 생길 수도 있을 것이다.

이상의 자료를 통해 볼 때 印度의 北部地域에 위치한 Magadha 地域 슈라위스티[舍衛國]의 大法輪菩提寺 僧侶 啰哩嚩日羅(生沒年不詳)는 室利縛羅宜 또는 襪囉라고도 불리며, 937년(天福2) 1월 後晋에 滯在하고 있다가 高祖로부터 弘梵大師라는 法號를 下賜받았다 한다(중국 측의 자료에는 宏梵大師로 되어 있으나 이는 清代에 板刻된 『구오대사』에서 高宗 乾隆帝의 이름인 弘曆을 避하여 宏으로 改書하였기 때문이다).

이후 그는 高祖의 허락을 받아 고려에 遊覽하여 태조 왕건의 知遇를 받았는데, 왕건이 그에게 발해를 멸망시킨 契丹을 공격하겠다는 의사를 高祖에게 전하여 달라고 하였다고 한다. 後晋에 귀환하여 이를 復命하였으나 받아들여지지 않았다가 出帝(942~946)가 즉위한 후 받아들여져서 고려의 援兵을 요청하는 使臣으로 郭仁遇가 파견되었으나 실제의 사정은 襪囉의 말과 같지 않았다고 한다. 한편 그는 開城의 舍那禪院에 머물면서 나이가 어린 圓空國師 智宗(930~1018)을 訓育하다가 海路로 中印度로 귀국하려고 하였다.

102) 이는 다음의 자료에 의거하였다.

- 『陸氏南唐書』 권18, 열전15, 高麗列傳, "昇元二年, 遣使來, 貢方物. 所上書稱牋, 人略云, 今年六月內, 當國中原府, 入吳越國使張訓等回伏聞, 大吳皇帝, 已行禪禮, 中外推戴, 卽登大寶者, …".

秋七月^{丙午朔小盡,庚巾}, 壬子^{7日}, 碧珍郡將軍李忩言卒.¹⁰³⁾ [年八十一:列傳5李忩言轉載]. [新羅之季, 群盜競起, 唯碧珍郡, 爲忩言所保, 民賴以安. 王遣人, 諭以同心戮力, 底定禍亂. 忩言, 奉書甚喜, 卽遣其子永, 將兵, 從王征討. 王善之, 以大匡思道貴女, 妻之, 拜忩言, □^爲本邑將軍, 恩賚稠重. 忩言感激, 鍊兵峙糧, 以孤城, 介於新羅·百濟, 必爭之地, 屹然爲東南聲援:節要轉載].¹⁰⁴⁾

是月, 始行後晋年號.¹⁰⁵⁾

○築西京羅城.¹⁰⁶⁾

[八月^{乙亥朔人盡,辛酉}, 某日, 大內柳院, 僵槐自起:五行2轉載].

[九月^{乙巳朔小盡,壬戌}:追加].
[冬十月^{甲戌朔人盡,癸亥}:追加].

[十一月^{甲辰朔人盡,甲戶}:追加].
[是月丙寅^{23日}, 契丹改天顯十三年爲會同元年:追加].

冬十二月^{甲戌朔小盡,乙丑}, [某日], 耽羅國太子末老來朝, 賜星主·王子爵.¹⁰⁷⁾

---

103) 이날은 율리우스曆으로 938년 8월 5일(그레고리曆 8월 10일)에 해당한다.

104) 이와 같은 기사가 열전5, 王順式, 李忩言에도 수록되어 있다.

105) 그런데 『東都歷世諸子記』에는 "淸泰六年己亥改天福始行高麗國號"로 되어 있다. 이는 "淸泰 6年(己亥) 後唐의 年號인 淸泰를 後晋의 年號인 大福으로 바꾸고 비로소 高麗라는 國號를 사용하였다."라고 해석할 수 있다. 여기에서 始行高麗國號는 高句麗라는 國號를 高麗로 改稱한 것으로 이해되지만, 그 의미를 분명히 알 수는 없다.

106) 이 기사는 지36, 兵2, 城堡에도 수록되어 있다.

107) 이때 末老에게 하사된 星主, 王子와 같은 爵位의 出來는 다음의 자료를 통해 알 수 있다.
   · 『세종실록』 권151, 지리지, 濟州牧, "其州古記云, 太初無人物, 三神人從地湧出, … 至十五代孫高厚·高淸昆弟三人, 造舟渡海, 至于耽津, 蓋新羅盛時也. 于時, 客星現于南方, 太史奏曰, '異國人來朝象也'. 遂朝新羅, 王嘉之, 稱長子曰星主, 以其動星象也. 二子曰王子, 王令淸出胯下, 愛如己子 故名之. 季子曰都內. 邑號曰耽羅, 蓋以新羅時初泊耽津故也. 各賜寶蓋·衣帶而還. 自此子孫蕃盛, 敬事國家, 改以高^厚爲星主, 良□^那爲王子, 夫□^{乙那}爲都上^{從上}. 後又改良□^{乙那}爲梁□^{乙那}, …". 여기에서 添字는 筆者가 추가하였는데, 都上은 從上의 오자일 것이다(→의종 7년 11월 15일의 脚注).
   · 『동문선』 권101, 星主高氏家傳, "… 至高乙那十五世孫高厚與其弟高淸, 將朝見新羅, 有客星先現, 觀臺報云, '異邦神人來朝之徵也'. 旣而高厚兄弟渡海, 初泊耽津, 遂至新羅, 王嘉待之, 以客星先現之故, 賜高厚爵星主, 且令高淸, 出王之胯下, 愛如己子, 爲王子. 賜邑號曰耽羅, 蓋自耽津, 至新羅故也. 羅史載之甚詳. 前朝太祖統三之初, 星州高自堅, 王子梁且美, 卽良乙那之後, 皆以梁聲相近也, 世一朝見, 太祖待以優渥, 畵日三接, 飮食供帳, 殆擬王者. 自率從於權夫, 賚予稠疊, 盖所以寵異之也"(鄭以吾 作). 添字와 고쳐야 옳게 될 것이다.

是歲, 渤海人朴昇, 以三千餘戶來投.

[○城永淸縣, 城陽岊鎭二百五十二閒, 門三, 水口‧城頭‧遮城各二. ○城龍岡‧平原:兵2城堡轉載].[108]

[○遣正朝‧廣評侍郞柳勳律, 如南唐:追加].[109]

己亥[太祖]二十二年, 後晉天福四年, [西曆939年]

939년 1월 23일(Gre1월 28일)에서 940년 2월 10일(Gre2월 16일)까지, 13개월 384일

[春正月癸卯朔^大盡,丙寅:追加].

[二月^癸酉朔大盡,丁卯, 某日, 契丹遣使, 來:追加].[110]

春三月^癸卯朔小盡,戊辰, 戊辰^26日, [穀雨]. 佐丞龔直卒.[111]

[→直, 以佐丞卒. 太祖遣使致弔, 贈政匡. 謚奉義. 以咸舒爲嗣, 後又贈司空‧三重大匡:列傳5 龔直轉載].

---

108) 이 기사와 관련된 자료로 다음이 있다.
  • 『고려사절요』 권1, 태조 21년, “是歲, 城陽巖‧龍岡‧平原”.
  • 지12, 지리3, 北界, 安北大都護府, 陽岩鎭, “陽岩鎭, 人祖二十一年, 築城”.
109) 이는 다음의 자료에 의거하였다.
  • 『육씨남당서』 권1, 本紀1, 烈祖, “昇元二年六月, 是月, 高麗使正朝‧廣評侍郞柳勳律來朝貢”.
  • 『육씨남당서』 권18, 열전15, 高麗列傳, “昇元二年, 遣使來, 貢方物. 所上書稱牋, 大略云, 今年六月內, 當 國中原府, 入吳越國使張訓等回伏聞, 人吳皇帝, 已行禪禮, 中外推戴, 卽登人寶者. 伏惟皇帝陛下, 道契三無, 恩涵九有, 堯知天命, 已去卽禪, 瑤圖舜念, 歷數在躬, 遂傳卡璽, 建凤惟庸陋, 獲託生成, 所恨沃日波瑤, 浮天 浪闊. 幸遇龍飛之旦, 阻申燕賀之儀, 無任餉仁, 戴埋鼓舞, 激切之至, 儀式如表. 而不稱臣, 烈祖御武功殿, 設 細杖見其使. 自言, 代主朝覲, 拜舞甚恭. 宴于崇英殿, 出龜玆樂, 作番戲, 召學士承旨係忌侍宴”.
110) 이는 다음의 자료에 의거하였는데, 실제로 使臣이 도착하였는지는 알 수 없다.
  • 『요사』 권4, 본기4, 太宗下, “會同二年正月乙巳3日, 以受冊冊, 遣使報南唐‧高麗”.
  • 『요사』 권115, 열전45, 二國外記, 高麗, “會同二年, 受晉上尊號冊, 遣使往報”.
111) 龔直에 관련된 자료로 다음이 있다. 또 이날은 율리우스曆으로 939년 4월 18일(그레고리曆 4월 23일) 에 해당한다.
  • 『立齋遺稿』 권3, 龔伐院[注, 龔直, 甄萱之將也. 萱無道. 歸附高麗, 後人指其所居, 謂龔伐院. 今謂龔太院 者, 俚俗字音之變, 故末兩句及之].

[夏四月^{壬申朔大盡,己巳}, 丙戌^{15日}, 建砥平縣菩提寺大鏡大師<u>麗嚴</u>塔碑, 京內人<u>崔文尹</u>刻字:追加].[112]

[五月壬寅朔^{小盡,庚午}:追加].

[六月辛未朔^{小盡,辛未}:追加].

[秋七月庚子朔^{大盡,壬申}:追加].

[閏七月庚午朔^{小盡,壬申}:追加].

[八月己亥朔^{大盡,癸酉}, 廣評省牒尙州赤牙縣鷲山境淸禪院洪俊和尙門下僧徒, 認許造成寺刹:追加].[113]

[癸丑^{15日}, 建基州毗盧庵眞空大師□運塔碑, <u>崔煥規</u>^{崔奐規}刻字:追加].[114]

[九月己巳朔^{小盡,甲戌}:追加].

[冬十月戊戌朔^{大盡,乙亥}, 尙州赤牙縣鷲山境淸禪院僧<u>洪俊</u>入寂, 年五十八, 臘四十八. 諡慈寂禪師, 塔名凌雲之塔:追加].[115]

[十一月戊辰朔^{小盡,丙子}:追加].

[十二月丁酉朔^{大盡,丁丑}:追加].

[是歲, 晉遣國子博士謝攀來,冊王,爲開府儀同三司·檢校太師,餘如故→太祖24年으로 옮겨감].[116]

[○城肅州一千二百二十五閒, 門十, 水口一, 城頭七十. ○城大安州:兵2城堡轉載].[117]

[○遣使如日本, 移廣評省牒, 請通交:追加].[118]

---

112) 이는 「砥平菩提寺大鏡大師玄機塔碑」에 의거하였다.

113) 이는 「榮州境淸禪院慈寂禪師凌雲塔碑」의 碑陰에 수록된 '廣評省牒[都評省帖]'에 의거하였는데(보물 제 1648호, 許興植 1984년 313面 ; 李智冠 2004년 1冊 163面), 都評省은 당시의 最高政務機關이었던 廣評 省(別稱은 都省)의 다른 表記, 또는 誤字일 것이다(→경종 즉위년 10월 26일의 脚註).

114) 이는 「豊基毗盧庵眞空大師普法之塔碑」에 의거하였는데, 여기에서 刻工(刻字工匠)崔煥規는 崔奐規의 다른 表記일 가능성이 있다.

115) 이는 「榮州境淸禪院慈寂禪師凌雲塔碑」에 의거하였다. 이날은 율리우스曆으로 939년 11월 14일(그레고리 曆 11월 19일)에 해당한다.

116) 중국 측의 각종 자료에 의하면 國子博士 謝攀이 고려에 파견된 것은 941년(大福6, 태조24)로 되었다. 추측컨대 『고려사』의 내용은 黃周亮에 의한 『칠대실록』의 편찬, 또는 조선초기의 『고려사』의 편찬 때 에 연대정리[繫年]를 잘못한 것 같다[校正事由].

117) 이 기사와 관련된 자료로 다음이 있는데, 여기에서 添字가 脫落되었을 것이다.
· 『고려사절요』 권1, 태조 22년, "^{是歲,} 城人安□^州".
· 지12, 지리3, 北界, 安北大都護府, 慈州, "慈州, 本高麗文城郡, 太祖二十二年, 改爲大安州".

940년 2월 11일(Gre2월 16일)에서 941년 1월 29일(Gre2월 3일)까지, 354일

[春正月丁卯朔^{大盡,戊寅}:追加].

[二月丁酉朔^{大盡,己卯}:追加].

春三月^{丁卯朔小盡,庚辰}, [某日], 改州府郡縣號.[119]

[→以慶州爲大都督府, 改諸州郡號:節要轉載].[120]

[□□□^{是時頃}, ○改開州管內如羆縣爲松林縣, 臨湍縣爲麻田縣, 重城縣爲積城縣. ○改漢陽郡爲楊州, 來蘇郡爲見州, 堅城郡爲抱州, 遇王縣[一云王逢]爲幸州, 荒壤縣爲豊壤縣. ○改長堤郡爲樹州, 穀壤縣爲衿州, 分津縣爲通津縣. ○改唐恩郡爲唐城郡. ○改獐口郡爲安山郡, 車城縣爲龍城縣, 赤城縣爲陽城縣. ○改海口郡爲江華縣, 首鎭縣爲鎭江縣, 冱陰縣爲河陰縣. ○改漢州爲廣州, 泝川郡[泝一作沂]爲川寧郡, 介山郡爲竹州, 栗津郡爲果州, 巨黍縣爲龍駒縣, 濱陽縣爲楊根縣. ○改中原京爲忠州, 槐壤郡爲槐州. ○改北原小京爲原州, 奈城郡爲寧越郡, 奈堤郡爲堤州, 白鳥縣爲平昌縣, 赤山縣[一云赤城縣]爲丹山縣, 子春縣爲永春縣, 黃驍縣爲黃驪縣[一云黃利縣]. ○改西

---

118) 이는 다음의 자료에 의거하였다.
 · 『貞信公記抄』, "天慶二年二月十五日, 高麗牒付^{大江}朝綱". 이는 藤原忠平이 高麗의 牒을 大江朝綱에게 전달한 것을 기록한 것이다.
 · 『日本紀略』後編2, "天慶二年三月十一日癸丑, 太宰府牒高麗廣評省, 却歸使人".
 · 『帥記』, 承曆 4년 閏8월 5일, "大慶年中, 高麗國使下神秋連陳狀, 彼國王愁怨被停朝貢之事者, 以件方物可准朝貢者, 忽乖前議, 可難容納歟, 然則被尋彼例, 可被量行歟". 여기에서 神秋連은 申秋連의 誤字로 추측된다.

119) 이와 관련된 자료로 다음이 있다.
 · 지10, 지리1, 序文, "至^{太祖}二十三年, 始改諸州府郡縣名".
 · 지11, 지리2, 金州, "太祖二十三年, 改州府郡縣名, 爲金海府".

120) 이와 관련된 다음의 두 자료가 있지만 前後의 事情을 잘 정리하지 못한 것 같고, 傳寫過程에서 글자의 排列에도 轉倒가 있었던 것 같다. 이를 『고려사』에 수록된 제반 기록을 참조하여 재정리하면 다음과 같이 改書될 수 있을 것이다.
 · a 『동도역세제자기』, "大福五年庚子, 廣評省吏白文色, 以除新羅國號, 改爲安東大都護府, 邑號慶州司都督府, 大改差慶州堂祭拾. 是年功臣數科第, 東南海都部署使本營始排".
 →改書, "天福五年庚子, 以廣評省吏白文色, 改安東大都護府爲慶州大都督府, 改差慶州邑司堂祭拾人, 又東南海都部署使司本營, 始排. 是年, 定功臣人數及科次".
 · b 『경상도지리지』, 慶尙道, 慶州府, "大福己亥^{4年}, 改爲安東都護府, 邑號慶州司. 始爲東南海都部署使本營". 여기에서 時期가 a보다 1년 전인 939년(태조22)으로 되어 있고 郡縣의 변동에 대한 朝廷의 결정이 前年에 있었고, 그 執行이 是年에 이루어 진 것으로 읽을 수 있을 것이다[讀].
 →改書, "大福四年己亥, 改安東大都護府邑號, 爲慶州大都督府司, 始爲東南海都部署使司本營".

原京爲淸州, 大麓郡爲木州, 黑壤郡[黑一作黃]. 降州, 後改鎭州, 金地縣爲全義縣, 古薩買縣爲淸川縣, 都西縣爲道安縣, 靑淵縣爲靑塘縣, 昧谷縣爲懷仁縣. ○改熊州爲公州, 德殷郡爲德恩郡, 比豊郡爲懷德郡, 黃山郡爲連山郡, 赤烏縣爲德津縣, 鎭嶺縣爲鎭岑縣, 石山縣爲石城縣, 悅城縣爲定山縣, 淸音縣爲新豊縣. ○改洪州管內任城郡爲大興郡, 目牛縣爲高丘縣, 新邑縣爲保寧縣, 靑武縣爲靑陽縣, 餘邑縣爲餘美縣, 新良縣爲驪陽縣[驪一作黎]. ○天安府管內溫井郡爲溫水郡, 陰峯縣爲仁州, 祈梁縣爲新昌縣, 馴雉縣爲豊歲縣, 古河八縣爲平澤縣, 蛇山縣爲稷山縣, 白城郡爲安城縣, 翰山縣爲鴻山縣, 馬山縣爲韓山縣, 地育縣爲地谷縣:地理1轉載].

[○陞□□慶州爲大都督府, 改其州六部名, 梁部爲中興部, 沙梁爲南山部, 本彼爲通仙部, 習比爲臨川部, 漢祗爲加德部, 牟梁爲長福部. 義昌郡爲興海郡, 獐山郡爲章山郡, 壽昌郡爲壽城郡, 海阿縣爲淸河縣, 臨汀縣爲延日縣, 磬立縣爲長鬐縣. ○改河曲[一作河西]爲蔚州. ○有隣郡爲禮州, 斤乙於郡爲平海郡, 野城郡爲盈德郡, 積善縣爲鳧伊縣. ○改金海小京爲金海府, 漆隄縣爲漆園縣[園一作原]. ○改良州爲梁州. ○改密城郡管內火王郡爲昌寧郡, 玄驍縣爲玄豊縣[豊一作風], 尙藥縣爲靈山縣, 上火村縣爲豊角縣. ○改康州管內闕城郡爲江城縣, 尙善縣爲永善縣. ○改江陽郡管內丹邑縣爲丹溪縣, 含陰縣爲加召縣[因方言相近, 變召爲祚], 餘善縣爲感陰縣, 宜桑縣爲新繁縣, 八溪縣爲草溪縣. ○改沙伐州爲尙州, 冠山縣爲聞喜郡, 三年郡爲保齡郡[後轉而爲保令郡], 耆山縣爲靑山縣, 嘉猷縣爲山陽縣, 大幷部曲爲功城縣, 安賢縣爲安定縣[定一作貞], 道安縣爲中牟縣, 靑驍縣爲靑理縣, 嘉善縣爲加恩縣. ○改碧珍郡爲京山府, 大木縣爲若木縣,[121] 星山郡爲加利縣, 八里縣爲八居縣[後居音轉而爲莒], 安貞縣爲安邑縣. ○安東府管內曲城郡爲臨河郡, 善谷郡爲禮安郡, 直寧縣爲一直縣, 殷正縣爲殷豊縣, 玉馬縣爲奉化縣, 緣武縣爲安德縣, 下枝縣爲豊山縣, 基木鎭爲基州縣, 岌山郡爲興州, 禮泉郡爲甫州. ○改安南都護府爲全州, 野山縣爲朗山縣, 杜城縣爲伊城縣. ○改南原小京爲南原府, 淳化郡爲淳昌郡, 壁溪郡爲長溪縣, 靑雄縣爲居寧縣[居一作巨], 高澤縣爲長水縣. ○改古阜郡管內喜安縣爲保安縣, 武城縣爲仁義縣, 武邑縣爲富潤縣, 伊城縣爲富利縣, 丹川縣爲朱溪縣, 野西縣爲巨野縣. ○改羅州管內分嶺郡爲樂安郡[一云陽岳], 玄雄郡爲南平郡[一云永平郡], 潘南郡爲潘南縣, 野老縣爲安老縣, 龍山縣爲伏龍縣, 栗原縣爲原栗縣, 祈陽縣爲昌平縣[一云鳴平], 安波縣爲長山縣[一云安陵], 汝湄縣[一云海濱]爲和順縣. ○改烏兒縣爲安定縣, 馬邑縣爲遂寧縣, 代勞縣爲會寧縣, 季水縣爲長澤縣. ○改武靈郡爲靈光郡, 岬城郡爲長城郡, 碣島縣爲陸昌縣, 多歧縣爲牟平縣, 鹽海縣爲臨淄縣. ○改靈巖郡管內陽武郡爲道

---

121) 大木縣은 原文에는 "若木縣, 本新羅大木縣[一云七村], 景德王, 改名谿子, 爲星山郡領縣. 高麗, 更今名, 來屬"으로 되어 있다. 그렇지만 928년(태조11) 8월에 人木郡이 찾아져서 谿子縣이 그 以前에 人木郡으로 개편되었을 가능성이 있다.

康郡, 浸溟縣[一云投濱]爲海南縣, 固安縣[固一作同]爲竹山縣. ○改寶城郡管內富里縣爲福城縣, 忠烈縣爲南陽縣, 栢舟縣爲泰江縣, 薑原縣爲荳原縣. ○改昇平郡管內廬山縣爲突山縣, 海邑縣爲麗水縣, 晞陽縣爲光陽縣.[122] ○改撫州爲光州, 牟山郡爲嘉興縣, 贍耽縣爲臨淮縣:地理2轉載].

[○改交州管內大陽郡爲長楊郡, 藪川縣爲和川縣. ○改光海州爲春州, 基知郡爲基麟縣, 浚川縣爲朝宗縣, 稀蹄縣爲麟蹄縣, 潢川縣爲橫川縣, 三嶺縣爲方山縣, 馳道縣爲瑞禾縣[禾一作和], 楊麓縣爲楊溝縣. ○改東州管內朔邑縣爲朔寧縣, 功成縣爲漳州縣[漳一作獐], 幢梁縣爲僧嶺縣. ○改海皐郡爲鹽州, 雊澤縣爲白州, 重盤郡爲安州, 仇乙縣[一云屈遷]爲豊州, 楊岳郡爲安岳郡, 闕口爲儒州, 栗口[一云栗川]爲殷栗縣, 麻耕伊爲靑松縣, 板麻串爲嘉禾縣, 熊閑伊爲永寧縣, 瓮遷爲瓮津縣, 付珍伊爲永康縣, 鵠島爲白翎鎭.[123] ○改取城郡爲黃州, 栖巖郡爲鳳州, 升山爲信州, 永豊郡爲平州, 五關郡爲洞州, 鎭瑞縣爲谷州, 檀溪縣爲俠溪縣, 獐塞縣[一云古所於]爲遂安縣. ○改朔庭郡爲登州, 翊谿縣爲翼谷縣, 博平郡爲和州,[124] 井泉郡爲湧州. ○改東原京爲溟州, 偏險縣爲雲岩縣, 習磎縣爲歙谷縣, 守城郡爲杆城縣, 童山縣爲烈山縣. ○安化郡爲通州:地理3轉載].[125]

[□□□是時頃, 改運州爲洪州:追加].

[□□□□是時以前, ○太祖南征, □□水城郡人金七·崔承珪等二百餘人, 歸順效力, 以功, 陞爲水州. ○太祖南征, □□利州郡人徐穆, 導之利涉, 故賜號利川郡.[126] ○太祖時, 夢熊驛吏韓姓者, 有大功, 賜號太匡太匡, 割高丘縣地, 置縣, 爲其鄕貫:地理1轉載].

[○太祖時, 郡人朴允雄, 有大功, 乃幷河曲·東津·虞風等縣, 置興禮府. 後降爲恭化縣. 又改知蔚州事. 一云, 羅季, 有鶴來鳴, 故稱神鶴城. 一云戒邊城, 一云皆知邊, 一云火城郡. ○高麗初, 合眞寶·眞安二縣, 置甫城府[一云載岩城]. ○高麗初, 合大城郡·烏岳·荊山·蘇山三縣, 爲淸道郡[一云道州]. ○太祖, 又改□□□菁州爲康州.[127] ○改聞韶郡爲義城府:地理2轉載].

---

122) 晞陽縣은 曦陽縣으로 표기되기도 하였는데, 前者는 「光陽玉龍寺洞眞大師寶雲塔碑」에서, 후자는 「光陽玉龍寺先覺國師證聖慧燈塔碑」에서 각각 찾아진다.

123) 原文에는 "白翎鎭, 本高句麗鵠島, 高麗, 改今名, 爲鎭"으로 되어 있다.
· 『삼국사기』 권37, 志6, 지리4, 고구려, 漢山州, "鵠島, 今白嶺鎭".

124) 原文에는 "和州, 本高句麗之地, 或稱長嶺鎭, 或稱唐文[唐一作堂], 或稱博平郡, 高麗初, 爲和州"로 되어 있다.

125) 이는 地理志에서 755년(景德王14)의 행정 구역 名稱을 그 시기가 분명하지 못한 高麗初에 變史하였다고 한 것을 一括 轉載하였으므로 이해[是年]에 해당되지 않는 경우도 있을 것이다. 이들 군현의 諸樣相에 대한 여러 견해가 제시되어 있다(李樹健 1984년 60面 ; 金甲童 2021년 102面).

126) 徐穆에 관한 자료로 다음이 있다.
· 『신증동국여지승람』 권8. 利川都護府, 樓亭, "愛蓮亭, 在客館東. 任元濬記, 利之爲邑, 在高句麗爲南川縣. … 王太祖之南征也, 帥人軍行全郡. 有徐穆者導之, 利涉南川, 太祖喜之, 賜今號".
· 『신증동국여지승람』 권8. 利川都護府, 古跡, "南川, 徐穆導高麗太祖以涉者, 卽此川. 或云, 太祖將伐百濟, 駐師于郡, 卜得利涉大川之絲, 故曰利川".

127) 原文에는 "景德王, 改爲康州, 惠恭王, 復爲菁州, 太祖, 又改康州"로 되어 있다.

[○太祖□^嗽, 以瀑池郡南, 臨大海, 賜名海州:地理3轉載].¹²⁸⁾

[春某月, 前靈巖山驪興禪院僧釋超, 乘海舶入吳越國, 先(杭州)詣龍冊寺道怤禪師, 作禮求法: 追加].¹²⁹⁾

[夏四月丙申朔^{人盡,辛巳}:追加].

[五月丙寅朔^{小盡,壬午}:追加].

[六月乙未朔^{小盡,癸未}:追加].

秋七月^{甲子朔人盡,甲申}, [辛巳^{18日}:追加], 王師忠湛死, [年七十二].¹³⁰⁾ 樹塔于原州靈鳳山興法寺, 親製碑文.

[癸巳^{30日}, 建溟州地藏禪院朗圓大師開淸塔碑, 任文尹刻字:追加].¹³¹⁾

[八月甲午朔^{小盡,乙酉}:追加].

[九月癸亥朔^{人盡,丙戌}:追加].

[冬十月癸巳朔^{小盡,丁亥}:追加].

---

128) 原文에는 "… 新羅景德王, 改爲瀑池郡. 太祖, 以郡南臨人海, 賜名海州"로 되어 있다.

129) 이는 『釋苑詞林』 권191, 「高麗康州智谷寺眞觀禪師塔碑」; 「山淸智谷寺眞觀禪師悟空塔碑」에 의거하였다 (許興植 1984년 422面 ; 李智冠 2004년 2冊 133面). 이때 釋超는 南唐에 파견되는 廣評侍郎 柳兢質을 隨從하였을 가능성도 있다. 또 魚得江(1470~1559)에 의하면, 智谷寺(現 慶尙南道 山淸郡 山淸邑 內里)에 는 東西에 兩碑가 있었다고 한다. 그리고 鏡淸道怤(道怤, 生沒年 不明)은 溫州 永嘉縣(現 浙江省) 출신으로 俗姓은 陳氏이며, 어려서 出家하여 開元寺에서 其足戒를 받았고, 雪峰義存(822~908)의 佛法을 계승하여 吳越地域에서 禪宗을 廣布했고, 龍冊寺 住持가 되었다(『宋高僧傳』권13 ; 『景德傳燈錄』권18, 杭州龍冊寺道怤禪師).
  • 『신증동국여지승람』 권31 山陰縣, 佛宇, "智谷寺, 在智異山, 有高麗禮部尙書孫夢周所撰僧慧月及眞觀二碑".
  • 『灌圃詩集』, 山陰十二詠, 智谷尋碑, "寺古公有址, 龜趺半以苔, 公餘動詩興, 不獨看碑來"[注, 輸山北有寺曰智谷, 東西有碑, …]".
  • 『惺所覆瓿藁』6, 遊原州法泉寺記, "原州之南五十里, 有山曰飛鳳, 山之下有寺曰法泉, 新羅古刹也. … 寺正據正中面南, 而燬於兵, 只有餘址頹礎, 縱橫於免閔鹿逕之間, 有碑半折, 埋於草中. 視之, 乃高麗僧智光塔碑, 文奧筆勁, 不能悉其名氏, 眞古物而奇者. 余許筠摩挲移晷, 恨不能摹搨也".

130) 다음의 자료와 같이 眞空大師 忠湛은 7월 18일에 入寂하였다(보물 제463호, 국립중앙박물관 소장, 許興植 1984년 308面 ; 李智冠 2004년 1冊 141面). 이날은 율리우스曆으로 940년 8월 23일(그레고리曆 8월 28일)에 해당한다.
  • 「原州興法寺眞空大師塔碑」, "□□^{天福}五年七月十八日詰旦, 告門人曰, '萬法皆空, 吾將去矣, 汝等勉旃'. 顔 兒如常, □□□□□□七十有二".

131) 이는 「溟州地藏禪院朗圓大師悟眞塔碑」에 의거하였다(국보 제192호, 金石總覽 140面 ; 李智冠 2004년 1 冊 115面). 또 後晉의 曆□도 이달[是月]이 大盡이므로 高麗曆과 同一하였음을 알 수 있다.

[冬十一月^{壬戌朔大盡,戊子}， 是月， <u>薛發縣百姓汶會莊</u>,[132] 有馬生駒， 一身兩頭， 前兩足， 後四足:<u>五行1馬禍轉載</u>].[133]

冬十二月^{壬辰朔小盡,己丑}， [某日], 開泰寺成， 設落成華嚴法會， <u>親製疏文</u>.[134]

是歲， [初， 定役分田， 自朝臣至軍士， 勿論官階， 視人性行善惡， 功勞大小， 給之有差:<u>節要轉載</u>].[135]

---

132) 薛發縣은 어디인지를 알 수 없는데, 그 讀音(發音, 설불현)으로 보아 舌火縣(京山府 管內의 花園縣)으로 추측할 수도 있을 것이다.

133) 馬禍는 近代 以前의 社會에서 가장 중요한 교통수단의 하나인 말[馬]에서 발생한 特異한 現象을 가리킨다.
   • 『漢書』권27下上, 五行志第7下上, "… 於易, 乾爲君爲馬, 馬仟用爲彊力, 君氣毁, 故有馬禍. 一曰, 馬多死及爲怪, 亦是也".
   • 『搜神記』권6, "秦孝公二十一年, 有馬生人. 昭公二十年, 牡馬生子而死. 劉向以爲皆馬禍也. …"(四庫全書本4右1行).

134) 開泰寺에 대한 기사는 다음과 같고, 이때 태조 왕건이 찬한 願文의 全文과 이의 일부를 인용한 것도 찾아진다.
   • 지10, 地理1, 公州, 連山郡, "太祖, 旣平百濟, 創大刹於黃山之谷, 改山爲天護, 名寺爲開泰".
   • 『東人之文四六』권8, 神聖王親製開泰寺華嚴法會疏, "菩薩戒弟子·大義軍使·特進·檢校太保·□□□^{使持節}·玄菟州都督·□□□^{上柱國}·高麗國王王諱謹於新創大華嚴山開泰寺, 敬置長講華嚴經法會, 一中功德, 右弟子稽首, …". 여기에서는 全文의 冒頭를 인용하였는데, 添字는 省略된 官爵이다.
   • 『補閑集』卷上, "長興五年甲午^{神聖二十二年}, 征百濟大克, 獲河內三十餘郡, 及渤海國人, 皆歸順, 乃命有司, 叛開泰寺, 爲華嚴道場, 親製願文手書, 略. 生遇百罹, 未堪多難. 兵纏兎郡, 災擾辰韓, 人莫聊生, 室無完堵云云. 證大有誓, 刱平巨孽, 拯塗炭之生民, 恣農桑於鄕里, 上憑佛力, 次仗玄威. 二紀之水擊火攻, 身蒙矢石, 千里之南征東討, 親枕干戈. 丙申秋九月, 於崇善城邊, 與百濟兵交陣, 一呼而兇狂瓦解, 再鼓而逆黨氷消, 凱唱浮天, 歡聲動地云云. 菫蒲寇竊, 溪洞微凶, 改悔自新, 尋懷歸順. 某也志在於撝奸除惡, 濟弱扶傾, 不犯秋毫, 不傷寸草云云. 荅佛聖之維持, 酬山靈之贊助, 特命司局, 叛造蓮宮, 乃以大護爲山號, 以開泰爲寺名云云. 所願佛威庇護, 大力扶持云云". 添字와 같이 고쳐야 옳게 될 것이다.
   • 『신증동국여지승람』권18, 충청도 連山縣, 開泰寺, "高麗太祖十九年, 征百濟大克, 獲河內三十餘郡, 及渤海國人, 皆歸順, 乃命有司創開泰, 親制^製願文手書, 略曰, 生遇百罹, 未堪多艱, 兵纏上^兎郡, 災擾辰韓, 人莫聊生, 室無完堵云云. 證大有誓, 刱平巨孽, 拯塗炭之生民, 恣農桑於鄕里, 上憑佛力, 次仗玄威, 二紀之水擊火攻, 身蒙矢石, 千里之南征東討, 親枕干戈. 丙申^{太祖19年}秋九月, 於崇善城邊, 與百濟兵交陳^陣, 一呼而兇狂瓦解, 再鼓而逆黨氷消, 凱唱浮天, 歡聲動地云云. 萑^菫蒲寇竊, 溪洞微兇, 改悔自新, 尋懷自新. 某也志在於撝奸除惡, 濟溺扶傾, 不犯秋毫, 不傷寸草, 云云. 荅佛聖之維持. 酬山靈之贊助, 特命司局, 刱造蓮宮, 乃以天護爲山號, 以開泰爲寺名云云, 所願佛威庇護, 大力扶持云云". 이 기록은 『보한집』의 내용을 轉寫한 것 같고, 添字와 같이 고쳐야 옳게 될 것이다.

135) 이 기사와 관련된 자료로 다음이 있는데, 朴守卿에게 주어진 田 200結이 役分田의 最高額일 가능성이 있다(李丙燾 1961년 151面).
   • 지32, 食貨1, 田制, 田柴科, "太祖二十三年, 初, 定役分田, 統合時朝臣·軍士, 勿論官階, 視人性行善惡, 功勞大小, 給之有差".

○重修新興寺, 置功臣堂, 畫三韓功臣於東西壁. 設無遮大會一晝夜, 歲以爲常.[136]

○晋歸我質子王仁翟.

[○築殷州城七百三十九間, 門八, 水口四, 城頭二, 遮城四:兵2城堡轉載].

[○遣廣評侍郎柳兢質, 如南唐:追加].[137]

· 열전5, 朴守卿, "後定役分田, 視人性行善惡, 功勞大小, 給之有差, 特賜朴守卿田二百結".

[136] 이때 壁畫의 製作順序를 위해서 이해[是年]에 후삼국 통일에 공이 있는 三韓功臣들을 모두 정리하여 공신의 숫자와 순서를 定하였던 것으로 추정된다(『동도역세제자기』, "是年, 功臣數科第"). 또 이때 三韓功臣에 책봉된 인물, 공신으로 책봉되었을 가능성이 있었던 인물로 다음이 있다. 그리고 功臣堂은 『고려사』에서 功臣閣으로 달리 표기된 경우도 있는데, 이들은 唐制의 凌煙閣을 典型[model]으로 삼았을 것이다.

· 『文化柳氏世譜』, 統合三韓翊贊功臣秩, "一等, 崔凝·洪儒·裴玄慶·申崇謙·卜智謙. 二等, 庾黔弼·金宣平·□□檉·張吉·柳車達·李棹·咸規·企宣弓·洪規·王希順·企萱述·尹莘達·朴允雄. 三等, 王式廉·泰評·堅權·朴熙述井達等·能定·權愼·廉湘·金樂·聯珠·麻煖. 四等, 金洪術·朴守卿". 이 名單은 공신의 全貌가 아니고 크게 縮約된 되었을 가능성이 있어 添字와 같이 고쳐지고, 향후 보다 많이 補完되어야 옳게 될 것이다.
· 열전9, 尹瓘, "字同玄, 坡平縣人. 高祖莘達, 佐太祖, 爲三韓功臣".
· 열전12, 柳公權, "字正平, 儒州人. 六世祖大丞車達, 佐太祖, 爲功臣".
· 『태종실록』 권31, 16년 4월 甲子2日, 柳亮의 卒記, "文城府院君柳亮卒. 亮, 字明仲, 文化人也. 密直使繼祖之子. 其先有車達者, 有功於麗祖統合之時, 賜號三韓功臣, 子孫世爲達官".
· 열전12, 王世慶, "初名胐, 開城人. 八代祖希順, 佐太祖定三韓, 爲功臣".
· 열전12, 咸有一, "恒陽人, 太祖功臣廣評侍郎規, 五世孫也".
· 「咸有一墓誌銘」, "公諱有一, 字享大, 恒陽縣人也, 太尉·廣評侍郎規, 從太祖定三韓, 封爲功臣, 於公爲玄祖".
· 열전17, 羅裕, "羅裕, 羅州人, 三韓功臣·大匡聰禮十世孫也". 이들의 後裔는 현재 자신들을 錦城羅氏로 부른다고 한다.
· 열전20, 元傅, "原州人. 九世祖克猷, 佐太祖有功, 號三韓功臣, 官全兵部令".
· 열전22, 李瑱, "初名方衍, 慶州人, 三韓功臣金書之後".
· 『태종실록』 권8, 4년 12월 壬申5日, 趙云仡卒記, 自撰墓誌銘, "資憲□□大夫·政堂文學趙云仡, 豊壤縣人, 高麗工太祖臣, 平章事趙孟三十代孫, …".
· 『자치통감』 권196, 唐紀12, 太宗貞觀 17년(643) 2월, "戊申, 上命圖畫功臣趙公長孫無忌, … 英公李世勣·胡壯公秦叔寶等於凌煙閣[胡三省注, 書爵不書諡者, 其人存, 書爵書諡者, 其人已死. '南部新書'曰], 凌煙閣在西內三淸殿側, 畫功臣皆北面. 閣中有中隔, 隔內北面寫功高宰輔, 南面寫功高侯王, 隔外面次第功臣. 程大昌曰, 閣中凡設三隔, 內一層隔寫功高宰輔, 外一層寫功高侯王, 又外一層次第功臣. 此三隔者雖分內外, 其所畫功臣象貌皆面北, 恭是在三淸殿側, 以北面爲恭邪? 余胡三省謂北面者, 臣禮也, 非以在三淸殿側之故".

[137] 이는 다음의 자료에 의거하였다.
· 『육씨남당서』 권1, 本紀1, 烈祖, "昇元四年十月己未, 高麗使廣評侍郎柳兢質來, 貢方物".

辛丑[太祖]二十四年, 後晋天福六年, [西曆941年]

941년 1월 30일(Gre2월 4일)에서 942년 1월 19일(Gre1월 24일)까지, 355일

[春正月辛酉朔^{人盡,庚寅}:追加].

[二月辛卯朔^{大盡,辛卯}:追加].

[三月辛酉朔^{小盡,壬辰}:追加].

夏四月^{庚寅朔人盡,癸巳}, 乙未^{6日}, 大匡庚黔弼卒.[138) [黔弼, 平州人, 以將略, 事太祖. 凡出征, 受命
卽行, 不宿於家, 每凱還, 王必迎勞, 終始寵遇, 諸將莫及. 諡^{成肅}忠節, 後^{成宗13年}配享太祖廟庭:節
要轉載].139) [成宗十三年, 贈太師, 配享太祖廟庭. 子曰兢, 曰官, 曰儒, 曰慶:列傳5庚黔弼].

[五月庚申朔^{大盡,甲午}:追加].

[六月庚寅朔^{小盡,乙未}:追加].

[秋七月己未朔^{小盡,丙申}:追加].

[八月戊子朔^{大盡,丁酉}:追加].

[九月戊午朔^{小盡,戊戌}:追加].

[冬十月丁亥朔^{大盡,己亥}, 癸丑^{27日}, 建尙州鳴鳳山境淸禪院慈寂禪師洪俊塔碑:追加].140)

[十一月^{丁巳朔小盡,庚子}, 壬午^{26日}, 忠州淨土寺主玄暉入寂, 年六十三, 臘四十一, 上哀悼, 贈諡法
鏡大師, 塔名慈燈之塔:追加].141)

[十二月丙戌朔^{大盡,辛丑}:追加].

是歲, 遣大相王申一如晉, 獻方物.142)

---

138) 이날은 율리우스曆으로 941년 5월 4일(그레고리曆 5월 9일)에 해당한다.
139) 이와 관련된 자료로 다음이 있다.
　　· 열전5, 庚黔弼, "成宗十三年, 贈太師, 配享太祖廟庭. 子曰兢, 曰官, 曰儒, 曰慶"(→성종 13년 4월 23일).
140) 이는「榮州境淸禪院慈寂禪師凌雲塔碑」에 의거하였다.
141) 이는「忠州淨土寺法鏡人師慈燈塔碑」에 의거하였다. 이날은 율리우스曆으로 941년 12월 17일(그레고리曆
　　12월 22일)에 해당한다.

[○晋遣國子博士謝攀來，冊王，爲開府儀同三司・檢校太師，餘如故←太祖22年에서 옮겨옴].[143]

壬寅[太祖]二十五年，後晋天福七年，[西曆942年]

942년 1월 20일(Gre1월 25일)에서 943년 2월 7일(Gre2월 12일)까지, 13개월 384일

[春正月丙辰朔^{小盡,壬寅}:追加].

[二月乙酉朔^{大盡,癸卯}:追加].

[三月乙卯朔^{小盡,甲辰}:追加].

[閏三月甲申朔^{大盡,甲辰}:追加].

[夏四月甲寅朔^{大盡,乙巳}:追加].

[五月甲申朔^{小盡,丙午}:追加].

[是月辛亥^{28日}，刻砥平縣菩提寺大鏡大師麗嚴塔碑陰記:追加].[144]

---

142) 王申一은 이해[是年]의 8월 무렵 後晋에 도착한 廣評侍郞 某로 추측된다.
 ・『五代會要』 권30, 高麗, "天福六年八月，其國王，復遣廣評侍郞□□^{闕失}".

143) 이 기사는 『고려사』에서 939년(태조22)에 수록되어 있으나, 중국 측의 자료를 바탕으로 이해로 옮겼다 [校正事由].
 ・『구오대사』 권79, 晋書5, 高祖紀5, 天福 6년 6월, "丙午，高麗國王王建，加開府儀同三司・檢校太師・食邑一萬戶".
 ・『책부원귀』 권965, 外臣部10, 冊封3, 天福 6년, "五月，制曰，王者，法二象以覆燾，齊七麗以炤臨，旣符有道之文，是布無私之化. 其有誠懸象闕，路越鯨津，首傾拱極之心，久勵事君之節，得不示四時之信，同萬國之風，用顯英賢，俾行典禮. 大義軍使特進・檢校太保使持節玄菟州都督・上柱國・高麗王王建，大資問傑，神授機謀，宇量矜嚴，靈襟洞達，志堅金石，操凜雪霜，每切朝宗，嘗勤事大，守三韓之重地，仁義兼修，定百濟之彊隣，恩威竝振. 賢朕握圖御宇，膺籙開基，追猶子以朝天，備彰忠節，改名臣而稱賀 益認深誠，而又敍立國之緜，述連姻之舊，慕予正朔，顯爾籌謀，是用時擧徽章，聿覃豐澤，階升一品，位統三師，加以戶封，兼其眞食勉膺，寵命以保，今猷可開府儀同三司・檢校太師・依前使持節玄菟州都督・充大義軍使・食邑一萬戶・食實封一千戶・高麗國王".
 ・『구오대사』 권79, 晋書5, 高祖紀5, 天福 6년 8월, "甲寅，遣光祿卿張澄・國子博士謝攀使高麗，行冊禮". 張澄은 『新五代史』에 의하면, 같은 날 契丹에 파견되었다고 되어 있고(권8, 晋本紀8, 高祖, "(天福六年八月) 甲寅，光祿卿張澄使于契丹")，고려에 도착한 사신은 國子博士 謝攀이다. 이로 보아 張澄이 契丹에 파견되었다는 『신오대사』의 기록이 옳을 것이다.
 ・『책부원귀』 권965, 外臣部10, 冊封3, 天福 6년, "八月，遣光祿卿張澄・國子博士謝攀，往冊命焉".
 ・『오대회요』 권30, 高麗, 天福 6년, "八月，其國王王建，爲開府儀同三司・檢校太師・使持節玄菟州都督・充大義軍使・高麗國王. 命國子博士謝攀，持節就冊之".

144) 이는 「砥平菩提寺大鏡大師玄機塔碑」에 의거하였다.

[六月癸丑朔^大盡,丁未^:追加].

[是月乙丑^13日^, 後晋高祖石敬瑭崩, 石重貴卽位, 是爲出帝^少帝^, 不改元:追加].

[夏七月^癸未朔小盡,戊中^, 是月, 鹽·白二州地界, 螟蝗害稼. 招^牛峯縣^九龍山寺僧坦文爲法主, 講大般若經, 一音纔演法, 百螣不爲災. 是歲, 卽致年豊, 翻成物泰:追加].^145)^

[八月壬子朔^大盡,己酉^:追加].

[九月壬午朔^小盡,庚戌^:追加].

冬十月^辛亥朔大盡,辛亥^, [某日], 契丹遣使來, 遺橐駝五十四. 王以契丹嘗與渤海連和, 忽生疑貳, 背盟殄滅, 此甚無道, 不足遠結爲隣. 遂絶交聘, 流其使三十人于海島, 繫橐駝萬夫橋下, 皆餓死^146)^

[→契丹遣使來, 歸橐駝五十四. 王以契丹嘗與渤海連和, 忽生疑貳, 不顧舊盟, 一朝殄滅, 此爲無道之甚, 不足遠結爲隣, 絶其交聘, 流其使三十人于海島, 繫橐駝萬夫橋下, 皆餓死:節要轉載].

[李齊賢曰, "忠宣王, 嘗問於臣齊賢曰, '我太祖之世, 契丹遺橐駝, 繫之橋下, 不與芻豆, 以餓而死, 故以名其橋焉. 橐駝, 雖不産於中國, 中國亦未嘗不畜之, 國君而有數十頭橐駝, 其弊不至於傷民, 且却之則已矣, 何至餓而殺之乎?'. 對曰, 創業垂統之主, 其見遠, 而其慮深, 非後世之所及也. 且如宋太祖, 養猪禁中, 仁宗令放之, 後得妖人, 顧無所取血者, 則知太祖, 慮亦及此, 此亦未爲定論. 安知太祖養猪之意, 不有大於取血耶? 我太祖之所以爲此者, 將以折戎人之譎計耶, 抑亦防後世之侈心耶? 蓋必有微旨矣. 此在殿下, 恭默而思之, 力行而體之爾, 非愚臣所敢輕議也":節要轉載].^147)^

---

145) 이는 「瑞山迦耶山普願寺法印國師寶乘之塔碑」에 의거하였다. 後晋에서도 이해[是年]의 봄[春]부터 다음해 4月까지 전국적으로 메뚜기(螟)가 猖獗하여 後晋이 쇠약하게 되는 하나의 요인이 되었다(張東翼 2009년 30~31面).

146) 萬夫橋의 別稱은 橐駝橋이었는데, 朝鮮時代에는 夜橋라고 하였다고 한다(『신증동국여지승람』 권4, 開城府上, 橋梁).

147) 이 기사는 李齊賢의 열전에도 수록되어 있다.
• 열전23, 李齊賢, "忠宣嘗問於齊賢曰, '太祖時, 契丹遺橐駝, 令繫橋下, 不與芻豆, 餓而死. 橐駝雖不産中國, 中國亦未嘗不畜之, 國君有數十頭橐駝, 其弊不至傷民, 却之則已, 何至餓而殺之乎? 齊賢對曰, 創業垂統之主, 其見遠, 其慮深, 非後世所及也. 且宋太祖養猪禁中, 仁宗令放之. 後得妖人, 顧無所取血, 知太祖慮亦及此. 此亦未爲定論, 安知太祖養猪之意, 不有大於取血耶? 我太祖之所以爲此, 將以折戎人之譎計耶, 抑亦防後世之侈心耶? 蓋必有微旨此. 殿下恭默而思之, 力行而體之爾'. 又問, '我國古稱文物侔於中華, 今其學者, 皆從釋子, 以習章句何耶'. 齊賢對曰, '昔太祖經綸草昧, 日不暇給, 首興學校, 作成人材. 一幸西都, 遂命秀才廷鶚爲博士, 敎授六部生徒, 賜彩帛以勸, 頒廩祿以養, 可見用心之切矣. 光廟之後, 益修文敎, 內崇國學, 外列鄕校, 甲庠黨序, 絃誦相聞, 所謂文物侔於中華, 非過論也. 不幸毅王季年, 武人變起, 玉石俱焚, 其脫身虎口者,

[十一月辛巳朔^{小盡,壬子}:追加].

[十二月庚戌朔^{大盡,癸丑}:追加].

癸卯[太祖]二十六年, 後晉天福八年, [西曆943年]

943년 2월 8일(Gre2월 13일)에서 944년 1월 27일(Gre2월 1일)까지, 354일

[春正月^{庚辰朔小盡,甲寅}, 某日, 淸道郡界里審使順英·大乃末水文等作成柱貼公文:追加].[148]

[二月己酉朔^{大盡,乙酉}:追加].

[三月己卯朔^{小盡,丙辰}:追加].

夏四月^{戊申朔大盡,丁巳}, 御內殿, 召大匡朴述希^{朴述熙},[149] 親授‘訓要’曰, “朕聞, 大舜耕歷山, 終受堯禪, 高帝起沛澤, 遂興漢業. 朕亦起自單平, 謬膺推戴. 夏不畏熱, 冬不避寒, 焦身勞思, 十有九載, 統一三韓, 叨居大寶二十五年, 身已老矣. 第恐後嗣, 縱情肆欲, 敗亂綱紀, 大可憂也. 爰述‘訓要’, 以傳諸後, 庶幾, 朝披夕覽, 永爲龜鑑.

其一曰, 我國家大業, 必資諸佛護衛之力, □^地故創禪敎寺院,[150] 差遣住持焚修, 使各治其業. 後世, 姦臣執政, 徇僧請謁, 各業寺社, 爭相換奪, 切宜禁之.

其二曰, 諸寺院, 皆道詵推占山水·順逆, 而開創.[151] 道詵云, ‘吾所占定外, 妄加創造, 則損薄地德, 祚業不永’. 朕念後世國王·公侯^{公侯}·后妃·朝臣,[152] 各稱願堂, 或增創造, 則大可憂也, 新羅之末, 競造浮屠, 衰損地德, 以底於亡, 可不戒哉?

其三曰, 傳國以嫡, 雖曰常禮, 然丹朱不肖, 堯禪於舜, 實爲公心. 若元子不肖, 與其次子, 又

逃遁窮山, 蛻冠帶而蒙伽梨, 以終餘年, 若神駿·悟生之類是也. 其後, 國家稍復文治, 雖有志學之士, 無所於學, 皆從此徒而講習之, 故臣謂學者從釋子學, 其源始此. 今殿下廣學校, 謹庠序, 尊六藝, 明五敎, 以闡先王之道, 孰有背眞儒從釋子哉’? 忠宣嘉納’.

148) 이는『삼국유사』권4, 義解5, 寶壤梨木에 의거하였다.

149)『고려사절요』에는 朴述希가 朴述熙로 되어 있고, 以下 餘他의 句節에도 潤文이 된 곳이 있으므로 兩者를 대조하여 살펴 볼 필요가 있다.

150) 添字는『고려사절요』권1에 의거하였다.

151) 이 句節의 해석은 다음의 기록을 參照하면 좋을 것이라는 지적이 있었다(李丙燾 1961년 81面).
· 『龍飛御天歌』第107章, 末尾, [注, 高麗用道詵之說, 推占山川順逆, 開創寺社, 禁人私自創造, 以損地德, 名之曰裨補所].

152) 公候는 公侯의 誤字일 것이고, 처음으로『고려사』를 乙亥字로 組版할 때 採字(혹은 植字)에 잘못이 있었던 것 같다.

不肖, 與其兄弟之衆所推戴者, 俾承大統.

其四曰, 惟我東方, 舊慕唐風, 文物禮樂, 悉遵其制, 殊方異土, 人性各異, 不必苟同. 契丹是禽獸之國, 風俗不同, 言語亦異, 衣冠制度, 愼勿效焉.

其五曰, 朕賴三韓山川陰佑, 以成大業. 西京水德調順, 爲我國地脉之根本, 大業萬代之地. 宜當四仲巡駐, 留過百日, 以致安寧.

其六曰, 朕所至願, 在於燃燈·八關, 燃燈所以事佛, 八關所以事天靈及五嶽·名山·大川·龍神也. 後世姦臣, 建白加減者, 切宜禁止. 吾亦當初誓心, 會日不犯國忌, 君臣同樂, 宜當敬依行之.

其七曰, 人君, 得臣民之心, 爲甚難, 欲得其心, 要在從諫遠讒而已. 從諫則聖, 讒言如蜜, 不信則讒自止. 又使民以時, 輕徭薄賦, 知稼穡之艱難, 則自得民心, 國富民安. <u>古人</u>云, ‘芳餌之下, 必有懸魚, 重賞之下, 必有良將’.[153] 張弓之外, 必有避鳥, 垂仁之下, 必有良民. 賞罰中, 則陰陽順矣.

其八曰, <u>車峴</u>以南, 公州江外, 山形地勢, 並趨背逆, 人心亦然. 彼下州郡人, 參與朝廷, 與王侯·國戚婚姻, 得秉國政, 則或變亂國家, 或嘀統合之怨, 犯蹕生亂. 且其曾屬官寺奴婢·津驛雜尺, 或投勢移免, 或附王侯·宮院, 姦巧言語, 弄權亂政, 以致灾變者, 必有之矣. 雖其良民, 不宜使在位用事.[154]

其九曰, 百辟群僚之祿, 視國大小, 以爲定制, 不可增減. 且<u>古典</u>云, ‘以庸制祿, 官不以私’.[155] 若以無功人, 及親戚私昵, 虛受天祿, 則不止下民怨謗, 其人亦不得長享福祿, 切宜戒之. 又以强惡之國爲隣, 安不可忘危. 兵卒宜加護恤, 量除徭役, 每年秋, 閱勇銳出衆者, 隨宜加授.

其十曰, 有國有家, 儆戒無虞, 博觀經史, 鑑古戒今. 周公大聖, ‘無逸’一篇, 進戒成王, 宜當圖揭, 出入觀省”.

十訓之終, 皆結<u>中心藏之</u>四字, 嗣王相傳爲寶.[156]

五月^{戊寅朔小盡,戊午}, [某日], 王不豫, 停聽斷.

153) 이 구절은 다음의 자료를 인용한 것이다.
· 『후한서』 권21, 耿純列傳第11, “重賞甘餌, 可以聚人者也. 徒以恩德懷之, 是故士衆樂附(<u>李賢</u>注, 黃石公記曰, 芳餌之下必有懸魚, 重賞之下必有死夫]”.
154) 이 기사에서 “車峴以南, 公州江外”는 車峴의 남쪽, 盧嶺의 북쪽을 가리키고, 이 기사의 내용은 公州, 全州 等地의 後百濟人을 登用하지 말라고 後孫에게 당부한 것이라고 한다(金甲童 2002년a).
155) 이는 다음의 자료를 인용한 것이다.
· 『周禮注疏』 권9, 地官司徒第2, “… 以庸制祿, 官不以私”.
156) 여기에서 ‘中心藏之’는 『詩經』, 小雅, 魚藻之什, 隰桑의 結句인 “中心藏之, 何日忘之”를 인용한 것인데, 中心은 心中, 心底를 뜻한다.

丁酉^{20日}, 宰臣廉相·王規·朴守文等侍坐, 王曰, "漢文遺詔曰, 天下萬物之萌生, 靡有不死, 死者天地之理, 物之自然, 奚可甚哀. 前古哲王, 秉心如此. 予遘疾已歷二旬, 視死如歸, 有何憂也? 漢文^{漢文帝}之言, 卽予意也. 內外機務, 久不決者, 卿等並與太子武, 裁決而後聞".

[某日, 太祖^王臨薨, 托以軍國事曰, "卿扶立太子, 善輔佐". □□^{是歟}, 述熙一如遺命:列傳5朴述熙轉載].

丙午^{29日晦}, 疾大漸, 御神德殿, 命學士金岳, 草遺詔, 文成, 王不復語, 左右失聲大哭. 王問, "此何聲也?". 對曰, "聖上作民父母, 今日欲棄群臣, 臣等痛不自勝耳". 王笑曰, "浮生自古然矣". 言訖, 有頃而薨. 在位二十六年, 壽六十七.[157] ○遺命內外庶僚, 並聽東宮處分, 喪葬園陵制度, 依漢·魏二文^{文帝}故事, 悉從儉約. 王規模宏遠, 正朝廷, 明賞罰. 崇節儉, 用賢良, 重儒道. 謚^諡曰神聖, 廟號太祖,[158] 葬于松嶽西麓, 陵曰顯陵.[159] 穆宗五年加謚^諡元明, 顯宗五年加光烈, 十八年加大定, 文宗十年加章孝, 仁宗十八年加仁勇, 高宗四十年加勇烈.

李齊賢贊曰, "^{世家事}忠宣王, ^王嘗言,[160] '我太祖規模德量, 生於中國, 當不減宋太祖. 宋太祖事周世宗, 世宗賢主也, 待宋太祖甚厚, 宋太祖亦爲之盡力. 及恭帝幼沖, 政出太后, 迫于群^軍情, 而受周禪, 蓋出於不得已也.[161] 我太祖事^仕弓裔,[162] 猜暴之君, 三韓之地, 裔有其二, 太祖之功也. 以不世之功, 處必疑之地, 可謂危矣. 而國人歸心, 將士推戴, 然猶固讓, 欲徇延陵之節. 弔伐之事, 亦豈得已哉? 其好生惡殺, 而信賞必罰, 推誠功臣, 而不假以權, 創業垂統, 固宜一揆矣. 至若宋祖, 以江南李氏, 比之軒睡臥榻, 則石晉所賂契丹, 山後之十六州, 蓋視□^以爲橐中物,[163] 旣收北漢, 將長驅以定秦·漢之彊耳. 臥榻之側. 我太祖卽位之後, 金傅未賓,[164] 甄萱未虜, 而屢幸西都, 親巡北鄙. 其意, 亦以東明^{東明王}舊壤, 爲吾家靑氈, 必席卷而有之,[165] 豈止操雞搏鴨而

---

157) 이날은 율리우스력으로 943년 7월 4일(그레고리력 7월 9일)이다. 그런데 『익재난고』 권9상, 忠憲王世家에는 "太祖二十六年夏五月丁酉^{門門}薨"으로 되어 있으나 添字와 같이 고쳐야 옳게 된다.

158) 廟號에 대한 설명으로 다음의 자료가 있다.
· 『자치통감』 권15, 漢紀7, 景帝前 1년(BC156), "冬十月, 丞相嘉等奏, '功莫大於高皇帝, 德莫盛於孝文皇帝. 高皇帝之廟, 宜爲帝者太祖之廟, 孝文皇帝, 宜爲帝者太宗之廟. 天子宜世世獻祖宗之廟, 郡國諸侯宜各爲孝文皇帝太宗之廟[應劭曰, 始取天下者曰祖, 高帝稱高祖是也. 始治天下者曰宗, 文帝稱太宗是也. 師古曰, 應說非也. 祖, 始也, 始受命也. 宗, 尊也, 有德者可尊. 貢父曰, 顏說非也. 始受命稱太祖耳, 有功亦稱祖, 商祖甲 是也]. 制曰, 可".

159) 顯陵은 開城市 開豊郡 解線里(1953年 以前의 土城面 鵠嶺里)에 있다(북한의 국보유적 제179호, 張慶姬 2013년 ; 洪榮義 2018년).

160) 添字는 『고려사절요』 권1에 의거하였다.

161) 群은 『익재난고』 권9下, 史贊, 太祖에 軍으로 되어 있다.

162) 事는 『익재난고』와 『고려사절요』에는 仕로 되어 있다.

163) 『익재난고』와 『고려사절요』를 통해 볼 때, □에 以가 탈락되었을 것이다.

164) 敬順王 金傅는 『익재난고』에는 金溥로 달리 表記되어 있다.

已哉?. 由是觀之, 雖大小之勢不同, 二祖規模德量, 所謂易地皆然者也'. 忠宣聰明好古, 中原博雅之士, 如王構·閻復·<u>姚燧</u>^{姚燧}·<u>蕭奭</u>^{蕭奭}·趙孟頫·虞集, 皆<u>遊</u>^游其門, 盖嘗與之尙論也".¹⁶⁶⁾

[史臣曰, "太祖, 御下以寬, 而賢智效力, 待人以誠, 而遠近響應, 好生之仁, 出於天性, 恤民之心, 發乎至情. 甄萱, 父子相夷, 則伐而取之, <u>金傅</u>君臣來附, 則禮以待之. 以契丹之强, 而侵滅<u>與國</u>,¹⁶⁷⁾ 則絶之, 以渤海之弱, 而失地無歸, 則撫之. 屢幸西京, 以爲根本之地也, 親巡北鄙, 以連獷悍之俗也. 草創更始, 雖未遑於禮樂, 而其規模遠略, 深仁厚澤, 固已培養五百年之<u>國脉</u>矣":節要轉載].¹⁶⁸⁾

[太祖在位年間]

[○以河曲郡人<u>朴允雄</u>有大功, 乃併河曲·東津·虞風等縣, 置興禮府:轉載].¹⁶⁹⁾

[○太祖征伐四十年, 稱功臣者止六人, <u>金樂</u>·<u>金哲</u>代太祖而死, 然不與六功臣之列:列傳33尹紹宗轉載].¹⁷⁰⁾

---

165) 여기에서 '必席卷而有之'는 '반드시 돗자리를 말아 치우듯이 빨리[席卷] 占有하려고 한 것이므로'로 飜譯하는 것이 좋을 것이다.
  · 『자치통감』 권30, 漢紀22, 成帝建始 4년(BC29) 11월, "後^{前西城都護副校尉}湯上言, … 今湯親秉鉞, 席卷, 喋血萬里之外[注, 師古曰, 如席之卷, 言其疾也], 薦功祖廟, 告類上帝. 介冑之士靡不慕義".
166) 姚燧는 姚燧의, 蕭奭은 蕭奭의 오자인데, 『고려사절요』에는 옳게 되어 있다(東亞人學 2008년 1책 467面). 여러 판본의 『고려사』에서 글자의 획수가 많은 것은 조판의 어려움에 의해 간략한 글체로 대체한 경우가 있다. 이는 中原의 여러 판본에서도 같은 양상을 보이고 있다. 또 遊는 『익재난고』에 游로 되어 있다.
167) 여기에서 與國은 隣接한 國家 중에서 서로 親睦한 관계를 지니고 있는 국가를 指稱한다.
  · 『자치통감』 권3, 周紀3, 愼靚王 5년(BC316), "巴·蜀相攻擊, … 周, 天下之宗室也, 齊·韓之與國也[胡三省注, 鄰國相親睦者, 謂之與國]".
168) 이 史論에서 太祖 王建이 五百年의 國脈을 培養하였다고 한 점을 통해 볼 때, 이의 修撰은 『고려사』를 편찬한 인물에 의해 이루어졌음을 알 수 있다. 그런데 金傅(敬順王)이하의 구절은 『經濟文鑑』別集下(『삼봉집』권12), 君道, 高麗國 太祖에도 수록되어 있음을 보아 鄭道傳이 『高麗國史』를 편찬할 때 자신이 쓴 글의 일부를 轉載, 潤文했던 것으로 추측된다.
169) 이는 다음의 자료를 轉載하였고, 이와 관련된 자료도 찾아진다.
  · 지11, 지리2, 蔚州, "… 景德王, 改名河曲[一作河西], 爲臨關郡領縣, 高麗初, 更今名. 顯宗九年, 置防禦使[注, 景德王, 改于火縣爲虞風縣, 栗浦縣爲東津縣, 皆合屬, 太祖時, 郡人朴允雄有大功, 乃併河曲·東津·虞風等縣, 置興禮府. 後降爲恭化縣, 又改知蔚州事. 一云羅季有鶴來鳴, 故稱神鶴城. 一云戒邊城, 一云皆知邊, 一云火城郡]".
  · 『慶尙道地理志』, 慶州道, 蔚山郡, "一. □□□□^{蔚州沿革}, 本戒邊城, 在新羅時, 改稱神鶴城, 其稱鶴城者, 天復元年辛酉, 有雙鶴咬全金神象, 鳴於戒邊城神頭山, 郡人異之, 因以神鶴名之. 在高麗時, 郡人朴允雄佐太祖興高麗國, 以其功合東津縣[一名失捕縣]·河曲縣[一名屈火縣]·洞安縣[一名西生良縣]·虞風縣[一名亐火縣]·臨關郡[一名毛火郡], 賜號興禮府, 謂興高麗也. … 一. □□^{人物}."高麗時, 神鶴城將甲朴允雄, 精曉變通之術, <u>專提</u>^{專提}討伐之權, 補佐太祖克成王業". 여기에서 添字는 筆者가 추가하였다.

[○尙州公山三郎寺居僧璨幽, 詣京師入覲, 上以幽玄道周行, 法身圓對, 乃請住廣州天王寺. 幽應之住焉. 此後, 上當際會, 欲表因緣, 送霞衲衣幷座具:追加].[171]

[○一統三韓後, 降勅於甫州龍門寺, 賜資財·陶瓦, 造成殿閣架屋凡三十間, 又給州縣稅租, 每歲一百五十石, 以爲資糧:追加].[172]

[○上聞僧寶壤至雲門山, 創鵲岬寺而居, 乃合五岬田束五百結納之. 又清泰四年丁酉[太祖20年], 賜額曰雲門禪寺:追加].[173]

[○忠烈王代僧一然曰, "金寬毅所撰'王代宗錄云, 羅末新羅大德釋冲, 献太祖以[眞]表律師袈裟一領·戒簡百八十九枚', 是與桐華寺所傳簡子, 未詳同異":追加].[174]

---

170) 이는 다음의 資料를 轉載하였다.
   · 열전33, 尹紹宗, "… [尹]紹宗言, 賞罰國之大柄, 不可濫也. 我太祖征伐四十年, 稱功者止六人, 金樂·金哲代太祖而死, 尙不與六功臣之列".

171) 이는 「驪州高達院元宗大師慧眞之塔碑」에 의거하였다(寶物 第6號, 金石總覽 207面 ; 李智冠 2004년 2冊 28面).

172) 이는 다음의 資料에 의거하였다(경상북도 유형문화재 제460호, 金石總覽, 408面 ; 許興植 1984년 872面).
   · 「醴泉重修龍門寺記碑」, "… 我太祖擧義旗, 有幷幷呑三國志, 興兵冊伐, 至山下聞師名, 入洞尋之, 駐車庵前, 頂禮以伸密約. 及定天下, 卜降勅鳩財陶瓦, 凡架屋三十間, 併給州縣稅租, 每歲一百五十石, 以爲供養資, …".

173) 이는 다음의 資料에 의거하여 文句를 적절히 바꾸었다.
   · 『삼국유사』 권4, 義解第5, 寶壤梨木, "… 因名鵲岬寺, 未幾, 太祖統一三國, 聞師[寶壤]至此創院而居, 乃合五岬田束五百結納寺. 以清泰四年丁酉[太祖20년], 賜額曰雲門禪寺, 以奉袈裟之靈蔭". 여기에서 清泰四年은 後晋 大福 2년이며, 太祖王建의 在位 20년(西曆 937년)에 해당한다.

174) 이는 다음의 資料에 의거하였는데, 여기에서 戒簡은 俗離山에 보관되었다가 心地에 의해 桐華寺로 옮겨졌다는 眞表律師의 佛骨簡子[聖簡]를 가리킨다. 또 여기에서의 釋冲은 泰封國의 弓裔에게 피살된 釋聰과 동일한 인물로 추측되고 있다(申虎澈 1982년 ; 南東信 2005년).
   · 『삼국유사』 권4, 義解第5, 心地繼祖, "… 又按本朝文士金寬毅所撰'王代宗錄'二卷云, 羅末新羅人德釋冲, 獻太祖以[眞]表律師袈裟一領·戒簡百八十九枚, 今與桐華寺所傳簡子未詳同異".

惠宗

惠宗·仁德·明孝·宣顯·<u>義恭大王</u>, 諱武, 字承乹, 太祖長子, 母曰莊和王后吳氏.[1] 後梁乹化二年壬申生. [吳氏, 嘗夢龍入懷, 未幾, ^{乾化元午辛未}太祖出鎭羅州, 見而幸之, 遂有娠:節要轉載]. 太祖四年□□□□^{十二月辛酉}, 立爲正胤. 從討百濟, 奮勇先登, 功爲第一.

二十六年五月丙午^{29日晡}, 太祖薨, 奉遺命卽位.

[→二十六年五月丙午, 王疾大漸, 御神德殿, 命學士金岳, 草遺詔, 有頃而薨. 太子·諸王及宗室·近臣, 皆擗地哀號. 乃令百官, 列位於內議省門外, 宣遺命. 惠宗卽位, 率群臣, 擧哀:禮6國恤轉載].

六月^{丁未朔人盡,己未}, [戊申^{2ㄷ}, 發喪於詳政殿, 金岳宣<u>遺詔</u>.[2]

己酉^{3ㄷ}, 殯于詳政殿之<u>西階</u>.[3]

庚午^{24ㄷ}, 上諡曰神聖大王, 廟號太祖. 行祖奠, 太常卿讀諡冊, 攝侍中元甫·行禮賓令王仁澤, 奉大牢之奠:節要·禮6國恤轉載轉載].

壬申^{26日}, 葬太祖于顯陵, [以遺命, 喪葬園陵制度, 依漢·魏二文故事, 悉從儉約:節要·禮6國恤轉載]. [以神惠王后柳氏, 祔葬. 后貞州人, 三重大匡天弓之女也. 天弓家大富, 邑人稱爲長者, 大祖爲將軍, 引兵過貞州, 息馬古柳下, 治立路旁川上, 見其有德容, 問誰氏. 女對曰, 此邑長者家女也, 請暫憩弊廬, 太祖因至宿焉. 其家饗一軍甚豊, 以后侍寢, 厥後絶, 不相聞, 后守節剃髮爲尼, 太祖聞之, 召以爲夫人, 擧義提甲, 贊成大業:節要轉載].

---

1) 여기에서 廟號인 惠宗과 諡號인 義恭大王은 그의 死後인 945년(정종 즉위년) 10월에 붙여진 것이고, 明孝는 1002년(목종5) 4월에, 宣顯은 1014년(현종5) 4월에 각각 덧붙여진[加上] 諡號이다. 그런데 惠宗은 1027년(현종18) 4월에 高平이, 1253년(고종40) 6월 4일(辛亥)에 景憲이 덧붙여졌으나 이 자료에 반영되어 있지 않다. 또 이 자료의 仁德은 덧붙여진 시기가 찾아지지 않는데, 이는 975년(경종 즉위년) 10월 6代 先祖의 尊號를 덧붙일 때 붙여진 諡號일 것이다. 한편 1254년(고종41) 10월 19일 蒙古軍의 침입에 대처하기 위해 宰臣을 太廟에 보내 告由할 때, 惠宗을 太宗大王으로, 顯宗을 世宗大王으로 稱하였다. 그 까닭은 분명히 알 수 없으나 당시에는 그렇게 互稱되었으나 『고려사』를 편찬할 때 當代의 太宗과 世宗을 의식하여 削除시켰을 가능성이 있다.
2) 이와 같은 기사로 다음이 있다.
 · 지18, 禮6, 國恤, "戊申, 發喪於詳政殿, 宣遺詔".
3) 이 기사는 지18, 禮6, 國恤에도 수록되어 있다.

[是月辛亥^{5日}, 建中原府淨土寺法鏡大師<u>玄暉</u>塔碑, 僧<u>光乂</u>·<u>壯超</u>·<u>幸聰</u>等刻字:追加].⁴⁾

[秋七月丁丑朔^{大盡,庚申}:追加].

[八月丁未朔^{小盡,辛酉}:追加].

[九月丙子朔^{人盡,壬戌}:追加].

[冬十月丙午朔^{小盡,癸亥}, 是月, 某等開板'伽倻山海印寺創建事蹟':追加].⁵⁾

[十一月乙亥朔^{人盡,甲子}:追加].

[十二月乙巳朔^{小盡,乙丑}:追加].

[是年, 遣廣評侍郎金仁逢·禮賓卿金裕等, 如晋, 賀卽位. 又遣大相王申一·正朝柳逈酬等, 獻方物:追加].⁶⁾

甲辰[惠宗]元年[延祥二年?], 後晋天福九年→九月開運元年, [西曆944年]

944년 1월 28일(Gre曆2월 2일)에서 945년 2월 14일(Gre曆2월 19일)까지, 13개월 384일

[春正月甲戌朔^{人盡,建丙寅}:追加].

[二月甲辰朔^{小盡,建丁卯}:追加].

---

4) 이는 「忠州淨土寺法鏡大師慈燈塔碑」에 의거하였다.

5) 이는 다음의 자료에 의거하였다.
  · 『伽倻山海印寺創建事蹟』刊記, "右件等事, 永々 不隳, 故以天福八年癸卯十月, 依板成籍".

6) 이는 다음의 자료에 의거하였다.
  · 『구오대사』 권82, 晋書8, 少帝紀2, ^{天福八年十一月}辛丑, 高麗遣使朝貢".
  · 『신오대사』 권9, 晋本紀9, 出帝, "^{天福八年十一月}辛丑, 高麗使其廣評侍郎金仁逢來".
  · 『신오대사』 권9, 晋本紀9, 出帝, "^{天福八年十二月}甲寅, 高麗使入相^{大相}來".
  · 『책부원귀』 권972, 外臣部17, 朝貢5, "^{天福八年}九月 … 高麗遣使上子太相^{大相}王申一等來朝貢".
  · 『오대회요』 권30, 高麗, "^{天福八年}十二月, 復遣大太子大相王中一等來".
  · 『오대회요』 권30, 高麗, "開運元年正月, 以入朝使·王子人相·守倉部令·上柱國·賜紫金魚袋王中一, 爲檢校尙書右僕射, 正朝·守廣評侍郎·柱國·△^賜丹金魚袋柳逈酬, 檢校禮部尙書, 守廣評侍郎中韓李康, 試衛尉卿, 守廣評侍郎中朴玄信, 試大府少卿, 守兵部主事韋安, 試將作監主簿. 以進奉賀登極使正朝·前守廣評侍郎·柱國·△^賜丹金魚袋金仁逢, 可檢校工部尙書, 副使禮賓卿·柱國·△^賜丹金魚袋金裕, 可試人府卿, 判官兵部郎中張規, 可試衛尉少卿".

[三月癸酉朔^{大盡,建戊辰}:追加].

[夏四月癸卯朔^{小盡,建己巳}:追加].

[五月壬申朔^{小盡,建庚午}, <u>庚子</u>^{29日晦}, 建開城府五龍寺法鏡大師<u>慶猷</u>塔碑:追加].⁷⁾

[六月辛丑朔^{大盡,建辛未}, 刻中原府淨土寺法鏡大師<u>玄暉</u>塔碑陰:追加].⁸⁾
[丁巳^{17日}, 建原州寧越縣興寧寺<u>澄曉</u>大師<u>折中</u>塔碑:追加].⁹⁾

[秋七月辛未朔^{大盡,建壬申}, 是日, 後晋改天福九年爲開運元年:追加].

[八月辛丑朔^{小盡,建癸酉}, 某日:追加], 遣廣評侍郎韓玄珪‧禮賓卿金廉如晋, 告嗣位, <u>遂賀破契丹</u>.¹⁰⁾

[九月庚午朔^{大盡,建甲戌}:追加].
[冬十月庚子朔^{大盡,建乙亥}:追加].
[十一月庚午朔^{小盡,建丙子}:追加].

冬十二月^{己亥朔大盡,建丁丑}, [某日], 翰林院令^{元鳳省令}‧平章事崔彦撝卒.¹¹⁾ [彦撝, 新羅人, 稟性寬厚, 自少能文. 年十八, 入唐登科, 四十二始還國, 拜執事侍郎‧瑞書院學士, 及新羅歸附, 太祖命爲太子師, 委以文翰之任, 宮院額號, 皆所撰定. 一時貴遊, 皆師事之. 及卒, 年七十七. 諡^諡文英:節要轉載].¹²⁾

---

7) 이는「長湍五龍寺法鏡大師慈燈塔碑」에 의거하였는데, 이날[是口]의 口辰 判讀에 문제가 있다. 筆者는 이의 實物 또는 拓本을 보지 못해 29일의 일진인 庚子를 선택하였다.
· 『朝鮮金石總覽』上, "… 五月壬申朔二十九日戊子^{某月立}", 是月의 戊子는 17日이다.
· 『韓國金石全文』中世編, "… 五月壬申朔二十九日庚戊^{某月立}". 이달에는 庚戊가 없다.
8) 이는「忠州淨土寺法鏡大師慈燈塔碑」에 의거하였다.
9) 이는「寧越興寧寺澄曉大師寶印塔碑」에 의거하였다(金石總覽 157面 ; 李智冠 2004년 1冊 241面).
10) 이들은 다음 해 10월 14일(丁丑) 後晋에 도착하였다.
· 『신오대사』권9, 晋本紀9, 出帝, "^{開運二年}冬十月丁丑, 高麗使廣評侍郎韓玄珪‧禮賓卿金廉等來".
· 『구오대사』권84, 晋書10, 少帝紀4, "^{開運二年}十月丁丑, 高麗遣使貢方物".
· 『오대회요』권30, 高麗, "^{開運二年}, 其國王^王建卒, 其子武嗣位. 十月, 遣使廣評侍郎韓元^玄珪‧副使前禮賓卿金廉如等一十八人來朝".
· 『책부원귀』권972, 外臣部17, 朝貢5, "^{開運二年}十月, 高麗遣使廣評侍郎韓玄圭等來朝貢".
11) 이달(12월)은 율리우스曆으로 944년 12월 18일(그레고리曆 12월 23일)에서 945년 1월 16일(그레고리曆 1월 21일)사이에 해당한다.

[閏十二月己巳朔^{小盡,建丁丑}:追加].

[是年, 改羅州管內務安郡爲勿良郡:地理1轉載].

乙巳[惠宗]二年[延祥三年?], 後晋開運二年, [西曆945年]

945년 2월 15일(Gre2월 20일)에서 946년 2월 4일(Gre2월 9일)까지, 355일

[春正月戊戌朔^{大盡,戊寅}:追加].

[二月^{戊辰朔小盡,己卯}, 己巳^{2日}, 春分. 武州谷城縣大安寺僧允多入寂, 年八十二, 臘六十六. 諡廣慈:追加].¹³⁾

[某月^{正月,二月?}, 某日, 晋遣范匡政·張季凝來, 冊王, 勑曰, "省所奏, 以先臣遺命, 及官吏推請, 權知國事事, 具悉. 圭茅積慶, 忠孝因心, 早彰幹蠱之名, 顯著象賢之譽. 雅當嗣習, 深契物情, 見先臣知子之明, 成後嗣克家之美. 遠陳章奏, 尤驗純誠, 欣慰之懷, 寤寐無已". ○又詔曰, "卿才略耀奇, 規模冠俗. 苟息之忠貞自許, 翁歸之文武兼全. 鷹瞵鶚立之姿, 折衝萬里, 夏屋春臺之煦, 化洽一隅. 而又尊獎誠深, 貢輸禮備. 是於剛日, 乃降明恩, 宜旌命世之英, 俾峻眞王之秩. 爰旌亮節, 仍進崇階, 可□□□□^{檢校太保}·□使持節玄菟^{元菟}州都督·上柱國·充大義軍使, 仍封高麗國王. 今命使光祿卿范匡政·使副太子洗馬張季凝等往彼, 宣賜官告·勑牒·國信物等, 具如別錄". 勑^勅賜高麗國王竹冊·法物等. 竹冊一副八十簡·紫絲條聯紅錦裝背冊匣一具·黑漆銀含陵金銅鑣

---

12) 崔彦撝는 939년(태조22) 이전에 大相(4品上)·知元鳳省事를, 943년(태조26) 이전에 大相(4品上)·知翰林院事(忠州淨上寺法鏡人師慈燈塔碑) 등을 거쳐 人相·元鳳省人學士·翰林院令·卞章事에 이르렀다가 944년(혜종1) 77歲로 逝去하였다고 볼 수 있다. 그렇지만 이 시기에 翰林院과 平章事가 설치되어 있지 않았기에 翰林院은 元鳳省의 別稱일 것이고, 平章事는 후일에 追贈된 관직일 가능성이 있다(張東翼 2014년 1책 184面).

곧 a의 기사와 같이 國初 이래의 學士院이 顯宗代에 翰林院으로 改稱되었다고 하지만, 名實相符한 唐의 制度는 光宗代에 受用되었을 것이다. 또 上記의 기사에서 崔彦撝가 띠고 있는 翰林院令은 元鳳省令의 다른 表記일 것이고, 이의 유래는 b의 자료에서 由來한 것으로 추측된다(金甫桃 2014년).

· a지30, 白官1, 藝文館, "太祖仍泰封之制, 置元鳳省, 後改學士院, 有翰林學士. 顯宗^{光宗}改爲翰林院".

· b『삼국사기』 권46, 열전6, 崔彦撝, "… 及太祖開國, 入朝, 仕至翰林院大學士·平章事".

13) 이는 「谷城人安寺廣慈人師塔碑」에 의거하였다(實物 第275號, 金石總覽 174面 ; 李智冠 2004년 1冊 289面). 이날은 율리우스曆으로 945년 3월 18일(그레고리曆 3월 23일)에 해당한다.

鑰二副·攀環紅錦托裏襯冊文兩幅·黃綾夾帕一條·盖^蓋冊匣三幅^副·黃綾夾帕一條·盖^蓋冊匣三幅^副·黃絹油夾帕一條·舉冊匣熟紫絲板二條·絡冊床熟紫絲油畫檐床^牀一張·銀裹^裏脚角竿頭金栢^柏木冊案一面·紫綾案褥一領·夾裙襖全行事紫綾席褥一副·襯冊床紫綾席褥一副. ○又勑高麗國王, 省所奏, 進奉謝恩, 紅地金銀五色線織成日月龍鳳襖段^緞二枚^枚·紅地金銀五色線織成龍床^牀褥二面·金星皮甲二副, 闘錦·銀星皮甲二副, 闘錦·鍊鐵兜鍪四副, 闘錦·紅地金銀五色線織成花鳥闘錦捍胯四腰^副·角弓四張·紅地金銀五色線織成龍魚闘弓袋, 裁四具·竹^行幹箭二百隻, 一百隻貼金, 一百隻貼銀·木幹箭二百隻, 紅地金銀五色線織成雲龍箭釵, 裁四具·金銀裝欄鞘細縷^鏤雲天玉劒一十口, 內二口金銀裝闘錦鞘·金銀裝闘錦鞘細縷^鏤雲天長刀一十口·金銀裹槍一十根·金銀裝闘錦鞘匕首一十口·金銀裝鞘匕首一十口·細苧布一百匹·白氎布二百匹·細中麻布三百匹事, 具悉. 卿世篤忠貞, 家傳勳閥, 爰屬承襲之始, 遠輸貢奉之儀. 貝錦成章, 橦華讓貴, 咸陳筐篋, 皆是珍奇. 而又兵器駢羅, 戎衣鮮麗, 莫非精妙, 可驗傾勤. 嘉奬所深, 再三無已. 省所奏, 進奉金銀裝斫刺六根·闘錦鞘金銀裝劒六口·金銀裝闘錦鞘長刀一十口·紅地金銀五色線織成花鳥闘錦捍胯二腰·紅地金銀五色線織成花鳥闘錦倚背二面·紅地金銀五色線織成花鳥闘錦裙腰六腰·紅地金銀五色線織成闘錦鞘金銀裝匕首一十口·鍍金鷹鈴二十顆, 銀鑣鏇子五色條, 銀尾銅全·鍍金鶻子鈴二十顆, 銀鑣, 尾銅全·細白氎布一百匹·細中麻布一百匹·人參^{大藝}五十斤·頭髮二十斤·金銀地鐵文翦刀一十枚·金銀細縷^鏤剪刀二十枚·金銀細縷^鏤剪髭剪刀一十枚·銀花細縷^鏤剪刀二十枚·金銀重口大樣刀子三十柄·銀重口大樣刀子四十柄·金銀重口中樣刀子五十柄·銀重口中樣刀子五十柄·金銀重口小刀子五十柄·銀重口小刀子一百柄·金銀細縷^鏤撤火鎌二十枚·金銀細縷鉗子二十枚·香油五十斤·松子五百斤事, 具悉. 卿地控東溟, 心馳北闕, 奉九丘^邱而作貢, 歷萬里以來王. 戎器堅剛, 織文靡麗, 苧麻如雪, 至藥通神. 首飾翫具之奇, 香澤果實^實之類, 名品^器既衆, 羅列甚多, 省閱之時, 稱尚良切. ○又勑高麗國王, 省所上表, 賀去年三月一日親幸澶州殺敗契丹事, 具悉. 朕以契丹, 顯違信義, 輒肆侵陵, 親御戎車, 往平桀虜. 靈旗一擧, 狂寇四犇^奔. 卿遠聽捷音, 頗攄憤氣, 載馳章表, 來慶闕庭, 嘉乃忠誠, 不忘于^於意→定宗元年으로 옮겨감].[14]

14) 이 冊封은 惠宗의 死後인 945년(開運2, 惠宗2 : 定宗 즉위년)의 11월 5일(戊戌)에 결정되었고, 사신 파견은 12월 18일(庚辰)에 결정된 것이다. 그러므로 『고려사』의 이 기사는 定宗 1년(開運3) 1월 또는 2월로 옮겨 가야 할 것이다[校正事由].
  · 『구오대사』 권84, 晉書10, 少帝紀4, "^{開運二年十一月戊戌}, 以權知高麗國事王武爲特進·檢校太保·使特節·玄菟州都督·充人義軍使, 封高麗國王".
  · 『신오대사』 권9, 晉本紀9, 出帝, "^{開運二年十一月戊戌}, 封王武爲高麗國王".
  · 『자치통감』 권285, 後晉紀6, 齊王下, "^{開運二年十一月戊戌}, 以武爲大義軍使·高麗王, 遣通事舍人郭仁遇使其國, 諭指使擊契丹. 仁遇至其國, 見其兵極弱, 疑者犧囉之言, 特建爲誇誕耳, 實不敢與契丹爲敵. 仁遇還, 武更以它故爲解". 이 자료에서 使臣이 通事舍人 郭仁遇로 되어 있어 차이를 보이고 있다.

세가1책(혜종 2년, 945) 131

[三月丁酉朔^{小盡,庚辰}:追加].

[夏四月丙寅朔^{大盡,辛巳}:追加].

[五月丙申朔^{小盡,壬午}:追加].

[六月乙丑朔^{大盡,癸未}:追加].

[□□□□^{某月某甲}:追加],¹⁵⁾ 大匡王規, 讒王弟堯及昭, □□□^{有異圖}, 王知其誣, 恩遇愈篤.¹⁶⁾

[→大匡王規女, 爲太祖第十六妃, 生一子, 曰廣州院君. 一日, 規譖王弟堯及昭, 有異圖, 王知其誣, 恩遇愈篤^厚. 至是, 司天供奉崔知夢奏, "流星犯紫微, 國必有賊". 王意規謀害堯·昭之應, 亦不罪規, 乃以長公主妻昭, 用强其勢, ^{規于洗馬行其謀}. ○公主從母姓, 稱皇甫氏, 後凡取同姓者, 皆諱稱外家之姓:節要轉載].¹⁷⁾

[史臣曰, "取妻, 不取同姓, 禮也, 雖百世, 婚姻不通. 惠宗之以公主妻弟, 何也? 時俗然也. 太祖, 不世出之主也, 動法古昔, 有志化俗, 而狃於習俗, 不能變也. 自是, 厥後, 視爲家法, 恬不爲異, 中葉以降, 雖禁堂從之親, 而同姓則訖不能禁也. 傳曰, 男女同姓, 其生不繁, 同姓尙爾, 況至親乎? 今觀其取姑·姊·妹者, 率多無後, 傳世五百年之久, 而宗支, 終不過數十人. 然後, 知先王, 制禮之意, 深矣, 可不戒哉?":節要轉載].¹⁸⁾

[□□□□^{某月某甲}:追加], ^下規又使其黨, 穴壁入王寢內, 謀作亂. 王徙避之, 不問.

[→王規, 謀立廣州院君, 嘗夜, 伺王睡熟, 遣其黨, 潛入臥內, 將行大逆. 王覺之, 一拳斃之,

- 『오대회요』 권30, 高麗, "^{開運二年}十一月, 以權知高麗國事王武爲特進·檢校人保·使特節·玄菟州都督·充大義軍事^使兼御史大夫·高麗國土, 仍命光祿卿范光政·太子洗馬張季凝, 就行冊命. 土武者, 土建之子, 本國中大族, 國中推而爲主, 有智勇, 兵力日盛 以兵幷三韓·百濟之地, 東夷君長, 最爲雄盛". 여기에서 惠宗이 智勇을 갖추었다고 하였는데, 『책부원귀』 권997, 外臣部42, 勇鷙, "晋高麗國王王武 勇而多力 能伸屈鐵鈎"와 같은 내용일 것이다.
- 『책부원귀』 권965, 外臣部10, 冊封3, "開運二年十二月, 以權知高麗國事土武爲特進·檢校太保·使特節·玄菟州都督·土柱國·充大義軍事^使兼御史人夫·高麗國王, 仍命光祿卿范光政·太子洗馬張季凝, 就行冊命".
- 『구오대사』 권84, 晋書10, 少帝紀4, "^{開運二年十二月}庚辰^{18日}, 命使冊高麗國王武". 이 기사는 淸代에 정리된 『全唐文』 권119, 晋少帝에 「賜高麗國土武勅」으로 수록되어 있다.

15) 이 位置에 某月이 脫落되었을 것이다.

16) 여기에서 添字가 탈락되었을 것이다.

17) 添字는 열전40, 王規에 의거하였다. 또 外家에 대한 注釋으로 다음이 있다.
- 『자치통감』 권30, 漢紀22, 成帝河平 1년(BC28), "夏四月, 己亥朔, 日有食之. 詔公卿·百僚陳過失, 無有所諱, 人赦天下. 光祿人夫劉向對曰, … 上於是減省椒房·掖庭用度[注, 師古曰, 椒房殿, 皇后所居, 以椒和泥塗壁, 取其溫且芬也], 服御·興駕所發諸官署及所造作, 遺賜外家·群臣妾[師古曰, 外家, 謂后之家族, 言在外也. 劉向曰, 婦人內夫家而外父母家], 皆如竟寧^{BC33}以前故事".

18) "男女同姓, 其生不繁"은 『春秋左氏傳』 傳, 僖公 23년 11月 後半, "男女同姓, 其生不繁"을 인용한 것이다.

令左右曳出, 不復問. 一日, 王違豫, 在神德殿, 崔知夢又奏, "近將有變, 宜以時移御", 王潛徙重光殿. 規夜使人^{苲共苲}, 穴壁而入, 寢已空矣. 王知規所爲, 而亦不罪之. 後規, 見知夢, 拔劍罵之曰, "上之移寢, 必汝謀也".^{知夢先無言}:節要轉載].[19]

[□□□□^{苲苲苲日}, 王規殺大匡朴述熙. 述熙, 性勇敢, 年十八, 爲弓裔衛士. 後事太祖, 累樹軍功, 受遺命輔惠宗. 及惠宗寢疾, 遂與王規相惡, 以兵百餘自隨, 王疑有異志, 流甲串. 規因矯命殺之. 後謚^謚嚴毅, 贈太師, 配享惠宗廟庭:節要轉載].

[→及惠宗寢疾, □朴述熙與王規相惡, 以兵百餘自隨. 定宗^土疑有異志, 流于甲串, 規因矯命殺之:列傳5朴述熙轉載].[20]

[秋七月乙未朔^{小盡,甲申}:追加].

[八月甲子朔^{人盡,乙酉}:追加].

秋九月^{甲午朔人盡,丙戌}, [某日], 王疾篤, 群臣不得入見, 憸小常侍側.

戊申^{15日}, 薨于重光殿, 在位二年, 壽三十四.[21] 王氣度恢弘, 智勇絶倫, 自王規謀逆之後, 多所疑忌, 常以甲士自衛. 喜怒無常, 群小並進, 賞賜將士無節, 內外嗟怨. 謚^謚曰義恭, 廟號惠宗, 葬于松嶽東麓, 陵曰順陵.[22] 穆宗五年加謚^謚明孝, 顯宗五年加宣顯, 十八年加高平, 高宗四十年加景憲.

李齊賢贊曰, "羽父請弑桓公, 將以求太宰^{大宰}.[23] 隱公不聽, 亦不討之. 終致蔿氏之禍. 王規之譖兩王弟, 亦羽父之意也. 惠宗^{惠王}不致之罪,[24] 顧使居左右, 其免於袖刃壁人之謀, 可謂幸也.

19) 이 기사는 열전40, 王規에도 수록되어 있으나 字句에 출입이 있다.

20) 이 기사에서 定宗은 惠宗의 오류일 것이다. 이때 王弟 堯(後□의 定宗)는 大匡 朴述熙를 流配시킬 위치에 있지 못하였다.

21) 이날은 율리우스曆으로 945년 10월 23일(그레고리曆 10월 28일)에 해당한다.

22) 順陵은 開城市 長豊郡 紫霞里에 있다(보존급유적 946호, 張慶姬 2013년 ; 洪榮義 2018년). 또 이후 惠宗의 塑像과 眞影은 羅州牧의 惠宗祠에 봉안되어 있다가 1429년(세종11) 2월 이래 前判書雲觀事 張得修에 의해 開城府로 移安되어 炭峴門 밖에 위치한 王陵 뒤에 埋沒되었던 것 같다. 또 張得修는 태종 때에 書雲副正, 書雲正을 역임한 張得壽의 誤字로 추측된다.
· 『세종실록』 권41, 10년 8월 庚辰朔, "禮曹啓, '忠淸道天安郡所藏前朝太祖眞, 文義縣太祖眞及鑄像·功臣影子, 全羅道羅州惠宗眞及塑像, 光州人祖眞, 請並移就密後司, 埋於各陵之傍', 從之".
· 『錦城日記』, 宣德 4년(己酉, 세종11), "移安官·前判書雲觀使^事張得修, 前朝惠宗塑像及眞影等敎是乙, 有屋校子^{桥子}良中, 陪白留後司, 太祖一處埋置. 以甲人八十名乙用良傳遞, 二月初六日發行上京".
· 『신증동국여지승람』 권35, 羅州牧, 祠廟, "惠宗祠, 在^{錦江津北}興龍寺中, 州人至今祀之".

23) 太宰는 『익재난고』 권9下, 史贊, 惠土에는 大宰로 되어 있다.

24) 惠宗은 『익재난고』에는 惠王으로 되어 있는데, 『고려사』의 編纂者가 改書한 것이다.

時去太祖棄代甫規,耳之^{甫耳,規之}不義而得衆,[25] 已能如漢·魏之曹馬^{廾廾}耶,[26] 其未有以竄殛之, 何也? 嗚呼, 小人之難遠也如此□^哉,[27] 可不戒哉?".

25) '甫ㅣ規之'는『고려사』의 여러 판본에서 '甫規ㅣ之'로 되어 있고,『고려사절요』에는 '甫ㅣ規之'로 되어 있는데, 의미상으로 後者가 옳을 것이다(東亞大學 2008년 1책 476面).

26) 曹는『익재난고』에는 曺로 되어 있다. 여기에서 曺·馬는 魏帝國의 權臣인 曹眞(曹操의 子)과 司馬懿(179~251, 司馬炎의 父)를 指稱한다.

27)『익재난고』에는 □에 哉가 더 들어 있다.

定宗

定宗·至德·章敬·正肅·□□^{簡敬}·文明大王,¹⁾ 諱堯, 字天義,²⁾ 太祖第二子, 母曰神明·順聖王太后劉氏. 以太祖六年癸未生.³⁾

惠宗二年九月戊申^{15日}, 群臣奉王卽位.

己酉^{16日}, 大匡王規謀逆, 伏誅.⁴⁾

[→己酉. 王規殺大匡朴述熙. 王規伏誅. 初, 王知規逆謀, 密與西京大匡^{大承}式廉, 謀應變, 及規將作亂, 式廉引兵入衛. 規不敢動, 竄規于甲串, 遣人追斬之, 誅其黨三百餘人:節要轉載].⁵⁾

[→^王規嘗惡大匡朴述熙, 及惠宗薨, 矯定宗命殺之. 初, 惠宗疾篤, 定宗知規有異志, 密與西京大匡^{大承}式廉謀應變. 及規將作亂, 式廉引兵入衛, 規不敢動. 乃竄于甲串, 遣人追斬之, 誅其黨三百餘人:列傳40王規轉載].

[→太祖臨薨, 托以軍國事曰, "卿扶立太子, 善輔佐". 述熙一如遺命. 及惠宗寢疾, 述熙與王規相惡, 以兵百餘自隨. 定宗疑有異志, 流于甲串, 規因矯命殺之:列傳5朴述熙].⁶⁾

[→惠宗寢疾, 王規有異志, 定宗密與式廉謀應變. 及規作亂, 式廉自平壤, 引兵入衛, 規不敢動. 於是, 誅規等三百餘人, 王倚賴益重:列傳5王式廉轉載].

[→廣州院君, 史逸其名. 惠宗二年, 外舅王規, 欲立以爲王, 謀逆見誅, 君亦不知所終:列傳3太祖王子廣州院君轉載].

---

1) 簡敬은 1056년(문종10) 10월 14일에 덧붙여진 것[加上]이다(→靖宗 8년 6월 13일).

2) 이제현은 「忠憲王世家」에서 天義를 義天으로 달리 表記하였지만(『고려사절요』 권2에도 同一함), 이 기사의 내용은 보다 면밀한 考證이 요청되고 있기에 현재로서는 비교, 검토의 자료가 될 수 없다(『익재난고』 권9상 所收).

3) 여기에서 廟號인 定宗과 諡號인 文明大王은 그의 死後인 949년(광종 즉위년) 4월에 붙여진 것이고, 章敬은 1002년(목종5) 4월에, 正肅은 1014년(현종5) 4월에 각각 덧붙여진[加上] 諡號이다. 그런데 定宗은 1027년(현종18) 4월에 令仁이, 1056년(문종10) 10월에 簡敬이, 1253년(고종40) 6월 4일(辛亥)에 莊元이 덧붙여졌으나 이 자료에 반영되어 있지 않다. 또 이 자료의 至德은 덧붙여진 시기가 찾아지지 않는데, 이는 975년(경종 즉위년) 10월 6代 先祖의 尊號를 덧붙일 때 붙여진 諡號일 것이다.

4) 王規의 謀逆事件은 기록의 疏略으로 인해 여러 가지의 見解가 제시되어 있어 관련된 기사를 모두 열거하였다. 또 이날[己酉]는 王規가 誅殺된 날이 아니고 『고려사절요』 권2의 내용과 같이 朴述熙가 王規에게 피살된 날인 것 같고, 율리우스曆으로 945년 10월 24일(그레고리曆 10월 29일)에 해당한다.

5) 이 기사에서 大匡은 大承(3品上)의 誤字로 추측된다(→是年 末尾의 是年 脚注).

6) 이때 朴述熙와 王規가 定宗의 命에 의해 차례로 갑곶(甲串, 現 仁川市 江華郡 江華邑 갑곶리)에 安置되었다가 被殺되었다는 점을 가지고서 이들의 死因에 대한 疑問이 제기되었다(李丙燾 1961년 93面).

[→誅□^王規, 褒□^崔知夢密奏事機, 賜臧獲‧鞍馬‧銀器:列傳5崔知夢轉載].

[冬十月甲子朔^{大盡,丁亥}:追加].

[十一月甲午朔^{小盡,戊子}:追加].

[十二月癸亥朔^{大盡,己丑}:追加].

[是年, 賜王式廉匡國‧翊贊功臣號, 仍爲大丞^{大匡}:追加].⁷⁾

[○定宗初創位, 削平內難, □^朴守卿功居多, 尋轉大匡:列傳5朴守卿轉載].

[○遣廣評侍郎韓玄珪‧禮賓卿金廉等如晋, 獻方物. 又遣兵部侍郎劉崇珪‧內軍卿朴藝言如晋, 獻方物:追加].⁸⁾

---

7) 이는 『동문선』 권23, 詔勅, 定宗褒獎王式廉詔에 의거하였다. 王式廉이 功臣號를 下賜받고 大丞(3品上)에 임명되었다고 하는 時点은 알 수 없으나 定宗이 9월 15일(戊申)에 즉위하였음을 감안하면 이해[是年]일 가능성이 높다. 그런데 929년(태조12) 9월 人相(4品上)으로 재직하던 王式廉이 創業主의 從弟로서 北方鎭 戍라는 重責을 수행하였음에도 불구하고 이후 16년간에 걸쳐 佐丞(3品下)에 머물다가 이때서야 崇秩이라 는 大丞[大丞崇資]에 임명되었다는 것을 首肯하기에 어려움이 있다. 추측컨대 그는 佐丞을 역임한 후 是 年에 大丞을 띠고서 王規를 制壓한 功으로 大匡(2品上)에 特進하였을 가능성이 높다.

• 열전5, 王式廉, "下詔褒奬曰, 式廉三代元勳, 一邦柱石, 量呑海嶽, 氣蘊風雲. 昨者當先王疾篤之秋, 是涇渭未 分之際, 懷忠秉義, 表節歲寒, 翊戴眇沖, 嗣臨軍國. 尋有姦臣^{王規}暴逆, 結構兇頑, 忽自簫墻, 俄興變亂. 卿玉入 火而彌冷, 松冒雪以轉靑, 按劒衝冠, 忘生徇難. 兇狂瓦解, 逆黨伏誅, 朝綱欲隊而復興, 宗社將傾而再整. 若非公 之效死, 予曷致於今辰. 可謂板蕩識誠臣. 疾風知勁草, 昔聞斯語, 今見其人. 縱加茅石之封, 並授九州之牧, 豈足 酬玆勳績, 報彼功名. 今賜匡國翊贊功臣號, 加大丞^{大匡}崇資, 將表予懷, 以旌不朽. 匪獨展君臣義分, 唯望共生死 同期. 予不食言, 有如皎日. 更希予無忘責躬儉已, 公常務知足養廉. 愛育黎元, 賞罰平中, 使國祚而天長地久, 貽 富貴於百子千孫".

8) 이는 다음의 자료에 의거하였다.

• 『신오대사』 권9, 晋本紀9, 出帝, "^{開運二年}冬十月丁丑^{14日}, 高麗使廣評侍郎韓玄珪‧禮賓卿金廉等來".

• 『구오대사』 권84, 晋書10, 少帝紀4, "^{開運二年}十月丁丑, 高麗遣使貢方物".

• 『오대회요』 권30, 高麗, "^{開運二年}, 其國王王建^武卒, 其子武^{弟堯}嗣位. 十月, 遣廣評侍郎韓元^玄珪‧副使前禮賓 卿金廉如等一十八人來朝". 여기에서 建은 武로, 子武는 弟堯로 글자를 바꾸어야 옳게 될 것이다.

• 『책부원귀』 권972, 外臣部17, 朝貢5, "^{開運二年}十月, 高麗遣使廣評侍郎韓玄珪等來朝貢".

• 『신오대사』 권9, 晋本紀9, 出帝, "^{開運二年十月}戊子^{25日} 高麗使其兵部侍郎劉崇珪‧內軍卿朴藝言來".

丙午[定宗]元年[幸中二年?], 後晋開運三年, [西曆946年]

946년 2월 5일(Gre2월 10일)에서 947년 1월 24일(Gre1월 29)까지, 354일

春正月^{癸巳朔小盡,建庚寅}, [某日], 王將謁顯陵^{太祖}, 致齊^{致齋}之夕,⁹⁾ 聞御殿東山松間, 有呼王名, 若曰, "爾堯, 存恤細民, 人君之要務".

[某月]^{正月,二月?}, 某日, 晋遣范匡政·張季凝來, 冊王, 敕曰, "省所奏, 以先臣遺命, 及官吏推請, 權知國事事, 具悉. 圭茅積慶, 忠孝因心, 早彰幹蠱之名, 顯著象賢之譽. 雅當嗣習, 深契物情, 見先臣知子之明, 成後嗣克家之美. 遠陳章奏, 尤驗純誠, 欣慰之懷, 寤寐無已".

○又詔曰,¹⁰⁾ "卿才略耀奇, 規模冠俗. 荀息之忠貞自許, 翁歸之文武兼全. 鷹騰鶚立之姿, 折衝萬里, 夏屋春臺之煦, 化洽一隅. 而又尊獎誠深, 貢輸禮備. 是於剛日, 乃降明恩, 宜旌命世之英, 俾峻眞王之秩. 爰旌亮節, 仍進崇階, 可□□□□^{檢校太傅}·□^使持節玄菟^{元菟}州都督·上柱國·充大義軍使, 仍封高麗國王.¹¹⁾ 今命使光祿卿范匡政·使副太子洗馬張季凝等往彼, 宣賜官告·敕牒·國信物等, 具如別錄.¹²⁾

勅^敕賜高麗國王竹冊·法物等,

竹冊一副八十簡.

紫絲條聯紅錦裝背冊匣一具.

黑漆銀含陵金銅鑲鑰二副, 攀環紅錦托裏襯冊文兩幅, 黃綾夾帕一條.

盖^蓋冊匣三幅, 黃綾夾帕一條.

盖^蓋冊匣三幅, 黃絹油夾帕一條, 舉冊匣熟紫絲板二條.

絡冊床熟紫絲油畫檐床^牀一張.

銀褁^裹脚角竿頭金栢^柏木冊案一面.

紫綾案褥一領.

夾裙襈全行事紫綾席褥一副.

襯冊床紫綾席褥一副.

---

9) 齊는 『고려사절요』에 齋로 되어 있는데, 後者로 하여야 옳게 될 것이다.

10) 이 기사는 『全唐文』 권118, 晋少帝, '賜高麗國王武詔'로 수록되어 있는데, 添字는 여기에서 달리 표기된 것이다.

11) 여기에서 使가 탈락되었을 것이다.

12) 使臣團의 副使를 使副로 表記하기도 한다(→태조 16년 3월 5일).

○又勑高麗國王□[#], 省所奏, 進奉謝恩.¹³⁾

紅地金銀五色線織成日月龍鳳襖段[#]二枚[#].

紅地金銀五色線織成龍床[#]褥二面.

金星皮甲二副, 闕錦.

銀星皮甲二副, 闕錦.

鍊鐵兜鍪四副, 闕錦.

紅地金銀五色線織成花鳥闕錦捍胯四腰.

角弓四張, 紅地金銀五色線織成龍魚闕弓袋, 裁四具.

竹笴箭二百隻, 一百隻貼金, 一百隻貼銀.

木笴箭二百隻, 紅地金銀五色線織成雲龍箭釵, 裁四具.

金銀裝欂鞘細縷[#]雲天玉劒一十口, 內二口金銀裝闕錦鞘.

金銀裝闕錦鞘細縷[#]雲天長刀一十口.

金銀裹槍一十根.

金銀裝闕錦鞘匕首一十口.

金銀裝鞘匕首一十口.

細苧布一百匹.

白氎布二百匹.

細中麻布三百匹事, 具悉.

卿世篤忠貞, 家傳勳閥, 爰屬承襲之始, 遠輸貢奉之儀. 貝錦成章, 橦華讓貴, 咸陳筐篚, 皆是珍奇. 而又兵器駢羅, 戎衣鮮麗, 莫非精妙, 可驗傾勤. 嘉獎所深, 再三無已".

○又勑高麗國王□[#], "省所奏進奉,

金銀裝斫剌六根.¹⁴⁾

闕錦鞘金銀裝劒六口.

金銀裝闕錦鞘長刀一十口.

紅地金銀五色線織成花鳥闕錦捍胯二腰.

紅地金銀五色線織成花鳥闕錦倚背二面.

紅地金銀五色線織成花鳥闕錦裙腰六腰.

紅地金銀五色線織成闕錦鞘金銀裝匕首一十口.

---

13) 이 구절에서 日이 탈락되었을 것이다.

14) 剌[자]는 刺와 같은 글자이다(東亞大學 2008년 1책 475面).

鍍金鷹鈴二十顆, 銀鑣鏇子五色條, 銀尾銅全.

鍍金鶻子鈴二十顆, 銀鑣, 尾銅全.

細白毹布一百匹.

細中麻布一百匹.

人參^{大參}五十斤.

頭髮二十斤.

金銀地鐵文翦刀一十枚.

金銀細縷^鏤剪刀二十枚.

金銀細縷^鏤剪髭剪刀一十枚.

銀花細縷^鏤剪刀二十枚.

金銀重口大樣刀子三十柄.

銀重口大樣刀子四十柄.

銀重口中樣刀子五十柄.

銀重口中樣刀子五十柄.

金銀重口小刀子五十柄.

銀重口小刀子一百柄.

金銀細縷^鏤撇火鎌二十枚.

金銀細縷鉗子二十枚.

香油五十斤.

松子五百斤事, 具悉.

卿地控東溟, 心馳北闕, 奉九丘^{九邱}而作貢, 歷萬里以來王. 戎器堅剛, 織文靡麗, 苧絁如雪, 至藥通神. 首飾翫具之奇, 香澤果實^寶之類, 名品^昷既衆, 羅列甚多, 省閱之時, 稱尚良切'.

○又勑高麗國王, "省所上表, 賀去年三月一日親幸澶州殺敗契丹事, 具悉. 朕以契丹, 顯違信義, 輒肆侵陵, 親御戎車, 往平桀虜. 靈旗一擧, 狂寇四犇^奔. 卿遠聽捷音, 頗攄憤氣, 載馳章表, 來慶闕庭, 嘉乃忠誠, 不忘于^於意"←惠宗2年에서 옮겨옴].

[二月^{工戌朔大盡.建辛卯}, 某日, 王發願寫成'銀字大藏經':追加].[15]

---

15) 이는 金代의 王寂(생몰년불명, 12세기후반의 官僚)이 1190년(明昌1, 명종20) 2월 이래 遼東地域을 巡行하다가 3월 1일(乙卯) 懿州(現 遼寧省 阜新市 阜新蒙古族自治縣 塔營子村의 古城址 地域) 寧昌軍節度使管內의 寶巖寺에서 定宗과 光宗이 發願한 2点의 寫經을 보고 題記를 인용한 것이다.

[三月壬辰朔^{小盡,建壬辰}:追加].

[夏四月辛酉朔^{小盡,建癸巳}:追加].

[五月^{庚寅朔大盡,建甲午}, 戊午^{29日}, 建靈巖郡道康縣無爲寺先覺大師逈微塔碑, 金文允‧崔奐規刻字:追加].¹⁶⁾

[六月庚申朔^{小盡,建乙未}:追加].

[秋七月己丑朔^{人盡,建丙申}:追加].

[八月己未朔^{小盡,建丁酉}:追加].

[九月戊子朔^{人盡,建戊辰}:追加].

[冬十月^{戊午朔大盡,建己亥}, 丙戌^{29日}, 康州界任道大監某寫成柱貼曰, "伯嚴禪寺, 在草八縣[注, 今草溪], 寺僧偘遊上座, 年三十九云, 寺之開創事, 則不知":追加].¹⁷⁾

[十一月戊子朔^{小盡,建庚子}:追加].

[十二月丁巳朔^{大盡,建辛丑}:追加].

[是月壬申^{16日}, 後晋滅亡. 癸酉^{17日}, 後晋出帝奉表謝罪於契丹太宗耶律德光:追加].

是歲, 天鼓鳴, 赦.¹⁸⁾

- 『遼東行部志』, 明昌 1년 3월, "乙卯, 觀銀字藏經, 上題云, 高麗王士堯發心敬造, 大晋開運三年丙午二月日".

16) 이는 「康津無爲寺先覺大師遍光塔碑」에 의거하였다(金石總覽 170面 ; 李智冠 2004년 1冊 271面).

17) 이는 다음의 자료에 의거하였다. 또 여기에서 經始는 開創, 初創 등의 의미를 지니고 있다.
- 『삼국유사』 권3, 塔像第4, 伯嚴寺石塔舍利, "開運三年丙午十月二十九日, 康州界任道人監柱貼云, '伯嚴禪寺坐草八縣[注, 今草溪], 寺僧偘遊上座, 年三十九云, 寺之經始則不知'. …".
- 『詩經』, 大雅, 文士之什, 靈臺, "經始靈臺, 經之營之, 庶民攻之, 不日成之".

18) 이와 같은 記事가 지7, 오행1, 水, 鼓妖에도 수록되어 있다. 또 이 기사에서 赦는 원래 大赦大下였을 것이지만, 『고려사』의 편찬과정에서 天下가 削除되고 단지 赦만 남게 되었다(『拙藁千百』 권2, 東人四六序 ; 『세종실록』 권22, 5년 12월 丙子^{29日}). 그리고 天鼓의 現狀은 폭발적인 火山의 噴火로 인하여 高空에서 발생하는 鳴動現象이라고 한다. 이때의 天鼓는 白頭山에서 일어난 噴火일 것으로 추측한 견해도 있고 (尹誠孝 2013년), 10월 7일 일본의 大和地域(現 奈良縣 奈良市地域)에서 재[灰]가 降下하였다고 하는 기록이 있는데, 이의 波及일 가능성이 있다(中央氣象臺 1941년 2冊 757面). 그리고 唐 太宗 李世民은 赦免의 成果에는 좋지 않은 点도 있다고 말했다고 한다.
- 『史記』 권27, 天官書第5, "天鼓, 有音如雷非雷, 音在地而下及地, 其所往者兵發, …".

○王備儀仗, 奉佛舍利, 步至十里所開國寺, □安之. 又以穀七萬石, 納諸大寺院, 各置佛名經寶及廣學寶, 以勸學法者.

[○雲門山禪院寫成長生標塔公文一道曰, "長生十一處, 阿尼岵·嘉西峴·畝峴·西北買峴[一作面知村]·北猪足門等":追加].[19]

[○求法僧釋超, 自錢塘歸還, 遽入闕謁見, 上命住錫興州宿水禪院:追加].[20]

[○僧智宗受具足戒於靈通寺戒壇:追加].[21]

[○僧某等三刱月出葛屋寺, 改稱曰茅屋寺:追加].[22]

[增補].[23]

- 『興福寺年代記』, 大慶 9년 10월 7일, "夜, 白灰散如雪". 여기에서 興福寺는 현재 東大寺에 들어가는 入口에 木塔이 우뚝 서있는 寺刹이다.
- 『자치통감』 권192, 唐紀8, 太宗貞觀 2년(628) 7월, "… 上謂侍臣曰, 古語有之, 赦者小人之幸, 君子之不幸. 一歲再赦, 善人喑啞. 夫養稂莠者害嘉穀, 赦有罪者賊良民, 故朕卽位以來, 不欲數赦, 恐小人恃之輕犯憲章故也".

19) 이는 다음의 자료에 의거하였는데, 添字와 같이 고쳐야 옳게 될 것이다.
- 『삼국유사』 권4, 義解5, 寶壤梨木, "又開運三年丙辰^{丙戌}, 雲門山禪院長生標塔公文一道, 長生十一, 阿尼岵·嘉西峴·畝峴·西北買峴[注, 一作面知村]·北猪足門等".

20) 이는 「山淸智谷寺眞觀禪師悟空塔碑」에 의거하였다(許興植 1984년 422面 ; 李智冠 2004년 2冊 133面).

21) 이는 「原州居頓寺圓空國師勝妙塔碑」에 의거하였다(국립중앙박물관 소장, 보물 제190호, 許興植 1984년 461面)·原文에는 智宗이 具足戒를 宋의 開寶三年에 받았다고 되어 있지만[受戒], 後晉의 開運三年의 誤字일 것이다.
- 『자치통감』권243, 唐紀59, 穆宗長慶 4년(824) 12월, "乙未^{21日}, 西泗觀察使王智興以上生日, 請於泗州置戒壇, 度僧尼以資福[胡三省注, 釋氏之法, 凡初度僧尼, 皆詣戒壇受戒, 其未受戒者謂之沙彌, 無知及避征役者爭趨之. 泗州有大聖塔, 人敬事之, 故王智興請於此置戒壇], 許之. …".

22) 이는 다음의 자료에 의거하였는데, 이때(946년)의 重刱은 先覺國師 道詵(827~898)에 의한 것은 아니었다.
- 『신증동국여지승람』 권37, 康津縣, 佛宇, "無爲寺, 在月出山, 開運三年僧道詵所創, 歲久頹毀, 今重營, 因爲水陸社".
- 「月出山無爲寺事蹟」(1739年 撰), "隋煬帝大業十三年·新羅眞平王十九年^{十六年}丁丑, 元曉國師初刱曰觀音寺, … 唐僖宗乾符二年·新羅憲康王元年乙未, 道詵國師二刱曰葛屋寺, … 後晋出帝開運三年丙午先覺國師^{道詵}三刱曰茅屋寺, … 明世宗嘉靖三十四年乙卯太甘四刱曰無爲寺, …"(藤島亥治郎 1930年a 233面).

23) 이해에 一善郡의 上豪 金宣弓이 大丞(3品上)에 追贈되었다고 하는데, 다음의 자료에 수록된 官職과 用語에 문제가 있다.
- 『경상도지리지』, 尙州道, 善山都護府, "金宣弓, 有武略, 事高麗太祖, 靖難輔國, 位至壁上功臣·門下侍中^{門下評理}. 至定宗時, 開運丙午, 追贈大丞, 諡順忠公. 其敎^書曰, 邦家規矩賞罰爲先, 功重者必錫殊恩, 罪深者須行極法. 前件官量包江海, 性蘊忠良, 早傾向化之誠, 續展扶邦之款. 在時旣察於爲國, 歿後合加於峻階, 今贈人丞之超榮, 魂兮不昧知余來意".

丁未[定宗]二年[辛巳三年?], 後漢天福十二年[高麗行開運四年], [西曆947年]

947년 1월 24일(Gre1월 29일)에서 948년 2월 12일(Gre2월 17일)까지, 13개월 384일

[春正月丁亥朔^{人盡,壬寅}:追加].

[二月丁巳朔^{小盡,癸卯}:追加].

[是月丁巳朔, 契丹改國號爲大遼, 會同十年爲天祿元年:追加].

[是月辛未^{15日}, <u>劉知遠</u>卽位, 是爲後漢高祖:追加].

[三月丙戌朔^{大盡,甲辰}:追加].

春[某月], [遣大匡<u>朴守文</u>, 城德昌鎭, 又:節要轉載]築西京王城[及^{寧邊}鐵甕・博陵^{博川郡}・三陟・通德等城:節要轉載].[24]

[夏四月^{丙辰朔小盡,乙巳}, 乙亥^{20日}, 光州曦陽縣玉龍寺僧<u>慶甫</u>入寂, 年八十, 臘六十二. 上震悼, 遣使致弔, 諡洞眞, 塔曰寶雲:追加].[25]

[是月丁丑^{22日}, 遼太宗耶律德光崩. 戊寅^{23日}, 世宗耶律阮卽位:追加].

[五月乙酉朔^{小盡,丙午}:追加].

---

24) 이 기사와 관련된 자료로 다음이 있다.
- 지36, 兵2, 城堡, "定宗二年, 城德昌鎭, 又築西京王城及鐵甕・三陟・通德等城, … 城博州^{博川郡}一千一閒, 水口一, 門九, 城頭十六, 遮城九". 여기에서 鐵甕城(혹은 鐵瓮城)은 延州(現 平安北道 寧邊郡 寧邊邑에 위치, 혹은 藥山山城, 국보유적 제63호)에 위치한 山城으로 추측되는데, 이것은 조선시대에 일시 孟山縣(平安南道 孟山郡), 永興府(현 咸鏡南道 金野郡, 1977년 永興郡의 改稱, 孟山郡의 동쪽)의 관할 하에 있었던 것 같다(『신증동국여지승람』권48, 永興大都護府, 古跡, 古鐵甕城, 권54, 寧邊大都護府, 城池, 鐵甕山城, 권55, 孟山縣, 古跡, 鐵甕城).
- 『숙종실록』권14, 9년 7월 乙酉^{16日}, "御晝講. … ^{右議政}錫冑曰, 寧邊鐵甕山城[卽寧邊邑治], 周廻二十七里, 山脈來自妙香, 城東面勢極巉巖, 南則俯臨大野, 形勢甚曠. 其中藥山東臺有築城古址, 或云此城延袤旣大, 不必更築子城, 或云古有三重城, 更築內城爲當".
- 『東州集』詩集권1, 鐵甕錄(1637년), 序, "<u>東州翁</u>^{李敏求}旣到配, 其地卽鐵甕舊治, 兵營旣移鎭安陵, 城池卽外, 邑聚散落, 在四山環擁中, …".
- 『歸鹿集』권2, 鐵瓮城, "千雉崢嶸鐵作城, 此州形勝重西京, 今之都護寧邊府, 昔者元戎節度營, …".

25) 이는 「光陽玉龍寺洞眞大師寶雲之塔碑」에 의거하였다(金石總覽 189面 ; 李智冠 2004년 1冊 349面). 이날은 율리우스曆으로 947년 5월 13일(그레고리曆 5월 18일)에 해당한다.

[六月甲寅朔^{大盡,丁未}:追加].

[是月戊辰^{15日}, 劉知遠改國號曰漢, 定都開封, 改後晋開運四年爲天福十二年:追加].

[秋七月甲申朔^{小盡,戊申}:追加].

[閏七月癸丑朔^{小盡,戊申}:追加].

[八月壬午朔^{大盡,己酉}:追加].

[九月壬子朔^{大盡,庚戌}:追加].

[是月丁卯^{16日}, 遼改大同元年爲天祿元年:追加].

[秋某月, 某日, 遣大匡朴守卿, 城德成鎭:節要轉載].[26]

[○以僧惠居爲王師:追加][27]

[冬十月壬午朔^{小盡,辛亥}:追加].

[十一月辛亥朔^{大盡,壬子}:追加].

[十二月辛巳朔^{大盡,癸丑}:追加].

[是年, 置光軍司. 先是, 崔彦撝子光胤, 以賓貢進士, 遊學入晋, 爲契丹所虜, 以才見用, 受官爵, 奉使龜城, 知契丹將侵我, 爲書以報. 於是, 命有司選軍三十萬, 號光軍:節要轉載].[28]

---

26) 이 기사와 관련된 자료로 다음이 있다.
  · 지36, 兵2, 城堡, "^{定宗二年}城德成鎭·城博州, 一千一間, 水口一, 門九, 城頭十六, 遮城九".

27) 이는 다음의 자료에 의거하였는데, 고려시대의 王師는 帝王의 典範, 國師는 國家의 顧問으로 追崇되었던 것 같다.
  · 「惠居國師塔碑」, "… 開運四年秋, 我定宗人王特降璽書奉爲王師".
  · 『동문선』 권27, 故寶鏡寺住持大禪師聞眞國師敎書, "… 夫王師者, 特一王之攸範, 國師者, 迺一國之所資".

28) 이 기사와 관련된 자료로 다음이 있다. 崔光胤(生沒年不詳, 崔彦撝의 子)은 940년(태조23) 7월 王命을 받아 唐 太宗의 書體를 모아 王師 忠湛(869~940)의 塔碑를 刻字한 후 賓貢進士로 後晋(936~946)에 들어 갔던 것으로 추측되며(原州興法寺眞空大師塔碑 ; 『欒翁稗說』後集, 권1, 張東翼 2014 1책 458面), 그가 契丹에 피로된 시기는 945년(開運2) 거란의 제2차 침입으로 인해 兩國이 滿城(現 河北省 保定市 滿城區) 부근에서 쟁패전을 전개하였던 3월에서 5월 사이로 추정된다.
  그리고 眞空大師塔碑에 集字된 唐 太宗의 書體는 太宗에게 書字를 가르쳤던 虞世南의 筆法에 영향을 받은 것이라고 한다(→參考文獻 『北堂書鈔』의 脚注).
  · 지31, 百官2, 諸司都監各色, "光軍司, 定宗二年, 置之, 後^{顯宗2年以前}改光軍都監 …".
  · 지3, 兵1, 五軍, "定宗二年, 以契丹將侵, 選軍三十萬, 號光軍, 置光軍司".

戊申[定宗]三年[幸中四年?], 後晉開運五年→後漢乾祐元年, [西曆948年]

948년 2월 13일(Gre2월 18일)에서 948년 1월 31일(Gre2월 5일)까지, 354일

[春正月辛亥朔^{大盡,甲寅}:追加].

[是月乙卯^{5日}, 改天復十二年爲乾祐元年. 丁丑^{27日}, 後漢高祖劉知遠崩:追加].

[二月辛巳朔^{小盡,乙卯}:追加].

[是月, 設轉藏法事於弘化寺, 命王師惠居住席, 賜辯智無碍之號:追加].[29]

[是月辛巳朔, 後漢隱帝劉承祐卽位, 仍用乾祐年號:追加].

[三月庚戌朔^{人盡,丙辰}:追加].

[夏四月庚辰朔^{小盡,丁巳}:追加].

- 열전5, 崔彦撝, "光胤, 嘗以賓貢進士, 遊學入晋, 爲契丹所虜, 以才見用, 拜官奉使龜城, 知契丹將侵我, 爲書付蕃人以報. 於是, 命有司選軍三十萬, 號光軍".
- 『세종실록』 권153, 지리지, 原州牧, "興法寺, 在州西二十里, 寺有碑, 高麗太祖親製其文, 而崔光胤集唐太宗皇帝書, 模刻于石. 益齋李齊賢, 嘗辭義雄深偉麗, 如玄圭赤舃, 揖讓廊廟, 而字大小眞, 行相間鸞漂鳳泊, 氣呑象外, 眞天下之寶也".
- 『虛白堂集』拾遺권9, 題興法寺眞空大師塔碑銘, "余嘗在史局, 閱太祖實錄, 王製興法寺碑文, 集唐太宗所書爲字. 讀卒, 謂同僚曰, '此是絶代奇寶, 或見之, 可以攄懷古不盡之意'. …".
- 『松齋集』권1, 關東錄, 原州興法寺碑, [注, 麗祖所撰, 崔光潤集唐太宗字, 後移置州廨, 有一守惑妖忌, 出擲溝壑中, 第茨僅庇風雨].
- 『東州集』前集권7, 興法寺碑歌幷序, 高麗眞空禪師塔碑, 舊在原州興法寺, 益齋李齊賢所讚, 玄圭赤舃揖讓廊廟者也. 文卽麗祖^{太祖}撰, 筆集唐太宗書, 其陰刻諸門徒及預是役者. 文體專襲唐末駢偶, 無帝王家氣象. 疑其時學士如崔承老輩視草所爲, 而稱道禪師宗旨行業與示寂靈異, 悉多模演傳燈等書, 祖師故蹟無一近實. 大麗祖以開統之辟, 不思用民彝物則啓牖方來者, 而首先發揮禪旨, 又以虛僞示人. 揭之壽石, 將以率一代後世, 雖其道訓所載本不外是, 而五百年卑陋之俗, 固有以開之矣. 乃益齋則其國之臣, 襃揚過盛, 謂希世之寶, 無足深怪. 雖然, 碑成在咸通中, 距今七百有餘歲, 已是山門故器. 而貞觀帝雅喜遊藝, 體氣融渾, 戈法宛然, 與淳化帖等所傳相似無異. 假賓諸中國金石之列, 歐陽氏^{歐陽珣}. 趙明誠輩其令諸. 蓋益齋之論山, 而邦人之丐請與州縣之模搨殆不勝紛沓. 徐四佳詩, 興法臺前墨打碑者是已, 有一官吏病其工役往來, 移置州廨. 近歲, 武人爲營將是州, 設冶于旁, 鍛鐵其上, 石碎爲片段. 字又剜缺不全, 嶧山民火燒秦刻, 俱爲斯文遺恨. 乙亥^{仁祖13年}秋, 余^{李敏求}按東節, 購求是石, 或得諸柱礎墻址及擣帛之礎, 凡大小八段, 中央數片約一尺許, 終不可得. 乃令工人隨段搨印, 集成碑樣, 其文亦略可讀. 余耀其歲久, 而愈益散佚, 就客館隅創小屋閣之, 且記其數. 庶幾後之覽者, 知斯石之成毀存亡, 而有以葆傳之久遠也. 時崇禎九年丙子^{14年}四月日".
- 『硏經齋全集』續集卅16, 興法碑跋, "興法碑, 在原州觀察營中, 今亦不甚刓缺. 益齋所稱鸞飄鳳泊, 氣呑象外者, 眞善喩也. 崔光胤集唐太宗筆, 然觀台宗筆之在^{淳化}閣帖者, 與此懸殊, 盖光胤筆法爲多也".

29) 이는 다음의 자료에 의거하였다.
   - 「惠居國師塔碑」, "… 明年二月, 設轉藏法事於弘化寺, 命王師^{惠居}住席, 賜辯智無碍之號".

[五月己酉朔^{小盡,戊午}:追加].

[六月戊寅朔^{大盡,癸未}:追加].

[秋七月戊申朔^{小盡,庚申}:追加].

[八月丁丑朔^{小盡,辛酉}:追加].

秋九月^{丙午朔人盡,壬戌}，[某日]，東女眞大匡蘇無盖等來，獻馬七百匹及方物. 王御天德殿，閱馬爲三等，評定其價，馬一等・銀注子一事，錦絹各一匹，二等，銀鉢一事・錦絹各一匹，三等，錦絹各一匹. <u>忽雷雨</u>，震押物人，又震殿<u>西角</u>.³⁰⁾ 王大驚，近臣等扶入重光殿，遂不豫，赦.³¹⁾

[冬十月丙子朔^{大盡,癸亥}:追加].

[十一月丙午朔^{小盡,甲子}:追加].

[十二月乙亥朔^{大盡,乙丑}:追加].

[□□^{是歲}],³²⁾ 始行後漢年號.

己酉[定宗]四年[幸中五年?], 後漢乾祐二年, [西曆949年]

949년 2월 1일(Gre2월 6일)에서 950년 1월 20일(Gre1월 25일)까지, 354일

春正月^{乙巳朔大盡,丙寅}，辛亥^{7日}，大匡<u>王式廉</u>卒.³³⁾ [式廉, 太祖從弟也, 以勤恪, 久鎭<u>西京</u>.³⁴⁾ 及定王規之亂, 賜匡國翊贊功臣號, 加大丞. 卒, 諡^諡威靜, 贈太師, <u>後</u>^{成宗13年}配享王廟:節要轉載].

---

30) 이와 관련된 기사로 다음이 있다.
 ・지7, 오행1, 水, 雷震, "定宗二年九月, 王御天德殿, 忽雷雨震人, 又震殿西角".
31) 이날의 날짜[日辰]를 알 수 없으나 일본의 京都에서 8월 13일(辛丑) 무렵부터 장마[霖雨]가 계속 이어져 9월 30일(乙亥)까지 계속 되었다고 한다(『日本史料』1-9冊 261面).
 ・『日本紀略』後篇3, 天曆 2년 9월 "十四日己未, 發遣石淸水以下五祉奉幣使, 爲祈天變・怪異・霖雨".
 ・『貞信公記抄』, 天曆 2년 7월, 9월, "^{七月}七日, 曉雷人鳴, 又降雨, 廿七日, 夜人風雨, 屋舍多顚倒, 死人有數云々, 廿八日, 分遣諸衛官人於諸司, 令實檢風損官舍. … ^{九月}十四日, 右大臣^{藤原御輔}來門外云, 今日, 有臨時幣使立事, 緣先口御祈也者".
32) 이 위치에 是歲가 탈락되었을 것이다.
33) 이날은 율리우스曆으로 949년 2월 7일(그레고리曆 2월 12일)에 해당한다.
34) 열전5, 王式廉에는 "式廉久鎭<u>平壤</u>, 常以衛社稷, 拓封疆, 爲己任"으로 되어 있다.

[→諡威靜. 贈虎騎尉·太師·三重大匡·開國公, 配享定宗廟庭. 子含允·含順:列傳5王式廉轉載].

[二月乙亥朔^{小盡,丁卯}:追加].

三月^{甲辰朔人盡,戊辰}, 丙辰^{13日}, 王疾篤, 召母弟昭內禪, 移御帝釋院薨.³⁵⁾ 在位四年, 壽二十七. 王性好佛多畏, 初, 以圖讖決議移都西京, 徵發丁夫, 令^{廣評}侍中權直, 就營宮闕.³⁶⁾ 勞役不息, 又抽開京民戶, 以實之, 群情不服, 怨讟胥興. 及薨, 役夫聞而喜躍. 諡^曰曰文明, 廟號定宗, 葬于城南, 陵曰安陵.³⁷⁾ 穆宗五年加諡^號章敬, 顯宗五年加正肅, 十八年加令仁, 文宗十年加簡敬, 高宗四十年加莊元.

李齊賢贊曰, "定宗^{定王}以人君之尊,³⁸⁾ 步至十里所浮屠之宮, 以藏設利, 又以七萬石穀, 一日而分賜諸僧. 一遭天譴, 喪心生疾, 所謂'君子, 求福不回, □□□□^{敬以直內}者,³⁹⁾ 亦嘗聞其說耶, 疾旣大漸, 能以宗社, 付之親弟, 不使如王規者, 覬覦於其閒,⁴⁰⁾ 是可嘉也已".

[定宗在位年間]

[○上迎入聞喜郡鳳巖寺僧兢讓大內, 聽瑩國之藥言, 賜磨衲袈裟一領. 及兢歸山, 以新寫'義熙本華嚴經' 八秩, 送之:追加].⁴¹⁾

---

35) 이날은 율리우스曆으로 949년 4월 13일(그레고리曆 4월 18일)에 해당한다.
36) 廣評侍中 權直이 定宗의 명령을 받아 西京의 宮闕을 축조한 시기가 947년(정종2)인가, 948년인가를 摸索했던 苦心도 있었다(李丙燾 1961년 96面).
37) 安陵은 開城市 開豊郡 古南里 龍首山의 南側에 있는데, 1978년에 發掘되었다(보존급유적 552호, 張慶姬 2013년 ; 洪榮義 2018년).
38) 定宗은 『익재난고』 권9 下, 史贊, 定王에는 定王으로 되어 있다.
39) 『익재난고』에는 '敬以直內'가 더 들어 있다.
40) 閒은 『익재난고』와 『고려사절요』에서 間(閒의 俗字)으로 되어 있는데, 어느 글자를 취하더라도 無妨하다.
41) 이는 「聞慶鳳巖寺靜眞大師圓悟塔碑」에 의거하였다.

光宗

光宗·弘道·宣烈·平世·大成大王,¹⁾ 諱昭, 字日華, 定宗母弟. 以太祖八年乙酉生, 定宗四年三月丙辰^{13□} 受內禪, 卽位.

[夏四月甲戌朔^{大盡,己巳}:追加].

[五月甲辰朔^{小盡,庚午}:追加].

[六月癸酉朔^{小盡,辛未}:追加].

[秋七月壬寅朔^{大盡,壬申}:追加].

秋八月^{壬申朔小盡,癸酉}, [某日], 命大匡朴守卿等, 攷定國初有功役者, 賜四役者米二十五碩, 三役者二十碩, 二役者十五碩, 一役者十二碩, 以爲例食.²⁾

[某日, 命元甫式會·元尹信康等, 定州縣歲貢之額:節要·食貨1貢賦轉載].

[九月辛丑朔^{小盡,甲戌}:追加].

[冬十月庚午朔^{大盡,乙亥}:追加].

[十一月庚子朔^{大盡,丙子}:追加].

[十二月庚午朔^{小盡,丁丑}:追加].

[是歲, 建元光德←光宗元年에서 옮겨옴].³⁾

---

1) 여기에서 廟號인 光宗과 諡號인 文成大王은 그의 死後인 975년(경종 즉위년) 5월에 붙여진 것이고, 宣烈은 1002년(목종5) 4월에, 平世는 1014년(현종5) 4월에 각각 덧붙여진[加上] 諡號이다. 그런데 光宗은 1027년(현종18) 4월에 肅憲이, 1056년(문종10) 10월에 懿孝가, 1253년(고종40) 6월 4일(辛亥)에 康惠가 각각 덧붙여졌으나 이 자료에 반영되어 있지 않다. 또 이 자료의 弘道는 덧붙여진 시기가 찾아지지 않는데, 이는 975년(경종 즉위년) 10월 6代 先祖의 尊號를 덧붙일 때 붙여진 諡號일 것이다.

2) 고려시대의 碩은 量器의 가장 큰 單位로서 石 또는 곡(斛)과 同一한 容積의 다른 표기이다(李宗峯 2016년 127面).

3) 이 기사는 광종 1년에 수록되어 있으나 이해[是年]로 옮겨와야 옳게 된다. 곧 세가2, 光宗 1年條 및 表1, 年表1에는 950년(庚戌, 광종1)에 光德이라는 年號를 사용하였다고 되어 있다. 그런데 谷城의 「人安寺廣慈大師塔碑」에는 '光德二年歲次庚戌'로 되어 있어, 光德 2년(庚戌)은 950년(광종1)임을 알 수 있다. 또 王寂

庚戌[光宗]元年:光德二年, [西曆950年]

950년 1월 21일(Gre1월 26일)에서 951년 2월 8일(Gre2월 13일)까지, 13개월 384일

春正月^{己亥朔大盡,建戊寅}, [某日], 大風拔木, 王問禳灾之術. 司天□^奏奏曰, "莫如修德". 自是, 常讀'貞觀政要'.

[某日,建元光德→光宗即位年으로 옮겨감].

[二月己巳朔^{小盡,建己卯}:追加].

[三月戊戌朔^{大盡,建庚辰}:追加].

[春某月, 上欲親瞻鳳巖寺僧兢讓, 遣中使以龍緘, 敍相遇之心. 讓亦將朝北闕, 率眷屬上京, 中途遇中使, 偕入京畿. 遣宰臣及諸寺僧徒, 備禮郊迎, 而導從陪隨, 至護國帝釋院安下. 翌日, 招致大內, 親迎設齋:追加].⁴⁾

[○城長靑鎭^{長靜鎭}:節要轉載].⁵⁾

[夏四月^{戊辰朔大盡,建辛巳}, 是月, 上請兢讓, 移住舍那禪院, 仍送磨衲袈裟一領, 兼領設齋, 無不精勤. 又命兩街僧統大德法興, 內議令·大相皇甫光謙, 詣禪局, 備傳聖旨. 續遣中使, 送錦緣磨衲袈裟一領幷頂踵之飾等. 仍詔翰林學士·大相·守兵部令金岳, 宣綸制:追加].⁶⁾

[五月戊戌朔^{小盡,建壬午}:追加].

에 의하면, 952년(光德4)의 가을에 光宗이 發願한 『人般若波羅密多經』의 卷首에 다음의 題記가 있었다고 한다.

이에 의하면 이해[是年], 곧 壬子年은 光德 4年에 해당하는데, 이에 따르면 光德으로 建元한 해는 광종 즉위년인 949년이 될 것이다. 그렇다면 『고려사』 세가와 年表에서 年代整理[繫年]를 잘못한 것은 조선왕조 초기에 『고려사』를 편찬하는 과정에서 고려시대에 행해진 卽位年稱元法을 踰年稱元法으로 再整理하다가 錯誤를 일으킨 것임을 알 수 있다[校正事由].

· 題記, "菩薩戒弟子高麗王王昭, 以我國光德四年歲在壬子秋, 敬寫此經一部, 意者, 昭謬將沖幼, 獲嗣宗祧, 機務旣繁, 安危所繫, 是以每傾心於天佛, 因勤格^格以祈求所感, 心通事無不遂, 故欲報酬恩德, 輒有此願謹記"(『遼東行部志』).

4) 이는 「聞慶鳳巖寺靜眞大師圓悟塔碑」에 의거하였다.

5) 長靑鎭은 長靜鎭의 오자일 것이다(尹京鎭 2010년d).

· 지12, 지리3, 北界, "昌州, 本高麗長靜縣, …".

6) 이는 「聞慶鳳巖寺靜眞大師圓悟塔碑」에 의거하였다.

[閏五月丁卯朔^{大盡,建壬午}:追加].

[六月丁酉朔^{小盡,建癸未}:追加].

[秋七月丙寅朔^{大盡,建甲申}:追加].

[八月丙申朔^{小盡,建乙酉}:追加].

[九月乙丑朔^{大盡,建丙戌}:追加].

[秋某月, 城威化鎭:節要轉載].⁷⁾

[冬十月乙未朔^{小盡,建丁亥}, 己酉^{15日}, 建武州谷城縣大安寺廣慈大師允多塔碑, 文昱刻字:追加].⁸⁾

[十一月甲子朔^{大盡,建戊子}:追加].

[是月乙酉^{22日}, 隱帝劉承祐遇弑, 後漢滅亡:追加].

[十二月甲午朔^{小盡,建己丑}:追加].

辛亥[光宗]二年:光德三年→12月高麗行後周廣順元年, [西曆951年]

951년 2월 9일(Gre2월 14일)에서 952년 1월 29일(Gre2월 3일)까지, 355일

[春正月癸亥朔^{大盡,建庚寅}:追加].

[是月丁卯^{5日}, 郭威卽位, 建國號周, 定都開封, 是爲後周太祖, 改元廣順:追加].

[二月癸巳朔^{小盡,建辛卯}:追加].

[三月壬戌朔^{大盡,建壬辰}:追加].

[夏四月壬辰朔^{大盡,建癸巳}:追加].

---

7) 이 기사와 관련된 자료로 다음이 있는데, 威化鎭城(後日의 雲州城)은 현재의 平安北道 雲山郡 上院里에 있었던 것 같다(梁時恩 2021년).
   · 지36, 兵2, 城堡, "光宗元年, 城長青鎭·威化鎭".
   · 지12, 지리3, 北界, 安北大都護府, 雲州, "雲州, 本高麗^{古遠化鎭}雲中郡, 一云古遠化鎭, 光宗時, 爲威化鎭".
8) 이는 「谷城大安寺廣慈大師塔碑」에 의거하였다.

[五月壬戌朔^{小盡,甲午}:追加].

[六月辛卯朔^{大盡,乙未}:追加].

[秋七月辛酉朔^{小盡,丙申}:追加].

[八月庚寅朔^{大盡,丁酉}:追加].

[九月庚申朔^{小盡,戊戌}:追加].

[是月癸亥^{9日}, 遼世宗耶律阮遇弑. 丁卯^{8日}, 穆宗耶律璟卽位, 改天祿五年爲應曆元年:追加].

[某月], 創大奉恩寺于城南, 爲太祖願堂, 又創佛日寺于東郊, 爲先妣劉氏願堂.[9]

[冬十月^{己丑朔大盡,己亥}, 丙申^{8日}, 西京重興寺九層塔災:節要·五行1火災轉載].[10]

[□□^{先是}, 太祖謂崔凝曰, "昔新羅造九層塔, 遂成一統之業. 今欲開京建七層塔, 西京建九層塔, 冀借玄功, 除群醜, 合三韓爲一家, 卿爲我作發願疏". 凝遂製進:列傳5崔凝轉載].

[十一月己未朔^{小盡,庚子}].

---

9) 佛日寺는 現 開城市 仙跡里 佛日洞(옛 長湍郡 津西面 景陵里, 板門郡 仙跡里) 法雲山에 있었으며, 이 사
   원 터에 北韓의 國寶級文化財 第35號(혹은 指定古跡 第252號)로 지정된 5層石塔(1960년에 開城 南人門
   의 서쪽에 위치한 紡織洞의 靑年公園으로 移轉되었다)을 비롯하여 金剛戒壇[令利戒壇]·石佛 4軀와 金銅
   製舍利塔 2基(平壤 朝鮮中央歷史博物館에 陳列)·幢竿支柱 등이 있었다(中西 亮 1987년 ; 寺利文化硏究院
   編 1992년 ; 社會科學院 考古學硏究所 2009년b). 또 이 기사와 관련된 자료로 다음이 있다.
   ·『삼국사기』 권35, 志4, 지리2, 松岳郡, "我太祖開國, 爲王畿. 領縣二, 如羆縣, 本高句麗若豆耻縣, 景德王
   改名, 今松林縣. 第四葉光宗, 創置佛日寺於其地, 移縣□於東北".
   ·지10, 지리1, 松林縣, "光宗創置佛日寺于其地, 移縣治於東北".
   ·『신증동국여지승람』 권12. 古跡, "佛日寺, 高麗光宗創佛日寺於松林縣北, 移縣治於東北".
10) 이와 관련된 기사로 다음이 있다. 여기에서 光宗을 定宗을 잘못 表記한 것은 편년체의 『고려사』를 기전
   체로 改編하는 과정에서 王號를 착각한 것이다. 이날은 율리우스曆으로 951년 11월 9일(그레고리曆 11
   월 14일)에 해당한다. 또 여기에서 火災 중의 災(혹은 灾)는 自然現象에 의한 發火[天火]를, 火는 人間에
   의한 發火[人火]를 表記한 것 같다.
   ·지8, 오행2, 화, 火災, "定宗^{光宗}二年十月丙申, 西京重興寺九層塔灾".
   ·『자치통감』 권21, 漢紀13, 武帝太初 元年[BC104, 注, 應劭曰, 初用夏正, 以正月爲歲首, 故改元爲太初],
   "十一月, 甲子朔旦, 冬至, 祀上帝于明堂, … 乙酉^{22日}, 柏梁臺災[胡三省注, 大火曰災, 人火曰火]". 中原의 曆
   日에서 夏代에는 1월[正月] 1일을 新年의 시작[歲首]으로 삼았으나 商代[殷代]에 12월 1일로, 周代에 11
   월 1일로, 秦代에 10월 1일로 바꾸었고, 이때에 『太初曆』을 사용하면서 다시 정월 1일을 歲首로 삼았던
   것을 應劭(153?~196)가 注釋으로 기록한 것이다.

冬十二月^{戊子朔大盡,辛丑}, 始行後周年號.

[是年, 城撫州六百三閒, 門五, 水口二, 城頭八, 遮城三:兵2城堡轉載].

[三年^{三什}, 遣廣評侍郎徐逢如周, 獻方物←光宗三年에서 옮겨옴].[11]

壬子[光宗]三年:光德四年, 後周廣順二年, [西曆952年]

952년 1월 30일(Gre2월 4일)에서 953년 1월 17일(Gre1월 22일)까지, 354일

[某月,遣廣評侍郎徐逢如周,獻方物→光宗二年으로 옮겨감].

[春正月戊午朔^{小盡,壬寅}:追加].

[二月丁亥朔^{大盡,癸卯}:追加].

[三月丁巳朔^{小盡,甲辰}:追加].

---

11) 이 기사는 『고려사』에 光宗 3年에 수록되어 있으나, 아래에 引用된 중국 측의 자료에 의하면 徐逢은 이 해[是年]의 1월 13일(庚午) 後周에 到着하였음으로, 이해에 파견된 것이 아니라 951년(광종2) 후반기에 고려에서 출발하였을 것이다. 이는 『고려사』의 撰者가 고려시대의 卽位年稱元法을 踰年稱元法으로 바꾸면서 『光宗實錄』(혹은 『七代事跡』)에서 光宗 3年의 記事를 光宗 2年으로 改書하지 아니하고 그대로 두었을 가능성이 있다.
• 『오대회요』 권30, 高麗, "周廣順元年止月, 遣廣評侍郎徐逢等九十七人來朝貢. 二月, 以權知高麗國事壬昭, 爲特進檢校太保·使特節·玄菟州都督·上柱國·充大義軍使兼 御史大夫·高麗國工, 仍命衛尉卿劉皞·通事舍人顧彦浦, 持節冊之, 劉皞卒於路, 彦浦溺海而死".
• 『송사』 권487, 열전246, 外國3, 高麗, 周廣順元年, "遣使朝貢, 以昭爲特進檢校太保·使特節·玄菟州都督·充大義軍使·高麗王".
• 『신오대사』 권11, 周本紀11, 太祖, 廣順 2년 1월, "庚午^{13日}, 高麗工昭, 使其廣評侍郎徐逢來".
• 『구오대사』 권112, 周書3, 太祖紀3, 廣順 2년 1월, "庚午, 高麗權知國事王昭, 遣使貢方物".
• 『책부원귀』 권972, 外臣部17, 朝貢5, 廣順 2년 1월, "高麗權知國事王昭, 遣廣評侍郎徐逢等九十七人來朝貢".
• 『구오대사』 권112, 周書3, 太祖紀3, 廣順 2년 2월, "癸巳, 以權知高麗國事壬昭, 爲高麗王".
• 『책부원귀』 권965, 外臣部10, 冊封3, 周太祖, 廣順 2년, "二月, 制權監高麗國事王昭, 可特進·檢校太保·使特節玄菟州都督·上柱國·充大義軍使, 封高麗王. 仍令所司諸禮冊命, 以衛尉卿劉皞充冊使, 通事令人顧彦浦副之, 皞卒於路, 彦浦溺海而死. 以太僕少卿王演, 借衛尉卿, 充高麗國冊禮使, 右衛率府呂繼贇, 借將作少監充使副".
이상의 기사들을 종합해 보면 고려의 使臣 廣評侍郎 徐逢이 後周에 와서 貢物을 바치자, 權知高麗國事 王昭를 高麗國王으로 冊封하였다는 것이다. 그런데 『오대회요』와 『송사』에서는 그 時点이 廣順元年이었다고 되어 있으나, 『책부원귀』; 『구오대사』; 『新五代史』, 그리고 『고려사』에는 廣順二年으로 되어 있어 어느 쪽이 옳은지 판가름하기가 어렵다. 만일 廣順二年說을 취하면, 고려는 책봉받기 이전인 廣順元年 12월에 後周의 年號를 처음으로 사용하게[始行後周年號] 된 셈이므로, 廣順元年說을 채택하는 것이 옳을 것이다[校正事由].

[春某月, 城安朔鎭:節要·兵1城堡轉載].

[夏四月丙戌朔^{大盡,乙巳}:追加].

[五月丙辰朔^{小盡,丙午}:追加].

[六月乙酉朔^{大盡,丁未}:追加].

[秋七月乙卯朔^{小盡,戊申}:追加].

[八月甲申朔^{大盡,己酉}:追加].

[九月甲寅朔^{大盡,庚戌}:追加].

[秋某月, 王發願寫成‘銀字大般若波羅密多經’一部:追加].[12]

[冬十月甲申朔^{小盡,辛亥}:追加].

[十一月癸丑朔^{大盡,壬子}:追加].

[十二月癸未朔^{小盡,癸丑}:追加].

[是年, 遣僧思泰如周, 獻方物, 又遣陳參如周, 獻方物:追加].[13]

癸丑[光宗]四年:光德五年, 後周廣順三年, 契丹應曆三年, [西曆953年]

953년 1월 18일(Gre1월 23일)에서 954년 2월 5일(Gre2월 10일)까지, 13개월 384일

[春正月壬子朔^{大盡,甲寅}:追加].

[閏正月壬午朔^{小盡,甲寅}:追加].

[二月辛亥朔^{小盡,乙卯}:追加].

[□□^{三月庚辰朔人盡,丙辰}, 某日:追加],[14] 周遣衛尉卿王演·將作少監呂繼贇來, 冊王, 爲特進檢校大

---

12) 이는 王寂이 고려의 寫經을 보고 題記를 引用한 것에 의거하였고, 題記는 광종 즉위년 是歲의 脚注에 인용되어 있다.

13) 이는 다음의 자료에 의거하였다.
  · 『책부원귀』권972, 外信部17, 朝貢5, “廣順二年七月, 高麗僧思泰獻方物”.
  · 『책부원귀』권980, 外臣部25, 通好, “^{廣順二年十月}其月, 淮南送高麗使陳參等到闕見, 勅有司賜酒食衣服”.

14) 여기에서 三月은 다음의 자료에 의거하였는데, 後周의 使臣이 도착하자 光宗이 該當官廳[有司]에 命하여

保·使持節玄菟州都督·充大義軍使兼御史大夫·<u>高麗國王</u>.[15]

[夏四月庚戌朔^{小盡,丁巳}:追加].

[五月己卯朔^{大盡,戊午}:追加].

[六月己酉朔^{小盡,己未}:追加].

[秋七月戊寅朔^{大盡,庚申}:追加].

[八月戊申朔^{大盡,辛酉}:追加].

[九月戊寅朔^{大盡,壬戌}:追加].

[秋某月, 舍那禪院住錫<u>兢讓</u>, 還歸聞喜郡曦陽山鳳巖寺, 上以摳衣避席, 躬攀法駕, 泣送兢讓:追加].[16]

[冬十月^{戊申朔小盡,癸亥}, 乙卯^{8日}, 慶州皇龍寺九層塔災:節要·五行1火災轉載].[17]

冊封儀式을 3月에 끝내게 하였으나 비가 그치지 않아 執行하지 못하다가 均如의 祈禱로 청명한 가운데 의식이 이루어 질 수 있었다고 한다. 여기에서 宋朝는 周朝의 오류이다.

· 『均如傳』第6, 感通神異分者, “廣順三年, 宋朝^{周朝}使至, 將封大成大王. 王命有司各揚厥職, 三月蔵事. 方臨受策, 會愁霖不止, 禮命阻行, …”.

15) 이때 後周는 952년(광종3, 廣順2) 2월 7일(癸巳) 光宗을 책봉하고, 衛尉卿 劉皥·通事舍人 顧彦浦를 보내어 冊命을 전하게 하였다. 그렇지만 冊命使 劉皥가 4월 9일(甲午) 鄆州에서 죽고, 副使 顧彦浦는 바다에서 溺死하게 되자, 9월 12일(乙丑) 다시 太僕少卿 王演을 借衛尉卿에 任命하여 高麗國冊禮使로 삼고, 右衛率府 呂繼贇를 借將作少監으로 임명하여 副使로 삼았다고 한다(張東翼 2009년 33~34面).

16) 이는 「聞慶鳳巖寺靜眞大師圓悟塔碑」에 의거하였다.

17) 이와 관련된 자료로 다음이 있는데, 이때의 火災는 落雷에 의한 것이었다고 한다. 또 여기에서 ‘卽位五年癸丑十月]’, ‘光廟五裁’는 踰年稱元法을 사용한 『고려사』로 表記하면 ‘創位四年癸丑十月’, 光宗四年’이 된다. 이날은 율리우스曆으로 953년 11월 18일(그레고리曆 11월 23일)에 해당한다. 또 이때 불탄 丈六佛은 1丈 6尺의 거대한 佛像을 가리킨 것으로 추측되는데, 고려시대의 1尺은 약 31cm 程度였다고 한 것을 감안하면(李宗峯 2001년 83面) 거의 5m 정도에 달했을 것이다. 또 丈六像의 由來는 百濟時代부터 있었으며, 皇龍寺 金堂의 丈六佛은 574년(진흥왕35, 甲午) 3월(혹은 癸巳, 573년 10월 17일)에 완성된 金銅製의 三尊像으로 무게가 35,007斤이었다고 한다(『삼국유사』 권3, 塔像第4, 黃龍寺丈六).

· 『삼국유사』 권3, 탑상4, 黃龍寺九層塔, “至本朝光宗卽位五年癸丑十月, 第三霹靂”.

· 『삼국유사』 권3, 탑상4, 前後所將舍利, “又諺云, ‘其皇龍寺塔災之日, 石鑊之東面, 始有大坼’. 至今猶然. 卽大遼應曆三年癸丑歲也. 本朝光廟五載也. 塔之第三災也. 曹溪無衣子留詩云, ‘聞道皇龍災塔日, 連燒一面示無間’, 是也”. 여기에서 거란(契丹)의 年號가 사용된 점이 주목되고, 無間은 無間道, 곧 無間地獄을 가리킨다.

· 『東都歷世諸子記』, “顯德元年甲寅^{廣順三年癸丑} 黃龍寺九層塔·左右金堂·丈六佛, 大火亡”. 여기에서 添字와 같이 고쳐야 옳게 될 것인데, 그 事由는 上記 本文의 記事와 같이 九層塔이 이해[是年] 10월에 燒盡되었다면, 明年(광종5, 954)에 再建되어 再次 소진될 時間的인 餘裕가 없을 것이다.

· 『大涅槃經』 권19, “… 佛曰, 受身無間永遠不死, 壽長, 乃無間地獄中大劫, …”.

[十一月丁丑朔^{大盡,甲子}:追加].

[十二月丁未朔^{小盡,乙丑}:追加].

甲寅[光宗]五年:光德六年, 後周顯德元年, [西曆954年]

954년 2월 6일(Gre1월 11일)에서 955년 1월 26일(Gre1월 31일)까지, 355일

[春正月丙子朔^{大盡,丙寅}:追加].

[是月丙子朔, 後周改元顯德, 壬辰^{17日}, 太祖郭威崩. 丙申^{21日}, 柴容卽位, 是爲後周世宗, 不改元:追加].

[二月丙午朔^{小盡,丁卯}:追加].

[三月乙亥朔^{小盡,戊辰}:追加].

春[某月], 創崇善寺□□□^{於忠州}, 追福先妣.¹⁸⁾

[夏四月甲辰朔^{大盡,乙巳}:追加].

[五月甲戌朔^{小盡,庚午}:追加].

[六月癸卯朔^{大盡,辛未}:追加].

[秋七月^{癸酉朔小盡,壬申}, 丁亥^{15日}, 建安東府奉化縣太子寺朗空大師行寂塔碑:追加].¹⁹⁾

• 『日本書紀』권19, 欽明, 6년 9월, "是月, 百濟造丈六佛像, 製願文曰, 蓋聞造丈六佛, 功德甚大".

18) 崇善寺는 현재의 忠淸北道 忠州市 薪尼面 文崇里 862에 위치했던 것으로 추측되므로 添字가 추가되면 좋을 것이다(史跡 445號, 藥城同友會 1995년 ; 金顯吉 1989년).

19) 이는 「奉化太子寺朗空人師塔碑」에 의거하였는데, 이 塔碑와 관련된 자료도 다음이 있다. 또 이 탑비는 원래 慶尙北道 安東市 陶山面 太子里 573-1번지 太子寺址(옛 奉化郡 河南面 太子里)에 있었으나 현재 碑身만 국립중앙박물관에 소장되어 있다고 한다(寶物 第1877號, 金石總覽 181面 ; 李智冠 2004년 1冊 315面).
• 『藥泉集』권29, 嶺南雜錄(1162年 3月), "到榮川, 舊聞本郡字氏樓下, 有金生書白月棲雲塔碑, 就見之, 碑石猶完而刻畫刓缺, 殆不堪榻打. 碑石旁有刻小誌云, '余幼少時得見金生筆迹於匪懈堂集古帖, 愛其龍跳虎臥之勢, 而傳世恨不多. 及來于榮, 聞隣邑奉化縣有碑, 獨存於古寺之遺墟, 金生之書也. 余惜希世之至寶, 埋沒於草莽之間, 而無人收護, 野牛之礪角, 牧童之敲火, 咸可慮也. 遂與郡人前參奉權賢係共謀, 移轉而安置於字民樓下, 繚以欄檻, 固其局戶, 苟非打榻之人, 使不得出入, 恐其妄有犯觸也. 由是, 金生之筆迹, 廣傳於時, 而搢紳好事之徒, 爭先賞翫. 噫, 千百年荒谷之棄石, 一朝輸入大廈, 而爲世所寶, 大物之顯伏, 亦有其數歟. 余雖才能

[八月壬寅朔^{大盡,癸酉}:追加].

[九月壬申朔^{大盡,甲戌}:追加].

[冬十月壬寅朔^{小盡,乙亥}:追加].

[十一月辛未朔^{大盡,丙子}:追加].

[十二月辛丑朔^{大盡,丁丑}:追加].

[是年, 以韓彦恭屬光文院書生:列傳6轉載].[20]

乙卯[光宗]六年:光德七年, 後周顯德二年, [西曆955年]

955년 1월 27일(Gre2월 1일)에서 956년 2월 14일(Gre2월 19일)까지, 13개월 384일

[春正月辛未朔^{小盡,戊寅}:追加].

[二月庚子朔^{大盡,己卯}:追加].

[三月庚午朔^{小盡,庚辰}:追加].

薄劣, 不及□^{韓愈}昌黎^{韓愈}之博雅, 此物之遇賞則固不異於岐山之石鼓, 夫豈偶然哉? 正德四年^{中宗4年}秋八月, 郡守洛西李沆記, 朴訥書'. 余^{正祖九}觀其石極厚, 後面想必有所刻, 使人覆而見之, 題云'新羅國石南寺故國師塔碑銘', 後記'門下法孫釋純白述', 末端大書云'顯德元年歲在甲寅^{光宗5年}七月十五日立', 字體酷肖金生, 而縝密不及. 且是下面久當地氣, 訛缺益甚, 中間多有不可辨志之字. 邑子云'壬·丁年間, 唐人來此久留, 晝夜模打幾數千本, 時當日寒墨凍, 故加以燒炭, 因此多傷. 其後^{光海君1年}熊大使化之來也, 未渡江前, 先送人乞白月碑印本, 朝中諸人不知碑石在於何處, 更問天使, 始知所在, 別送差官, 印出以贈云'. 東人之不好事不好古, 可謂甚矣. 嗟乎, 所謂朗空大師, 不知何許釋子, 而乃託金生之字, 使其碑文傳諸久遠至今, 而且流入中華, 爲天下絶寶, 凡人之欲傳於後者, 顧不可愼所託耶? 歐□□公所謂'浮屠·老子詭妄之說, 特以守畫之工, 不忍遽廢者', 信然矣. 且念安東之龍文席, 猶能專山川淸淑之氣, 則今此一片石, 雖頑然無語, 不見聲色臭味之可樂, 其光價之貴重, 非特百倍過而已. 然則此地之流峙扶輿磅礴, 其亦鍾精於此, 而更不得孕育人傑, 爲世之瑞耶? 抑何其寥寥也. 且觀李公所記, 則其時蓋覆深篖, 可謂全矣, 今則委諸鼠壤之中, 所謂欄檻扃戶, 無復存者. 其爲銷鑠, 反甚於敲火礪角, 著手摩挲, 令人興感. 後到星州, 與尹牧使衡覺語及白月碑, 牧使言'某人曾爲榮川守者, 以親舊多請印送白月碑, 憚其爲邑弊, 乃以碑石所置之處爲馬廐, 使糞壤堆積, 掩埋, 人不得下手模打, 碑石之多缺, 欄檻之盡毀, 在於其時'云". 여기에서 添字가 추가되어야 좋을 것이다.

・『嘉梧藁略』冊14, 玉磬觚賸記[옥경고승기], "白月碑, 新羅朗空國師棲雲寺塔銘也, 侍郞崔仁滾撰, 端日禪師集金生字, 以周世宗元年甲寅^{光宗5年}立. 石在奉化縣太子山, 山深寺廢, 失其所在, 尙古子金光遂守鄰縣, 搜得於田間, 運置官廂, 印行于世. 後洪耳溪^{洪良浩}如榮川訪之, 棄在廢園中, 亟使舁致, 托主人作木匣, 俾防風雨, 而明初詔使有求拓者坌集, 一武倅不堪其苦, 以爲馬棧而辱之, 今所行殘字皆馬迹. 按舊說, 初在奉化, 今在榮川, 似自奉而至榮也. 余^{李裕元}有舊拓本, 中宛丘深得其法, 近日鄭美堂倣, 而行之".

20) 이는 다음의 기사를 轉載하여 變改하였다.
・열전6, 韓彦恭, "光宗朝, 年十五, 屬光文院書生".

[夏四月己亥朔^{小盡,辛巳}:追加].

[五月戊辰朔^{大盡,壬午}:追加].

[六月戊戌朔^{小盡,癸未}:追加].

[秋七月丁卯朔^{大盡,甲申}:追加].

[八月丁酉朔^{小盡,乙酉}:追加].

[九月^{丙寅朔大盡,丙戌}, 某日:追加], 遣大相王融如周, 獻方物. □^丟遣廣評侍郎荀質如周, 賀卽位.²¹⁾

[閏九月^{丙申朔小盡,丙戌}, 丁巳^{22日}, 王子生, 賜名伷:追加].²²⁾

[冬十月乙丑朔^{大盡,丁亥}:追加].

[十一月乙未朔^{大盡,戊子}:追加].

[十二月乙丑朔^{大盡,己丑}:追加].

---

21) 이때 王融은 後周에 도착하여 10월 14일(戊寅)에 朝貢을 바쳤고, 荀質은 11월에 도착하여 登極을 賀禮하자, 5일(己亥)에 광종에게 官爵을 내렸다고 한다.
   • 『구오대사』 권115, 周書6, 世宗紀2, "顯德二年冬十月戊寅^{14日}, 高麗國遣使朝貢. … 十一月己亥^{5日}, 高麗國王王昭加開府儀同三司·檢校太尉, 依前使持節玄菟州都督·大義軍節度使, 王如故".
   • 『신오대사』 권12, 周本紀12, 世宗, "顯德二年十一月戊寅^{14日}, 高麗使王子太相大相□融來".
   • 『책부원귀』 권972, 外臣部17, 朝貢5, "顯德元年十一月, 高麗國遣王子太相王融來, 貢方物". 여기에서 顯德元年은 顯德二年으로 추측되지만, 이를 前者로 理解한 見解도 있으나 該當年度의 日辰(戊寅)과 相應되지 않는다(李基東 1997년).
   • 『책부원귀』 권965, 外臣部10, 冊封3, "顯德二年十一月, 以高麗國遣廣評侍郎荀質來, 賀登極, 授其國王昭開府儀同三司·檢校太尉. 制曰, 姬旦分疆, 肅愼列明堂之位, 武王尊德, 朝鮮受箕子之封, 劾乃代守東藩, 材稱問世, 襲衣冠而奉正朔, 瞻象魏以走梯航, 推誠遠慕於華風, 重譯來朝於興運, 嘉乃丕績, 宜覃懋恩, 特進檢校太尉·使持節玄菟州都督·大義軍節度使·上柱國·高麗國王王昭, 地控辰韓, 風行口域, 命氏本神僊仙之族, 炳靈分象緯之精. 爲仁自契於太平, 旣觀緜已, 述職罔殊於諸夏, 來奉充庭, 肤嗣寸鴻圖, 方崇上道, 禮樂征伐之柄, 盡出肸躬, 山河帶礪之盟, 思傳不朽, 但遵聲敎, 豈限遐遙, 俾光燾上之封, 更假自天之寵. 於戱, 儀同三事, 無先開府之尊, 冠辟四梁, 愈見上公之賞, 琢蒼玉爲爾珮, 餙豊貂爲爾冠, 用報好音, 且彰柔遠, 爾其仰宣朝命, 下慰州民, 泛濟水爲恩波, 還同在藻, 指家山於緱嶺, 免詠式微, 永爲屬國之賓, 無闕外臣之禮, 可授開府儀同三司·檢校太尉·依前使持節玄菟州諸軍事·行玄菟元菟州都督·充大義軍使·高麗國王, 勳如故". 이 자료는 淸代에 정리된 『全唐文』 권125, 周世宗에 '授高麗國王王昭開府儀同三司·檢校太尉制'로 수록되어 있는데, 添字는 달리 表記된 것이다('元菟'는 淸代에 이루어진 避諱에 의한 改字임).
   • 『책부원귀』 권972, 外臣部17, 朝貢5, "顯德二年十一月, 高麗復遣本國廣評侍郎荀質來, 貢方物, 稱賀登極".
   • 『오대회요』 권30, 高麗, "顯德二年十月, 復遣王子太相王融來, 貢方物, 又遣廣評侍郎荀質來, 賀登極, 其年十二月, 授其國王王昭開府儀同三司·檢校太師·高麗國王".
22) 이는 세가2, 景宗, 總書에 의거하였는데, 原文에는 九月로 되어 있으나, 이달에는 丁巳가 없고, 다음 달인 閏九月에 丁巳(22일)가 있어 교정하였다.

丙辰[光宗]七年:光德八年, 後周顯德三年, [西曆956年]

956년 2월 15일(Gre2월 20일)에서 957년 2월 2일(Gre2월 7일)까지, 354일

[春正月^{乙未朔小盡,庚寅}, 己未^{25日}, 正朝壽剛等道·俗三百餘人, 造成興海郡大寺鍾:追加].[23]

[二月甲子朔^{大盡,辛卯}:追加].

[三月甲午朔^{小盡,壬辰}:追加].

[夏四月癸亥朔^{小盡,癸巳}:追加].

[五月壬辰朔^{大盡,甲午}:追加].

[六月壬戌朔^{小盡,乙未}:追加].

[秋七月辛卯朔^{小盡,丙申}:追加].

[某月某日, 臨津縣獻白雉:節要·五行2轉載].[24]

[某月某日], 周遣將作監薛文遇來, 加冊王, 爲開府儀同三司·檢校大師^{檢校太尉},[25] 仍令百官衣

---

23) 이는 「退火郡大寺鍾銘」에 의거하였는데(坪井良平 1974년a 78面 ; 金石總覽 554面), 退火郡(혹은 義昌郡)
   은 興海郡의 新羅時代의 郡名이었다. 이 銅鍾은 沖繩縣[琉球] 那覇市 若狹町 1丁目 波上宮에 소장되어
   있는데, 1945년 美軍이 日本帝國主義者들을 격파할 때 크게 파손되어 龍頭만이 오키나와 박물관에 소장
   되어 있다고 한다(張東翼 2004년 761面).

24) 白雉는 흰색의 털을 지닌 野鷄인데, 前近代社會의 사람들은 이를 祥瑞로운 새[瑞鳥]로 이해하였던 것 같
   다. 또 1797년(정조21) 봄[春]에 咸興儒生 李光龍이 白雉를 宮闕에 바친 일이 있었다고 한다. 中原에서
   祥瑞로운 兆朕을 몇 개의 類型으로 나누어 대응하기도 하였으나 帝王에 따라 그것을 吉事로 보지 않는
   경우도 있었다고 한다.
   · 『정조실록』 권46, 21년 2월 乙亥^{4日}, "咸興儒生李光龍獻白雉, 承旨以奏, 上曰, '古有納龜之事, 龜是活物,
   放諸水中, 而今聞白雉, 非活物云, 不可放之山林, 何以則爲宜? 其議大臣以聞'. 領議政洪樂性曰, '聖上不貴異
   物, 雖不欲張人, 遠人旣已來獻, 一經睿覽後, 上以奉覽殿宮, 頒示廊廟, 仍令還給該儒恐宜'. 左議政蔡濟恭曰,
   臣於幼駭時, 學曾史^{十八史略}第一卷, 知有白雉二字, 今乃眞覩, 白雉可以知聖人之化, 洋溢兩間, 致此不常有之物,
   自然而至也".
   · 『樊巖集』 권19, 白雉行, "聖上二十一年春, 闕下來伏咸興人, 手奉白雉全身白, 白雪之白無纖塵, 越裳之後幾
   千載, 是物聞名不見眞, 觀者千人萬人集, 相與咨嗟曰奇珍, 聖代禮樂以爲治, 兩間和氣常氤氳, 成周盛時何如
   此, …".
   · 『자치통감』 권193, 唐紀9, 太宗貞觀 2년(628) 9월, "丁未, 詔, '自今大瑞聽表聞[胡三省注, 按儀制令, 凡景
   星·景雲爲人瑞, 其名物六十有四, 白狼·赤兔爲上瑞, 其名物三十有八, 蒼烏·朱鴈爲中瑞, 其名物三十有二, 嘉
   禾·芝草·木連理爲下瑞, 其名物十四], 自外諸瑞, 中所司而已'. 嘗有白鵲構巢於寢殿槐上, …".

25) 이 기사에서 檢校人師는 檢校太尉로 고쳐야 옳게 될 것이다. 중국 측의 자료에는 檢校太尉(『책부원귀』
   권965, 外臣部10, 冊封3) 또는 檢校太師(『오대회요』 권30, 高麗)로 달리 표기되어 있다. 그렇지만 檢校人

冠, 從華制.

　○前[武勝軍節度巡官·將仕郞·試:列傳6雙冀轉載]大理評使^事雙冀, 從文遇來. [以病留, 及疾愈, 引對稱旨, 王愛其才, 表請爲僚屬, 遂加擢用, 未踰歲, 授以文柄. 時議不愜:節要轉載].²⁶⁾

　[→遂擢用. 驟遷元甫·翰林學士, 未逾歲, 授以文柄, 時議以爲過重:列傳6雙冀轉載].

　[某月某日, 命按檢奴婢, 推辨是非, 奴背其主者, 不可勝紀. 由是, 陵上^{善士}之風大行, 人皆嗟怨. 王妃切諫, 不納:節要轉載].²⁷⁾

　[八月^{庚申朔人盡,丁酉}, 戊寅^{19日}, 鳳巖寺兢讓入寂, 年七十九, 臘六十. 上聞之, 震悼哭諸寢焉. 乃遣左僧維大德淡猷, 元尹·守殿中監韓潤弼等, 弔以書, 賻以穀及茗馞. 又遣諡號塔名使元甫金俊邑, 使副佐尹·前廣評侍郞金廷範等, 贈諡曰靜眞大師, 塔名圓悟之塔. 仍命有司, 寫眞影一舖, 不日而成, 幷題讚述, 因令右僧維·大德宗乂, 正甫金瑛, 正位·兵部卿金靈祐等, 送眞影兼設齋:追加].²⁸⁾

　[九月庚寅朔^{人盡,戊戌}:追加].
　[冬十月庚申朔^{小盡,己亥}:追加].
　[十一月己丑朔^{人盡,庚子}:追加].

師는 『구오대사』의 내용과 같이 956년(顯德6) 9월 13일(乙卯)에 더해 졌다고 하므로, 이때의 관직은 檢校太尉가 옳을 것이다. 곧 唐의 三師는 太師·太傅·太保이고, 三公은 太尉·司徒·司空으로서 모두 正1品이지만(『구당서』 권42, 지22, 職官1), 陞進의 順序는 逆順임을 통해 알 수 있다.
　·『책부원귀』 권965, 外臣部10, 冊封3, "顯德二年十一月, 以高麗國遣廣評侍郞荀質來, 賀登極, 授其國王王昭開府儀同三司·檢校太尉. 制曰, 姬旦分疆, …".
　·『송사』 권487, 열전246, 外國3, 高麗, "顯德二年, 又□□□□^{六年九月}遣使來貢, 加開府儀同三司·檢校太尉, 又加太師".
　·『오대회요』 권30, 高麗, "顯德二年十月, 王融來, 貢方物, 又□□□□^{六年九月}遣廣評侍郞筍質來, 賀登極, 其年十二月, 授其國王王昭開府儀同三司·檢校太師·高麗國王".
　·『구오대사』 권120, 周書11, 恭帝紀, "^{顯德六年九月}乙卯, 高麗王王昭加檢校太師·食邑三千戶".
　·『여유당전서』 권25, 小學紺珠, 三之類, "三公者, 天子之人臣也, 太師敎以道[注, 師, 率也], 太傅傅以德[傅, 相也], 人保保其體[保, 安也], 此之謂三公也. 三公之名, 出『周禮』[朝士辨三公之位, 其目見大戴禮]".
26) 武勝軍은 889년(唐昭宗龍紀1) 7월 杭州에 설치된 軍團이고, 節度巡官은 節度使의 隷下에 있던 官員이다.
27) 이와 같은 자료가 열전1, 后妃1, 光宗 大穆王后 皇甫氏에도 수록되어 있다. 또 唐人宗 李世民은 從僕이 上典을 배반하고 告發하면 받아들이지 말고 嚴罰을 내리라고 하였던 것 같다.
　·『자치통감』 권193, 唐紀9, 太宗貞觀 2년(628) 12월 壬午, "上曰, 比有奴告其主反者, 此弊事. 夫謀反不能獨爲, 必與人共之, 何患不發, 何必使奴告乎? 自今有奴告主者, 皆勿受, 仍斬之".
28) 이는 「聞慶鳳巖寺靜眞大師圓悟之塔碑」에 의거하였다. 이날은 율리우스曆으로 956년 9월 25일(그레고리曆 9월 30일)에 해당한다.

[十二月己未朔^{大盡,辛丑}:追加].

[是年, 以前守倉部卿藝言爲量田使:追加].²⁹⁾

丁巳[光宗]八年:光德九年, 後周顯德四年, [西曆957年]

957년 2월 3일(Gre2월 8일)에서 958년 1월 22일(Gre1월 27일)까지, 354일

春正月^{己丑朔大盡,工寅}, [某日], 王觀射于毬庭.

[二月己未朔^{小盡,癸卯}:追加].
[三月戊子朔^{大盡,甲辰}:追加].
[夏四月戊午朔^{小盡,乙巳}:追加].
[五月丁亥朔^{小盡,內午}:追加].
[六月丙辰朔^{大盡,丁未}:追加].
[秋七月丙戌朔^{小盡,戊申}:追加].
[八月乙卯朔^{小盡,乙酉}:追加].
[九月甲申朔^{大盡,庚戌}:追加].
[冬十月甲寅朔^{小盡,辛亥}:追加].
[十一月癸未朔^{大盡,壬子}:追加].
[十二月癸丑朔^{大盡,癸丑}:追加].

戊午[光宗]九年:光德十年, 後周顯德五年, [西曆958年]

958년 1월 23일(Gre1월 28일)에서 959년 2월 10일(Gre2월 15일)까지, 13개월 384일

[春正月癸未朔^{大盡,甲寅}:追加].
[二月癸丑朔^{小盡,乙卯}:追加].

---

29) 이는 「若木淨兜寺五層石塔造成形止記」에 의거하였다.

[三月壬午朔^{大盡,丙辰}:追加].

[夏四月壬子朔^{小盡,丁巳}:追加].

夏五月^{辛巳朔大盡,戊午}, [某日, 玄鶴集含德殿^{含元殿}:五行1黑眚黑祥[30]·節要轉載].[31]

[某日], 始置科擧, 命翰林學士雙冀, 取進士.[32]

[→光宗始命雙冀, 爲知貢擧. 自後, 命文臣一人, 爲知貢擧:選擧2試官轉載].

丙申^{16日}, 御威鳳樓, 放枋^榜, 賜崔暹等及第.[33]

---

30) 黑眚(흑생)·黑祥은 黑色의 氣運[黑氣], 事物을 가리키며 近代 以前의 사람들은 이를 좋지 않은 徵兆[兆朕]으로 생각하였던 것 같다. 靑眚·白眚白祥도 마찬가지로 凶事로 생각하였던 것 같다. 그렇지만 여기에서의 玄鶴은 吉鳥로 생각하여 吉兆[瑞祥]로 받아들여졌을 것이다.
   · 『漢書』 권27中下, 五行志第7中下, "傳曰, 聽之不聰, … 水色黑, 故有黑眚·黑祥, 凡聽傷者病水氣, 水氣病則火沴之. …".
   · 『晉書』 권29, 지19, 五行下, 黑眚黑祥, "孝懷帝永嘉五年十二月, 黑氣四塞, 近黑祥也, 帝尋淪陷, 王室丘墟, 是其應也".
   · 『진서』 권29, 지19, 五行下, 黑眚黑祥, "愍帝建興二年正月己巳朔, 黑霧著人如墨, 連夜, 五日乃止, 此近黑祥也. 其四年, 帝降劉曜".

31) 이들 중에서 『고려사절요』의 기사는 科學가 設行된 다음에 수록되어 있지만, 다음의 자료에 의하면 詩題가 「玄鶴呈祥」 이었기에 時期整理[繫年]의 順序를 바꾸어야 옳게 될 것이다. 또 咸德殿은 이 자료 외에 찾아지지 않고, 이 기사와 같은 내용을 다룬 『보한집』에 의하면 含元殿으로 되어 있다. 그러므로 咸德殿은 含元殿의 오자로 추측된다. 또 15세기의 인물인 高敬命(1533~15920)은 玄鶴을 아래와 같이 묘사하였다.
   · 『補閑集』 권上, "光宗尙儒雅, 擧賢良·文學, 時玄鶴來儀於含元殿, 文士皆作贊頌, 學士趙翼^{趙冀誤}頌曰, 伊學軒品 … 學士雙冀典試春闈, 亦以玄鶴呈祥爲詩題".
   · 『霽亭集』 續集, 鶴栖峯呼韻[注, 鶴, 玄衣背止靑, 頂赤腹下白, 將二子, 子皆純白], "琪樹蒼蒼練實垂, 拂雲晨露吸三危, 身棲丹穴寧辭遠, 背負靑天未覺疲, 霞洞可尋牽犢入, 崔仙如在執鞭隨, 玉簫淸轉無人會, 刷盡疏翎空自知[注, 令善簫者登絶頂吹之, 鶴竦身刷翎, 若傾聽焉]".

32) 이와 관련된 기사로 다음이 있다.
   · 지27, 選擧1, 科目, "光宗九年五月, 雙冀獻議, 始設科學. 試以詩·賦·頌及時務策, 取進士, 兼取明經·醫·卜等業".

33) 枋은 榜으로 고쳐야 옳게 되며, 지31, 選擧2와 『고려사절요』에도 榜으로 되어 있다. 이와 관련된 기사로 다음이 있다. 그리고 이때 ^{進士}崔暹·^{鄕貢進士}晉兢 등이 급제하였던 것 같다(『등과록』 ; 『前朝科擧事蹟』, 朴龍雲 1990년 ; 許興植 2005년).
   · 지27, 선거1, 科目1, 選場, "光宗九年五月, 翰林學士雙冀知貢擧, 取進士, 賜甲科崔暹等二人, 明經三人, 卜業二人及第".
   · 열전6, 雙冀, "^{光宗}九年, 始建議設科, 遂知貢擧, 以詩·賦·頌·策, 取進士甲科崔暹等二人, 明經三人, 卜業二人. 自後屢典貢擧, 獎勸後學, 文風始興".
   · 『고려사절요』 권2, 광종 9년 5월, "命翰林學士雙冀, 知貢擧, 試以詩·賦·頌及時務策, 取進士. 御威鳳樓, 放榜, 賜甲科崔暹等二人. 明經三人, 卜業二人及第. 用冀議, 初置科擧, 自此, 文風始興".
   · 「晉光仁墓誌銘」, "… □鼻祖兢, 應鄕貢進士, 擧於光□^{宗?}朝, 顯德□^{7?}年, 擢甲第春官, 位至光文院少監, …".

[六月辛亥朔^{小盡,己未}:追加].

[秋七月庚辰朔^{大盡,庚申}:追加].

[閏七月庚戌朔^{小盡,庚申}:追加].

[八月^{己卯朔人盡,辛酉}, 癸巳^{15日}, 建光州曦陽縣玉龍寺洞眞大師慶甫塔碑, 僧繼黙刻字:追加].³⁴⁾

[癸卯^{25日}, 廣州黃驪縣高達院璨幽入寂, 年九十, 臘六十九. 贈諡元宗大師, 塔名慧眞之塔:追加].³⁵⁾

[九月己酉朔^{小盡,壬戌}:追加].

[冬十月戊寅朔^{小盡,癸亥}:追加].

[十一月丁未朔^{人盡,甲子}:追加].

[十二月丁丑朔^{人盡,乙丑}:追加].

是歲, 周遣尙書水部員外郎韓彦卿·尙輦奉御金彦英, 賫帛數千匹來, 市銅.³⁶⁾

[遣春^{春遣}, 佐丞王兢·佐尹皇甫魏光如周, 獻名馬, 織成衣襖, 弓劒←光宗十年에서 옮겨옴].³⁷⁾

---

34) 이는 「光陽玉龍寺洞眞大師寶雲塔碑」에 의거하였다.

35) 이는 「驪州高達院元宗大師慧眞之塔碑」에 의거하였다. 이날은 율리우스曆으로 958년 10월 10일(그레고리 曆 10월 15일)에 해당한다.

36) 이들은 같은 해 7월 6일(乙酉) 고려에 파견되었고, 이때 韓彦卿은 귀국하여 견문기인 『博學記』(『高麗博 學記』)를 지어 고려의 사정에 대해 300餘事를 기록하였다. 그중 현존하는 것은 天文·氣候에 관한 7건, 牛乳 製品에 관한 4건, 度量衡에 관한 4건 등 도합 15건인데, 이들은 당시 고려인들의 言語를 이해하는 데 중요한 실마리를 제공해 줄 수 있는 자료들이다.
- 『신오대사』 권12, 周本紀12, 世宗, "^{顯德五年}秋七月乙酉, △^命水部員外郎韓彦卿市銅于高麗".
- 『신오대사』 권74, 四夷附錄第3, 高麗, "其地 産銅·銀, 周世宗時, 遣尙書水部員外郎韓彦卿, 以帛數千匹來, 市銅於高麗, 以鑄錢".
- 『오대회요』 권30, 高麗, "^{顯德}五年七月, 命尙書水部員外郎韓彦卿·尙輦奉御金彦英, 使於高麗, 因命齎帛數千 匹, 就彼市銅, 以備鑄錢之用".
- 『淸異錄』 권上, 天文, "世宗時, 水部郎韓彦卿使高麗, 卿有一書曰博學記, 偸抄之得三百餘事, 今抄天部七事, 迷空步障[霧], 威屑[霜], 敎水[露], 冰子[雹], 氣母[虹], 屑金[星], 秋明大老[大河]".
- 권上, 藥, "高麗博學記云, 酥名大刀圭, 醍醐名小刀圭, 酪名水刀圭, 乳腐名草創刀圭".
- 권下, 器具, "博學記云, 度量衡, 有虞所不敢廢, 舜典同一, 度量衡, 孔安國注, 謂丈尺斛斗斤兩, 今文其名曰 平一公, 尺度曰大展斗, 量曰半昌王, 又曰吉伯王, 升曰夕十, 遂知雞林人, 亦解離合也".

37) 이들 使臣은 아래에 인용된 중국 측의 자료에 의하면 같은 해 1월 6일(壬子, 陽2月 16日) 이미 後周에 도착하였음을 통해 볼 때, 이때에 파견된 것이 아니라 958년(광종9) 후반기에 파견되었을 것이다. 그러 므로 이 자료도 『고려사』의 편찬자가 고려시대의 卽位年稱元法을 踰年稱元法으로 바꾸면서 『光宗實錄』 (혹은 『七代事跡』)에서 光宗 10년의 기사를 光宗 9년으로 改書하지 아니하고 10년에 그대로 두었을 가 능성이 있다. 그러므로 이 기사는 광종 9년으로 옮겨야 옳게 될 것이다[校正事由]. 遣春은 春遣으로 해 야 옳게 되는데, 『고려사절요』 권1에는 옳게 되어 있다(東亞大學 2008年 1冊 500面).

[是年頃, 始用唐文散階, 不分文武, 竝用國初官階. 從一品大匡・開府儀同三司, 正二品正匡・特進, 從二品大丞・光祿大夫. 正三品佐丞・金紫光祿大夫, 從三品大相・銀青光祿大夫, 正四品上□□^{佐相?}・正議大夫, 正四品下元甫・通議大夫, 從四品上正甫・大中大夫, 從四品下正甫・中大夫, 正五品上元尹・中散大夫, 正五品下元尹・朝議大夫, 從五品上佐尹・朝請大夫, 從五品下佐尹・朝散大夫, 正六品上正朝・朝議郎, 正六品下正朝・承議郎, 從六品上正位・奉議郎, 從六品下正位・通直郎, 正七品上□□^{于朋}朝請郎, 正七品下□□^{于朋}宣德郎, 從七品上甫尹・宣議郎, 從七品下甫尹・朝散郎, 正八品上軍尹・給事郎, 正八品下軍尹・徵事郎, 從八品上中尹・承奉郎, 從八品下中尹・承務郎, 正九品上儒林郎, 正九品下登仕郎, 從九品上文林郎, 從九品下壯士郎:追加].³⁸⁾

己未[光宗]十年, 光德十一年, 後周顯德六年, [西曆959年]

959년 2월 11일(Gre2월 16일)에서 960년 1월 30일(Gre2월 4일)까지, 354일

[春正月丁未朔^{小盡,丙寅}:追加].

[二月丙子朔^{大盡,丁卯}:追加].

[三月丙午朔^{大盡,戊辰}:追加].

[遣春^{奉遣}佐丞王兢・佐尹皇甫魏光如周,獻名馬, 織成衣襖,弓劍→光宗九年으로 옮겨감].

- 『구오대사』 권119, 周書10, 世宗紀6, 顯德 6년 1월, "壬子, 高麗國王王昭遣使, 貢方物".
- 『신오대사』 권12, 周本紀12, 世宗, 顯德 6년 1월, "高麗王昭遣使者來".
- 『책부원귀』 권972, 外臣部17, 朝貢5, 顯德 6년 1월, "高麗國王王昭, 遣其臣王子佐丞王兢・佐尹皇甫魏光等來, 進名馬及織成衣襖・弓劍・器甲等, 女眞國遣使阿辨等來, 貢方物".
- 『책부원귀』 권976, 外臣部20, 褒異3, 顯德 6년 1월, "壬子, 高麗國王王昭, 遣其臣王子佐丞王兢・佐尹皇甫魏光等來, 進名馬及織成衣襖・弓劍・器甲等, 賜兢等龍衣・銀帶・器・幣有差".
- 『책부원귀』 권972, 外臣部17, 朝貢5, 顯德 6년 1월, "高麗國王王昭, 遣使臣王子佐丞王兢・佐尹皇甫魏光等來, 進名馬及織成衣襖・弓劍・器甲等".
- 『오대회요』 권30, 高麗, 顯德 6년 1월, "又遣其臣王子佐丞王兢・佐尹王皇甫魏光等, 貢名馬・織成衣襖・弓劍等. 女眞國遣使阿辨等來, 貢方物".

38) 이때 수용된 唐의 文散階의 형편이 『고려사』에 반영되지 못해 그 구체적인 실상은 알 수 없고, 단지 金石文을 통해 극히 일부분의 모습이 고려 초기의 관계와 竝用되고 있었음을 알 수 있다. 이들은 光祿大夫(唐從2品)・大丞(3品上), 奉議郎(唐從6品上)・佐尹(6品下), 奉議郎, 止衛(7品下), 通直郎(唐從6品下), 止衛, 儒林郎(唐正9品上), 文林郎(唐從9品上), 正議大夫(唐從4品上)・兵部令, 儒林郎(唐正9品上)・攷文博士 등이다. 또 이를 통해 국초의 官階와 唐의 文散階를 정리한 결과도 있다(張東翼 2012년).

[夏四月丙子朔^{小盡,己巳}:追加].

[五月乙巳朔^{大盡,庚午}:追加].

[六月乙亥朔^{小盡,辛未}:追加].

[是月癸巳^{19日}, 後周世宗<u>柴</u><u>容</u>崩. 甲午^{20日}, <u>柴</u><u>宗訓</u>卽位, 是爲恭帝, 不改元:追加].

[夏某月, 僧<u>智宗</u>至闕下, 仰告以求法出境, 上招致大內, 設餞筵惜別. <u>宗</u>跋涉西海, 得達<u>吳</u><u>越</u>國, 先謁<u>杭州</u>永明寺延壽禪師:追加]³⁹⁾

[秋七月甲辰朔^{大盡,壬申}:追加].

[八月甲戌朔^{小盡,癸酉}:追加].

[九月癸卯朔^{大盡,甲戌}:追加].

秋^{夏某月,40)} 遣使如周, 進'別序孝經'一卷·'越王孝經新義'八卷·'皇靈孝經'一卷·'孝經雌雄圖'三卷.

冬^{秋某月}, 遣使如周, 獻銅五萬斤, 紫·白水精各二千顆.⁴¹⁾

---

39) 이는 「原州居頓寺圓空國師勝妙塔碑」에 의거하였다.

40) 고려의 사신이 後周에 도착하여 각종 서적을 바친 것은 위의 자료와 같이 같은 해 8월 29일(壬寅, 陽10월 4일)이므로 고려에서 출발한 것은 가을[秋]이 아니라 여름[夏]이었을 것이다.
  · 『구오대사』 권120, 周書11, 恭帝紀 顯德 6년 8월, "壬寅, 高麗國遣使朝貢, 兼進'別序孝經'一卷·'越王新義孝經'一卷·'皇靈孝經'一卷·'孝經雌圖'三卷".
  · 『신오대사』 권12, 周本紀12, 世宗, 顯德 6년 8월, "壬寅, 高麗遣使者來".
  · 『책부원귀』 권972, 外臣部17, 朝貢5, 顯德 6년 8월, "高麗國遣使朝貢, 兼進'別序孝經'一卷·'越王孝經新義'八卷·'皇靈孝經'一卷·'孝經雌圖'二卷".
  · 『오대회요』 권30, 高麗, 顯德 6년, "其年八月, 遣使進'別序孝經'一卷·'越王新義孝經'八卷·'皇靈孝經'一卷·'孝經雌圖'三卷, 別序者, 記孔子所生及弟子, 從學之事. 越王新義者, 以越王爲問目, 二疏注文之是非. 皇靈者, 止說延年辟災之事, 及志符文, 乃道書也. 雌圖者, 止說月之環暈, 星之彗孛, 災異之應, 乃讖緯之書也"(이 내용은 『文昌雜錄』 권6, 元豊 8年 7月 16日에도 수록되어 있다).
  · 『신오대사』 권74, 四夷附錄第3, 高麗, 顯德 6년, "高麗俗知文字, 喜讀書, 昭進'別敍孝經'一卷·'越王新義'八卷·'皇靈孝經'一卷·'孝經雌圖'一卷, 別敍, 敍孔子所生及弟子事述. 越王新義, 以越王爲問目, 若今止義. 皇靈述 延年辟殺, 雌圖, 載日食·星變, 皆不經之說".

41) 고려의 사신이 後周에 도착하여 銅五萬斤, 紫·白水精 各二千顆를 바친 것은 아래의 자료와 같이 같은 해 11월 1일(壬寅)이므로 고려에서 출발한 것은 겨울[冬]이 아니라 가을[秋]이었을 것이다.
  · 『신오대사』 권12, 周本紀12, 世宗, 顯德 6년 11월, "壬寅, 高麗遣使者來".

[冬十月癸酉朔^{小盡,乙亥}:追加].

[十一月壬寅朔^{大盡,丙子}:追加].

[十二月壬申朔^{小盡,丁丑}:追加].

[冬某月:追加]，周遣左驍衛大將軍戴交·[左衛將軍石曦:追加]來，[加王檢校太師·食邑三千戶:追加].⁴²⁾

[□□^{是歲}]，周侍御□^史雙哲來，拜爲佐丞.⁴³⁾

[○南唐遣如京使章僚來:追加].⁴⁴⁾

- 『책부원귀』 권972, 外臣部17, 朝貢5, 顯德 6년, "十一月, 高麗復遣使, 貢銅五萬斤, 紫·白水精各二千顆".
- 『오대회요』 권30, 高麗, 顯德 6년, "其年十一月, 遣使貢銅五萬斤, 紫·白水精各二千顆".
- 『구오대사』 권138, 外國列傳2, 高麗, "周顯德六年, 高麗遣使者, 貢紫·白水晶二千顆, '永樂大典'券八千五百三十".
- 『신오대사』 권74, 四夷附錄3, 高麗, "顯德六年, 昭遣使者, 貢黃銅五萬斤".
- 『白孔六帖』 권6, 銅, "高麗地産銀銅, 周世宗時, 遣尙書水部員外郞韓彦卿, 以帛數千疋, 市銅于高麗, 以鑄錢"(이 자료는 『錦繡萬花谷』後集권31, 錢銅에도 수록되어 있다).

42) 戴交는 9월 24일(丙寅) 고려에 파견되었으므로 가을[秋]에 도착한 것이 아니라 겨울[冬]에 도착하였을 것이다. 또 이때 冊封副使로서 左衛將軍 石曦가 파견되어 왔다.
- 『신오대사』 권12, 周本紀12, 恭帝, "^{顯德六年九月}丙寅, 左驍衛大將軍戴交使于高麗".
- 『송사』 권271, 열전30, 石曦, "恭帝卽位初, 爲左衛將軍. 會高麗王昭加恩, 命曦副左驍衛大將軍戴交充使". 그리고 추가된 "檢校太師·食邑三千戶"는 다음의 자료에 의거하였다.
- 『구오대사』 권120, 周書11, 恭帝紀, "^{顯德六年九月}乙卯, 高麗王王昭加檢校太師·食邑三千戶".
- 『책부원귀』 권965, 外臣部10, 冊封3, "恭帝, 以顯德六年卽位, 加高麗國王王昭檢校太師·食邑三千戶".

43) 雙哲은 관련된 자료에 의하면 고려의 사신 王兢을 따라 왔다고 한다. 그렇다면 그는 1년 전에 後周에 파견되었다가 이해의 전반기에 귀국하였던 것으로 추측되는 王兢·皇甫魏光 등과 함께 왔을 것이다. 또 侍御는 侍御史의 약칭이다.
- 『고려사절요』 권2, 광종 10년, "周侍御□^史·淸州守雙哲來, 拜爲佐丞. 哲, 冀父也, 聞冀有寵, 故隨王兢來".
- 열전6, 雙冀, "^{光宗}十年, 父侍御□^史哲, 時爲淸州守, 聞冀有寵, 隨回使王兢來, 拜佐丞. 此後史逸". 여기에서 添字가 省略되었다.

44) 이는 다음의 자료에 의거하였다.
- 『直齋書錄解題』 권8, "海外使程廣記三卷, 南唐如京使章僚撰. 使高麗所記, 海道及其國山川·事跡·物産甚詳. 史虛白爲作序, 稱己未十月, 蓋本朝開國前一歲也". 이에 나타난 『海外使程廣記』의 내용 일부는 『程氏演繁露』를 통해 알 수 있다.
- 『演繁露』續集 권1, "海外行程記者, 南唐章僚記, 其使高麗, 所經所見也. 中引保太初, 徐弼使事爲證, 卽當是, 後主末午也. 僚之使也, 會女眞獻馬於麗, 其人僅百餘輩, 在市商物, 價不相中, 輒引弓擬人, 人莫敢向則, 其強悍有素, 麗不能誰何矣. 麗主王建, 嘗資其馬萬疋, 以平百濟. 則諸家, 謂女眞犯遼初時, 力弱無器械者, 誤也. 予見舊史, 自平遼, 間陸趨高麗者, 多直東行意, 麗並海與平遼等處, 對東而出, 而明人登航, 商販于麗者, 乃皆微北並束而往耳. 今觀僚所書水程, 乃自海·萊二州, 須得西南風, 乃行, 則麗地之與中國對者, 已在山束之東矣. 而麗之屬郡, 有康州者, 又在麗南五千里, 乃與明州相對. 康之隣郡, 曰武州, 自産橘柚. 又明言, 其氣候,

[○賜山陰縣智谷寺僧釋超城北龜山寺, 仍賜毳衣一襲并諸道具等:追加].[45]

庚申[光宗]十一年 : 峻豊元年, 後周顯德七年, 宋建隆元年, [西曆960年]

960년 1월 31일(Gre2월 5일)에서 961년 1월 19일(Gre2월 24일)까지, 355일

[春正月辛丑朔^{大盡戊寅}:追加].

[是月甲辰^{4日}, 恭帝遜位, 後周滅亡. 乙巳^{5日}, 宋太祖趙匡胤卽位, 建立北宋, 定都開封, 改元建隆:追加].

[二月辛未朔^{小盡}:己卯追加].

春三月^{庚子朔大盡,庚辰}, 甲寅^{15日} 賜崔光範等及第.[46]

正似餘姚, 則麗之與明, 其斜相對値, 蓋相爲東西, 而微並西北矣".
- 『程氏演繁露』 권1, 服匿·ㅋ斗·斯羅, "南唐張僚使高麗, 記其所見曰, 麗多銅, 田家餚其, 皆銅爲之. 有溫器, 名服席, 狀如中國之鐺, 其底方, 其蓋圓, 可容七八升. 案齊雜記云, 竟陵王子良得古器, 小口方腹底下, 可著六七升, 以示秘書丞陸澄. 澄之曰, 此名服匿, 單于以賜蘇武子良視其款識, 果如所言. 大東夷之謂服席, 卽北狄之謂服匿者也. 語有訛轉, 其實一物也. 僚之回也, 舟至冷泉, 麗兵來衛, 中有銅器, 晝以供炊, 夜以擊警, 用顔注驗之, 卽ㅋ斗矣. 東夷, 箕子之國也, 猶知重古三代俎豆, 至漢尙存則ㅋ斗, 尙其傳習, 而近者也. 若銅斯羅, 其義絶不可曉, 案張僚記, 新羅國一名斯羅, 而其國多銅, 則斯者, 斯聲之訛者也, 名盆以爲斯羅, 其必出此也. 中國古固有盆矣, 皆瓦爲之, 故可叩擊, 以爲樂節者, 以其有聲也. 相如請秦王擊缶, 楊惲謂婦本秦也, 拊缶, 而呼烏烏, 皆瓦爲之質, 未至用銅也. 若其以銅爲質, 固不知始於何時, 然其以斯羅爲名, 而至今仍之, 則斯羅也者, 本其所出以爲之名也, 後世固有改用. 黃白二金, 旦鍛旦鑄者矣, 而其易盆名. 以爲斯羅者, 則其祖本由新羅來, 不可掩也. 於是, 酒器之有豊也, 樂之有阮咸秕琴也, 食品中之有畢羅鑒虛也, 皆本其自而立之名也. 則易盆名, 以爲斯羅, 自當本之新羅, 無疑也".
- 『程氏演繁露』 권10, 犬戎雞林, "章僚回程, 至海州長流縣, 東北百餘里, 船巫, 祭小靑山神, 巫其餠餌, 先作擊擊之聲, 復撤米一把. 彼俗云, 雞林之地, 祭先皆以米, 或云, 雞林本雞種也, 高麗不烹雞云, 如烹, 卽家有祠, 按此與犬戎諱犬同".
- 『十國春秋』 권28, 南唐14, 列傳, 章僚, "章僚, 雅善著述, 後主時, 充如京使, 奉使高麗, 具得其國山川事蹟物産, 譔海外使程廣記三卷, 春秋續演繁露作海外行程記, 云中間引, 保大初, 徐鉉使事爲證, 史虛白爲之序, 大氐言, 高麗有二京六府九節度百二十郡, 內列十省四部官, 朝服紫冃緋綠靑碧, 俗喜匾頭, 生男, 旦日按壓其首, 又言高麗多銅, 田家餚其, 皆銅爲之, 有溫器, 名服席, 狀如中國之鐺, 其底方, 其蓋圓, 可容七八升, 地志家多稱, 其書爲博洽云, 章僚, 程大昌亦作張僚". 여기에서 如京使는 太倉을 管轄하는 官吏이다.
- 『事物紀原』 권6, 東西使班部第29, "唐志云, 開元十九年, 以監察御史充太倉出納使. 五代梁諸使, 始有如京使, 當是. 梁改太倉使, 曰如京也".

45) 이는 「山淸智谷寺眞觀禪師悟空塔碑」에 의거하였다.
46) 이와 관련된 기사로 다음이 있다. 이때 崔光範·徐熙가 甲科로 급제하였다(『登科錄』, 朴龍雲 1990년 ; 許

[□□^{是時}, 只試詩·賦·頌:選擧1科目轉載].

[某日], 定百官公服, [元尹以上紫衫, 中壇卿以上丹衫, 都航卿以上緋衫, 小主簿以上綠衫:節要轉載].⁴⁷⁾

[夏四月庚午朔^{小盡,辛□}:追加].

[五月己亥朔^{人盡,壬午}:追加].

[六月己巳朔^{大盡,癸未}:追加].

[秋七月己亥朔^{小盡,甲申}:追加].

[八月戊辰朔^{人盡,乙酉}:追加].

[九月戊戌朔^{小盡丙戌}::追加].

[冬十月丁卯朔^{人盡,丁亥}:追加].

[十一月丁酉朔^{小盡,戊子}:追加].

[十二月^{丙寅朔人盡,己丑}, 辛卯^{26日}, 王弟旭之子治^{成宗}生:追加].⁴⁸⁾

□□^{是年,49)} 改開京爲皇都, 西京爲西都.

[○城濕忽, 陞爲嘉州, 城松城, 陞爲拓州:節要轉載].⁵⁰⁾

○評農書史權信, 譖大相俊弘·佐丞王同等謀逆, 貶之. 自是, 讒佞得志, 誣陷忠良. 奴訴其主, 子讒其父, 囹圄常溢, 別置假獄, 無罪而被戮者相繼. □^干猜忌日甚,⁵¹⁾ 宗族多不得保, 雖一子伷,

---

興植 2005년).

· 지27, 선거1, 科目1, 選場, "^{光宗}十一年三月, 雙冀知貢擧, 取進士, 賜甲科崔光範等七人·明經一人·醫業三人及第".

· 열전7, 徐熙, "光宗十一年, 年十八擢甲科".

· 『고려사절요』 권2, 광종 11년 3월, "賜崔光範等七人·明經一人·醫業三人及第".

47) 이와 같은 기사가 지26, 輿服, 公服에도 수록되어 있다.

48) 이는 세가3, 成宗, 總書에 의거하였다.

49) 이 위치에서 是年이 탈락되었을 것이다.

50) 이는 『고려사절요』 권2, 광종 11년에서 전재한 것이고, 이와 관련된 자료로 다음이 있다.

· 지36, 병2, 城堡, "^{光宗}十一年, 城濕忽及松城".

· 지12, 지리3, 北界, 安北大都護府, 嘉州, "嘉州, 本高麗信都郡 一云古德縣, 光宗十一年, 城濕忽, 陞爲嘉州".

· 열전7, 徐熙, "熙又奏曰, 自契丹東京, 至我安北府, 數百里之地, 皆爲生女眞所據, 光宗取之, 築嘉州·松城等城". 이는 성종 12년 閏10월 契丹 蕭恒德(蕭遜寧의 小名)의 침입 때 割地論이 제기되자, 서희가 반대하면서 말한 구절의 일부이다(→성종 12년 윤10월 3일의 記事).

51) 添字는 『고려사절요』 권2에 의거하였다.

亦自疑阻, 不使親近. 人人畏懼, 莫敢偶語.

    [○建元峻豊:追加].[52]

    [○改徇軍部爲軍部, 內軍爲掌衛部, 物藏省爲寶泉省:百官1轉載].[53]

辛酉[光宗]十二年 : 峻豊二年, 宋建隆二年, [西曆961年]

 961년 1월 20일(Gre1월 25일)에서 962년 2월 7일(Gre2월 12일)까지, 13개월 384일

    [春正月丙申朔小盡,庚寅:追加].

    [二月乙丑朔大盡,辛卯:追加].

    [三月乙未朔小盡,壬辰:追加].

    [閏三月甲子朔小盡,工辰:追加].

    [春某月某日],[54] 修宮闕, [置修營宮闕都監:節要・百官2宮闕都監轉載], 移御正匡王育第.

    [夏四月□□癸巳朔大盡,癸巳,[55] 大風雷雨, 水溢街衢, 漂沒人家, 水變爲赤:五行1水潦・節要轉載].[56]

---

52) 이해에 年號를 峻豊으로 정한 것은 「龍頭寺鐵幢竿記」에 962년(壬戌)을 峻豊 3年으로, 「古弥縣西院鐘」(日本 廣島縣 竹原市 竹原町 上市 照蓮寺所藏)에 963년(癸亥)을 峻豊 4년으로 記載하고 있는 것을 통해 추가하였다. 고려가 峻豊을 사용한 것은 宋의 연호인 建隆이 太祖 王建의 이름인 建字, 世祖 王隆의 이름인 隆字를 避諱하였기 때문이라는 견해도 있다(末松保和 1974年).

그런데 기와[瓦]의 銘文에 "峻豊四年壬戌大介山竹州"(京畿道 安城市 望伊山城에서 출토), "峻豊四年壬□業"(京畿道 安城市 竹山面 竹山里 145-2 番地 奉業寺址에서 출토)이 있다고 하는데(金澈雄 1999年 ; 安城市 2009年 ; 洪榮義 2015年), 峻豊 4년(963)은 癸亥이고, 壬戌은 峻豊 3년(962)에 해당하므로 製作 또는 判讀할 때에 어떤 착오가 있었던 것 같다(→광종 13년 是年 安城縣 奉業寺의 脚注).

53) 이는 지30, 百官1, 兵曹, 衛尉寺・小府寺 등에서 轉載한 것이다. 軍部는 徇軍部가 개편된 것이다. 또 掌衛部는 後日(성종 14년 以前까지) 司衛寺로 改稱되었고("後稱司衛寺"), 寶泉省은 小府監으로 개편되었다고 한다("後改小府監").

・지30, 百官1, 兵曹, "光宗十一年, 改徇軍部爲軍部, 其職掌未詳, 疑皆是掌兵之官, 後並廢之".

54) 이 기사와 연결된 다음의 기사가 4월에 일어난 사실임을 보아, 이 기사는 4月 또는 그 이전에 일어난 사실일 것이다.

55) 이날(癸巳朔) 宋・契丹・日本 등에서 모두 일식이 관측되었지만(『송사』 권1, 본기1, 태조1, 建隆 2년 4월 1일 ; 『요사』 권6, 본기6, 穆宗上, 應曆 11년 4월 1일), 高麗는 일식의 中心食帶에서 벗어나 있었기에 관측될 수 없었다(渡邊敏夫 1979年 303面).

・『日本紀略』後篇4, 應和 1년 4월, "一日癸巳, 日蝕, 御讀經竟也".

56) 水潦(수료)는 大雨, 大水로 인해 물이 넘쳐서 큰 被害가 발생한 것을 가리킨다.

[某日]57), 賜王擧等及第.58)

[五月癸亥朔大盡,甲午:追加].

[六月癸巳朔小盡,乙未:追加].

[秋七月壬戌朔大盡,丙申:追加].

[八月壬辰朔大盡,丁酉:追加].

[九月壬戌朔小盡,戊戌:追加].

[冬十月辛卯朔大盡,己亥:追加].

[十一月辛酉朔小盡,庚子:追加].

[十二月庚寅朔大盡,辛丑:追加].

[是年, 宋遣使來, 賜衣帶·鞍馬:追加].59)

[○遣僧諦觀如吳越國, 傳'天台論疏', 觀持天台四部, 涉海至天台國淸寺, 留螺溪十餘年, 傳敎天台宗旨, 仍撰'天台四敎儀':追加].60)

- 『管子』, 輕重丁, "… 齊西水潦而民饑, 齊東豊庸而糶賤".
- 『후한서』 권89, 南匈奴列傳第79,安帝 永初三年夏, 漢人韓琮隨南單于入朝, 旣還, 說南單于云, '關東水潦, 人民飢餓死盡, 可擊也'. 單于信其言, 遂起兵反畔, 攻中郞將耿种於美稷. …".
- 『梁書』 권3, 本紀3, 武帝, 永明 5년, "六月辛酉, 詔曰, 比霖雨過度, 水潦洊溢, 京師居民, 多離其弊, 遣中書舍人, 二縣官長隨宜賑賜".

57) 『고려사』 세가편에는 四月이 탈락되어 있으나 지27, 選擧1, 科目에는 四月이 기록되어 있다.
58) 이와 관련된 기사로 다음이 있다.
  - 지27, 선거1, 科目1, 選場, "光宗十二年四月, 雙冀知貢擧, 取進士, 賜王擧等七人·明經一人及第".
59) 이는 다음의 자료에 의거하였다.
  - 『玉海』 권154, 朝貢, 錫予外夷, "建隆二年三月, 賜王昭衣帶·鞍馬".
60) 이는 다음의 자료에 의거하였다.
  - 『佛祖統紀』 권23, 歷代傳敎表, 第9, "建隆二年, 高麗國, 遣使沙門諦觀, 持天台論疏, 至螺溪".
  - 『불조통기』 권8, 興道下, 八祖紀第4, 十五祖螺溪淨光尊者大法師, "案二師口義云, 吳越王遣使, 以五十種寶, 往高麗求敎文. 其國令諦觀來奉諸部, 而智論疏·仁王疏·華嚴骨目·五百門等. 不復至, 據此則知, 海外兩國, 皆曾遣使, 若論敎文復還, 中國之寶, 則必以高麗諦觀來, 奉敎卷爲正".
  - 『불조통기』 권10, 諸祖旁出世家5-2, 淨光法師旁出世家, 法師諦觀, "法師諦觀, 高麗國人, 初, 吳越忠懿王, 因覽永嘉集, 同除四住之語, 以問韶國師, 韶曰, 此是敎義. 可問天台義寂. 卽召問之, 對曰, 此智者, 妙玄位妙中文, 妙玄旣散失不存, 未審何緣知之, 必寂師先曾見殘編耳, 唐末敎籍, 流散海外, 今不復存. 於是, 吳越王遣使致書, 以五十種寶, 往高麗求之. 其國令諦觀來, 奉敎乘, 而智論疏·仁王疏·華嚴骨目·五百門等, 禁不令傳. 且戒觀師, 於中國求師問難, 若不能答, 則奪敎文以回. 觀師旣至, 聞螺溪善講授, 卽往參謁, 一見心服, 遂禮爲師. 嘗以所製四敎儀藏於篋, 人無知者. 師留螺溪十年, 一日坐亡, 後人見故篋放光, 開視之, 唯此書而已. 由是, 盛傳諸方, 人爲初學發蒙之助云, 述曰, 吳越王航海取敎, 實基於同除四住之語, 及觀師製四敎儀, 全明圓敎中, 故特標永嘉云者, 所以寓當時之意, 俾後人無忘發起也. 此書卽荊溪八敎大意, 觀師略加修治, 易以今名, 没前人

[○永明寺居住僧智宗至天台國淸寺, 謁螺溪義寂, 寂薦宗於吳越國王錢鏐. 鏐以宗爲天台敎授師, 使宗與本國僧諦觀, 傳'天台論疏':追加].[61]

壬戌[光宗]十三年 : 峻豊三年, [宋建隆三年), [西曆962年]

962년 2월 8일(Gre2월 13일)에서 963년 1월 27일(Gre2월 1일)까지, 354일

[春正月庚申朔^{小盡,壬寅}:追加].

[二月^{己丑朔小盡,癸卯}, 丁巳^{29日晴}, 淸州堂大等·正朝金介一等鑄成龍頭寺三十段之鐵筒, 連立六十尺之幢柱:追加].[62]

[三月戊午朔^{大盡,甲辰}:追加].
[夏四月戊子朔^{小盡,乙巳}:追加].
[五月丁巳朔^{大盡,丙午}:追加].
[六月丁亥朔^{小盡,丁未}:追加].

[夏某月, 大德均如講說於京都法王寺:追加].[63]

之功, 深所不可". 이 자료의 축약이 권52, 歷代會要志19-2, 諸國朝貢에 수록되어 있다. "高麗沙^門諦觀, 持大台論疏, 至中國謁螺溪法師".

이때 圓空國師 智宗이 諦觀과 함께 吳越에 들어가 天台山(現 浙江省에 위치) 國淸寺의 淨光大師 義寂을 만났고, 義寂의 추천으로 天台宗旨를 가르치는 敎授師가 되었다(居頓寺圓空國師勝妙塔碑).

61) 이는「原州居頓寺圓空國師勝妙塔碑」에 의거하였다.

62) 이 기사는「龍頭寺鐵幢記」에 의거하였다. 이 幢竿[鐵幢]은 현재 남아 있는 20段의 길이가 12.7m로서 1段(2尺)의 길이가 63cm라고 한다. 이를 통해 당시에 사용된 基準尺은 31.5cm으로 唐代의 尺 29.5cm정도(實物은 32cm정도)보다 2cm정도 큰 것으로 파악되고 있다(李宗峯 2016년 119面). 또 이 幢竿은 조선전기의 인물들에 의해서도 注視되고 있었다(『二灘集』권4, 淸州城中鐵利).

· 『研經齋全集』續集16冊, 書畫雜識, 峻豊跋, "余^{成海應}嘗過淸州, 邑城有鐵檣, 高可七八丈, 刻峻豊二字, 前代州縣, 或用銅若石, 造爲舟檣之形, 以壓勝地氣, 如杜工部石犀行也, 但峻豊未詳, 豈淸州之古號而史失之耶. 石犀行中, 有云'自古雖有壓勝法, 天生江水向東流'者, 可以破悠謬之論也". 여기에서 인용된 시구는「石犀行」의 제2절이다(『九家集注杜詩』권7, 石犀行[注, '成都記'石犀, 在李太守廟內]).

63) 이는 다음의 자료에 의거하였다(末松保和 1996년).

· 『釋華嚴敎分記圓通鈔』권1, 末尾題記, "峻豊三年壬戌, 均如人德於法王寺長講說, 師時所說義理章記, … 又本云, 峻豊三年壬戌, 於京都法王寺, 均如人大德, 夏講時所說, …".

[秋七月丙辰朔^{大盡,戊申}:追加].

[八月丙戌朔^{大盡,己酉}:追加].

[九月丙辰朔^{小盡,庚戌}:追加].

冬^{秋64)}, [某月], 遣廣評侍郎李興祐等如宋, 獻方物.

[冬十月乙酉朔^{大盡,辛亥}:追加].

[十一月乙卯朔^{大盡,壬子}:追加].

[十二月乙酉朔^{小盡,癸丑}:追加].

[是年, 命王師知□, 移住廣明寺, 設仁王般若會七日, 賜圓明妙覺之號兼磨衲袈裟·寶器·香茶 等:追加].⁶⁵⁾

[○改築天安府竹州大介山城:追加].⁶⁶⁾

---

64) 『고려사』세가편에는 겨울에 廣評侍郞 李興祐 등을 宋에 파견하였다고 되어 있어, 아래의 자료와 차이를 보이고 있다. 이해의 11월 22일(丙子, 陽12月 21日) 고려의 사신이 宋에 도착하여 方物을 바치고 있음을 보아, 이들은 2~3개월 전인 가을에 고려에서 출발하였을 것이다. 이는 『七代事跡』의 灰塵으로 인해 파견된 정확한 시기를 알지 못하여, 『칠대사적』을 복원하는 과정에서 중국 측의 자료에 의거하여 11월에 파견한 것처럼 잘못 기술한 결과로 추측된다.

· 『속자치통감장편』 권3, 建隆 3년 11월, "丙子, 三佛齊國王釋利耶·高麗國王昭, 並遣使來, 貢方物".

· 『송사』 권1, 본기1, 太祖1, 建隆 3년 11월, "丙子, 三佛齊國遣使李麗林等來獻, 高麗國遣李興祐等來朝方物".

· 『송사』 권487, 열전246, 外國3, 高麗, "建隆三年十一月, 昭遣其廣評侍郎李興祐·副使李勵希·判官李彬等來朝貢".

· 『송회요집고』199冊, 蕃夷7, 歷代朝貢, "建隆三年十二月二十二日, 三佛齊國王釋利烏耶, 遣使李麗林, 高麗國王王昭, 遣使廣評侍郞李興祐等來, 貢方物".

· 『皇朝編年綱目備要』 권1, 建隆 3년 11월, "高麗來貢, 其王王昭也".

이들 자료와 유사한 내용이 『文獻通考』 권325, 四裔考2, 高句麗 ; 『玉海』 권154, 朝貢, 錫予外夷 ; 『寶慶四明志』 권6, 敍賦下, 市舶 ; 『群書考索』 後集 권64, 財賦門, 貢獻, 四夷方貢 ; 『宋史全文』 권1 등에도 수록되어 있다. 또 이때 고려의 사신이 宋에 도착한 時点이 관련 자료에는 10월, 11월, 12월로 각기 기록되어 있으나, 이는 筆寫 또는 組版過程에서 오자 또는 脫字가 발생하였기 때문이다. 필자의 경험에 의하면 月日은 『속자치통감장편』과 『송사』本紀의 내용이 비교적 정확하므로 11월 丙子(22일)가 옳을 듯하다.

65) 이는 다음의 자료에 의거하였는데, 惠居國師의 法名은 知□?으로 뒷 글자는 알 수 없다. 또 당시의 紀年方式에 따르면 '十四年壬戌'로 記載해야 옳을 것인데, 그렇지 않은 점을 보아 향후 면밀한 검정이 있어야 할 것이다.

· 「惠居國師塔碑」, "及我光宗大王十三年壬戌, 命王師移住廣明寺, 爲設仁王般若會, 七日, 賜圓明妙覺之號兼磨衲袈裟·寶器·香茶等".

66) 이는 京畿道 安城市 一竹面 金山里 山48번지에 위치한 望夷山城(경기도기념물 제138호)에서 발견된 기와[瓦]의 刻字에 의거하였다. 여기에서 該當年度의 干支와 당시에 사용된 年號의 年代가 일치하지 않은

[○改修天安府安城縣奉業寺:追加].⁶⁷⁾

[○宋遣使□□將軍石曦來:追加].⁶⁸⁾

[○天台國清寺居住僧智宗, 攘袂而起, 泛海東還, 次開京, 人稱居右之才, 光宗, 視以鳩摩羅什
如秦, 摩騰入漢, 益厚優賢之意, 初署大師, 延請居於金光禪院, 末年可重大師, 賜磨衲袈裟:追加].⁶⁹⁾

癸亥[光宗]十四年 ： 峻豊四年, 宋乾隆四年→11월乾德元年, [西曆963年]

963년 1월 28일(Gre2월 2일)에서 964년 2월 15일(Gre2월 25일)까지, 13개월 384일

[春正月甲寅朔^{大盡,甲寅}:追加].

[二月甲申朔^{小盡,乙未}:追加].

[三月癸丑朔^{小盡,丙辰}:追加].

[夏四月壬午朔^{大盡,丁巳}:追加].

[五月壬子朔^{小盡,戊午}:追加].

夏六月^{辛巳朔大盡,乙卯}, [某日], 還御宮, 詔曰, "朕比爲重修大內, 久在離宮, 心存警備, 事異尋常,
百官奏事, 多不親聽. 慮恐衆心, 或生疑阻, 其爲軫念, 寢食難忘. 今者, 修營功畢, 聽政有所,
凡爾百僚, 各敬爾事, 依舊進奏, 毋得稽留. 庶幾, 魚水同歡, 毋致君臣相阻".

秋七月^{辛亥朔小盡,庚申}, [某日], 創歸法寺□□□□□^{於炭峴門外}.⁷⁰⁾

데, 이는 세월의 흐름을 干支에 의거했던 당시 사회에서 改定된 年號에 대한 認識이 부족했던 결과일
것이다.
* 銘文, "□□」峻豊四年^{歲次}壬戌大□^숙山」竹州」"(安城市 1999년 ; 世宗文化財硏究院 編 2015년 48面 ; 洪
榮義 2018년).

67) 이는 경기도 安城市 竹山面 竹山里 240-1 奉業寺址에서 출토된 瓦銘 '峻豊四年^{歲次}壬□^戌'에 의거하였다
(世宗文化財硏究院 編 2015년 27面). 여기에서 瓦銘은 기와[蓋瓦, 瓦]를 제작할 때[燔瓦] 刻字한 銘文인
데, 이의 交替期는 보통 10여년 이상이고 椽木, 泥土의 교체도 隨伴되므로 改築, 改修로 表記될 수 있다.

68) 이는 다음의 자료에 의거하였다.
* 『송사』 권271, 열전30, 石曦, "恭帝卽位初, 爲左衛將軍. 會高麗王昭加恩, 命曦副左驍衛大將軍戴交充使.
建隆三年, 再使高麗, 遷左驍衛大將軍, 護泰州屯兵".

69) 이는 「原州居頓寺圓空國師勝妙塔碑」에 의거하였다.

70) 歸法寺는 다음의 자료에 의하면, 이해[是年] 9월에 창건되었다고 한다. 또 添字가 추가되어야 좋을 것이다.
* 「瑞山普願寺法印國師寶乘之塔碑」, "是歲秋九月, 以新刱歸法寺, 水淀瀯而練遶, 山巉崿而屛開, 像殿□□□
□□時, 乃開土宴居之淨境, 寔眞人栖息之淸齋, 遂請大師^{坦文}住焉. 大師往居之".

[○始置濟危寶:節要·百官2濟危寶轉載].

[八月庚辰朔^{大盡,辛酉}:追加].

[九月^{庚戌朔小盡,壬戌}, 丁卯^{18日}, 靈巖郡古彌縣西院僧領玄·信嚴等造成銅鍾:追加].[71]

[冬十月己卯朔^{大盡,癸亥}:追加].

[十一月己酉朔^{大盡,甲子}:追加].
[是月甲子^{16日}, 宋改乾隆四年爲乾德元年:追加].

冬十二月^{己卯朔大盡,乙丑}, [某日], 行宋年號.

[閏十二月己酉朔^{小盡,乙丑}:追加].

[□□^{是歲}],[72] 宋遣冊命使時贊來, 在海遇風, 溺死者九十人, 贊獨免. 王特厚勞之.

---

71) 이는「古彌縣西院鍾銘」에 의거하였다(廣島縣 竹原市 竹原町 上市 3791 照蓮寺所藏, 坪井良平 1974年a 80面；許興植 1984년 376面).

72) 이 위치에서 是歲가 탈락되었을 것이다. 다음의 자료에 의하면 宋의 使臣 時贊은 이해의 봄[春]에 光宗을 檢校太師로 冊封한 制書를 가지고 오다가 9월에 破船되어 죽었다. 이들 자료에는 海路에서 遭難을 당한 사신이 고려의 사신으로 되어 있으나, 실제는 송의 사신으로서 중국 측의 자료가 잘못 편찬된 것이다[杜撰]. 1780년[正祖4) 편찬된『御定宋史筌』에서 宋의 사신으로 校正하였다.
  ·『송사』권487, 열전246, 外國3, 高麗, "建隆四年春, 降制曰, 古先哲后, 奄宅中區, 曷嘗不同文軌於萬方, 覃聲敎於四海. 顧予涼德, 猥被鴻名, 爰致賓王, 宜優錫命. 開府儀同三司·檢校太師·玄菟州都督·充人義軍使·高麗國王昭, 口邊鍾粹, 遼左推雄, 習箕子之餘風, 撫朱蒙之舊俗. 而能占雲候海, 奉贄充庭, 言念傾輸, 實深嘉尙. 是用賜之懿號, 酬以公田, 載推柔遠之恩, 式獎拱辰之志. 於戲, 來朝萬里, 羡愛戴之有孚. 柔撫四封, 庶混幷之無外. 永保東裔, 丰承天休. 可加食邑七千戶, 仍賜推誠順化保義功臣".
  ·『속자치통감장편』권4, 乾德元年九月甲寅, "登州言, 高麗國王昭, 遣使時贊等入貢, 涉海値人風, 船破, 從人溺死者九十餘人, 贊僅而獲免, 詔勞卹之".
  ·『송사』권487, 열전246, 外國3, 高麗, "^{建隆四年}其年九月, 遣使時贊等來貢, 涉海値大風, 船破, 溺死者七十餘人, 贊僅免, 詔加勞卹".
  ·『宋史全文』권1, "^{建隆四年九月}甲寅, 登州言, 高麗國王昭, 遣使時贊等入貢".

甲子[光宗]十五年[峻豊五年?], 宋乾德二年, [西曆964年]

964년 2월 16일(Gre2월 21일)에서 965년 2월 4일(Gre2월 9일)까지, 355일

[春正月戊寅朔^{大盡,丙寅}:追加].

[二月戊申朔^{小盡,丁卯}:追加].

春三月^{丁丑朔大盡,戊辰}, [某日], 賜金策等及第,[73] 御天德殿, 宴群臣, 命策[釋褐, 賜公服:節要轉載],[74] 赴宴.[75]

[□□^{是時}, 復試以詩·賦·頌及時務策:選擧1科目轉載].

[夏四月丁未朔^{小盡,己巳}:追加].

[五月丙子朔^{小盡,庚午}:追加].

[六月乙巳朔^{小盡,辛未}:追加].

[秋七月甲戌朔^{大盡,壬中}:追加].

秋八月^{甲辰朔大盡,癸酉}, 壬子^{9日}, 大匡朴守卿卒.[76] [守卿, 性勇烈, 多權智. 事太祖爲元尹, 百濟數侵新羅, 太祖命守卿, 往鎭之, 値萱再至, 守卿輒以奇計, 敗之. 勃城之役, 太祖被圍, 賴守卿力戰得出:節要轉載].[77]

[→^{朴守卿之子}佐承承位·承景·大相承禮等, 被讒下獄, 守卿憂患而卒. 後累贈司徒·三重大匡:列傳5朴守卿轉載].[78]

---

73) 이와 관련된 기사로 다음이 있다.
· 지27, 선거1, 科目1, 選場, "^{光宗}十五年三月, 翰林學士趙翌知貢擧, 取進士, 賜金策及明經·卜業各一人及第".
74) 釋褐은 脫麻와 함께 사용되며 平民이 褐服(粗衣)을 벗고 官人이 된다는 뜻인데, 進士及第者의 御前釋褐은 977년(太平興國2) 이래 실시되었다고 한다.
· 『事物紀原』권3, 學校學貢部第16, 釋褐, "宋朝會要曰, 太平興國二年正月十二日, 賜新及第進士諸科呂蒙正以卜綠袍靴笏, 非常例也. 御前釋褐, 蓋自是始".
75) 이와 같은 기사가 지31, 選擧2, 崇獎에도 수록되어 있다.
76) 大匡은 『고려사절요』권2에는 後代의 追贈職으로 추측되는 司徒로 되어 있지만, 오류일 것이다. 또 이 날은 율리우스曆으로 964년 9월 17일(그레고리曆 9월 22일)에 해당한다.
77) 이와 같은 기사가 열전5, 朴守卿에도 수록되어 있다. 또 태조 왕건이 포위되었다는 勃城의 戰鬪는 언제 어디서 일어난 것인지를 알 수 없다.
78) 朴承位의 曾孫이 朴寅亮이고, 4代孫[高孫]이 朴景山이라고 한다(朴景山墓誌銘).

[九月^{甲戌朔小盡,甲戌}, 乙亥^{2日}, 康州山陰縣智谷寺僧<u>釋</u>超入寂, 年五十三, 臘三十八. 遣使諡眞觀禪師, 塔曰悟空之塔:追加].⁷⁹⁾

[冬十月癸卯朔^{大盡,乙亥}:追加].
[十一月癸酉朔^{大盡,丙子}:追加].
[十二月癸卯朔^{大盡,丁丑}:追加].

[是歲, 遣大承^{大丞}·內奉令王輅如宋, 獻方物, 帝授輅尙書左僕射, 食實封三百戶, 幷賜官誥←光宗16年에서 옮겨옴].⁸⁰⁾
[○改古寧郡爲咸寧郡:地理1轉載].⁸¹⁾

乙丑[光宗]十六年[峻豊六年?], 宋乾德三年, [西曆965年]

965년 2월 5일(Gre2월 10일)에서 966년 1월 24일(Gre월 29일)까지, 354일

[春正月癸酉朔^{小盡,戊寅}:追加].

---

79) 이는 「山淸智谷寺眞觀禪師悟空塔碑」에 의거하였다. 이날은 율리우스曆으로 964년 10월 10일(그레고리曆 10월 15일)에 해당한다.

80) 이 기사는 光宗 16년 春二月의 기사에 붙여져 있으나, 아래에 인용된 중국 측의 자료에 의하면 고려의 사신은 이해의 1월 13일(乙酉)에 宋에 도착하여 있었다. 그러므로 이 기사는 광종 15년으로 移動해 와야 하고, 『고려사』 세가편의 記述方式대로 한다면 이 文章의 冒頭에 是歲가 있어야 할 것이다[校正事由]. 또 承은 『고려사』의 여러 판본에서 承이지만, 『고려사절요』에는 丞으로 되어 있는데, 후자가 옳을 것이다(東亞人學 2008년 1책 506面).
  ·『속자치통감장편』 권6, 乾德 3년 1월, "乙酉, 高麗國王昭, 遣使來, 貢方物". 이 기사는 宋·元版의 『속자치통감장편』에는 수록되어 있지 않으므로(中華全國圖書館文獻縮微複製中心, 『宋板續資治通鑑長編』, 1995年) ; 『續資治通鑑長編』(「中華再造善本」金元編, 史部 所收 : 中國國家圖書館所藏의 元刊本) 등의 卷6, 乾德 3年 正月條), 後世에 이 책을 再版하는 과정에서 『송사』의 내용을 통해 補筆하였을 가능성이 있다.
  ·『송사』 권2, 본기2, 태조2, 乾德 3년 1월, "乙酉, 高麗國王遣使來, 朝獻".
  ·『玉海』 권154, 朝貢, 獻方物, 建隆高麗來貢·錫子外夷, 乾德 3년, "正月, 獻錦罽·刀劍".

81) 이와 관련된 자료로 다음이 있다. 이 기사에서 靈宗은 顯宗의 오자일 뿐만 아니라 顯宗과 光宗의 순서도 바뀌어 있음을 보아 내용에서도 오류가 있을 것이다.
  ·『경상도지리지』, 尙州道, 咸昌縣, "景德王時, 改名古寧郡, 在高麗靈宗^{顯宗}時, 稱咸寧郡, 屬尙州任內, 光宗時, 乾德甲子, 改稱咸昌郡".

春二月^{壬寅朔大盡,己卯}, [某日], 加子伷元服, 立爲王太子·內史諸軍事·內議令·正胤^{正胤·內外諸軍事·內議令}, 宴群臣于長生殿.⁸²⁾

[某日, 遣大承·內奉令王輅如宋, 獻方物, 帝授輅尙書左僕射, 食實封三百戶, 幷賜官誥→:光宗15年으로 옮겨감].

[三月壬申朔^{小盡,庚辰}:追加].
[夏四月辛丑朔^{大盡,辛巳}:追加].

[五月^{辛未朔小盡,壬午}, 辛卯^{21日}, 建聞喜郡鳳巖寺靜眞大師兢讓塔碑, 彫割業僧遑律刻字:追加].⁸³⁾

[六月庚子朔^{小盡,癸未}:追加].

秋七月^{己巳朔小盡,甲申}, 丙午^{共甲,84)} 內議令徐弼卒, [年六十五:列傳6徐弼轉載]. [弼, 利川人, 性通敏, 始以吏事進. 王嘗賜宰臣王咸敏·皇甫光謙及弼, 金酒器, 弼獨不受曰, "臣謬居宰輔, 已叨寵恩, 又賜金器, 愈懼踰分. 且服用明等衰, 奢儉關理亂, 臣用金器, 君將何用?". 王曰, "卿能不以寶爲寶, 予當以卿言爲寶". 後, 因進見曰, "願上, 莫賞無功, 無忘有功". 王嘿然. 翌日, 遣近臣, 問有功無功者爲誰. 弼對曰, "有功者元甫式會是也, 無功者若輩是也, 願以此奏焉". 時, 王禮重投化唐人, 擇取臣僚第宅及女, 與之. 一日, 弼奏曰, "臣居第稍寬, 願以獻焉". 王問其故, 對曰, "今, 投化唐人擇官而仕, 擇屋而處, 世臣故家反多失所, 臣愚, 誠爲子孫計, 宰相居第, 非渠所能有也, 及臣之存, 請取之, 臣以祿俸之餘, 更營小第, 庶無後悔". 王怒, 後感悟稱善, 自後, 不復奪臣僚第宅. 內廏馬死, 王欲罪主者, 弼引孔子不問馬之說, 以爭, 主者得免, 其謇諤如此. 謚貞敏, □□□□□^{成宗十三年}配享王廟:節要轉載].⁸⁵⁾

---

82) 王太子·內史諸軍事·內議令·正胤은 『고려사절요』와 같이 正胤·內史諸軍事·內議令의 잘못일 것이다. 이는 皇太子를 指稱하는 王太子와 正胤이 함께 사용되지 않았을 것이기 때문이다. 또 內史諸軍事를 內外諸軍事로 고쳐야 한다는 견해가 제시되어 있는데(鄭求福 1993년), 적절한 추측으로 판단된다.

83) 이는 「聞慶鳳巖寺靜眞大師圓悟塔碑」에 의거하였다.

84) 이달에는 丙午가 없고, 丙子(7일), 丙戌(17일), 丙申(27일)이 있으므로, 이달이 옳다면 丙午는 오자일 것이다.

85) 不問馬之說은 『논어』, 鄕黨第10, "廏焚. 子退朝. 曰, 傷人乎, 不問馬"에서 따온 것이다. 徐弼은 保大年間(943~957) 初期 南唐(937~975)에 사신으로 파견되었던 것으로 보인다.
  · 『演繁露』續集 권1, "海外行程記者, 南唐章僚記, 其使高麗, 所經所見也. 中引保太初, 徐弼使事爲證, 卽當是, 後主末年也".
  · 『十國春秋』 권28, 南唐14, 列傳, 章僚, "章僚, 雅善著述, 後主時, 充如京使, 奉使高麗, 具得其國山川事蹟

[八月戊戌朔^{大盡,乙酉}:追加].

[九月戊辰朔^{小盡,丙戌}:追加].

[冬十月丁酉朔^{大盡,丁亥}:追加].

[十一月丁卯朔^{大盡,戊子}:追加].

[十二月丁酉朔^{入盡,己丑}:追加].

[是年, 改修天安府平澤縣<u>琵琶山城</u>:追加].⁸⁶⁾

丙寅[光宗]十七年[峻豊七年?], 宋乾德四年, [西曆966年]

966년 1월 25일(Gre1월 30일)에서 967년 2월 11일(Gre2월 16일)까지, 13개월 383일

[春正月丁卯朔^{小盡,庚寅}:追加].

[二月丙申朔^{大盡,辛卯}:追加].

[三月丙寅朔^{大盡,壬辰}:追加].

[是月頃:追加], 賜<u>崔居業</u>等及第.⁸⁷⁾

[夏四月丙申朔^{小盡,癸巳}:追加].

[五月乙丑朔^{小盡,甲午}:追加].

[六月甲午朔^{大盡,乙未}:追加].

[秋七月甲子朔^{小盡,丙申}:追加].

[八月癸巳朔^{小盡,丁酉}:追加].

[閏八月壬戌朔^{入盡,丁酉}:追加].

物産, 撰海外使程廣記二卷, 春秋續演繁露作海外行程記, 云中間引, 保大初, <u>徐弼</u>使事爲證".

86) 이는 京畿道 平澤市 安仲邑 龍城里 산6-1 번지 琵琶山城에서 출토된 瓦銘 '乹德三年'에 의거하였다(世宗 文化財研究院 編 2015년 203面). 또 이 시기의 瓦銘에는 乾德을 같은 訓[同訓], 같은 音[同音]의 字體이 지만 筆寫方法이 다른 異體字인 乹德으로 刻字하였다.

87) 이와 관련된 기사로 다음이 있다. 또 이 시기의 전후에 雙冀 또는 王融이 '佛日重輝頌'라는 試題를 걸 었다고 한다.
· 지27, 선거1, 科目1, 選場, "光宗十七年, 翰林學士王融知貢擧, 取進士, 賜甲科崔居業等二人及第".
· 『목은시고』 권32, 有感, [注, 雙·王知擧, 有佛曰重輝頌].

[九月壬辰朔^{小盡,戊戌}:追加].

[冬十月辛酉朔^{大盡,己亥}:追加].

[十一月辛卯朔^{大盡,庚子}:追加].

[十二月辛酉朔^{小盡,辛丑}:追加].

[是年, 起工廣州黃驪縣高達院元宗大師璨幽塔碑:追加].[88]

丁卯[光宗]十八年[峻豊八年?], 宋乾德五年, [西曆967年]

967년 2월 12일(Gre2월 17일)에서 968년 2월 1일(Gre2월 6일)까지, 355일

[春正月^{庚寅朔大盡,丁寅}, 某日, 翰林學士·內議承旨·知制誥崔行歸, 譯均如大師之鄕歌, 爲漢詩:追加].[89]

[二月庚申朔^{大盡,癸卯}:追加].

[三月^{庚寅朔小盡,甲辰}, 己亥^{10日}, 京山府某等造成石佛坐像一軀:追加].[90]

[夏四月己未朔^{大盡,乙巳}:追加].

[五月己丑朔^{小盡,丙午}:追加].

[六月戊午朔^{大盡,丁未}:追加].

[秋七月戊子朔^{小盡,戊申}:追加].

[八月丁巳朔^{小盡,乙酉}:追加].

---

88) 이는 다음의 자료에 의거하였다.
· 「驪州高達院元宗大師慧眞之塔碑」 碑陰, "始丙寅年郭工碑塔, 終至丁丑年工畢也".
89) 이는 다음의 자료에 의거하였다.
· 『均如傳』 第8, 譯歌現德分者, "有翰林學士·內議承旨·知制誥·淸河崔行歸者, 與師同時. 鑽仰□久, 及此歌成, 以詩譯之, 其序云, … 宋曆八年周正月日謹序". 여기에서 宋曆 8년은 967년(乾德5, 광종18)에 해당한다 (李基東 1997년).
90) 이 石刻은 다음과 같은데, 어떠한 내용인지를 파악하기가 어렵지만 '成內'와 '成之'가 고려 초기에 사용된 吏讀라고 한다(嶺南大學博物館 所藏, 許興植 1984년 390面 ; 李永宰 1992년 25面).
· 「星州石佛坐像銘」, "□乾德五年丁卯三月□日」□石□成內□」兩柱□人和上在」位光和上籍□」□和上供養」村合任成之」".

[九月丙戌朔^{大盡,庚戌}:追加].

[冬十月丙辰朔^{小盡,辛亥}:追加].

[十一月乙酉朔^{大盡,壬子}:追加].

[十二月乙卯朔^{大盡,癸丑}:追加].

[是年, 城樂陵郡:節要·兵2城堡轉載].

[○改修天安府安城縣奉業寺:追加].⁹¹⁾

戊辰[光宗]十九年[峻豊九年?], 宋乾德六年→11月開寶元年,⁹²⁾ [西曆968年]

968년 2월 2일(Gre2월 6일)에서 969년 1월 20일(Gre1월 25일)까지, 354일

[春正月^{乙酉朔小盡,甲寅}, 某日, 陞王師知□, 爲國師, 賜號惠居. 設仁王般若百座會於慶雲殿, 請國師說'圓覺經':是歲에서 移動·追加].⁹³⁾

[二月甲寅朔^{大盡,乙卯}:追加].

[三月甲申朔^{小盡,丙辰}:追加].

[是月, 僧英俊利涉大洋, 向吳越國, 欲謁見杭州永明寺延壽禪師:追加].⁹⁴⁾

---

91) 이는 경기도 安城市 竹山面 竹山里 240-1 奉業寺址에서 출토된 瓦銘 '乾德五年…大□山□┍士…'(수키와), '乾德五年丁卯'(암키와)에 의거하였다(世宗文化財研究院 編 2015년 63面, 95面).

92) 『고려사』세가편에 수록된 광종 19년의 기사는 弘化寺를 위시한 3개의 사찰 건립, 惠居와 坦文의 冊封, 그리고 光宗의 懺悔에 의한 放生所의 설치 등으로 구성되어 있다. 이들이 동시에 이루어진 것이 아니고, 이해에 이루어진 것이기에 3개로 나누어 정리하였다. 또 고려는 972년(광종23)까지 乾德 年號를 사용하였다(柳邦憲墓誌銘, 金龍善 2006년 17面→광종 23년 是歲의 脚注).

93) 이는 다음의 자료에 의거하였는데, 당시의 紀年方式에 따르면 '二十年戊辰正月'로 記載해야 옳을 것이다.
   • '惠居國師塔碑', "^{光宗}十九年戊辰正月, 陞王師爲國師, 於慶雲殿設百座會, 請國師說圓覺經".

94) 이는 「陜川靈巖寺寂然國師慈光塔碑」에 의거하였는데(許興植 1984년 456面 ; 李智冠 2000년 2冊 193面), 여기에서 利涉은 渡涉과 같은 말이다. 또 이와 관련된 기사로 다음이 있다(張東翼 2000년 107面).
   • 『周易』下經, 渙, 象傳, "利涉人川, 乘木有功也. 利涉人川, 乘木有功也. 渙卦下坎上巽, 巽爲木, 坎爲水, 木可作船檣, 船可以在水上行走".
   • 『咸淳臨安志』 권70, 人物11, 方外, 僧, 延壽, "杭人, 號抱一子, 七歲誦經, 感羣羊跪聽. 始爲吏, 一日棄其業出家, 著'宗鏡錄'一百二十卷, 日課一百八事, 未嘗斷廢. 吳越王錢氏, 請住永明禪寺[注, 卽整慈寺], 凡十五年, 聚徒幾二千人, 道播海外, 高麗國王遣使, 齎書敍弟子禮, 奉金線織成袈裟, 紫水品數珠, 金藻罐等爲獻.開寶

[夏四月癸丑朔^{大盡,丁巳}:追加].

[夏五月^{癸未朔大盡,戊午}, 某日, 城威化鎭·兵2城堡:節要轉載].

[六月^{癸丑朔小盡,己未}, 是月, 冘嘆, 命國師智□, 禱雨於崇景殿. 小頃, 大雨:追加].⁹⁵⁾

[秋七月壬午朔^{大盡,庚申}:追加].
[八月壬子朔^{小盡,辛酉}:追加].
[九月辛巳朔^{大盡,壬戌}:追加].

[冬十月^{辛亥朔小盡,癸亥}, 某日, 以僧坦文爲王師←是歲에서 옮겨옴].

[→□^十遣大相金遵巖等于僧坦文處, 奉徽號爲弘道三重大師. 翌日, 躬詣內道場, 拜爲王師, 別獻闕錦袈裟并黃黑碼瑙念珠:追加].⁹⁶⁾

[十一月庚辰朔^{小盡,甲子}:追加].
[是月癸卯^{24日}, 宋改乾德六年爲開寶元年:追加].

[十二月己酉朔^{大盡,乙丑}:追加].

[是歲:節要轉載], 創弘化·遊巖·三歸等寺.⁹⁷⁾

八年入滅, 號智覺禪師, 崇寧中, 追謚宗照".
· 『禪林僧寶傳』권9, 永明智覺禪師, "智覺禪師者, 諱延壽, 餘杭王氏子, … 智覺乘人願力, 爲震旦法施主, 聲被異國. 高麗遣僧, 航海問道, 其國王投書, 敍門弟子之禮, 奉金絲織成伽黎, 水晶數珠, 金藻餅等, 幷僧三十六人, 親承印記, 相繼歸木國, 各化一方".

95) 이는 다음의 자료에 의거하였는데(許興植 1986년), 여기에서 淨瓶은 부처에게 淨水를 奉獻하기 위한 供養具이다.
· 「惠居國師塔碑」, "同年六月, 冘暎, 命國師禱雨於崇景殿, 國師執香爐, 誦大雲輪經, 小頃, 有物如蚯蚓, 忽然, 從淨瓶中出, 噏雲靑空, 大雨滂沱, 左右莫不驚歎, 咸以爲神聖".
96) 이는 「瑞山迦耶山普願寺法印國師寶乘之塔碑」에 의거하였다.
97) 이 기사의 冒頭에 『고려사』의 撰者가 그들의 사상적 입장과 달리 하던 佛敎·道敎·圖讖·風水 등에 관련된 기사를 年末 또는 是月로 옮겨 一括로 처리하면서 是年(혹은 是歲), 是月로서 시기를 제시하였던 是歲가 탈락되었던 것 같다. 또 遊巖寺는 고려후기의 李穀에 의하면 創建 時期는 알 수 없고, 初名은 留巖寺였는데, 光宗代에 藥師如來의 출현으로 인해 크게 중창하고 佛恩寺로 改稱하였다고 한다(『稼亭集』권3, 高麗國大台佛恩寺重建記).

[○以僧惠居爲國師[→1月로 옮겨감], 坦文爲王師[→10月로 옮겨감].[98]

[○王信讖多殺, 內自懷疑, 欲消罪惡, 廣設齋會. 無賴輩詐爲出家, 以求飽飫, 匃者坌至. 或以餠餌·米豆·柴炭, 施與京外道路, 不可勝數. 列置放生所, 就傍近寺院, 演佛經, 禁屠殺, 肉膳亦買市廛以進.

己巳[光宗]二十年[峻豊十年?], 宋開寶二年[高麗行乾德七年], [西曆969年]

969년 1월 21일(Gre1월 26일)에서 970년 2월 8일(Gre2월 13일)까지, 13개월 384일

[春正月己卯朔^{小盡,丙寅}:追加].

[二月戊申朔^{大盡,丁卯}:追加].
[是月己巳^{22日}, 遼穆宗耶律璟遇弒, 景宗耶律賢卽位, 改元保寧:追加].

[三月戊寅朔^{大盡,戊辰}:追加].
[夏四月戊申朔^{小盡,己巳}:追加].
[五月丁丑朔^{大盡,庚午}:追加].
[閏五月丁未朔^{小盡,庚午}:追加].
[六月丙子朔^{大盡,辛未}:追加].
[秋七月丙午朔^{大盡,壬申}:追加].
[八月丙子朔^{小盡,癸酉}:追加].
[九月乙巳朔^{大盡,甲辰}:追加].
[冬十月乙亥朔^{小盡,乙亥}:追加].

• 『신증동국여지승람』권4, 개성부상, 佛宇, "佛恩寺, 古基在人坌館北洞, 其山曰琵瑟. 李穀記略曰, 寺自光王時爲藥師道場, 舊名留巖. 王口齋, 僧常有數, 一朝少其一, 邀於路, 獨有形貌醜甚者, 姑致之座卜. 左右戲之曰, 末比丘, 勿說赴齋王宮. 僧曰, 爾亦勿言親見藥師, 言訖, 踊空而去, 卒隱留巖井中. 王於是大其寺而崇信之, 始改其額".

98) 이 위치에 같은 날째[日辰], 같은 달[是月], 같은 해[是年] 등을 가리키는 ○表示가 생략되었을 것이다. 그런데 國師에 책봉된 惠居國師 智口?의 冊封時期는 1月이고, 王師에 冊封된 坦文의 冊封時期는 10月 무렵으로 되어 있으므로 두 기사를 分離, 移動시켰다(惠居國師塔碑 ; 瑞山普願寺法印國師寶乘之塔碑, 校正事由).

冬十一月^{甲辰朔大盡,丙子}, [某日], 王弟旭卒.⁹⁹⁾

[十二月甲戌朔^{小盡,丁丑}:追加].

[是年, 城長平鎭五百三十五閒, 門四. ○城寧朔鎭. ○城泰州八百八十五閒, 門六, 水口一, 城頭三十七, 遮城四:兵2城堡轉載].¹⁰⁰⁾

庚午[光宗]二十一年[峻豊十一年?], 宋開寶三年[乾德八年], [西曆970年]

970년 2월 9일(Gre2월 14일)에서 971년 1월 29일(Gre2월 3일)까지, 355일

[春正月癸卯朔^{小盡,戊寅}:追加].
[二月壬申朔^{大盡,己卯}:追加].
[三月壬寅朔^{小盡,庚辰}:追加].
[夏四月辛未朔^{大盡,辛巳}:追加].
[五月辛丑朔^{小盡,壬午}:追加].
[六月庚午朔^{大盡,癸未}:追加].
[秋七月庚子朔^{大盡,甲申}:追加].
[八月庚午朔^{小盡,乙酉}:追加].
[九月己亥朔^{大盡,丙戌}:追加].
[冬十月己巳朔^{大盡,丁亥}:追加].
[十一月己亥朔^{小盡,戊子}:追加].
[十二月戊辰朔^{大盡,己丑}:追加].

---

99) 이 기사는 열전3, 太祖十子, 戴宗旭에도 수록되어 있다.

100) 이 기사와 관련된 자료로 다음이 있다. 여기에서 泰州와 寧朔鎭은 隣近地域에 축조된 두 개의 城郭이 아니라 동일한 築城을 다른 자료에 의거하여 달리 표기한 것이라는 指摘(尹武炳 1953년)도 있으나 더 생각해 볼 필요성이 있다. 그중에서 寧朔鎭城은 현재의 平安北道 天摩郡 西古里(옛 天摩面)에 있다고 한다.
  • 지12, 지리3, 東界, 長平鎭, "長平鎭, 古稱古叱達, 光宗二十年, 始築城堡, 有鎭將".
  • 『고려사절요』권2, 광종 20년, "是歲, 城寧朔鎭".
  • 『세종실록』권154, 지리지, 泰川郡, "光宗二十一年二十年己巳, 稱泰州防禦使". 이는 고려시대에 시행한 卽位年稱元法을 그대로 사용한 것인데, 添字로 고쳐야 옳게 될 것이다.

[某月某日], 幸歸法寺.

[□□^{某時}, □□□^{崔知夢}從幸歸法寺, 被酒失禮, 貶于隈傑縣, 凡十一年:列傳5崔知夢轉載].[101]

[是年, 城安朔鎭:節要轉載].[102]

[○命僧慧明, 造德恩郡般若山石彌勒:追加].[103]

[○宋泉州人蔡仁範來投, 爲禮賓省郞中, 仍賜第宅一區並臧獲·田莊諸物:追加].[104]

辛未[光宗]二十二年[峻豊十二年?], 宋開寶四年[乾德九年], [西曆971年]

971년 1월 30일(Gre2월 4일)에서 972년 1월 18일(Gre1월 23일)까지, 354일

[春正月戊戌朔^{小盡,庚寅}:追加].

[二月丁卯朔^{小盡,辛卯}:追加].

101) 崔知夢은 위의 기사와 같이 光宗을 隨從하여 歸法寺에 갔다가 술을 마시고 失禮하여 隈傑縣(位置不明)에 流配되었다가 11년이 경과한 후인 980년(경종5)에 召還되었다고 하는데, 이를 逆算하면 이해[是年]에 해당한다.

102) 이는 『고려사절요』 권2, 광종 21년 ; 지36, 兵2, 城堡에서 전재하였다.

103) 이 石彌勒은 현재 忠淸南道 論山市 恩津面 灌燭里 灌燭寺의 石造彌勒菩薩立像[國寶 第323號]이다. 이에 대한 事蹟을 申景濬(1712~1781)도 읽었던 것 같고, 이의 石刻銘에 대한 判讀, 美術史的인 검토도 있다 (『旅菴全書』 권16, 伽藍考, 恩津灌燭寺 ; 趙東元 2000년 ; 崔善柱 2000년). 이에 대해 李穡도 "… 때로는 땀을 흘려 君臣에게 警戒를 내리기도 하였는데, 口傳만이 아니라 國史에도 실려 있소. 계묘년 동짓달에는 邊方의 警報가 급하여, 내가 香을 내리기 위해 급히 달려갔소."라고 하였음을 보아 고려후기까지 灌燭寺에 대한 事蹟이 전해지고 있었던 것 같다.

· 『신증동국여지승람』 권18, 恩津縣, 佛宇, 灌燭寺, "在般若山, 有石彌勒, 高五十四尺. 世傳高麗光宗祖 般若山麓有大石, 湧出, 僧明琢成佛像".

· 『灌燭寺事蹟』(楷倫, 1743년), "稽古高麗光宗十九年^{二十年}己巳, 沙梯村女採蕨于盤藥山西北隅, 忽聞有童子聲, 俄而進見, 則有大石, 從地中聳出. 心驚怪之, 歸言其女壻, 壻卽告于本縣, 自官馳奏上達. 命百官會議, 啓曰, '此必作梵相之兆也'. 令尙醫院遣使入路, 敷求掌工人成梵相者. 僧慧明應擧, 朝廷擢工百餘人, 始事於庚午, 訖功於丙午, 凡三十七年也"(『朝鮮寺刹史料』下, 忠淸南道史料集 11面, 以下 寺刹史料로 表記한다).

· 『목은시고』 권24, 僧有辦來壬戌歲灌足寺彌勒石像龍華會者, 求緣化文, … 癸卯冬, 降香作法, "… 時々流汗警君臣, 不獨口傳藏國史. 癸卯仲冬邊報急, 我又降香馳汲々".

· 『存齋集』a권6, 恩津彌勒[注, 石像長五十五尺五寸, 圍三十尺, 身長九尺, 冠高八尺, 大蓋十一尺, 高麗光宗時僧慧明創建].

· 『舫山集』 권14, 西遊錄, 高宗 22年(1885) 9월 15일, "… 行二十里, 到沙梯店, 灌燭寺, 相距纔數弓許, 寺有石彌勒, 身長五十五尺, 圍三十尺, 冠高八尺, 方廣十一尺. 高麗光宗時, 僧慧明造, 三十七年得成云. 蓋梵相之大, 東國無兩, 糜累鉅萬之財, 此相成, 麗氏之崇信異敎, 至於此哉. 踰灌燭後山不十里, 乃恩津邑也". 이 보살입상은 전체의 높이[總高]가 1,812cm이라고 한다.

104) 이는 「蔡仁範墓誌銘」에 의거하였고, 泉州는 현재의 福建省 泉州市이다.

[三月丙申朔^{大盡,壬辰}:追加].

[夏四月^{丙寅朔小盡,癸巳}, 十□□^{某日}, 造鴻山縣無量寺瓦:追加].¹⁰⁵⁾

[五月乙未朔^{大盡,甲午}:追加].
[六月乙丑朔^{小盡,乙未}:追加].
[秋七月甲午朔^{大盡,丙申}:追加].
[八月甲子朔^{小盡,丁酉}:追加].
[九月癸巳朔^{大盡,戊戌}:追加].

[冬十月^{癸亥朔大盡,己亥}, 癸未^{21日}, 開讀大藏經於元和殿. 是日, 皇帝陛下^{光宗}詔曰, "國內寺院, 唯有三處, 只留不動, 門下弟子, 相續住持, 代代不絶, 以此爲矩". □□^{三處}, 所謂高達院·曦陽院·道峯院□^世. 住持三寶, 須憑國主之力, 所以釋迦如來出世道, 佛法付囑國王·大臣, 是以我皇帝陛下, 情深敬重, 釋門妙理, 共結良因軌矩恒流:追加].¹⁰⁶⁾

[十一月癸巳朔^{大盡,庚子}:追加].

冬十二月^{癸亥朔小盡,辛丑}, 壬寅^{某甲,107)}, 地震.¹⁰⁸⁾

[是年, 改臨海郡爲金海府:追加].¹⁰⁹⁾

[○改修公州扶餘郡無量寺:追加].¹¹⁰⁾

---

105) 이는 忠淸南道 扶餘郡 外山面 萬壽里 無量寺 舊址(文化財資料 第381號)에서 출토된 숫키와[瓦]인 刻字"에 의거하였다(扶餘郡 2005년 ; 洪榮義 2014년).
· 銘文, "乾德九年」辛未」四月十日」無量寺」".
106) 이는 「驪州高達院元宗大師慧眞之塔碑」 碑陰에 의거하였는데, 添字는 筆者가 追加하였다.
107) 이달에는 壬寅이 없고, 壬申(10일), 壬午(20일)가 있는데, 12월이 옳다면 이들 兩日 중의 하나일 것이다. 아니면 11월 壬寅(10일, 陽9월 30日)일 가능성이 있다.
108) 일본에서는 이달에 地震이 보이지 않고, 3월 4일(己亥), 4월 6일(辛未), 7월 6일(己亥) 등에 地震이 있었다고 한다(『日本紀略』後篇6, 天祿 2년 ; 『日本史料』1~12冊 353面).
109) 이는 다음의 자료에 의거하였다.
· 『경상도지리지』, 晋州道, 金海都護府, "光宗開寶辛未, 改^{臨海郡}爲金海府".
110) 이는 충청남도 扶餘郡 外山面 萬壽里 96-1 無量寺址에서 출토된 瓦銘 '乹德九年辛未四月日无量寺'에 의거하였다(世宗文化財研究院 編 2015년 285~290面).

壬申[光宗]二十三年[峻豊十三年?], 宋開寶五年[乾德十年], [西曆972年]

972년 1월 19일(Gre1월 24일)에서 973년 2월 5일(Gre2월 10일)까지, 13개월 384일

[春正月壬辰朔^{人盡,壬寅}:追加].

春二月^{壬戌朔人盡,癸卯}, [某日], 地震.[111]

[閏二月辛卯朔^{小盡,癸卯}:追加].

[三月^{庚申朔大盡,甲辰}, 甲戌^{15日}, 上幸演福寺設齋, 餞國師惠居. 尋惠居乞辭退, 上許之:追加].[112]

[夏四月庚寅朔^{小盡,乙巳}:追加].
[五月己未朔^{小盡,丙午}:追加].
[六月戊子朔^{人盡,丁未}:追加].
[秋七月戊午朔^{大盡,戊申}:追加].

秋八月^{戊子朔小盡,己酉}, [某日], 赦.

[九月^{丁巳朔大盡,庚戌}, 某日, 遣南原府使咸吉兢如日本, 又遣金海府使李純達, 移牒:追加].[113]

[冬十月丁亥朔^{大盡,辛亥}:追加].
[十一月丁巳朔^{大盡,壬子}:追加].

---

[111] 일본에서는 이해[是年]의 閏2월 14일(甲辰, 陽4월 5日) 午前 3時에서 5時 사이에[寅刻] 大地震이 있었다고 한다(『日本紀略』後篇6, 天祿 3년 閏2월 14일).

[112] 이는 「惠居國師塔碑」에 의거하였다.

[113] 이는 다음의 자료에 의거하였다. 여기에서 고려의 두 사신들이 가져온 國書에 年號가 다르다는 것이 주목되는데, 이는 이 시기까지 당시의 年號인 峻豊과 宋의 年號를 並用하였을 가능성이 있다.
·『日本紀略』後編6, 天祿 3년 9월, "廿三日己卯, 太宰府言上, 高麗國南凉^原府使者, 著^着對馬嶋之由".
·『親信卿記』, 天祿 3년 10월, "七日^{太宰府言上高麗船來由}, 大宰府言上, 高麗國船一艘到來對馬嶋之由, 高麗南原府使咸吉兢. 同月十五日^{同船來事} 重言上, 高麗國船一艘到同嶋之由, 高麗金海府使李純達. 件二个船, 州各殊, 年號不同, 有公家定, 彼日記·雜書等在別".
·『百練抄』第4, 天祿 3년 10월, "廿日, 諸卿定申人宰府言上高麗國牒送事, 宰府可賜封^報符者".

[十二月丁亥朔^{小盡,癸丑:}追加].

是歲, 賜楊演等及第.[114)]

[□□^{是歲}, 增置同知貢擧, 尋罷之:選擧2試官轉載].

[○城雲州:兵2城堡轉載].[115)]

○遣內議侍郎徐熙等如宋, 獻方物. 帝制加王食邑, 賜推誠・順化・守節・保義功臣號.[116)] 授熙檢校兵部尙書, 副使・內奉卿崔業檢校司農卿, □^並兼御史大夫, 判官・廣評侍郎康禮檢校少府少監, 錄事・廣評員外郎劉隱檢校尙書金部郎中, 並賜官誥.[117)]

[→^{內議侍郎徐熙} 奉使如宋, 時不朝宋十數年, 熙至, 容儀中度, 宋太祖嘉之, 授檢校兵部尙書:列傳7徐熙轉載].

[是時, 杭州永明寺延壽門下求法僧英俊, 便擬東還, 隨本國使臣到來. 君臣推仰, 僧俗趨風, 詔令安下於京師, 越一年, 下制住錫於福林寺:追加].[118)]

癸酉[光宗]二十四年[峻豊十四年?], 宋開寶六年, [西曆973年]

973년 2월 6일(Gre2월 1일)에서 974년 1월 25일(Gre1월 30일)까지, 354일

[春正月丙辰朔^{大盡,甲寅:}追加].

---

114) 이와 관련된 기사로 다음이 있다. 이때 ^{進士}楊演・^{鄕貢進士}柳邦憲(柳邦憲墓誌銘) 등이 급제하였다(『登科錄』, 朴龍雲 1990년・許興植 2005년).
 ・지27, 선거1, 科目1, 選場, "^{光宗}二十三年(九月), 王融知貢擧, 金柅^{弓同}同知貢擧, 取進士, 賜楊演等四人及第".
 ・「柳邦憲墓誌」, "乾元^{乾德}十年壬申^{開寶五年}九月五日^{丁酉}, 一擧中科首, 勑可攻文博士. 여기에서 乾元은 乾德을 달리 표기한 것인데, 그 사유는 알 수 없다.
 ・『登科錄』 前編권1, "王融, 知貢擧, 金柅同知貢擧, 始增置同知貢擧, 尋罷, 取四人".

115) 雲州城은 현재 平安北道 雲山郡 上院里에 위치한 土城이라고 한다.

116) 臣號는 아세아문화사본의 『고려사』에는 號臣으로, 동아대학교소장본의 『고려사』와 『고려사절요』에는 臣號로 되어 있으나 臣號가 옳을 것이다(東亞大學 2008년 1책 513面).

117) 이들 사신은 중국 측의 자료에 의하면 8월 3일(庚寅, 陽9월 13日) 宋에 도착하여 方物을 바쳤다고 한다. 또 添字는 a『송사』 권487에 의거하였다.
 ・『송사』, 권3, 本紀3, 太祖3, 開寶 5년 8월, "庚寅, 高麗國王王昭, 遣使獻方物".
 ・a『송사』 권487, 열전246, 外國3, 高麗, "開寶五年, 遣使以方物來獻, 制加食邑, 賜推誠・順化・守節・保義功臣. 進奉使・內議侍郎徐熙加檢校兵部尙書, 副使・內奉卿崔鄴加檢校司農卿, 並兼御史人夫, 判官・廣評侍郎康禮試少府少監, 錄事・廣評員外郎劉隱加檢校尙書金部郎中, 皆厚禮遣之".
 ・『송회요집고』 199책, 蕃夷7, 歷代朝貢, 開寶 5년, "八月三日, 高麗國王王昭, 遣使貢方物".

118) 이는 「陜川靈巖寺寂然國師慈光塔碑」에 의거하였다.

春二月^{丙戌朔小盡,乙卯}, [某日], 賜白思柔等及第.¹¹⁹⁾

[壬寅^{17日}, 連理木生于京城德瑞里:五行2轉載].

[三月乙卯朔^{大盡,丙辰}:追加].

[夏四月乙酉朔^{小盡,丁巳}:追加].

[五月甲寅朔^{小盡,戊午}:追加].

[夏六月^{癸未朔小盡,己未}, 己亥^{17日}, 僧均如入寂于歸法寺:追加].¹²⁰⁾

[秋七月壬子朔^{大盡,庚申}:追加].

[八月壬午朔^{小盡,辛酉}:追加].

[九月辛亥朔^{大盡,丁戌}:追加].

[冬十月辛巳朔^{大盡,癸未}:追加].

[十一月辛亥朔^{大盡,甲子}:追加].

[十二月^{辛巳朔小盡,乙丑}, 某日, 判^制, "陳田墾耕人, 私田, 則初年所收全給, 二年始與田主半分, 公田, 限三年全給, 四年始依法收租":食貨1租稅轉載].¹²¹⁾

---

119) 이 기사와 관련된 기사로 다음이 있다.
  • 지27, 선거1, 科目1, 選場, "^{光宗}二十四年二月, 工融知貢擧, 取進士, 賜白思柔等二人及第".
120) 이는 다음의 자료에 의거하였다. 이날은 율리우스曆으로 974년 7월 19일(그레고리曆 7월 24일)에 해당한다.
  • 『균여전』 제10, 變易生死分者, "以開寶六年六月十七日□時, 示滅于歸法寺, 葬於八德山. 山在歸法寺之東南, 去寺百許步, 豊旦秀者, 是也, 報年□□□^{五十}, 僧臘□□□^{二十七} ...".
121) 判은 中原의 전근대사회에서 司法機关이 決定[裁決]한 決案·判案을 指稱한다. 곧 『고려사』에 기록된 帝王의 命令을 나타내는 制·詔(高麗前期), 批·判(人元蒙古國의 壓制期) 등은 下制日·下詔日, 下敎日의 略稱이다. 또 判은 『고려사』의 편찬자가 制·詔를 改書한 것인데, 1449년(세종1) 1월 이래 현존의 『고려사』를 편찬할 때 以實直書의 원칙에 의해 원래대로 還元할 때 수정되지 못하고 남겨진 글자이다. 그래서 制日, 判日이 制, 判으로 並用되어 있다(→공양왕 1년 12월 某日, 蔡雄錫 2009년a).
  • 『세종실록』 권61, 15년 閏8월 丁丑^{27日}, "詳定所提調黃喜·許稠議, 中國雖以中字, 爲臣下相尊之辭, 然皆以下尊上之稱, 乃非相等之辭. 且吾東方自高麗國初, 用於君臣之問, 而不用於臣下, 旣避上下之嫌, 國初仍高麗之制, 至于今不變. ... 鄭招議, 高麗自中業以前, 凡臣下擬請, 謂之奏, 君上諾可, 謂之制可, 悉與中國無異, 及事元以後, 立鎭束省^{征東行者}, 以國王爲丞相, 事皆貶降, 始爲衙門之例, 臣下所啓, 謂之申, 君上所可, 謂之判. 今我朝已改判爲敎, 而申字獨仍其舊, 言之不順".

[是年, 城和州一千十四閒, 門六, 水口三, 重城一百八十閒. ○城高州一千十六閒, 門六. ○城長平・博平二鎭及高州. ○又修信都□^城:兵2城堡轉載].¹²²⁾

[○華僧永玄禪師, 創蘭若於春州淸平慶雲山, 曰白巖禪院:追加].¹²³⁾

甲戌[光宗]二十五年[峻豐十五年?], 宋開寶七年, [西曆974年]

974년 1월 26일(Gre1월 31일)에서 975년 2월 13일(Gre2월 18일)까지, 13개월 384일

[春正月庚戌朔^{大盡,丙寅}:追加].

[二月^{庚辰朔大盡,丁卯}, 甲午^{15日}, 僧惠居死^{國師惠居大寂}←是歲에서 옮겨옴].¹²⁴⁾

春三月^{庚戌朔小盡,戊辰}, [某日], 賜韓藺卿等及第.¹²⁵⁾

[夏四月己卯朔^{小盡,己丑}:追加].

[五月戊申朔^{大盡,庚午}:追加].

[六月戊寅朔^{小盡,辛未}:追加].

[秋七月丁未朔^{小盡,壬申}:追加].

[八月丙子朔^{大盡,癸酉}:追加].

---

122) 이 기사와 관련된 자료로 다음이 있다. 또 重城은 城郭의 안쪽이나 바깥쪽에 2重으로 城壁을 쌓은 것으로 地形이 낮은 곳[低地帶]에 주로 쌓은 것을 가리킨다.
 ・『고려사절요』권2, 광종 24년, "是歲, 城長平・博平二鎭及高州, 又修信都城".
 ・지12, 지리3, 北界, 安北大都護府, 安戎鎭, "安戎鎭, 光宗二十五年, 築城".

123) 이는 다음의 자료에 의거하였는데, 添字는 卽位年稱元法을 사용한 당시의 紀年方式에 의거한 것이다.
 ・『동문선』권64, 淸平山文殊院記(金富轍 作), "… 至光廟二十四年^{二十五年}, 永玄禪師始來于慶雲山, 創蘭若曰白巖禪院, 時大宋開寶六年也".

124) 近代 以前의 史書에는 죽음[死]에 대한 기재 방식으로 崩(皇帝)・薨(諸侯)・卒(高級官人)・死(庶人) 등이 있는데, 이들은 모두 死로 代替될 수도 있는 意味이다. 그런데 『고려사』에서 官人의 죽음을 任意로 死로 표기한 사례가 있는데, 주로 僧侶・嬖幸・內像・方技 出身, 또는 高麗末의 李成柱와 친근하지 않은 인물이었던 것 같다(金義光, 張舜龍, 曹允通, 印侯, 池湧奇). 이 기사에서 國師 惠居의 入寂을 卒이 아닌 死로 표기한 것은 편찬자가 典故에 어두웠거나 僧侶에 대해 어떤 偏見을 가지고 있었을 것이다. 또 이날은 율리우스曆으로 974년 3월 11일(그레고리曆 3월 16일)에 해당한다.

125) 이 기사와 관련된 기사로 다음이 있다.
 ・지27, 선거1, 科目1, 選場, "^{光宗}二十五年三月, 王融知貢擧, 取進士, 賜韓藺卿等二人及第".

[九月丙午朔^{小盡,甲戌}:追加].

[冬十月乙亥朔^{大盡,乙亥}:追加].

[閏十月乙巳朔^{大盡,乙亥}:追加].

[十一月乙亥朔^{小盡,丙子}:追加].

[十二月甲辰朔^{大盡,丁丑}:追加].

是歲, 西京居士緣可謀叛, 伏誅.

○[僧惠居死→2월로 옮겨감], 以^{十師}坦文爲國師.¹²⁶⁾

[○城嘉州一千五百十九閒, 城安戎鎭:兵2城堡轉載].¹²⁷⁾

乙亥[光宗]二十六年[峻豊十六年?], 宋開寶八年, [西曆975年]

975년 2월 14일(Gre2월 19일)에서 976년 2월 2일(Gre2월 7일)까지, 354일

[春正月^{甲戌朔大盡,戊寅}, 是月, 王師坦文, 以適當衰耄, 請歸運州貞海縣普願寺. 上慊別慈顔, 請住歸法寺, 坦文不應, 難留蓮步. 乃奉徽號, 請爲國師. 坦文謝以老且病, 上傾心請矣, 稽首言之. 上躬詣道場, 服冕拜爲國師, 拜之以避席之儀, 展之以書紳之禮, 于以問道, 于以乞言. 坦文, 又請歸故山, 乃命僧維釋惠允, 元甫蔡玄等衛送, 率百官, 幸東郊祖席, 與儲后, 親獻茶菓, 日云暮矣, 拜稽首泣別, 望象軒, 而目送:追加].¹²⁸⁾

[二月甲辰朔^{小盡,己卯}:追加].

[三月^{癸酉朔大盡,庚辰}, 辛卯^{19日}, 運州貞海縣普願寺住錫·國師坦文入寂, 年七十六, 臘六十一. 上聞

---

126) 惠居國師는 974년(광종25) 2월 15일(甲午) 入寂하였고(惠居國師塔碑), 王師 坦文은 975년(開寶8, 광종26) 1월 이후에 國師로 책봉되었으므로(瑞山普願寺法印國師寶乘之塔碑), 이 기사는 적절한 기술이라고 할 수 없다[校正事由].

127) 原文에는 "^{光宗}二十四年, 城和州一千四間, 門六, 水口三, 重城一百八十間. 城高州一千十六間, 門六, 城長平·博平二鎭及高州. 又修信都□^城. □□□□^{二十六年}, 城嘉州一千五百十九間, 城安戎鎭"으로 되어 있으나 二十五年이 탈락되었던 것 같다. 이는 安戎鎭의 築城이 974년(광종25)에 이루어졌다고 한 점을 통해 유추할 수 있다.
  · 지12, 지리3, 北界, 安北大都護府, 安戎鎭, "安戎鎭, 光宗二十五年, 築城".

128) 이는「瑞山迦耶山普願寺法印國師寶乘之塔碑」에 의거하였다.

之震悼, 嗟覺花之先落, 慨慧月之早沉, 弔以書, 賻以穀, 所以資供, 造眞影一鋪. 仍令國工, 立浮屠. 景宗卽位, 下制, "追諡法印, 塔名寶乘":追加].[129]

[夏四月癸卯朔^{小盡,辛巳}:追加].

夏五月^{壬申朔人盡,壬午}, [某日], 王不豫.

甲午^{23日}, 薨于正寢. 在位二十六年, 壽五十一.[130] 王創位之初, 禮待臣下, 明於聽斷, 恤貧弱, 重儒雅. 夙夜孜孜, 庶幾治平. 中歲以後, 信讒好殺, 酷信佛法, 奢侈無節. 諡^曰曰大成, 廟號光宗, 葬于松嶽北麓, 陵曰憲陵.[131] 穆宗五年加諡^曰宣烈, 顯宗五年加平世, 十八年加肅憲, 文宗十年加懿孝, 高宗四十年加康惠.

李齊賢贊曰, "光宗^{光王}之用雙冀,[132] 可謂立賢無方乎? 冀果賢也, 豈不能納君於善, 不使至於信讒濫刑耶? 若其設科取士, 有以見光宗^{光王}之雅, 有用文化俗之意. 而冀亦將順以成其美, 不可謂無補也. 惟其倡以浮華之文, 後世不勝其弊, [故宋徐奉使兢撰圖經, 言取士用詩賦論三題, 不策問時政, 視其文章, 夸^巽唐之餘弊":追加]云.[133]

[光宗在位年間]

[○是時, 皇甫匡謙爲內儀省令^{內議省令}, 俊弘爲內奉省令, 仁奉爲廣評侍中, 昕讓·尹謙爲廣評侍郎, 在職:追加].[134]

---

129) 이는「瑞山普願寺法印國師寶乘之塔碑」에 의거하였다. 이날은 율리우스曆으로 975년 5월 2일(그레고리曆 5월 7일)에 해당한다. 또 이날(辛卯, 19일)은 율리우스曆으로 975년 5월 2일(그레고리曆 5월 7일)에 해당한다.

130) 이날은 율리우스曆으로 975년 7월 4일(그레고리曆 7월 9일)에 해당한다.

131) 憲陵은 開城市 朴淵里(혹은 三巨里)에 있다(보존급유적 555호, 張慶姬 2013년 ; 洪榮義 2018년).

132) 光宗은『익재난고』권9하, 史贊, 光王에는 光王으로 되어 있다.

133) 이는『익재난고』에서 추가하였는데, 이렇게 해야 끝 글자인 云과 조화를 이룬다.

134) 이는「槐山覺淵寺通一大師塔碑」(보물 제1295호, 金石總覽 215面)에 의거하였다.

景宗

景宗·至仁·成穆·明惠·獻和大王,[1] 諱伷, 字長民, 光宗長子. 母曰大穆王后皇甫氏. 光宗六年乙卯九月[閏九月]丁巳[22日]生,[2] 十六年立爲太子.

二十六年五月甲午[23日], 光宗薨, 王卽位, 大赦, 還流竄, 放囚繫, 洗痕累. 拔淹滯, 復官爵, 蠲欠債, 减租調. 毁假獄, 焚讒書.[3]

[六月壬寅朔^{小盡,癸未}:追加].

[秋七月辛未朔^{小盡,甲申}:追加].

[八月庚子朔^{大盡,乙酉}:追加].

[九月庚午朔^{小盡,丙戌}:追加].

冬十月^{己亥朔大盡,丁亥},[4] 甲子[26日], 加政丞金傅爲尙父,[5] 制曰, "姬周啓聖之初, 先封呂望, 劉漢興王之始, 首冊蕭何. 自此大定寶宇, 廣開基業, 立龍圖二十代, 躋麟趾四百年. 日月重明, 乾坤交泰. 雖自無爲之主, 亦關致理之臣. 觀光順化衛國功臣·上柱國·樂浪王·政丞·食邑八千戶金傅,

---

1) 여기에서 廟號인 景宗과 諡號인 獻和大王은 그의 死後인 981년(성종 즉위년) 7월 이후 王陵인 榮陵이 만들어질 때 붙여진 것이고, 成穆은 1002년(목종5) 4월에, 明惠는 1014년(현종5) 4월에 각각 덧붙여진[加上] 諡號이고, 至仁은 언제 덧붙여진 것인지는 알 수 없다. 그런데 景宗은 1027년(현종18) 4월에 順熙가, 1056년(문종10) 10월에 靖孝가, 1253년(고종40) 6월 4일(辛亥)에 恭懿가 각각 덧붙여졌으나 이 자료에 반영되어 있지 않다.

2) 原文에는 九月로 되어 있으나, 이달에는 丁巳가 없고, 다음 달인 閏九月에 丁巳(22일)가 있음으로 閏字를 추가하였다.

3) '蠲欠債, 减租調'는 지34, 食貨3, 恩免之制에도 수록되어 있다.

4) 冬十月은 여러 판본의 『고려사』에서 各十月과 같이 刻字되어 있으나 冬十月의 誤刻이다(東亞大學 2008년 1책 522面).

5) 尙父(혹은 尙甫)는 원래 皇帝의 師傅[天子師]라는 가리키는 것 같다. 이것을 後世의 帝王들이 耆老宰相[元老大臣]에 대해 '아버지와 같이 섬기겠다[尙父]', '작은 아버지와 같이 모시겠다[亞父]'라는 의미로 사용하였던 것 같다.
　• 『자치통감』 권225, 唐紀41, 代宗大曆 14년(779, 德宗 卽位年) 윤5월 壬申[3日], "… 郭子儀以司徒·中書令·領河中尹, 靈州大都督, 單于·鎭北大都護, 關內·河東副元帥, … 及河陽道觀察等使, 權任旣重, 功名復大, 性寬大, 政令頗不肅, 代宗欲分其權而難之, 久不決. 甲申[15日],^{德宗} 詔尊子儀爲尙父[胡三省注, 太公望爲周師尙父. 說者謂可尙可父, 大子師也], 加太尉兼中書令, 增實封滿二千戶, … 分領其任".

世處雞林, 官分王爵, 英烈振凌雲之氣, 文章, 騰擲地之才. 富有春秋, 貴居茅土, '六韜·三略', 拘入胷襟, 七縱五申, 攝歸指掌. 我太祖, 始脩睦隣之好, 早認餘風, 尋頒駙馬之姻, 內酬大節. 家國旣歸於一統, 君臣宛合於三韓, 顯播令名, 光崇懿範. 可加號尙父·<u>都省令</u>, 仍賜推忠順義崇德守節功臣號, 勳封如故, 食邑通前, <u>爲一萬戶</u>".[6]

是月, 加上六代考妣尊號.

[○建廣州黃驪縣高達院元宗大師<u>璨幽</u>塔碑, <u>李貞順</u>刻字:追加].[7]

[十一月己巳朔^{小盡,戊子}:追加].

[十二月戊戌朔^{大盡,己丑}:追加].

[是年, 僧<u>決凝</u>受具足戒於興福寺戒壇:追加].[8]

---

6) 이 冊封文書의 原形은 다음의 資料와 같다.
 · 『삼국유사』 권2, 紀異第2, 金傅大王, "勅, 姬周啓聖之初, 先封呂尙, 劉漢興王之始, 首冊蕭^䔾何, 自大定寶區, 廣開基業, 立龍圖三十代, 躍麟趾四百年. 日月重明, 乾坤交泰, 雖自無爲之主, 亦開致理之臣. 觀光順化衛國功臣·上柱國·樂浪王·政承^{䔾䔾}食邑八千戶金傅, 世雞林, 官分王爵, 英烈振凌雲之氣, 文章騰擲地之才, 富有春秋, 貴居茅土, 六韜三畧, 恂入胸襟, 七縱五申, 攝歸指掌. 我太祖始脩睦鄰之好, 早認餘風, 尋時頒駙馬之姻, 內酬大節, 家國旣歸於一統, 君臣宛合於三韓. 顯播令名, 光崇懿範, 可加號尙父·都省令^{䔾評省令}, 仍賜推忠愼義崇德守節功臣號, 勳封如故, 食邑通前爲一萬戶, 有司擇口備禮冊命, 主者施行. 開寶八年十月口. 大匡·內議令兼摠翰林臣翮^䔾宣奉行, 奉勑如右, 牒到奉行. 開寶八年十月口. 侍中署, 侍中署, 內奉令署, 軍部令署, 軍部令無署, 兵部令無署, 兵部令署, 廣坪^{䔾䔾}侍郎署, <u>廣坪</u>^{䔾䔾}侍郎無署, 內奉侍郎無署, 內奉侍郎署, 軍部卿無署, 軍部卿署, 兵部卿無署, 兵部卿署. 告推忠愼義崇德守節功臣·尙父·都省令·上柱國·樂浪郡王·食邑一萬戶金傅, 奉勑如右, 符到奉行. 主事無名, 郎中無名, ^{郎中無名, 主事無名}書令史無名, 孔目無名. 開寶八月十日下".
 여기에서 政承은 政丞과 같은 말로서, 一般的으로 承과 丞은 並用되었기에 고려 초기에는 佐承이 佐承으로 표기되기도 하였다. 그 외는 添字와 같이 理解하여야 옳게 될 것이다(張東翼 1982년a). 이 告身은 唐代의 勅授告身의 양식과 유사한데, 이의 발급절차를 통해 고려 초기 중앙관제 운영의 일면을 유추할 수 있다(木下禮仁 1979年 : 1993年 359~394面 ; 張東翼 1982年 ; 矢木 毅 2009年).
 · 『동문선』 권25, 新羅王金傅加尙父·都省令官誥敎書, "敎, 姬周啓聖之初, 先封呂望, 劉漢興王之始, 首冊簫^䔾何, 此人定寶區, 廣開基業, 立龍圖三十代, 躍麟趾四百年. 日月重明, 乾坤交泰, 雖自無爲之主, 亦關^䔾致理之臣. 觀光順化衛國功臣·上柱國·樂浪王·政丞·食邑三千戶金傅, 處雞林, 官分王爵, 炎烈振凌雲之氣, 文章騰擲地之才, 富有春秋, 貴居茅土, 六韜三畧, 拘入胸襟, 七縱五申, 攝歸指掌. 我大祖頃載睦鄰之好, 早認餘風, 尋時頒駙馬之姻, 內酬大節, 家國旣歸於一統, 君臣宛合於三韓. 顯播令名, 光崇懿範, 可加號尙父·都省令^{䔾評省令}, 仍賜推忠順義崇德守節功臣號, 勳封如故, 食邑通前爲一萬戶, 有司擇日備禮冊命, 主者施行". 이 자료는 皇帝國에서 사용된 用語를 諸侯國의 그것으로 바꾼 것이고, 金傅가 임명된 都省令[都評省令]은 당시에 最高官府의 長官인 廣評省令(後日의 中書令, 僉議令)의 別稱일 것이다(→태조 22년 8월 1일).
 · 『자치통감』 권3, 周紀3, 赧王 6년(BC309), "秦初置丞相, 以樗里疾爲右丞相[注, 應劭曰, 丞者, 承也, 相者, 助也, …]".
7) 이는 「驪州高達院元宗大師慧眞之塔碑」에 의거하였다.
8) 이는 「浮石寺圓融國師塔碑」에 의거하였다(경상북도 유형문화재 제127호, 浮石寺 위치, 破損이 심함, 許興

丙子[景宗]元年, 宋開寶九年→10月太平興國元年, [西曆976年]

976년 2월 3일(Gre2월 8일)에서 977년 1월 21일(Gre1월 26일)까지, 354일

[春正月戊辰朔^{大盡,建庚寅}:追加].

[二月^{戊戌朔大盡,辛卯}, 某日, 定文武兩班墓制, 一品方九十步, 二品八十步, 墳高並一丈六尺, 三品方七十步, 高一丈, 四品方六十步, 五品方五十步, 六品以下並三十步, 高不過八尺:刑法2禁令轉載].[9]

[三月戊辰朔^{小盡,建壬辰}:追加].
[夏四月丁酉朔^{大盡,建癸巳}:追加].

[五月^{丁卯朔小盡,建甲午}, 壬辰^{26日}, 京山府獻白鵲:五行2轉載].[10]

夏六月^{丙申朔大盡,建乙未}, 庚申^{25日}, 黃州院二郎君,[11] 並加元服, 改院號爲明福宮.

[秋七月丙寅朔^{小盡,建丙申}:追加].
[八月乙未朔^{小盡,建丁酉}:追加].
[九月甲子朔^{大盡,建戊戌}:追加].

[冬十月甲午朔^{小盡,建己亥}:追加].

植 1984년 479面 ; 李智冠 2000년 2冊 272面).

9) 이 기사는 『고려사절요』 권2, 경종 1년 2월, "定文武兩班墓地"로 축약되어 있다. 이때 사용된 量田尺이 周尺(朝鮮初 20.62cm)인지, 唐代에 사용된 척(29.7cm)인지는 알 수 없다고 한다(李宗峯 2016년 105面). 또 墳墓에 대한 여러 用語가 있는데, 三者가 混用되었던 것 같다.
 • 『자치통감』 권28, 漢紀20, 元帝初元 2년(BC47) 7월, "… 於是^{顯內侯釋}望之仰天歎曰, '吾嘗備位將相, 年踰六十矣, 老入牢獄, 苟求生活, 不亦鄙乎?', 字謂^{門下生}雲曰, '游^{大夫}, 趣和藥來, 無久留我死', 遂飲鴆自殺. 天子聞之驚, … 上追念望之不忘, 每歲時遣使者祀望之塚, 終帝之世[胡三省注, 平曰墓, 封曰塚, 高曰墳]".

10) 이는 지8, 五行2에서 전재하였다. 白鵲은 흰색의 털을 가진 까치인데, 前近代社會의 사람들은 이를 祥瑞로운 새로 인식하였던 것 같다.
 • 『구당서』 권37, 지17, 五行, "貞觀初, 白鵲巢于殿庭之槐樹, 其巢合歡如腰鼓, 左右稱賀. 太宗曰, '吾常笑隋文帝好言祥瑞. 瑞在得賢, 白鵲何益於事'. 命拆之, 送于野".

11) 黃州院의 郎君 2人은 이해[是年]에 20歲 前後가 되어 成人式을 행한[加元服, 行冠禮] 孝和太子(光宗의 次子, 景宗의 弟)와 王旭(太祖王建의 子)의 次子 治(後日의 成宗)로 추측된다(金甲童 2010년b).

[是月癸丑^{20日}, 宋太祖趙匡胤崩. 趙匡義卽位, 是爲太宗:追加].

冬十一月^{癸亥朔大盡,建庚子}, 　　[某日,宋遣左司禦副率于延超·司農寺丞徐昭文,冊王爲光祿大夫·檢校大傅^{太傅}·使持節玄菟州諸軍事·玄菟州都督·大順軍事·食邑三千戶→景宗二年으로 옮겨감].

[某日], 遣使如宋, 賀創位.¹²⁾

[某日], 鵩鵒, 白日滿空飛鳴:節要·五行1轉載].

[某日], 放執政王詵于外. 王嘗許先朝被讒人子孫復讐, 遂相擅殺, 復致冤號. 及是, 詵托以復讐, 矯殺太祖子天安府院郎君. 於是, 貶詵, 仍禁擅殺復讐.

[某日], 以荀質·申質爲左·右執政, 皆兼內史令, 元甫壽餘爲近臣, 知御廚事.

[某日], 始定各品田柴科.

[→始定職·散官各品田柴科, 勿論官品高低, 但以人品定之. 紫衫以上, 作十八品, 一品給田柴, 各一百一十結, 以次遞降, 文班丹衫以上, 作十品, 緋衫, 作八品, 綠衫, 作十品, 武班丹衫以上, 作五品, □□□□□□□□^{緋衫及綠衫以上, 與文班同}, 雜業丹衫以上, 作十品, 緋衫以上, 作八品, 綠衫以上, 作十品, 皆給田柴有差:節要轉載].¹³⁾

[→始定職散官各品田柴科, 勿論官品高低, 但以人品定之. ○紫衫以上, 作十八品[一品, 田·柴各一百一十結. 二品, 田·柴各一百五結. 三品, 田·柴各一百結. 四品, 田·柴各九十五結. 五品, 田·柴各九十結. 六品, 田·柴各八十五結. 七品, 田·柴各八十結. 八品, 田·柴各七十五結. 九品, 田·柴各七十結. 十品, 田·柴各六十五結. 十一品, 田·柴各六十結. 十二品, 田·柴各五十五結. 十三品, 田·柴各五十結. 十四品, 田·柴各四十五結. 十五品, 田四十二結, 柴四十結. 十六品, 田三十九結, 柴三十五結. 十七品, 田三十六結, 柴三十結. 十八品, 田三十二結, 柴二十五結]. ○文班丹衫以上, 作十品[一品, 田六十五結, 柴五十五結. 二品, 田六十結, 柴五十結. 三品, 田五十五結, 柴四十五結. 四品, 田五十結, 柴四十二結. 五品, 田四十五結, 柴三十九結. 六品, 田四十二結, 柴三十一結. 七品, 田三十九結, 柴二十七結. 八品, 田三十六結, 柴二十四結. 九品, 田三十三結, 柴二十一結. 十品, 田三十結, 柴十八結]. △緋衫, 作八品[一品, 田五十結, 柴四十結. 二品, 田四十五結, 柴三十五結. 三品, 田四十二結, 柴三十結. 四品, 田三十九結, 柴二十七結. 五品, 田三十六結, 柴二十結. 六品, 田三十二結, 柴十八結. 七品, 田三十結, 柴十五結. 八品, 田二十七結, 柴十四結]. △綠衫以上, 作十品[一品, 田四十五結, 柴三十五結. 二品, 田四十二結, 柴三十三結. 三品, 田三十九結, 柴三十一結. 四品, 田三十六結, 柴二十八結. 五品, 田三十二結, 柴二十五

12) 이해의 10월 20일(癸丑) 宋 太祖 趙匡胤가 돌연히 崩御하고(50歲), 皇弟 光義(太宗)가 즉위하였다(『宋史』 권3, 本紀3, 太祖3, 開寶 9년 10월 癸丑·권4, 본기4, 太宗1, 太平興國 1년 10월 癸丑).

13) 이때 紫衫以上의 경우 1品에서 18品은 官品이 아니라 人品으로 理解된다(盧明鎬 1992년 ; 金載名 1993년). 또 武班의 경우 緋衫과 綠衫의 계층 구분에 대한 기록이 없으나 脫落일 것이다. 958년(광종9) 무렵부터 文·武班이 모두 국초 이래의 官階와 唐의 文散階를 함께 사용하였음을 감안할 때 添字와 같은 내용이 탈락되었을 것이다.

結. 六品, 田三十結, 柴二十二結. 七品, 田二十七結, 十九結. 八品, 田二十五結, 柴十六結. 九品, 田二十三結, 柴二十三結. 十品, 田二十一結, 柴十結]. ○殿中·司天·延壽·尙膳院等雜業丹衫以上,[14] 作十品[一品, 田六十結, 柴五十五結. 二品, 缺^{田六十結}, ^{柴五十結}. 三品, 田五十五結, 柴四十五結. 四品, 田五十結, 柴四十二結. 五品, 田四十五結, 柴三十九結. 六品, 田四十二結, 柴三十結. 七品, 田三十九結, 柴二十七結. 八品, 田三十六結, 柴二十四結. 九品, 田三十三結, 柴二十一結. 十品, 田三十結, 柴十八結]. △緋衫以上, 作八品[一品, 缺^{田四十五結}, ^{柴四十結}. 二品, 田四十五結, 柴三十五結. 三品, 田四十二結, 柴三十結. 四品, 田三十九結, 柴二十七結. 五品, 田三十六結, 柴二十二結. 六品, 田三十三結, 柴十八結. 七品, 田三十結, 柴十五結. 八品, 田二十七結, 柴十四結]. △綠衫以上, 作十品[一品, 缺^{田四十五結}, ^{柴三十五結}. 二品, 田四十二結, 柴三十二結. 三品, 田三十九結, 柴三十一結. 四品, 田三十六結, 柴二十八結. 五品, 田三十三結, 柴二十五結. 六品, 田三十結, 柴二十二結. 七品, 田二十七結, 柴十九結. 八品, 田二十五結, 柴十六結. 九品, 田二十二結, 柴十二結. 十品, 田二十一結, 柴十結]. ○武班丹衫以上, 作五品[一品, 田六十五結, 柴五十五結. 二品, 田六十結, 柴五十結. 三品, 田五十五結, 柴四十五結. 四品, 田五十結, 柴四十二結. 五品, 田四十五結, 柴三十九結]^{緋衫及綠衫以上, 與文班同}. ○以下雜吏, 各以人品, 支給不同. 其未及此年科等者, 一切給田十五結:食貨1田柴科轉載].[15]

[十二月癸巳朔^{小盡,建辛丑}:追加].

[是月甲寅^{22日}, 宋改開寶九年爲太平興國元年:追加].

是歲, 遣金行成如宋, 入學國子監.

[○遣趙遵禮如宋, 獻方物, 請冊命:追加].[16]

---

14) 延壽는 어떠한 官署인지를 알 수 없으나 漢代의 甘泉宮(現 陝西省 咸陽市 淳化縣 甘泉宮 遺趾)에 설치된 道教的인 성격의 관서인 益壽觀(益壽館), 延壽觀(延壽館)이 찾아지는데, 이와 어떤 관련이 있는 것 같다(黃善榮 1986년).
· 『사기』 권12, 孝武本紀第12, "… 是時, 旣滅兩越, 越人勇之乃言, '越人俗信鬼, 而其祠皆見鬼, 數有效. 昔東甌王敬鬼, 壽百六十歲, 後世怠慢, 故衰耗'. 乃令越巫立越祝祠, 安臺無壇, 亦祠天神·上帝·百鬼, 而以鷄卜. 上信之, 越祠·鷄卜始用焉. 公孫卿曰, '僊人可見, 而上往常遽, 以故不見. 今陛下可爲觀, 如緱氏城, 置脯棗, 神人宜可致. 且僊人好樓居'. 於是, 上令長安則作蜚廉·桂觀^舘, 甘泉則作□^益壽·延壽觀^舘, 使卿持節設具而候神人. 乃作通天臺, 置祠具其下, 將招來神僊之屬. 於是, 甘泉更置前殿, 始廣諸官室". 添字는 『한서』 권25下, 郊祀志第5下에 의거하였다.
15) 여기에서 添字는 筆者가 前後의 字句를 통해 追加하였다.
16) 이는 다음의 자료에 의거하였다. 이해의 9월 7일(庚午) 趙遵禮(趙遵禮)가 方物의 바치고 冊命을 요청하였다고 한 점을 보아 고려가 사신을 파견한 것은 7~8월이었을 것이다. 또 이때 賓貢 學生 金行成도 隨從하였을 것이다.
· 『송사』 권3, 本紀3, 태조3 開寶 9년 9월, "庚午, 權高麗國事王伷, 遣使來, 朝獻".
· 『송사』 권487, 열전246, 外國3, 高麗, "昭卒, 其子伷權領國事, ^{開寶}九年, 伷遣使趙遵禮奉土貢, 以父沒當承襲, 來請朝旨. 授伷檢校太保·玄菟州都督·大義軍使, 封高麗國王".
· 『속자치통감장편』 권17, 開寶 9년 9월, "丁卯^{4日}, 高麗國王王昭卒, 其子伷, 權領國事. 庚午^{7日}, 遣使趙遵禮

丁丑[景宗]二年, 宋太平興國二年, [西曆977年]

977년 1월 22일(Gre1월 26일)에서 978년 2월 9일(Gre2월 14일)까지, 13개월 384일

[春正月^{丁戌朔大盡,丁寅}, 某日, 宋遣左司禦副率于延超・司農寺丞徐昭文, 冊王爲光祿大夫・檢校大傅^{太保}・使持節玄菟州諸軍事・玄菟州都督・大順軍事^使・食邑三千戶:景宗1年에서 옮겨옴].¹⁷⁾

[二月壬辰朔^{大盡,癸卯}:追加].

春三月^{丁戌朔小盡,甲辰}, [某日], 御東池龍船,¹⁸⁾ 親試進士, 賜高凝等及第, [卽令釋褐:節要・選擧2轉載].¹⁹⁾

[□□^{是時}, 以王融爲讀卷官, 親試, 則稱讀卷官:選擧2試官轉載].

[某日, 賜開國功臣及向義歸順城主等勳田, 自五十結, 至二十結, 有差:食貨1功蔭田柴・節要轉載].

[夏四月辛卯朔^{大盡,乙巳}:追加].

入貢, 且請命".
・『玉海』권154, 朝貢, 獻方物, "^{開寶}九年九月, 王伷貢劅錦・漆甲・白氎".

17) 景宗이 宋으로부터 光祿大夫・檢校大傅^{太保}・使持節玄菟州諸軍事・玄菟州都督・大順軍事^使・食邑三千戶에 책봉된 것은 前年 11월 13일(乙亥)이고, 같은 달 30일(壬辰)에 冊封을 위해 左司禦副率 于延超와 司農寺丞 徐昭文이 파견되었다. 그러므로 이들 使臣은 같은 해 12월 또는 이해의 1월에 고려에 도착하였을 것이다[校正事由].
그리고 大傅는 『宋大詔令集』에 太傅가 三公인 太師・太傅・太保 중의 3번째 序列인 太保로 되어 있는데, 979년(太平興國3, 경종3) 12월 宋이 景宗을 檢校太傅로 任命하는 동시에 食邑 1千戶를 더하고 있음을 보아 太保의 잘못일 것이다. 또 事는 『고려사절요』에는 使로 되어 있는데, 後者가 옳다.
・『송사』권487, 열전246, 外國3, 高麗, "昭卒, 其子伷襲領國事, ^{開寶}九年, 伷遣使趙遵禮奉土貢, 以父沒當承襲, 來請朝旨. 授伷檢校太保・玄菟州都督・大義軍使, 封高麗國王".
・『송사』권4, 본기4, 太宗1, "^{開寶九年}十一月乙亥, 命權知高麗國事土伷, 爲高麗國主".
・『宋人詔令集』권237, 政事90, 四裔10, 高麗太平興國元年十一月乙亥, 王伷封高麗國王制, "國家外薄四海, 咸建五長, 端委弁冕, 所以封越天命, 析圭胙土, 所以寵綏藩臣, 矧乃元菟之墟. 蓋有滄波之險, 屬賢王之卽世, 有令嗣以代興, 不忘請命之恭, 宜擧念功之典. 權知高麗國事王伷, 家傳軺略, 代濟忠純, 禀王正而靡違, 奉國珍而相繼, 限於溟渤, 密邇□□, 介然一心, 彌堅於石席, 逮妓累世, 不絶於梯航, 艱戾所鍾, 嗣襲無替, 宜推殊寵倅撫舊邦, 用加王爵之封, 克追先正之美. 可光祿大夫・檢校太保・使持節元^菟菟州都督・天順軍使・封高麗國王・食邑三千戶".
・『속자치통감장편』권17, "開寶九年十一月壬辰, 遣左司禦副率于延超・司農寺丞徐昭文, 使高麗, 昭文未見".

18) 東池는 1980년대의 發掘報告書에 의하면, 남북 270m, 동서 190m, 둘레 약1,030m 정도였다고 한다(開城發掘組 1986년).

19) 이와 관련된 기사로 다음이 있다.
・지27, 선거1, 科目1, 選場, "景宗二年三月, 親試進士, 賜甲科高凝等三人・乙科三人及第".

[五月辛酉朔^{大盡,丙午}:追加].

[夏六月^{辛卯朔小盡,丁未}, 某日, <u>某等</u>造晉州妙嚴寺瓦:追加].[20]

[秋七月^{庚申朔大盡,戊申}, 戊子^{29日}, 廣州管內<u>某人</u>等, 重修古石佛:追加].[21]

[閏七月庚寅朔^{小盡,戊申}:追加].

[八月己未朔^{大盡,己酉}:追加].

[九月己丑朔^{小盡,庚戌}:追加].

[冬十月戊午朔^{小盡,辛亥}:追加].

[十一月丁亥朔^{大盡,壬子}:追加].

[十二月丁巳朔^{小盡,癸丑}:追加].

是歲, 遣<u>子</u>如宋, 獻良馬·甲兵.[22]
[○<u>金行成</u>擢宋進士第:追加].[23]

---

20) 이는 慶尙南道 晋州市 水谷面 孝子里 妙嚴寺址에서 출토된 기와의 銘文인 "□太平興國辛丑六月"에 의거하였다(洪榮義 2014년).

21) 이는 京畿道 河南市 東部邑 校山洞 55-1에 위치한 磨崖藥師佛坐像의 銘文인 "太平二年丁丑七月廿九日,古石」佛在如賜乙重脩, 爲今上」皇帝萬歲願"에 의거하였다(보물 제981호, 中吉 功 1973년b 425·492面 ; 許興植 1984년 411面).

22) 여러 版本의 『고려사』에서 한결같이 子로 되어 있으나 『고려사절요』 권2에는 使로 되어 있다. 이 文句를 통해 볼 때 使가 적절한 것으로 보인다(東亞大學 2008년 1책 524面). 그렇지만 이 자료의 原典인 위의 增補資料(『속자치통감장편』 권18)를 통해 볼 때 『고려사』의 子가 옳고, 이는 '遣其子元輔□□'를 縮約한 것으로 理解되어야 할 것이다. 그리고 『고려사절요』의 使는 編纂者가 『고려사』世家의 내용을 校勘할 때 改書한 것으로 추측된다.
   · 『속자치통감장편』 권18, 太平興國 2년 12월, "辛巳, 高麗國王伷, 遣其子元輔來修貢, 賀登極". 여기에서 其子元輔는 其王子元輔某를 잘못 記載한 것으로 추측되며, 이는 賜姓을 받은[王子] 官等이 元輔인 某를 指稱하는 것으로 보는 것이 옳을 듯하다.
   · 『송사』 권4, 본기4, 태종1, 太平興國 2년 12월, "辛巳, 高麗國王使其子元輔來, 賀卽位".
   · 『송사』 권487, 列傳246, 外國3, 高麗, "太平興國二年, 遣<u>其子</u>元輔, 以良馬·方物·兵器來貢. 其年, △^金行成擢進士第".
   · 『송회요집고』199책, 蕃夷7, 歷代朝貢, 太平興國 2년, "十二月二十五日, 高麗國王伷, 遣子元輔, 以良馬·方物·兵器來貢".

23) 이는 다음의 자료에 의거하였다.
   · 『송사』 권487, 열전246, 외국3, 高麗, "太平興國二年, … 其年, <u>行成</u>擢進士第".
   · 『옥해』 권154, 朝貢, 獻方物, 錫予外夷, "太宗時, <u>遣金行成</u>就學胄監, 興國二年擢第".

[○刻廣州黃驪縣高達院元宗大師璨幽塔碑陰：追加].[24]

戊寅[景宗]三年，宋太平興國三年，[西曆978年]

978년 2월 10일(Gre2월 15일)에서 979년 1월 30일(Gre2월 4일)까지, 355일

[春正月丙戌朔^{大盡,甲寅}：追加].

[二月丙辰朔^{小盡,乙卯}：追加].

[三月乙酉朔^{大盡,丙辰}：追加].

夏四月^{乙卯朔大盡,丁巳}，[戊午^{4日}：追加][25]，政丞金傳卒，謚^謚敬順.[26]

- 『속자치통감장편』 권31，^{淳化元年}十一月丁丑，知安州伻御史李範上言，故殿中・通判州事金行成，本高麗人，賓貢擧進士中第，高麗國王表乞放還，行成自以筮仕中朝，思有以報，不願歸本國. 父母垂老在海外，且暮思念之，恨祿養弗及，命畫工圖(繪)其像，置於正寢，行成與妻，更居旁室，晨夕定省上食，未嘗少懈. 行成疾且革，召臣及州官數人，全其臥內，泣且言曰，外國人仕中朝，爲五品官，佐郡政，被病且死，無以報主恩，瞑目於泉下，亦有餘恨. 二子宗敏・宗訥皆幼，家素貧，無他親可依，行委溝壑矣，行成旣死，其妻誓不嫁，養二子，織履以自給，臣竊哀之. 詔以宗敏，爲人廟齋郎，禮部卽與收補，俾安州月以錢三千米五石給其家，長史常歲時存問，無令失所".
24) 이는 「驪州高達院元宗大師慧眞之塔碑」에 의거하였다.
- 『研經齋全集』續集16冊，書畫雜識，題慧眞塔碑，"慧眞，俗姓企氏，鷄林河南人. 其塔碑，在廣州慧目山高達院，高麗金廷彦製，張端說書，宋開寶八年建. 端說筆甚精悍，然無澹宕之意，終不離夷裔氣，是可歎也. 石堅使，比他碑甚完，今猶如新刻者".
25) 敬順王 金傳가 薨去한 날짜[日辰]는 현재 京畿道 漣川郡 百鶴面 高浪浦에 위치한 敬順王陵(사적 제244호)의 墓碑(1747년 건립)에 의거하였지만，筆者가 이의 典據와 實物을 확인하지 못하였다.
- 墓碑，"王新羅第五十六王，陵^後唐大成二年戊子^{即代景}^哀王而立，淸泰二年末，遜國于高麗. 宋太平興國戊寅^{即高}麗景宗三年四月四日薨. 謚敬順，以王禮^口^葬于長湍古付^府南八里癸坐之原. …". 添字와 같이 고쳐야 옳게 될 것이다. 여기에서 기록된 4월 4일은 율리우스曆으로 978년 5월 13일(그레고리曆 5월 18일)에 해당한다.
26) 敬順王의 薨去에 대한 기록으로 다음이 있고，그의 影幀은 國立慶州博物館에 所藏되어 있다(경상북도 유형문화재 제410호).
- 『삼국사기』 권12，신라본기12，敬順王，"… ^{政丞}公全人宋興國^四年^{即三年}戊寅薨，謚曰敬順，一云孝哀". 여기에서 添字로 고쳐야 옳게 될 것이다.
- 『삼국유사』 권2，企傳大王，"太平興國三年戊寅崩，謚曰敬順".
- 『신증동국여지승람』 권12，長湍都護府，陵墓，"高麗明宗陵，在府南七里，號智陵. 新羅敬順王陵，府南八里".
- 『壽谷集』 권11，"輿地勝覽云，新羅敬順王陵，在長湍府南八里，高麗明宗陵在府南七里，號智陵. '新增勝覽'，則以爲智陵及敬順王陵，皆在府北十里云. 盖長湍邑治移設，故前云府南. 而今云府北也. 嘗聞長湍人前僉使金聖基之言，以爲兩陵挂域，明是國陵，而以無表石，故自古村翁野老，通稱王陵. 而不知孰爲敬順墓，孰爲明宗墓云. 吾宗人爲敬順後裔者，布在一國，而陵墓所在，亦旣知之，而兩陵之孰爲敬順衣冠之藏，終無以尋得，實是千古之恨也. …".

[是月, <u>某等</u>立運州貞海縣普願寺法印國師<u>坦文</u>塔碑:追加].²⁷⁾

[五月乙酉朔^{小盡,戊午}:追加].

[六月甲寅朔^{大盡,己未}:追加].

[秋七月甲申朔^{小盡,庚申}:追加].

[八月癸丑朔^{大盡,辛酉}:追加].

[九月癸未朔^{大盡,壬戌}:追加].

[冬十月癸丑朔^{小盡,癸亥}:追加].

[十一月壬午朔^{大盡,甲子}:追加].

[十二月壬子朔^{小盡,乙丑}:追加].

[是歲,宋遣太子中允張洎來,聘→景宗四年으로 옮겨감].

[○遣使如宋, 獻方物:追加].²⁸⁾

[○<u>某等</u>重修廣州桐寺:追加].²⁹⁾

己卯[景宗]四年, 宋太平興國四年, [西曆979年]

979년 1월 31일(Gre2월 5일)에서 980년 1월 20일(Gre1월 25일)까지, 355일

[春正月辛巳朔^{小盡, 丙寅}:追加].

- 『신증동국여지승람』 권21, 慶州府, 祠廟, "敬順王影堂, 在府東北四里, 每節日, 州首吏率二班以祭".
27) 이는 「瑞山普願寺法印國師寶乘之塔碑」에 의거하였다(金石總覽 223面).
28) 이는 다음의 자료에 의거하였다.
- 『속자치통감장편』 권19, 太平興國 3년 10월, "甲寅^{2日}, 高麗國王伷遣使來, 貢方物及兵仗".
- 『송사』 권4, 본기4, 태종1, 태평흥국 3년 10월, "癸丑朔, 高麗國王伷遣使來貢". 이 자료에는 癸丑朔으로 되어 있으나 甲寅이 옳을 것이다.
- 『송사』 권487, 열전246, 외국3, 高麗, "太平興國三年, 又遣使貢方物·兵器, 加伷檢校太師, 以太子中允·直令人院張洎, 著作郎·直史館勾中正爲使". 宋의 使臣 張洎 등이 고려에 파견된 것은 太平興國 4년 1월이다.
- 『송회요집고』199책, 蕃夷7, 歷代朝貢, "太平興國三年十月二日, 高麗國王伷, 遣使貢方物兵器".
- 『옥해』 권154, 朝貢, 獻方物, "興國三年, 貢方物·兵器".
29) 京畿道 河南市 春宮里 桐寺址(판교~구리行 고속도로에 위치한 寺址)에서 출토된 銘文瓦에 의거하였다(탁경백 2020년).
- 銘文, '辛酉廣州桐寺」', '太平興國」', '興國三年」'.

[二月庚戌朔^{大盡,丁卯}:追加].

春三月^{庚辰朔小盡,戊辰}, [某日], 賜<u>元徵衍</u>等及第.³⁰⁾

[夏四月己酉朔^{大盡,己巳}:追加].
[五月己卯朔^{小盡,庚午}:追加].

夏六月^{戊申朔大盡,辛未}, [某日,宋遣供奉官·閤門祗候<u>王僎</u>來,冊王爲侍中,加食邑一千戶→<u>景宗</u>5年으로 옮겨감].

[秋七月戊寅朔^{大盡,壬申}:追加].
[八月戊申朔^{小盡,癸酉}:追加].
[九月丁丑朔^{大盡,甲戌}:追加].
[冬十月丁未朔^{大盡,乙亥}:追加].

[十一月丁丑朔^{小盡,丙子}:追加].
[是月辛丑^{17日}, 遼改保寧十一年爲乾亨元年:追加].

[十二月丙午朔^{大盡,丁丑}:追加].

是歲, 渤海人數萬來投.
[○城淸塞鎭:節要·兵2城堡轉載].
[○宋遣太子中允<u>張洎</u>來, 聘←<u>景宗</u>3年에서 옮겨옴].³¹⁾

---

30) 元徵衍은 『송사』에는 元證衍으로 표기되어 있다(권487, 열전246, 外國3, 高麗). 또 이와 관련된 기사로 다음이 있다.
　・지27, 선거1, 科目1, 選場, "^{景宗}四年三月, 王融知貢擧, 取進士, 賜甲科元徵衍等及第".

31) 宋은 다음에 인용된 자료들과 같이 太平興國 3년(978, 경종3) 12월 17일(戊辰)에 景宗을 檢校太傅로 임명하는 동시에 食邑 1千戶를 더한 詔書를 發給하였다. 이어서 다음 해 1월 7일(丁亥) 太子中允·直舍人院 張洎와 著作佐郞·直史館 華陽人 勾中正에게 命하여 高麗에 使臣으로 가게 하였다. 그러므로 이 자료는 경종 4년(979)으로 옮겨야 한다[校正事由].
　・『송대조령집』 권237, 政事90, 四裔10, 高麗, "太平興國三年十二月戊辰^{17日}, 高麗國王王伷檢校太傅加食邑制, 王者, 懋建皇極, 寵綏列藩, 矧玆元兔之墟, 介于滄海之外, 漢平朝鮮之地, 書在提封. 唐擧遼水之師, 亦疲

庚辰[景宗]五年, 宋太平興國五年, [西曆980年]

980년 1월 21일(Gre1월 26일)에서 981년 2월 7일(Gre2월 12일)까지, 13개월 384일

[春正月丙子朔^{小盡,戊寅}:追加].

[二月乙巳朔^{小盡,己卯}:追加].

[三月甲戌朔^{大盡,庚辰}:追加].

[閏三月^{甲辰朔小盡,庚辰}, 甲寅^{11日}, <u>康戩</u>擢宋進士第:追加].[32]

[夏四月^{癸酉朔大盡,辛巳}, 某日, 定米布出息, 米十五斗, 息五斗, 布十五尺, 息五尺, 以爲恒式:節要轉載].[33]

[五月^{癸卯朔小盡,壬午}, 壬戌^{20日}, 王子生, 賜名誦:追加].[34]

夏六月^{壬申朔大盡,癸未}, [某日, 宋遣供奉官·閤門祗候<u>王僎</u>來, 冊王爲侍中, 加食邑一千戶←景宗 4

征伐. 自帝圖之肇起, 勵臣節以彌堅, 禀正朔於大朝, 輸職貢於王府, 冠蓋相望, 車書大同, 不有進俾之恩, 曷彰柔遠之道, 天順軍使·光祿人夫·檢校太保·持節元菟州都督·上柱國·高麗國王·食邑二千戶王伷, 弓裘襲慶, 象緯炳靈, 奄有三韓, 逮妓累世, 善繼先志, 煦嫗及乎一方, 寅畏簡書, 輶譯來於萬里, 勤懇備至, 嘉奬不忘, 宜擧寵章, 以顯忠烈, 可檢校太傳, 加食邑一千戶".

· 『속자치통감장편』 권20, 太平興國 4년 1월, "丁亥, 命太子中允·直舍人院<u>張洎</u>, 著作佐郎·直史館華陽<u>勾中正</u>, 使高麗".

· 『태종황제실록』 권80, 至道 3년 1월, "己丑, 上卽位, 以文雅選直舍人院. 未幾, 使高麗, 復命改戶部員外郞, 出知相貝二州".

· 『송사』 권4, 本紀4, 太平興國 1년 1월, "丁亥, 命太子中允張洎·著作佐郎勾<u>中正</u>, 使高麗, 告以北伐".

· 『송사』 권487, 열전246, 외국3, 高麗, "^{太平興國}三年, 又遣使貢方物·兵器, 加伷檢校太師, 以太子中允·直舍人院張洎, 著作郎·直史館勾中正爲使".

32) 이는 다음의 자료에 의거하였다. 康戩(?~1006)은 980년(경종5) 이전에 宋의 國子學에 들어가 修學하다가 980년(太平興國5) 윤3월 進士試에 及第하였고, 이후 宋의 官僚로 진출하여 蘇易簡(958~996)의 추천으로 嶺南東路轉運使가 되어 996년(至道2) 7월에는 參知政事 寇準을 彈劾하기도 하였다. 이후 工部郎中을 거처 京西轉運使로 재직하다가 逝去하였다.

· 『옥해』 권116, 選擧, 科擧, 咸平賓貢, "太平興國五年, 高麗康戩, 擧進士, 初肄業國學".

· 『속자치통감장편』 권40, 太宗 至道 2년 7월 丙寅, "<u>戩</u>, 高麗人, 國子學附肄業, 太平興國五年, 登進士第, 歷官以淸白聞, 其爲轉運使, <u>蘇易簡</u>所薦也".

· 『속자치통감장편』 권60, 眞宗 景德 3년 4월 丙戌, "眞宗景德三年夏四月丙戌, 錄故京西轉運使·工部郎中<u>康戩</u>子<u>希齡</u>爲奉禮郎, 給俸終喪. 戩異國人, 數上章言事, 以竭誠自刌, 故優其禮秩, 非常制也".

33) 이 기사는 지33, 식화2, 借貸에 수록되어 있는데, 여기에서 布十五匹은 布十五尺의 잘못이다.

34) 이는 세가3, 穆宗, 總論에 의거하였다.

年에서 옮겨옴].35)

　　[某日, 造全州益山郡彌勒寺龍泉房瓦草:追加].36)

　　[夏某月], 以崔知夢爲內議令.

　　[→以崔知夢爲大匡・內議令・東萊郡侯・食邑一千戶柱國. 一日, 知夢奏曰, "客星犯帝座, 願王申戒宿衛, 以備不虞":節要轉載].37)

　　[秋七月壬寅朔小盡,甲申:追加].

　　[八月辛未朔人盡,乙酉:追加].

　　[九月辛丑朔人盡,丙戌:追加].

　　[冬十月辛未朔小盡,丁亥:追加].

　　[十一月庚子朔大盡,戊子:追加].

　　[十二月庚午朔人盡,己丑, 某日, 杜鵑花開:五行1轉載].

　　[□□是歲], 王承等謀逆, 伏誅.

　　[→未幾, 王承等謀逆, 事覺伏誅. 賜□□□□內議令等知夢, 御衣・金帶:節要轉載].38)

　　[○遣使如宋, 獻方物:追加].39)

---

35) 중국 측의 자료에 다음의 2種이 있으나 後者가 더 사실에 부합되는 것 같다[校正事由].
　・『송사』권487, 열전246, 外國3, 高麗, "太平興國四年, 復遣供奉官・閣門祇候士傈, 使其國".
　・『속자치통감장편』권21, 太平興國 5년 1월, "庚辰5日, 遣供奉官閣門祇候王傈, 使高麗".

36) 이는 全羅北道 益山市 金馬面 箕陽里 23 彌勒寺址에서 출토된 기와명문[瓦銘]인 "太平興國五年庚辰六月日彌勒廢龍泉房瓦草"에 의거하였다(洪榮義 2014년;世宗文化財硏究院 編 2015년 440面).

37) 이와 같은 기사로 다음이 있다.
　・열전5, 崔知夢, "景宗五年, 召還授人匡・內議令・東萊郡侯, 食邑一千戶, 柱國, 賜銀器・錦被褥・帳・衣・馬・幞頭・犀帶. 一日, 知夢奏曰, 客星犯帝座, 願王中戒宿衛, 以備不虞". 여기에서 客星은 新星, 超新星, 彗星 등의 出現을 가리키며, 간혹 流星, 極光과 같은 大文現狀을 가리키기도 한다. 또 帝庫(혹은 帝坐)는 武仙座 α星(Alpha Herculis)을 가리킨다.
　・『송사』권49, 지2, 天文2, 天市垣, "帝坐一星, 在天市中, 天皇大帝外坐也. 光而潤澤, 主吉, 威令行, 微小, 大人憂, 月犯之, 人主憂. 五星犯, 臣謀主, 下有叛, 熒惑, 尤甚. 客星入, 色赤, 有兵, 守之, 大臣爲亂. 彗・字犯, 人民亂, 宮廟徙. 流星犯, 諸侯兵起, 臣謀主, 貴人更令".

38) 이와 같은 기사로 다음이 있다.
　・열전5, 崔知夢, "未幾, 王承等謀逆, 伏誅. 賜御衣・金帶".

39) 이는 다음의 자료에 의거하였다.
　・『속자치통감장편』권21, "太平興國五年六月壬子壬午, 高麗王伷遣使來, 貢方物". 壬子는 『송사』에는 壬午

辛巳[景宗]六年, 宋太平興國六年, [西曆981年]

981년 2월 8일(Gre2월 13일)에서 982년 1월 27일(Gre2월 1일)까지, 354일

[春正月庚子朔^{小盡,庚寅}:追加].

[春二月^{己巳朔小盡,辛卯}, 辛巳^{13日}, 利川郡道俗香徒等造成磨崖菩薩像:追加].[40]

[三月^{戊戌朔大盡,工辰}, 是月, 下問正匡·翰林學士崔承老, "欲撰智谷寺眞觀禪師^{釋超}塔碑, 孰爲此者". 承老, 拜而對曰, "有閩川拂衣者王融, 去歲, 宣草'鷰谷寺玄覺禪師塔碑頌', 雖文學不克, 心力罔怠希言, 歷試必進隶修", 薦之. 乃召王融, 命撰其碑銘:追加].[41]

[夏四月戊辰朔^{小盡,癸巳}:追加].
[五月丁酉朔^{小盡,甲午}:追加].

夏六月^{丙寅朔大盡,乙未}, [某日], 王不豫.

秋七月^{丙申朔小盡,丙申}, [某日], 王疾彌留.

甲辰^{9日}, 召堂弟開寧君治, 內禪. 遺詔曰, "一生一死, 賢哲難逃, 或短或脩, 古今皆是. 寡人承四朝之餘烈, 受三韓之霸圖, 獲保山川·土地, 務安宗廟·社稷, 日愼一日, 首尾七年. 因此勤勞, 遂成疾疹, 冀怡神於釋負, 將傳聖以紓憂. 正胤開寧君治, 國之親賢, 予所友愛, 必能奉祖宗之大業, 保國家之昌基. 咨爾公卿·宰臣, 其敬保我介弟, 永綏我大邦. 寡人每覽'禮經', 至'男子不死婦人之手',[42] 未嘗不臨文嘆仰, 至于今日, 左右嬪御, 己令屛去. 倘^儻或不延, 歘至大期, 更何所

로 되어 있는데, 이달에는 壬子가 없으므로 壬午가 옳을 것이다.
- 『송사』 권4, 본기4, 태종1, 태평천국 5년 6월, "壬午^{11日}, 高麗國王遺使來貢".
- 『송사』 권487, 열전246, 外國3, 高麗, "^{太平興國}五年六月, 再遺使貢方物".
- 『송회요집고』 199책, 蕃夷7, 歷代朝貢, "^{太平興國五年}六月七日, 高麗國王王伷, 遺使貢方物".

[40] 이는 다음의 자료에 의거하였는데, 이 磨崖菩薩坐像(實物 第982號)은 利川市 麻長面 長岩里 雪峯山城 서쪽의 寺趾에 있다(鄭永鎬 1982년 ; 京畿道博物館 1999년 381面 ; 崔聖銀 2003년·2013년 121面).
- 「太平興國銘磨崖菩薩坐像」, "太平興國六年辛巳二月十三日元□□徒屬香徒等, 上道…".

[41] 이는 「山淸智谷寺眞觀禪師悟空塔碑」에 의거하였는데(許興植 1984년 422面 ; 李智冠 2004년 2冊 133面), 이에 의하면 撰者인 王融의 職責이 '大匡·內議令·判摠翰林院事兼兵部令'이었다고 한다.
[42] '男子不死于婦人之手'는 다음의 자료에서 인용한 것이다.

恨? 服紀輕重, 合依漢制, 以日易月, 十三日周祥, 二十七日**大祥**,[43] 園陵制度, 務從儉約. 其西京·安東·安南·登州等諸道, **膺**□鎭守之任, 有軍旅之權者, 所寄非輕, 豈宜暫曠? 不許離任赴闕, 各於任所擧哀, 三日釋服, 其餘, 並委嗣君**處分**".[44]

丙午[11日], 薨于**正殿**, 在位六年, 壽二十六.[45] 王溫良仁惠, 不好遊戱. 末年, 厭倦萬機, 日事娛樂, 沈溺聲色. 且好圍碁, 昵近小人, 疎遠君子, 由是, 政敎衰替. 謚□曰獻和, 廟號景宗, 葬于南畿山麓, 陵曰**榮陵**. 穆宗五年加謚□成穆, 顯宗五年加明惠, 十八年加順熙, 文宗十年加靖孝, 高宗四十年加恭懿.[46]

李齊賢贊曰, "滕文公問井地於孟子, **孟子**曰, '□□仁政, 必自經界始. 經界不正, 井地不均, 穀祿不平. 是故, 暴君汚吏, 必慢其經界. 經界旣正, 分田制祿, 可坐而**定也**'.[47] 三韓之地, 非四方舟車之會, 無物産之饒, 貨殖之利. 民生所仰, 只在地力. 而鴨綠以南, 大抵皆山, 肥膏不易之田, 絶無而僅有也, 經界之正若慢, 則其利害, 比之中國, 相萬也. 太祖繼新羅衰亂, 泰封奢暴之後, 萬事草創, **日不暇給**, **止**爲口分之法.[48] 歷四世, **景宗**□作田柴之科,[49] 雖有疎略, 亦古者世祿之意□□.[50] 至於九一而助, 什一而賦, **與夫**□所以優君子·小人者,[51] 則不暇論也. 後世屢欲

· 『禮記』, 喪大記第22, 冒頭, "疾病, 內外皆掃, … 男子不死于婦人之手, 婦人不死于男子之手. 君大人卒于路寢, 大夫世婦卒于適寢, …".

43) '以□易月'은 다음의 자료에 의거한 것 같다.
· 『한서』 권4, 文帝紀第4, 後7년 6월 己亥, "… 服大紅十五□, 小紅十四□, 纖七□, 釋服". "應劭曰, 紅者中祥, 大祥以紅爲領緣. 纖者禪也. 凡三十六日而釋服矣, 此以日易月也".
· 『晉書』 권20, 지10, 禮中, "秦始十年 … 禮官·參議博士張靖等議, 以爲孝文權制, 十六日之服, 以日易月. 道有汚隆, 禮不得全, 皇太子亦宜割情除服".
· 『자치통감』 권15, 漢紀7, 文帝後 7년(BC157), "夏六月己亥, 帝崩于未央宮, 遺詔曰, '朕聞之, … 服大功十五日, 小功十四日, 纖七日, 釋服[注, 喪禮, 大功之服, 七升, 八升, 九升, 小功, 十升, 十一升, 十二升. 在期而大喪, 踰月而禪, 禪而纖, 無所不佩. … 應劭曰, 凡三十六日, 而釋服矣, 此以日易月也. 師古曰, 此喪制者, 文帝自率己忘創而爲之, 非有取於周禮也. 何爲以日易月乎? 三年之喪, 其實二十七月, 豈有三十六月之文? 禪又無七月也. 應氏旣失之於前, 近代貉子因循繆說, 未之思也. …]".

44) 이와 같은 기사로 다음이 있다.
· 지18, 禮6, 國恤, "甲辰, 遺詔, 服紀, 以日易月, 十三日周祥, 二十七日大祥, 西京·安東·安南·登州等諸道鎭守, 各於任所擧哀, 三日釋服".

45) 이와 같은 기사로 다음이 있다. 이날은 율리우스曆으로 981년 8월 13일(그레고리曆 7월 18일)에 해당한다.
· 지18, 禮6, 國恤, "丙午, 薨于正寢, 葬于榮陵, 成宗卽位".

46) 榮陵은 開城市 板門郡 板門邑(옛 鳳洞里)에 있다(보존급유적 569호, 張慶姬 2013년)

47) 이 구절은 『맹자』, 藤文公章句上에서 引用한 것인데, 添字는 이에 의거해 추가한 것이다.

48) 『익재난고』 권9하, 史贊, 景王에는 日不暇給은 없고, 止는 而로 되어 있다.

49) 『익재난고』에는 景宗이 景王으로 되어 있다.

50) □에 也字가 탈락되었다. 『익재난고』와 『고려사절요』 권2에는 들어 있다.

51) 『익재난고』에는 與大가 及으로 달리 표기되어 있다.

理之, 終於苟而已矣. 盖其初, 不以經界爲急, 撓其源, 而求流之淸, 何可得也. 惜乎, 當時群臣, 未有以孟子之言, 講求法制, 啓迪而力行之也".

[景宗在位年間]

[○以^{金光禪院住錫·重大師}智宗爲三重大師, 賜水晶念珠:追加].[52]

[仁同人 張東翼 校注, 增補].

---

[52] 이는 「原州居頓寺圓空國師勝妙塔碑」에 의거하였다.

『高麗史』 卷三 世家卷三

[輔國崇祿大夫·議政府左贊成·知集賢殿經筵春秋館成均事·世子賓客·臣金宗瑞奉教撰]

正憲大夫·工曹判書·集賢殿大提學·知經筵春秋館事兼成均大司成·臣鄭麟趾奉教修

成宗

成宗·康威·章憲·<u>文懿大王</u>,[1] 諱治, 字溫古, <u>戴宗</u>^旭第二子, 母曰宣義太后柳氏, 光宗十一年庚申十二月辛卯^{26日}生.

景宗六年七月甲辰^{9日}, 受內禪卽位.

八月乙丑^{朔大盡,丁酉}, 癸未^{19日}, 御威鳳樓, 大赦, [放三年役, 減租稅之半:節要·食貨3恩免之制轉載], 陞文·武官一階.

[九月乙未朔^{大盡,戊戌}:追加].

[冬十月乙丑朔^{大盡,己亥}:追加].

冬十一月^{乙未朔小盡,庚子}, 丁酉^{3日}, 追<u>諡</u>^謚先考.

[→追尊先考, 爲宣慶大王, 廟號戴宗, 陵曰泰陵:節要轉載], 遂謁陵.[2]

[→追尊睿聖宣慶大王, 廟號戴宗, 卽故葬號泰陵, 祔享<u>太廟</u>:列傳3太祖王子戴宗旭轉載].[3]

是月, 王以八關會雜技不經, 且煩擾, 悉罷之.

[戊申^{14日}:比定], 幸法王寺<u>行香</u>, 還御毬庭, 受群臣朝賀.[4]

---

1) 여기에서 廟號인 成宗과 諡號인 文懿大王은 그의 死後인 997년(목종 즉위년) 10월에 붙여진 것이고, 康威는 1002년(목종5) 4월에, 章憲은 1014년(현종5) 4월에 각각 덧붙여진[加上] 諡號이다. 그런데 成宗은 1027년(현종18) 4월에 光孝가, 1056년(문종10) 10월에 獻明이, 1253년(고종40) 6월 4일(辛亥)에 襄定이 각각 덧붙여졌으나 이 자료에 반영되어 있지 않다.

2) 泰陵은 開城市 開豊郡 解線里에 있다(보존급유적 546호, 張慶姬 2013년 ; 洪榮義 2018년).

3) 太廟에 대한 설명으로 다음이 있다.
　·『아언각비』 권3, 太廟, "太廟者, 太祖之廟也, 古者一主一廟, 後世同堂異室, 太廟之名, 於今未允, 但當云宗廟也, 孔子入太廟每事問, 是入周公廟耳[注, '集解'云]".

4) 이날은 開京에서 八關會가 開催되는 戊申(14일, 小會) 또는 己酉(15일, 大會)일 것이다.

[十二月^{甲子朔大盡,辛丑}, 某日, 制, "父母忌, 依書儀, 一日兩宵給暇":禮6百官忌暇轉載].[5]

[是年, 遣使如宋, 獻方物, 又遣使, 獻方物:追加].[6]

[○降京山府爲廣平郡:追加].[7]

壬午[成宗]元年, 宋太平興國七年, [西曆982年]

982년 1월 28일(Gre2월 2일)에서 983년 2월 15일(Gre2월 20일)까지, 13개월 384일

[春正月甲午朔^{大盡,建壬寅}:追加].

[二月甲子朔^{小盡,建癸卯}:追加].

春三月^{癸巳朔小盡,建甲辰}, 庚戌^{18日}, 改百官號.

[是時, 始置內史·門下省, 改廣評省爲御事都省:百官1轉載].[8]

[又置御事六部選官·兵官·民官·刑官·禮官·工官, 各有御事·侍郞·郞中·員外郞. 又置司績, 掌考覈官吏功過. 又置司憲臺·學士院·史館·國子監等司:百官1轉載].

---

5) 이는 志18, 禮6, 凶禮, 百官忌暇에서 轉載하였다. 또 이달은 成宗 卽位年 12月인데, 景宗六年으로 表記된 것은 『고려사』의 편찬자가 그 이전에 편찬된 편년체의 『고려사』를 기전체로 변환하는 과정에서 연대를 잘 정리하지 못하였기 때문이다. 이러한 사례는 諸志에서 散見된다(事例 ; 志1, 天文1, 月五星凌犯及星變, 穆宗 12年 3月 庚午·권54, 志8, 五行2, 穆宗 12年 6月·권55, 지9, 오행3, 穆宗 12年 9月·권64, 지18, 예6, 諸臣喪, 顯宗 22년 8월).
   그리고 『書儀』는 前近代社會에서 士大夫들의 書札에 대한 모델[典範] 또는 각종 典禮에 대한 儀注的인 書冊을 가리킨다. 이들은 10餘種이 있었다고 하지만 대부분 現存하지 아니하고, 司馬光의 『書儀』10권을 통해 『書儀』라는 책의 성격을 類推할 수 있는데, 여기에서는 給暇에 대한 내용이 없다(『四庫總目提要』, 蔡雄錫 2009년 111面 ; 張東翼 2014년 166面).
6) 이는 다음의 자료에 의거하였다.
   · 『속자치통감장편』 권22, 太平天國 6년 4월, "丙戌^{19日}, 高麗國遣使來, 貢方物".
   · 『송사』 권4, 본기4, 태종1, 太平天國 6년 4월, "丙戌, 高麗國遣使來貢".
   · 『송사』 권487, 열전246, 외국3, 고려, "^{太平興國}六年, 又遣使來貢".
   · 『송회요집고』199책, 蕃夷7, 歷代朝貢, "^{太平興國六年}四月二十四日, 高麗國遣使貢方物".
   · 『옥해』 권154, 朝貢, 獻方物, "^{興國}六年四月, 貢名馬·罽錦·白氎·弓劒, 十二月, 貢駑·角弓·漆甲·大箭·馬五十四".
7) 이는 다음의 자료에 의거하였다.
   · 『경상도지리지』, 尙州道, 尙州牧官, "成宗時, 太平興國辛巳^{成宗卽位年}, 降爲廣平郡".
8) 이때 設置된 內史·門下省, 御事都省에 대한 金富軾을 위시한 諸家의 見解가 複雜多端하므로, 이곳에서 정리된 見解를 提示하기 어렵다.

[○又以大師·太傅·大保, 爲三師, 大衛^{太尉}·司徒·司空, 爲三公:百官1三師·三公轉載].⁹⁾

[○是時, 凡國家之制, 大抵皆倣乎唐, 至於刑法, 亦採唐律, 參酌時宜而用之:追加].¹⁰⁾

[○刑法各例:刑法1各例轉載].¹¹⁾

▽笞刑五

△一十, 折杖七, 贖銅一斤.

△二十, 折杖七, 贖銅二斤.

△三十, 折杖八, 贖銅三斤.

△四十, 折杖九, 贖銅四斤.

△五十, 折杖十, 贖銅五斤.

▽杖刑五

△六十, 折杖十三, 贖銅六斤.

△七十, 折杖十五, 贖銅七斤.

△八十, 折杖十七, 贖銅八斤.

△九十, 折杖十八, 贖銅九斤.

△一百, 折杖二十, 贖銅十斤.

▽徒刑五

△一年, 折杖十三, 贖銅二十斤.

△一年半, 折杖十五, 贖銅三十斤.

△二年, 折杖十七, 贖銅四十斤.

△二年半, 折杖十八, 贖銅五十斤.

△三年, 折杖二十, 贖銅六十斤.

▽流刑三

△二千里, 折杖十七, 配役一年, 贖銅八十斤.

△二千五百里, 折杖十八, 配役一年, 贖銅九十斤.

---

9) 原文에는 이 기사의 끝에 "無其人則闕. 其始置歲月不可考"가 추가되어 있으나, 三師와 三公의 設置는 唐制를 受用했던 이 시기에 설치되었을 것으로 추측된다(朴龍雲 2009년 64面). 또 大衛는 太尉로 고쳐야 옳을 것이다.

10) 이는 다음의 기사를 전재하여 적절히 變改하였다.
 · 지38, 刑法1, 各例, 序文, "高麗一代之制, 大抵皆倣乎唐, 至於刑法, 亦採唐律, 參酌時宜而用之".

11) 이하 刑法各例는 지38, 刑法1, 各例의 내용을 전재하였는데, 이에 대한 상세한 注釋이 있으므로 구체적인 내용은 이를 참조하기 바란다(蔡雄錫 2009년).

△三千里, 折杖二十, 配役一年, 贖銅一百斤.

▽死刑二

△絞, 贖銅一百二十斤.

△斬[贖銅上同].

▽刑杖式[尺, 用金尺].[12]

△脊杖, 長五尺, 大頭圍九分, 小頭圍七分.

△臀杖, 長五尺, 大頭圍七分, 小頭圍五分.

△笞杖, 長五尺, 大頭圍五分, 小頭圍三分.[13]

▽辜限

△手足, 毆傷人者, 限十日.

△以他物毆傷人者, 限二十日.

△以刃及湯火, 毆傷人者, 限四十日二十日.[14]

△折跌損支體及碎骨, 限五十日[被傷日晚, 則當至限日之晚, 便滿].

▽禁刑

△國忌, 十直[初一日·初八日·十四日·十五日·十八日·二十三日·二十四日·二十八日·二十九日·三十日].

△俗節[元正[15]·上元[16]·寒食[17]·上巳·端午[18]·重九[19]·冬至[20]·八關·秋夕[21]].

---

12) 고려가 金帝國의 尺度를 사용한 것은 麗·金 兩國이 講和를 맺은 1126년(인종4) 4월 이후로 추측되지만 구체적인 내역은 알 수 없다. 금의 척도는 大尺은 34.6cm 정도이고, 小尺은 24.5cm 정도라고 한다(李宗峯 2016년 116面).

13) 笞杖에 대한 설명으로 다음이 있다.
  · 『아언각비』 권2, 笞杖, "笞杖者, 二等之刑具也. 笞以敎愚, 杖以懲惡. 故笞止五十, 杖自六十, 至于一百. 吾東乃以笞杖爲一類, 微有差異, 別作訊杖, 以爲上刑, 與古殊也[注, '高麗史' 刑法志, 脊杖·臀杖·笞杖, 皆同體圓, 唯大小有差".

14) 이 구절은 『唐律疏議』 권21, 鬪訟 保辜에도 수록되어 있는데, 毆가 없고, 添字는 달리 표기된 글자이다 (蔡雄錫 2009년 97面).

15) 以下 俗節에는 新羅時代 이래 다음과 같은 風俗이 있었다고 한다.
  · 『秋齋集』 권8, 歲時記(19世紀前半), 元朝元旦, "新羅元朝, 王御前殿, 設檀香會, 僧徒百隊, 法衣念經, 庭設百戲, 檀燎食湯餠雪夜覓[注, 一名串炙, 以竹尖貫牛肉炙之, 人皆新衣相見, 拜揖甚恭, 以得財生男等語相賀, 門貼神影, 外則甲士一對, 一鐵幞頭金鱗甲植金簡, 云唐將秦叔寶, 一銅兜鍪金鱗甲植宣花斧, 云尉遲恭, 內則宰相一對, 皆烏幞頭大紅袍, 各簪花, 云魏徵·褚遂良, 口暮焚一年所蓄亂髮, 夜藏鞋, 雖敗屬隻屦, 惟恐遺落, 云髮可辟夜遊狂[注, 夜遊狂, 耗鬼名, 以元夕入人家偸鞋, 失之則有火, 惡云], 或云髮灰消牛肉毒, 藏鞋恐夜雨降也. 高麗仍之, 今則無檀香會庭戲, 餘同".

16) 上元에는 月出의 高低樣相을 살펴 그해의 豊凶을 豫見하였다고 하며, 이날 踏橋도 행해졌다고 한다.
  · 『德陽遺稿』 권3, 農談, "止月十五夕, 老農會城隍, 農談待月, 月出有高卑, 年年驗水旱, 豊凶先自知, 此月出亦卑, 今年深可憂, …".
  · 『石洲集』 別集권1, 五峯相公行至宣州, 作詩見寄, 期以上元前到此, 共作龍淵之遊, 次韻奉答[注, 國俗於上

△愼日[歲首子午日, 二月初一日].

[○相避:刑法1相避轉載].[22]

△本族, 父子孫, 同生兄弟, 堂兄弟, 同生姉妹之夫, 堂姉妹之夫[臺省·政曹外, 許同官],[23] 伯父叔父, 伯母叔母之夫, 姪女之夫[臺省·政曹外, 許同官], 女壻, 孫女壻.

△外族, 母之父母, 母之同生兄弟, 母之同生姉妹之夫, 母之同生兄弟姉妹之子.

△妻族, 妻之祖父, 妻之同生兄弟[臺省·政曹外, 許同官], 妻之同生姉妹之夫[上同], 妻之伯父叔父[上同], 妻之伯母叔母之夫[上同], 妻之兄弟姉妹之子[上同], 姪女之夫[上同].

[○官吏給暇:刑法1官吏給暇轉載].[24]

元,. 看月出, 以占一歲豊凶].

- 『海左集』 권14, 元月十五夜, 陰不見月, 有述, "每年上元十五夜, 萬國人人候月出, 高低濃澹占穡事, 休咎不待雲臺說, …".
- 『三山齋集』 권8, 上元踏橋記, "上元踏橋, 不知其所始, 意者, 以禳除災患, 如重陽登高之類歟. 壬午[英祖38年]上元, 余客椒泉, 月旣升, 携諸客, 步出前街, 游者已如海矣, 直西趨銅峴, 折以北至鍾街, 聽鍾聲, 人益衆, 不可穿過, 一城都會處也".
- 『영조실록』 권114, 46년 1월 壬辰[14日], "上以上元日民庶踏橋, 命金吾放夜, 示與民同春之意也".
- 『秋齋集』 권8, 歲時記, 正月 十五日, "五更飮治聾酒, 小兒呼人賣喝, 人三應之, 云可辟三夏之暑. 煎蜜炊糯米, 糅以雜色細菓, 再蒸之而飼鳥雀曰'藥飯', 云麗僧施烏者. 其味絶., 又擲四木頭, 以俯仰占一歲休咎, 云栖卜. 又剪五綵, 象日月星辰挿屋, 云禳直命各星. 小兒始斷紙鳶之戲, 云送厄. 又夜踏橋遊玩曰'踏盡十二橋, 可無脚病'. 是夜遊人盡出, 車馬㟍沓, 街衢闐咽, 笙歌絡繹, 酒食若流, 盖一年中第一名節".

17) 寒食은 中原에서 冬至로부터 105日이 되는 날로 定하였는데, 이는 대개 淸明보다 1,2日 前에 設行되었다. 그런데 다음의 자료에 의하면 조선시대에는 淸明(西曆4月5日 前後) 다음날로 정하였던 것 같다.
- 『秋齋集』 권8, 歲時記, 寒食, "以淸明之翌爲寒食, 人皆上丘墓祭拜".

18) 조선시대의 端午에는 다음과 같은 풍속이 있었다고 한다.
- 『秋齋集』 권8, 歲時記, 五月五日, "端午, 班扇於侍臣·耆舊, 逮至胥吏·小隷. 兒女浴菖蒲水, 戴菖蒲簪, 服羅紈新裁曰端午粧, 窓戶挿艾花結綵勝, 男子作角觗戲, 其名有挑鉏·翻關·打膝·擲腹, 以第一無敵者終塲".

19) 조선시대의 重九에는 다음과 같은 풍속이 있었다고 한다.
- 『秋齋集』 권8, 歲時記, 九月久逸, "國家試士. 人作登高會, 飮菊花酒, 謂之佩菊佳節".

20) 조선시대의 冬至에는 다음과 같은 풍속이 있었다고 한다.
- 『秋齋集』 권8, 歲時記, 十一月, "冬至, 食荳糜粥, 雜以丸麵曰鳥卵心, 糜謂磨心, 粥曰全心. 是月, 耽羅貢柑橘, 設科慶之曰黃柑製".

21) 조선시대의 秋夕에는 다음과 같은 풍속이 있었다고 한다.
- 『秋齋集』 권8, 歲時記, 八月十五日, "是日謂之秋夕, 言中秋玩月之夕也. 或云新穀將收, 如日之夕矣, 人皆墓祭如寒食".

22) 이하 相避는 지38, 刑法1, 公式, 相避의 내용을 轉載하였다.

23) 臺省은 臺諫과 함께 御史臺의 官員[臺]와 內史門下省(후일 中書門下省)의 3품 이하 官員[諫官]의 合稱이다.

24) 이하 官吏給暇는 지38, 刑法1, 公式, 官吏給暇의 내용을 전재하였다. 이 規定[令]은 給假 日數가 脫落(혹은 省略)된 것이 있는데, 이는 前後의 규정 또는 이의 典範이 되었을 唐帝國의 假寧令을 통해 보완되어야 할 것이다. 또 고려시대의 각종 節日에 행해지는 祭禮는 唐制를 遵用하였던 것 같다(『구당서』 권24, 지4, 禮儀4, 武德·貞觀之制, 神祇人享之外, …).
- 『大唐六典』 권2, 尙書吏部, 吏部郎中·員外郎, "內外官吏, 則有假寧之節[注, 謂元正·冬至, 各給假七日, 寒

每月初一日・初八日・十五日・二十三日・每月入節日[一日], 元正[前後并七日], 立春[一日], 燃燈[正月內子・午日, □□^{一番}], 人日[正月七日, □□^{一番}], 上元[正月十五日, 前後并三日], 燃燈[二月十五日, □□^{一番}],[25] 春社[□□□□^{社稷祭日}, 一口], 春分[一口], 諸王社會[三月三口, □□^{一番}],[26] 寒食[三口], 立夏[三口], 七夕[一日], 立秋[一日], 中元[七月十五日, 前後并三日], 秋夕[一日], 三伏[三口], 秋社[社稷祭日, □□^{一番}],[27] 秋分[一日], 授衣[九月初, 一日], 重陽[九月九日, □□^{一番}], 冬至[一日], 下元[十月十五日, □□^{一番}],[28] 八關[十一月十五日, 前後并三日], 臘享[前後并七日],[29] 日・月食[各一日], 端午[一日], 夏至[前後并三日].

食通淸明四日, 八月十五日^{秋夕}・夏至及臘, 各三日. 正月七日・十五日・晦日・春秋二社・二月八日・三月三日・四月八日・五月五日・三伏日・七月七日・十五日・九月九日・十月一日・立春・春分・立秋・秋分・立夏・立冬・每旬, 並及休假一日. 五月給田假, 九月給授衣假, 爲兩番, 各十五日.

[25] 上元과 2月 15日[燃燈]은 觀燈行事가 시기에 따라 정월 혹은 2월로 변경되었기에, 이에 의해 設行되는 月次에 '前後并三日'의 休假가, 설행되지 않는 월차는 1일의 휴가가 주어졌을 것이다.

[26] 삼짇날[三月三口, 上巳節, 重三]에 행해진 諸王社會가 어떤 모임인지는 알 수 없으나 이날에는 봄을 맞이하여 災殃을 물리치는 제례를 올리고 물가에서 손발을 씻은 후[祓祭畔浴], 父母를 모시고 壽宴을 開催하였던 것 같다.
・『霽峯集』권5, 三月三日, 兒輩設壽席.
・『秋齋集』권8, 歲時記, 三月三日, "國家試士. 人家以五色線, 團結作蓬蘽形掛戶, 以迎燕踏靑".
・『아언각비』권3, 上巳, "上巳者, 三月上旬之巳日也. 世皆讀之爲地支^{十二支}之巳, 而近儒謂是天幹^{十幹}之己, 誠以上甲・上丁及戊日爲社, 庚日爲伏之類, 皆是天幹, 子・丑・寅・卯, 非所用也. 且上旬本只十日, 若其朔日, 適是午・未之口, 則上旬十日之內, 容無巳口. 卽此歲季秊, 遂無上巳, 其爲天幹^{十幹}之己無疑".

[27] '春社[社稷祭日, 一日]', '秋社[社稷祭日, 一日]'는 春秋에 社稷에 祭祀를 올리는 것을 指稱하므로 '春社[社稷祭口, 一口]', '秋社[一口]'로 修正하여야 옳게 될 것이다. 社稷의 祭禮는 2月의 첫째 戌口[上戌], 8월의 첫째 戌口에 설행되었다.
・『大唐六典』권4, 尙書禮部, 祠部郎中・員外郎, "仲春上戌, 祭太社, 以后土氏配焉. 祭太稷, 以后稷氏配焉. 仲秋之月及臘日, 亦如之".
・『구당서』권24, 지4, 禮儀4, 武德・貞觀之制, 神祇大享之外, "仲春・仲秋二時戌口, 祭人社・人稷, 社以勾龍配, 稷以后稷配. 社・稷各用人牢一, 牲色並黑, 籩・豆各九, 簠・簋各二, 鉶・俎各三".

[28] 下元은 俗節로서 16세기 후반에도 省墓하며 祭禮를 올렸던 것 같다.
・『龜峯集』권1, 秋夕, "手植高松入採新, 孃何處托孤魂, 太平人作流離子, 誰酌淸泉慰廢墳[注, 下元, 奠墓之俗節也, 北向呼冢, 徒深履霜之痛, 際遇明時, 反作逃亂之人, 不孝通天, 罪無所逃, 時萬曆丙戌^{宣祖19年}也].

[29] 臘享은 臘祭를 指稱하는 것 같은데, 이는 年末에 設行하는 大祭이다(날짜는 12월 辰日→戌日→未日의 3차에 걸쳐 변경되었고, 그 중에서 擇日함→문종 35년 12월 11일의 脚注). 臘은 畋獵하여 얻은 禽獸를 祖上에게 바치는 祭禮인데, 臘日에 臘祭를 올리면서 蜡祭(사제)라는 제례가 행해졌다고 한다. 이 蜡祭는 一年의 收穫을 百神에게 感謝를 드리는 祭事라고 한다. 兩者가 같은 것인가 다른 것인가에 대해서는 여러 견해가 있다고 한다(中村裕一 2014年 271面).
・『大唐六典』권4, 尙書禮部, 祠部郎中・員外郎, "季冬臘日前寅, 蜡^祭百神於南郊, 大明・夜明・神農・后稷・伊耆・五官・五星・二十八宿・五岳・四鎭・四海・四瀆・五田畯・靑龍・朱雀・麒麟・騶虞・玄武及五方山林・川澤・丘陵・墳衍・原隰・井泉・水墉・坊・於菟・鱗羽・介毛・蠃郵・表畷猫・昆蟲, 凡百八十座, □□^{祭之}".
・『通典』권44, 禮典, 大蜡, 大唐, "季冬□□□^{臘日前}寅, 蜡祭百神於南郊, 大明・□□^{夜明}用犢二, 籩豆各四, 簠簋・甑俎各一. 神農及伊耆氏, 各用小牢一, 籩豆等如大明, 后稷及五方十二次^等, 五官・五方田畯・五岳・四鎭・四海・四瀆以下, 方別各用小牢一. 其日, 祭井泉於川澤之下, 用羊一. 卯日, 祭社稷於社宮. [辰日, 臘享於太廟, 用牲皆準時祭, 井泉用羊三:追加]. 二十八宿・五方山林・川澤・丘陵・墳衍・原隰・鱗羽・蠃・介毛・水墉・坊郵・表畷猫・虎及

[○職制:刑法1職制轉載].30)

▽官吏臨監自盜及臨監內, 受財枉法者, 徒杖勿論, 收職田歸鄕. 僧人盜寺院米穀, 歸鄕充編戶, 貿易官物者, 除歸鄕, 依律科罪.31)

▽監臨贓 一尺笞四十, 一匹五十, 二匹杖六十, 三匹七十, 四匹八十, 五匹九十, 六匹一百, 八匹徒一年, 十六匹一年半, 二十四匹二年, 三十二匹二年半, 四十匹三年, 五十匹流一千里二千里. 與者減五等, 罪止杖一百. 如監臨官, 於部內乞取者加一等, 若以威力强乞取者, 准枉法贓論.32)

▽枉法贓, 一尺杖一百, 一匹徒一年, 二匹一年半, 三匹二年, 四匹二年半, 五匹三年, 六匹流二千里, 七匹二千五百里, 八匹三千里, 十五匹絞, 有官品人犯者, 官當收贖, 一匹以上除名, 無祿減一等, 二十匹絞.

▽不枉法贓, 一尺杖九十, 二匹一百, 四匹徒一年, 六匹一年半, 八匹二年, 十五匹二年半, 十二匹三年, 十四匹流二千里, 三十匹加役流. 有官品人犯者, 令官當收贖, 四匹以上免官, 無祿者減一等, 四十匹加役流.

▽坐贓, 一尺笞二十, 一匹三十, 二匹四十, 三匹五十, 四匹杖六十, 五匹七十, 六匹八十, 七匹九十, 八匹一百, 十五匹徒一年, 二十匹一年半, 三十匹二年, 四十匹二年半, 五十三年, 與者減五等.

▽在官侵奪私田, 一畝杖六十, 三畝七十, 七畝八十, 十畝九十, 十五畝一百, 二十畝徒一年, 二十五畝一年半, 三十畝二年, 三十五畝二年半, 園圃加一等.

▽因官挾勢, 乞百姓財物, 一匹笞二十, 二匹三十, 三匹四十, 四匹五十, 五匹杖六十, 六匹七十, 七匹八十, 八匹九十, 十匹一百, 二十匹徒一年, 三十匹一年半, 四十匹二年, 五十匹二年半. 與人物者減一等, 若親故與者勿論. 貿易官物, 除歸鄕, 依律科罪.

▽判[闕], 夜毋得刑人.

龍麟朱鳥百獸玄武, 方別各用小牢一, 每座籩豆各二, 簠簋·甒俎各一. 蜡祭凡百八十座, 當方年穀不登, 則闕其祀, 蜡之明日, 又祭社稷於社宮, 如春秋二仲之禮".

· 『秋齋集』 권8, 歲時記, 臘月, "會游佃取, 臘者獵之意也, 除夕, 擊牛釀酒, 以備元朝日歲饌, 小兒夜不寐, 云睡則眉白".

30) 이하 職制에 대한 事項은 지38, 刑法1, 職制를 전재하였다.

31) 枉法은 法律을 曲解하거나 抵觸한 것을 의미하는 것으로, 여기서는 後者를 가리키는 것 같다. 丁若鏞도 이 記事를 읽었던 것 같다.
  · 『사기』 권126, 滑稽列傳66, "楚相孫叔敖, … 身死家室富, 又恐受賕枉法, 爲奸觸大罪, 身死而家滅. …".
  · 『아언각비』 권2, 歸鄕, "歸鄕者, 高麗之律名[注, 今之所謂放歸鄕里也[注, 今之歸田, 任住鄕里, 不定一處, 歸鄕者, 歸其本貫, 移動不得], 今徒·流·竄·置, 通稱歸鄕, 非矣. '高麗史'刑法志云'官吏受財枉法者, 徒杖勿論, 收職田歸鄕, 僧人盜寺院米穀, 歸鄕, 貿易官物者除歸鄕, 依律科罪', 又云'判鎭人犯歸罪者, 仍留配本處[注, 官私奴婢招誘良人子買賣者歸鄕, 女人再犯歸鄕]', 其律在笞杖之上, 徒流之下".

32) 여기에서 一千里는 唐律에는 二千里로 되어 있고, 餘他의 律令에도 二千里로 되어 있음을 볼 때 二千里의 오자일 가능성이 있다(蔡雄錫 2009년 170面).

▽判^뻬, 死不再生, 人命至重. 今外方重刑, 界員例不親問, 使外吏於多事中, 雜治之, 甚爲不可. 自今, 牧·都護所推獄, 使以下員齊坐, 知州·縣令所推獄, 界首一員, 親進覆驗, 無有差謬, 然後, 連銜署名, 臨問員, 每七月初一日內, 親齎上來.

▽犯殺人罪, 初段堅問九端, 隔三七日, 二段堅問十二端, 隔四七日, 三段堅問十五端.

▽判^뻬, 外獄囚, 西京則分臺,³³⁾ 東西州鎭則各界兵馬使, 關內西道則按察使, 東南海則都部署, 其餘各界首官·判官以上, 無時監行推檢, 輕罪量決, 重囚則所囚年月, 具錄申奏. 如有滯獄官吏, 科罪論奏.

▽諸察獄之官, 先備五聽,³⁴⁾ 又驗諸證, 事狀疑似, 不首實, 然後拷掠. 每訊, 相去二十日, 若訊未畢, 更移他司, 仍須鞫者, 連寫本案移送, 剏通前訊, 以充三度. 若無疑似, 不須滿三度. 若因訊致死者, 皆具狀申牒, 當處長官, 與糾彈官, 對驗.³⁵⁾

▽諸妖誕雜占, 一禁, 犯者, 當該官, 幷科罪.

▽犯斬罪免死者, 脊杖五十, 絞罪, 脊杖四十, 刑決付處.

▽判^뻬, 鎭人, 犯歸鄕罪者, 仍留配本處, 若受田丁者, 收其田與他, 犯流罪者, 東界鎭人則移配北界, 北界則移東界, 勿令配南界.

▽三年一度, 考閱僧籍.

[○奸非:刑法1奸非轉載].³⁶⁾

▽監臨·主守, 於監守內犯奸, 和徒二年, 有夫二年半, 强三年. 和奸婦女減一等.

▽部曲人及奴, 奸主及主之周親尊長, 和絞, 强斬. 和者, 婦女減一等, 奸主緦麻以上親, 減一等.

▽奸父祖妾·伯叔母·姑·姉妹·子孫之婦·兄弟女, 和絞, 奸父祖幸婢, 減二等.

▽凡人奸尼·女冠, 和徒一年半, 强徒二年. 尼·女冠與和徒二年半, 强不坐.

[○戶婚:刑法1戶婚轉載].³⁷⁾

▽編戶, 以人丁多寡, 分爲九等, 定其賦役.

---

33) 여기에서의 分臺는 西京에 설치된 御史臺의 分司를 指稱하며, 이 시기 이후 東·西兩界에 설치된 分臺御史와 성격이 다르다. 後者의 경우 조선시대에는 司憲府의 官員이 8道의 감찰을 분할하여 담당하였던 것과 같은 기능을 지니고 있었지만, 臺官이 현지에 직접 파견, 주재하였다.
  ・『不憂軒集』권1, 億分臺[注, 故事, 監察分管八道, 其悉理解勤慢, 如中朝之制, 是曰分臺].
34) 五聽에 대한 설명으로 다음이 있다.
  ・『여유당전서』권25, 小學紺珠, 五之類, "五聽者, 所以察獄訟也. 一曰辭聽[注, 不直則言煩], 二曰色聽[不直則色赧], 三曰氣聽[不直則息喘], 四曰耳聽[不直則聆惑], 五曰目聽[不直則視眊], 此之謂五聽也. 五聽之名, 出‘周禮[小司寇]".
35) 이와 같은 내용의 律令이 唐律[獄官令]에도 있다(仁井田陞 1964年 779面 ; 蔡雄錫 2009년 187面).
36) 이하 奸非는 지38, 刑法1, 奸非의 내용을 전재하였다.
37) 이하 戶婚은 지38, 刑法1, 戶婚의 내용을 전재하였다.

▽家長, 漏口及增減年壯^狀, 免課役者, 一口徒一年, 二^三口一年半, 五口二年, 七口二年半, 九口三年. 若增減, 非免課役, 四口, 爲一口, 罪止徒一年半.³⁸⁾

▽里正, 不覺漏脫增減, 出入課役, 一口笞四十, 四口五十, 七口杖六十, 十口七十, 十三口八十, 十六口九十, 二十口一百, 三十口徒一年, 四十口一年半, 五十口二年, 六十口二年半. 若知情, 同家長法科之.

▽被差充丁夫雜匠, 稽留不赴, 一日笞四十, 二日^{四日}五十, 七日杖六十, 十日七十, 十三日八十, 十六日九十, 十九日一百, 二十三日徒一年, 將領‧主司, 各加一等.³⁹⁾

▽隣里被强盜, 聞而不救杖八十, 告而不救九十. 官司不救一百, 竊盜減二等.

▽同五^伍保內, 徒罪不糾杖六十, 流罪不糾一百, 死罪不糾徒一年, <u>徒以下罪不糾, 不坐</u>^{犯而杖以下不糾, 不坐}.⁴⁰⁾

▽養異姓男, 與者笞五十, 養徒一年. □□□□□□^{諸養子所養父母}, 無子而捨去者徒二□^年. 養女不坐, 其遺棄小兒, 三歲以下異姓, <u>聽養</u>.⁴¹⁾

▽祖父母‧父母在, 子孫別籍異財, 供養有闕徒二年, 服內別籍徒一年.

▽和賣子孫, 爲奴婢徒一年, 略賣一年半, <u>和而故賣者</u>^{知而故買者}, 加一等.⁴²⁾

▽和賣親弟‧姪‧外孫, 爲奴婢徒二年半, 略賣徒三年, 未售減一等. <u>和而故賣者</u>^{知而故買者}, 減一等.⁴³⁾

▽和賣堂弟‧堂兄弟之子孫, 爲奴婢流二千里, 略賣流三千里, 不售減一等. 知而故^罪賣者亦減一等. 餘親同凡人.⁴⁴⁾

---

38) 壯은 狀의, 二는 三의 오자일 것으로 추측되는데, 이는 고려가 수용한 唐의 법제와 비교하여 보면 알 수 있다(蔡雄錫 2009년 322面 ; 東亞大學 2012년 19책 628面).
  ·『唐律疏議』권12, 戶婚, "脫口及增減年狀. 謂疾, 老中小之類. 以免課役者, 一口, 徒一年, 二口, 加一等, 罪止徒三年".

39) 二口은 四口의 오자일 것으로 추측되는데(東亞大學 2012년 19책 628面), 관련된 자료는 다음과 같다.
  ·『唐律疏議』권16, 擅興23, 丁夫‧雜匠稽留, "諸被差充丁夫‧雜匠, 而稽留, 不赴者, 一口笞三十, 三口加一等, 罪止杖一百, 將領主司, 加一等. …".
  ·『刑統』권16, 擅興律23, "諸被差充丁夫‧雜匠, 而稽留, 不赴者, 一日笞三十, 三日加一等, 罪止杖一百, 將領主司, 加一等. …".
  · 지38, 형법1, 職制, "禮宗^{禮宗}二年, 判^{判制}, "被差充丁夫‧雜匠, 稽留不赴, 一日, 笞四十, 四日, 五十, 七日, 杖六十, 十日, 八十, 十三日, 九十, 十九日, 一百, 二十三日, 徒一年, 將領‧主司, 各加一等".

40) 이 律令은『唐律疏議』권24, 鬪訟, "諸監臨主司知所部有犯法不擧劾者, …"와 비교해 볼 때 五는 伍로, "徒以下罪不糾, 不坐"는 "犯百杖以下不糾, 不坐"로 고쳐야 옳게 될 것이라고 한다(蔡雄錫 2009년 326面).

41) 이 律令은『唐律疏議』권12, 戶婚, "諸養子所養父母, 無子而捨去者, 徒二年, …"과 비교해 볼 때 添字가 추가되어야 옳게 된다(蔡雄錫 2009년 328面).

42) '和而故賣者'는 '知而故買者'로 고쳐야 옳게 된다고 한다(蔡雄錫 2009년 330面 ; 東亞大學 2012년 19책 629面).

43) 위와 같다.

▽官私奴婢招誘良人子賣買者, 女人則初犯, 依律斷之, 再犯歸鄉. 男人則初犯, 歸鄉, 再犯充常戶.

▽妻擅去徒二年, 改嫁流二千里. 妾擅去徒一年半, 改嫁二年半, 娶者同罪, 不知有夫, 不坐.

▽郡縣人與津驛部曲人, 交嫁所生, 皆屬津驛部曲, 津驛部曲□^六與雜尺人, 交嫁所産, 中分之, 剩數從母.⁴⁵⁾

[○大惡:刑法1大惡轉載].⁴⁶⁾

▽謀殺周親尊長·外祖父母·夫婦之父母, 雖未傷斬.

▽道士·女冠·僧尼, 謀殺師主, 同叔伯父母, □^斬.⁴⁷⁾

▽謀殺周親卑幼徒二年半, 已傷三年, 已殺流三千里. 有所規求謀殺, 加一等.

▽謀殺大功尊長流二千里, 已傷絞, 已殺斬. 謀殺小功·緦麻尊長者, 亦同.

▽謀殺大功以下·緦麻以上卑幼徒三年, 已傷流三千里, 已殺絞. 有所規求, 加一等.

▽毆^擊祖父母·父母斬, 告詈絞, 誤傷·過失詈徒三年, 過失毆流三千里.⁴⁸⁾

▽詈伯叔父母·外祖父母徒一年, 毆三年, 傷流二千里, 折傷絞, 至死斬, 過失傷各減本傷罪二等.

▽詈親兄姉者杖一百, 毆^擊徒二年半, 傷三年, 折傷流二千里, 折支絞, 至死斬, 過失傷, 各減本傷罪二等.

▽毆^擊堂兄姉者徒一年半, 折齒以上徒三年, 折筋以上流二千里, 二事以上絞, 誤傷者減本傷罪二等.

▽毆^擊緦麻兄姉杖一百, 折一齒以上徒一年半, 二齒以上二年, 折筋以上二年半, 折支以上流二千里, 二事以上流三千里, 至死絞, 尊屬又加一等, 至死斬.

▽毆^擊小功兄姉徒一年, 折齒以上徒二年, 折二齒以上二年半, 折筋以上三年, 二事以上流三千里, 至死斬, 尊屬又加一等.

▽毆^擊兄之妻及夫之弟妹, 手足杖七十, 拔髮以上九十, 他物傷徒一年, 折一齒以上一年半, 二齒以上二年, 損筋以上二年半, 折支以上流二千里, 二事以上流三千里, 至死絞, 不傷笞五十, 妾^妻犯者加一等.⁴⁹⁾

---

44) 賣는 買로 고쳐야 옳게 될 것이다(蔡雄錫 2009년 331面 ; 東亞大學 2012년 19책 630面).

45) 이 기사에서 添字가 省略 또는 脫落되었을 것이다.

46) 大惡은 지38, 刑法1, 大惡의 내용을 전재하였다.

47) 이 구절에서 添字가 탈락되었을 것이다.

48) 毆(驅의 古字)는 毆로 고쳐야 옳게 될 것이다(東亞大學 2012년 19책 632面).

49) 妾은 妻의 오자일 것이다(『唐律疏議』 권22, 鬪訟, "諸毆兄之妻及毆夫之弟妹, 各加凡人一等, 若妻犯者, 又加一等", 東亞大學 2012년 19책 633面).

▽妻妾詈夫之祖父母·父母徒二年, 毆^絞絞, 傷斬, 過失傷徒二年半, 過失殺三年.

▽毆^絞殺弟妹及兄弟之子孫與外孫徒三年, 故殺流二千里, 誤殺·過失殺, 勿論.

▽夫毆^絞傷妻, 他物傷杖八十, 折一齒以上九十, 二齒以上一百, 折筋以上徒一年, 折支以上二年, 二事以上三年, 至死絞, 故殺斬, 拔髮以上杖六十. 過失殺勿論. 以妻毆^絞妾同.

▽毆^絞殺堂弟妹·堂姪孫流二千里, 故殺絞, 毆妻父母, 准<u>十惡</u>不睦論.⁵⁰⁾

▽告周親尊長·外祖父母·夫婦之祖父母, 雖得實徒二年. 流罪徒三年, 死罪流三千里, 誣告加所誣罪二等. 告周親卑幼罪杖六十.

▽告大功尊長罪, 雖得實徒一年半, 流罪二年半, 死罪三年. 誣告加所誣罪二等.

▽告小功·總痲尊長, 雖得實徒一年, 流罪二年, 死罪二年半.

[○禁令:刑法2禁令轉載].⁵¹⁾

▽聞父母喪若夫喪, 忘哀, 作樂雜戲徒一年, 釋服從吉徒三年, 匿不擧哀流二千里. 詐稱祖父母·父母死, 以求暇, 及有所避徒三年.

▽祖父母·父母被囚而嫁娶者, 徒罪杖一百, 死罪徒一年, 祖父母·父母命者, 勿論. 妾減三等.

▽凡決後, 誣以爲誤決, 淹延其事者, 參以下直囚, 四品以下, 申聞科罪, 以投匿名書論.

▽私作<u>枰</u>^秤斗, 在市執用, 有增減者, 一尺杖六十, 一匹七十, 二匹八十, 三匹九十, 四匹一百, 五匹徒一年, 十四一年半, 十五匹二年, 二十四二年半, 二十五匹三年, 三十四流二千里, 三十五匹二千五百里, 四十四三千里.⁵²⁾

▽用<u>枰</u>^秤斗尺度, 出入官物, 不平入己者, 一尺杖六十, 一匹七十, 二匹八十, 三匹九十, 四匹一百, 五匹徒一年, 十四一年半, 十五匹二年, 二十四二年半, 二十五匹三年, 三十四流二千里, 三十五匹加役流. 有增減者, 坐贓論.

▽妄認公私田, 幷^并盜貿賣者, 一畝笞五十, 五畝杖六十, 十畝七十, 十五畝八十, 二十畝九十, 二十五畝一百, 三十畝徒一年, 三十五畝一年半, 四十畝二年, 五十畝二年半. 妄認未得, 准妄認

---

50) 十惡에 대한 설명으로 다음이 있다.
  · 『자치통감』 권195, 唐紀11, 太宗貞觀 14년(640) 12월, "戴州刺史賈崇以所部有十惡者[胡三省注, 十惡之條, 一曰謀反, 二曰謀大逆, 三曰謀叛, 四曰謀惡逆, 五曰不道, 七曰不孝, 八曰不睦, 九曰不義, 十曰內亂], 御史劾之. …".
  · 『자치통감』 권196, 唐紀12, 太宗貞觀 15년(641) 2월, "辛巳, 上 行及溫湯. 衛士崔卿·刁文懿憚於行役, 冀上驚而止, 乃夜射行宮, 矢及寢庭者五, 皆以大逆論[胡三省注, 十惡, 二曰謀大逆. 註云, 爲謀害宗廟·山陵及宮闕. '刑統議'曰, 此條之人, 干紀犯順, 違道悖德, 逆莫大焉, 故曰大逆. 以大逆論者, 未是犯大逆正條, 以其干紀犯順, 以人逆論罪]".
51) 이는 지39, 刑法2, 禁令의 내용을 전재하였다.
52) 枰(평)은 秤(칭)의 오자일 것이다(東亞大學 2012년 19책 639面).

財物未得論.[53]

▽盜耕公私田, 一畝笞三十, 五畝四十, 十畝五十, 十五畝杖六十, 二十畝七十, 二十五畝八十, 三十畝九十, 三十五畝一百, 四十畝徒一年, 五十畝一年半. 荒田減一等. 强加一等.

▽盜葬他人田笞五十, 墓田杖六十. 告里正移埋, 不告而移笞三十. 盜耕人墓田杖一百, 傷墳者徒一年.

▽侵巷街阡陌杖七十, 種植笞五十. 穿垣杖六十, 雖種植無防廢, 不坐. 主司不禁, 同罪.

▽恐嚇取人財物者, 一尺杖七十, 一匹八十, 二匹九十, 三匹一百, 四匹徒一年, 五匹一年半, 十匹二年, 十五匹二年半, 二十匹三年, 二十五匹<u>流</u>二千里, 三十匹二千五百里, 三十五匹三千里. 滿二十匹首^{爲首者}, 處死.[54]

▽斫伐他人墓塋內樹木者, 一尺杖六十, 一匹七十, 二匹九十, 四匹一百, 五匹徒一年, 十匹一年半, 十五匹二年, 二十匹二年半, 二十五匹三年, 三十匹<u>流</u>二千里, 三十五匹二千五百里, 四十匹三千里. 伐親屬墓內樹者, 亦同.

▽於他人田園, 輒將瓜菓而去者, 一尺杖六十, 一匹七十, 二匹八十, 三匹九十, 四匹一百, 五匹徒一年, 十五匹一年半, 十五匹二年, 二十匹二年半, 二十五匹三年, 三十匹<u>流</u>二千里, 三十五匹二千五百里, 四十匹三千里. 强將去者以盜論, 輒食者坐贓論.

▽知盜詐之贓, 而故買者, 一匹笞二十, 二匹三十, 四匹五十, 五匹杖六十, 六匹徒一年, 三十匹一年半, 四十匹二年, 五十匹二年半. 知而爲藏者減一等.

▽知人詐欺得物, 而從乞取者, 一尺笞二十, 一匹三十, 二匹四十, 三匹五十, 四匹杖六十, 五匹七十, 六匹八十, 七匹九十, 八匹一百, 十匹徒一年, 二十匹一年半, 三十匹二年, 四十匹二年半, 五十匹三年. <u>知而買者減爲藏者, 二等</u>^{知情而取者, 坐贓論, 知而買者, 減一等, 知而爲藏者, 減二等}[55]

▽應分財物, 不平者, 二匹笞二十, 三匹三十, 四匹四十, 五匹五十, 六匹杖六十, 七匹七十, 八匹八十, 十匹九十, 二十匹一百, 三十匹徒一年, 四十匹一年半, 五十匹二年.

▽違方詐療病, 因取財物者, 一尺杖六十, 一匹七十, 二匹八十, 三匹九十, 四匹一百, 五匹徒一年, <u>七匹</u>^{十匹}一年半,[56] 十五匹二年, 二十匹二年半, 二十五匹三年, 三十匹□^流二千里,[57] 三十

---

53) 井은 若의 오자로 추측되는데, 唐律에도 비슷한 규정이 있다(蔡雄錫 2009년 386面 ; 東亞大學 2012년 19책 640面).
  • 『당률소의』 권13, 戶婚, "諸妄認公私田, 若盜貿賣者, 一畝以下, 笞五十, 五畝, 加一等, 過杖一百, 十畝加一等, 罪止徒二年".
54) 여기에서 首는 爲首者 또는 其首로 理解[讀]하면 좋을 것이다.
55) 이 법령에서 "知而買者, 減爲藏者, 二等"은 『唐律疏議』 권25, 詐僞의 "知情而取者, 坐贓論, 知而買者, 減一等, 知而爲藏者, 減二等"의 오류로 추측된다(蔡雄錫 2009년 395面 ; 東亞大學 2012년 19책 641面).
56) 이 법령에서 七匹은 十匹의 오자로 추측되는데, 이는 5匹 이상의 경우는 5匹의 倍數에 따른 처벌의 등

五匹加役流, 不在收贖之例.

▽枉徵租稅入己, 一尺杖一百, 一匹徒一年, 二匹一年半, 三匹二年, 四匹二年半, 五匹三年, 六匹流二千里, 七匹二千五百里, 八匹三千里. 有祿者三十匹, 加役流, 無祿者二十五匹, 加役流.

▽負債, 不告官司, 强牽財物, 過本者, 一尺笞二十, 一匹三十, 二匹四十, 三匹五十, 四匹杖六十, 五匹七十, 六匹八十, 七匹九十, 八匹一百, 十四徒一年, 二十匹一年半, 三十匹二年, 四十匹二年半, 五十匹三年. 仍勒依元契還主.

▽故放畜産, 損食人田苗者, 一尺笞二十, 一匹三十, 二匹四十, 三匹五十, 四匹杖六十, 五匹七十, 六匹八十, 七匹九十, 八匹一百, 十四徒一年, 二十匹一年半, 三十匹二年, 四十匹二年半, 五十匹三年. 若因走失者減二等, 並勒償所損.

▽棄毀制書及官文書者, 一尺杖六十, 一匹七十, 二匹八十, 三匹九十, 四匹一百, 五匹徒一年, 十匹一年半, 十五匹二年, 二十匹二年半, 二十五匹三年, 三十匹流二千里, 三十五匹二千五百里, 四十匹三千里.

▽詐僞[爲]官文書, 有增減者同. 亡失及誤毀者減二等.[58]

▽諸失火者, 二月一日已後, 十月三▽[十]日已前, 燒野田者笞五十, 迤燒人宅舍財物杖八十, 贓重者坐贓論, 減三等. 故燒官府廟社及私家舍宅財物, 無問屋舍大小·財物多寡徒三年, 贓滿五匹流二千里, 十匹絞. 殺傷人者, 以故殺傷論.[59]

▽故燒人屋舍·蠶箔·五穀積聚者,[60] 首[爲首者], 處死, 從者, 脊杖二十.

▽以博戲, 賭錢物者, 各杖一百. 其停止主人, 及出凡[玖]和合令戲者, 亦杖一百. 賭飲食弓射習武藝者, 雖賭錢物, 無罪.[61]

급이 정해져 있음을 통해 유추할 수 있다(東亞大學 2012년 19책 641面).

57) 前後의 法令을 통해 볼 때 流가 脫落된 것 같다(孫曉 等編 2014년 2692面).

58) 여기에서 僞는 爲로 고쳐야 옳게 될 것이다(『唐律疏議』 권25, 詐僞, 詐爲官文書及增減 ; 東亞大學 2012년 19책 642面).

59) 여기에서 三은 三十에서 十이 탈락된 것 같다(蔡雄錫 2009년 403面 ; 東亞大學 2012년 19책 642面).
 ·『唐律疏議』 권27, 雜律, "諸失火及非時燒田野者, 笞五十. 非時, 二月一日以後, 十月三十日以前. 若鄉土異宜者, 依鄉法".

60) 五穀에 대한 설명으로 다음이 있다.
 ·『여유당전서』 권25, 小學紺珠, 五之類, "五穀者, 禾稼之美也. 黍有秬芑[注, 黑曰秬, 白曰芑], 稷有穄秫[黏曰秫, 不黏曰穄], 稻有秔稬[黏曰稬, 不黏曰秔], 菽有大豆, 麥曰來牟, 此之謂五穀也. 五穀之名, 出‘穀梁傳’[其目見‘周禮’職方註, 太宰注以黍·稷·秫·稻·麻·二豆·二麥, 爲九穀]".

61) 出凡은 出九(혹은 出玖)의 오자일 것이다(蔡雄錫 2009년 404面 ; 東亞大學 2012년 19책 642面).
 ·『당률소의』 권26, 雜律, "諸博戲賭財物者, 各杖一百. 贓重者, 各依已分準盜論. … 其停止主人及出玖, 若和合者, 各如之, 賭飲食不坐. 疏議曰, 停止主人, 謂停止博戲賭物者, 主人及出玖之人, 亦擧玖, 爲不限取利多少, 若和合令戲者, 不得財, 亦杖一百. … 賭飲食者, 不坐, 謂卽雖賭錢盡用, 爲飲食者, 亦不合罪".

▽禁鄕·部曲·津·驛·兩界州鎭編戶人爲僧.

▽禁京外豪富, 劫占負債貧人, 仍爲奴婢使喚者.

▽禁僧人寓宿閭閻.

▽宰牛人, 良賤勿論, 鈒面, 刑決, 遠陸州縣充入.

▽越縣城杖九十, 州鎭徒一年, 未越者減一等. 從溝瀆出入, 與越同.

[○盜賊:刑法2盜賊轉載].[62]

▽應犯竊盜, 滿五貫處死, 不滿五貫脊杖二十, 配三年, 不滿三貫脊杖二十, 配二年, 不滿二貫脊杖十八, 配一年, 一貫以下, 量罪科決. 女免配.

▽竊盜, 一匹杖六十, 二匹八十, 三匹九十, 四匹一百, 五匹徒一年, 十四一年半, 十五匹二年, 二十匹二年半, 二十五匹三年, 三十匹流二千里, 三十五匹二千五百里, 四十匹三千里.

▽同居卑幼, 將人盜己家財, 以私輒用財物論, 加二等, 凡人, 減常盜一等.

▽盜緦麻, 小功親減一等, 大功親減二等, 周親減三等.

▽犯盜, 配所逃亡者, 刑決鈒面, 配遠陸州縣.

▽諸投化人, 犯盜, 配南界水路, 不通州縣.[63]

[○恤刑:刑法2恤刑].[64]

▽諸流移人, 未達前所, 而祖父母·父母在鄕喪者, 給暇七日, 發哀周喪, 承重亦同.

▽諸婦人在禁, 臨産月者, 責保聽出, 死罪, 産後滿二十日, 流罪以下滿三十日.

▽諸犯死罪在禁, 非惡逆以上, 遭父母喪·夫喪·祖父母喪, 承重者, 給暇七日發哀, 流徒罪, 三十日, 責保乃出.

▽諸流移囚在途, 有婦人産者, 並家口, 給暇二十日, 家女及婢, 給暇七日. 若身及家口, 遇患或逢賊, 津濟水漲, 不得行者, 隨近官, 每日驗行, 堪進卽遣, 若祖父母·父母喪者, 給暇十五日, 家口有死者, 七日.

▽年七十以上父母, 無守護, 其子犯罪, 應配島者, 存留孝養.

[○奴婢:刑法2奴婢轉載].[65]

昔, 箕子封朝鮮, 設禁八條, 相盜者, 沒入爲其家奴婢, 東國奴婢, 盖始於此. 士族之家, 世傳而使者, 曰私奴婢, 官衙·州郡所使者, 曰公奴婢. 年代愈遠, 漸至蕃盛, 於是, 慮其爭奪之相尙,

---

62) 以下 盜賊은 지39, 刑法2, 盜賊의 내용을 전재하였다.
63) 이 구절에서 水路는 섬[島嶼]을 의미한다(蔡雄錫 2009년 514面).
64) 以下 恤刑은 지39, 刑法2, 恤刑의 내용을 전재하였다.
65) 이하 奴婢는 지39, 刑法2, 奴婢의 내용을 전재하였다.

兼倂之日滋, 設官以理之, 其禁防甚嚴. 夫東國之有奴婢, 大有補於風敎, 所以嚴內外, 等貴賤, 禮義之行, 靡不由此焉. 高麗奴婢聽理之法, 可採者多矣, 故於刑法志, 幷附焉.

▽奴娶良女, 主知情杖一百, 女家徒一年. 奴自娶一年半, 詐稱良人二年.

▽公賤, 年滿六十, 放役.

▽凡公私奴婢, 引誘逃亡, 放賣他人者, 一度, 歸鄕, 再度, 充常戶.

[某日, 某等造尙州永同郡城瓦·竹州奉業寺瓦:追加].66)

[夏四月^{壬戌朔人盡,建乙巳}, 某日, 令男子十歲以上, 著帽:節要·刑法2禁令轉載].67)

[五月壬辰朔^{小盡,建丙午}:追加].

夏六月^{辛酉朔大盡,建丁未}, 甲申^{24日}, 制曰, "后德惟臣, 古今所同. 朕新摠萬機, 恐有闕政, 其京官五品以上, 各上封事, 論時政得失".68)

[□□^{某廿}, 正匡·行選官御事·上柱國崔承老上書,69) 略曰, "臣竊見開元史臣吳兢撰進'貞觀政要', □^以勸玄宗, 勤修太宗之政, 蓋以事體相近, 不出一家, 而其政休明, 可爲師範故也. 自我太祖, 開國已來^{某某某}, 臣所及知者, 皆誦在臣心, 今謹錄五朝政化善惡之跡, 可鑑可戒者, 謹條奏以聞. ○伏審我太祖神聖大王之御極也, 時當百六, 運恊^某一千. 當初翦亂夷凶, 天生前主而假手, 在後膺圖受命,70) 人和聖德以歸心. 於是, 値金雞自滅之期, 乘丙鹿再興之運, 不離鄕井, 便作闕庭, 定遼浿之驚波, 得秦韓之舊地, 十有九載, 統一實瀛, 可謂功莫高矣. ○若契丹者, 與我連境, 宜先修好, 而彼又遣使求和, 我乃絶其交聘者, 以彼國嘗與渤海連和, 忽生疑貳, 不顧舊盟, 一朝殄滅. 故太祖以爲無道之甚, 不足與交, 所獻駱駝, 亦皆棄而不畜, 其深策遠計, 防患乎未然, 保邦于未危者, 有如此也. ○渤海旣爲丹兵所破, 忽汗亡時, 其世子大光顯等, 以我國家擧義而興,

---

66) 이는 忠淸北道 永同郡 永同邑城과 京畿道 安城市 奉業寺에서 출토된 기와명문[瓦銘]인 "太平興國七年壬午三月口"에 의거하였다(洪榮義 2014년 ; 世宗文化財硏究院 編 2015년 57面).

67) 著의 俗字는 着인데, 着을 著와 비슷하게 쓰거나 刻字하는 경우가 많이 찾아진다(『字學』).

68) 이와 관련된 같은 자료로 다음이 있다. 여기에서 九年은 元年의 오류로 추측되는데, 元을 九로 잘못 傳寫, 刻字, 判讀한 사례는 많이 찾아진다.
   ·『익재난고』 권9상, 忠憲王世家, "… ^{成宗}九年^{元年}六月, 令職在言責者, 事有不合於理, 當須固執確論, 五品以上, 各言施政得失·民間利害".

69) 이하 崔承老의 上書는 『고려사절요』 권2를 전재한 것인데, 添字는 그의 열전에서 달리 표기된 것 또는 추가된 것이다. 그 외에도 자구의 출입이 있다.

70) 이에서 膺圖受命은 918년(貞明4, 戊寅)에 나타난 工昌瑾의 鏡銘을 指稱한다고 한다(→貞明 4년 世系, 李丙燾 1961년 31面).

領其餘衆數萬戶, 日夜倍道來奔. 太祖憫念尤深, 迎待甚厚, 至賜姓名, 又附之宗籍, 使奉其本國祖先之禋祀, 其文武參佐以下, 亦皆優霑爵命, 其急於存亡繼絶, 而能使遠人來服者, 又如此也. ○百濟甄萱, 兇悖好亂, 殺主虐民, 太祖聞之, 不遑寢食, 行師討罪, 卒成匡復, 其不忘舊主, 定傾扶危者, 又如此也. 自新羅之季, 至我國初, 西北邊民, 每被女眞蕃騎, 往來侵盜, 太祖斷自宸衷, 遣一良將鎮之, 不勞寸刃, 反令蕃衆來歸. 自是, 塞外塵淸, 邊境無虞, 其知人善任, 柔遠能邇者, 又如此也. ○新羅君臣, 以運盡數窮, 自求歸化, 讓至再三, 然後許之. 東自溟州, 至興禮府, 其間百十餘城, 莫不懷于有仁, 應時來服, 其能以禮讓, 而人無不服者, 如此也. 唯南平百濟, 不得已而用兵. 凡大興師, 前後數次, 然旌麾之下, 戎馬之前, 或有臨陣便降, 或有望風慴伏, 雖交鋒刃, 不欲殺傷, 可謂仁者無敵也. 及甄萱, 積惡數十餘年, 然後, 終爲逆豎所囚, 逃犇于我, 而請兵誅逆, 太祖聞之, 厚禮迎致, 及其殞沒, 而亦優賻贈, 其道貫幽明, 義周存沒者, 又如此也. ○洎平百濟, 車駕入城, 哀恤窮民, 厚加慰諭, 下令諸軍, 秋毫無犯. 且南北久分, 新舊又別, □□^{太祖}, 撫之如一, 終始不渝, 其含弘寬簡, 又如此也. 自成一統以來, 勤政八年, 事大以禮, 交隣以道, 居安無逸, 接下思恭, 貴道德, 崇節儉, 卑宮室, 而期於粗庇風雨, 惡衣服, 而取其但禦寒暑. 好賢樂善, 捨己從人, 恭儉禮讓之心, 發於天性. 況生長民間, 備嘗艱險, 衆人情僞, 無不具知, 萬事安危, 亦能先見, 所以賞刑^{賞罰}不失其時, 邪正不同其路, 其知勸懲之方^{知其勸懲之道}, 得帝王之體者, 又如此也. ○加以知人, 不失其才, 御下, 必得其力, 任賢勿貳, 去邪勿疑, 尊釋敎, 重儒術, 爲君之令德斯備, 有國之嘉猷可遵. 但以創業之初, 致平日淺, 宗廟社稷, 且未光崇, 禮樂文物, 猶多闕乏, 凡百官司之品式, 及諸內外之規儀, 未及修定, 忽遺弓劍, 蓋國人之不幸, 寔天道之難諶, 深可惜也. ○惠宗久在東宮, 累經監撫, 尊禮師傅, 善接賓僚, 由是令名, 聞於朝野, 及初嗣^卽位, 衆擧欣然. 時有人, 譖定宗兄弟, 謂有異圖, 惠宗聞而不答, 亦無所問, 恩遇愈隆^厚, 待之如初, 故人皆服其大度. 旣而, 不修德政, 過惜身命, 左右前後, 常以甲士相隨, 蓋爲疑人太甚, 大失爲君之體, 加以偏賞將士, 恩澤不均, 故內外怨嗟, 人心携貳. 又卽位踰年, 便致沈痾, 牀枕之間, 淹延歲月, 於是, 朝臣賢士, 不獲近前, 鄉里小人, 常居臥內. 厥疾彌篤, 嗔恚日增, 三年之間, 民不見德, 至于晏駕之日, 粗得免其橫禍, 可不痛哉? ○定宗在藩邸□^時, 早有令聞, 及惠宗寢疾彌留, □□^{平時}王規等, 潛有所圖, 窺覘王室, 定宗先認之, 密與西都忠義之將, 定計而爲備, 及內難將作, 衛兵大至, 故姦計不成, 群兇受誅. 雖由天命, 亦在人謀, 豈不偉歟? 自定宗至今, 三十有八年, 其間洪祚之不絶, 亦定宗之力也. 定宗旣以連枝得繼, 夙夜孜孜, 銳情求理, 或燃燭而引見朝士, 或旰食而聽斷萬機. 故卽位之初, 人皆相慶, 及乎誤信圖讖, 決議遷都, 又天性剛毅, 固執不移, 暴徵作役, 勞動人夫, ^{雖上慮爲然, 乃羣情不服.} 怨讟由是而興, 災應速於影響. 未及西遷, 永辭南面, 誠可痛也. ○光宗^{以英奇之表, 岐嶷之姿, 偏承太祖之眷憐.} 親受定宗□之顧命,^{鴒原襲慶, 鳳穴傳華.}
禮有加於接下, 鑒不失於知人, 不阿親貴, 而常抑豪強, 無棄踈賤, 而惠鮮鰥寡. 自卽位之年, 至
于八載, 政敎淸平, 刑賞不濫, 及雙冀投化^{是冊}以來, 崇重文士, 恩禮過隆^豐, 由是, 非才濫進, 不
次驟遷, 未浹歲時, 便爲卿相. 或連宵引見, 或繼日延容, 以此圖歡, 怠於政事,^{軍國要務, 壅塞不通, 酒}
食^{讌讌}讌遊, □□^{關係}靡絶. 於是, 南北庸人,^{競願依投, 不論其有智有才.} 皆接以□□^{殊恩}·殊禮, 所以後生爭進,
舊德漸衰, 雖重華風, 不取華之令典, 雖禮華士, 不得華之賢才, 於百姓, 則益消膏血之資, 於四
方, 則剩得浮虛之譽. 因此不復憂勤庶政, 而接見賓僚. 故猜忌日深, 都兪日阻, 時政得失, 無敢
言者. 加以酷信佛事,^{過重法門.} 常行之齋設, 旣多, 別願之焚修, 不少, 專求福壽, 但作禱祈, 窮有
涯之財力, 造無限之因緣, 自輕至尊, 好作小善. 又於出入宴遊, 莫不窮奢極侈, 以其目前無事,
將謂法力使然, 凡所作爲, 不欲悛改, 宮室, 必踰於制度, 服食, 湏^須極於珍織, 土木之功, 不以
時, 伎巧之作, 無休日, 略計常時一歲之費, 足爲太祖十年之費. 又及末年, 多殺無辜, 臣愚以爲,
若使光宗恒思恭儉節用, 勤政如初, 豈其祿命不永, 纔得享年五十而已哉?^{其不克終, 誠爲可惜也.} 況自
庚申^{光宗11年}, 至乙亥^{16年}, 十六年間, 姦兇競進, 讒毁大興, 君子無所容, 小人得其志, 遂至子逆父
母, 奴論其主, 上下離心, 群臣解體, 舊臣宿將, 相次誅夷, 骨肉親姻, 亦皆剪滅. 而況惠宗之克
全兄弟, 定宗之能保邦家, 若論恩義, 可謂重也, 兩朝皆唯有一子,[71] 亦不使保其性命.^{非但不報其德,}
^{亦復深結其寃.} 又至末年, 於己一子, 亦生疑忌, 故景宗, 方在東宮, 每不自安, 幸而得嗣其位. 嗟乎,
何其善於前, 而早得令名, 不善於後, 乃至斯乎? 深可痛也. ○景宗生於深宮之中, 長於婦人之
手, 門外之事, 不曾見知, 但以天性聰明,^{當其光考末年,} 能免悔尤, 得嗣天位.^{及其嗣位,} 焚積年讒毁之
書, 放累歲無辜之獄, 冤憤悉除, 朝野稱慶. 然^{伊後}不諳政體, 專任權豪, 害及宗親. 咎徵先見, 後
雖覺悟, 責無所歸. 自此邪正不分, 賞刑不一, 未及于理, 復倦于勤, 遂至色荒, 喜觀鄕樂, 繼以
博奕, 終日無厭, 左右唯中官·內竪而已. 由是, 君子之言, 無自而入, 小人之語, 有時而從. □^亦
早有美名, 而晩無令德, 所謂'靡不有初, 鮮克有終',[72] 忠臣義士, 誰不痛之? 此乃聖上親所見知
者也. 然景宗, 亦有足稱美者焉, 蓋其當初遘疾, 未及危篤, 遂於臥內, 引見聖上, 執手與言, 付
囑軍國, 不唯社稷之福, 亦是人民之幸也. ○唯惠·景二宗嗣位, 皆自春宮, 人無異望, 至於堂從
兄弟^{元弟之冊}, 非有分明付托, 則爭端必起, 惠宗兩年寢疾而終, 有子曰興化郎君, 而雖或年少^{世代年少,}

---

71) '兩朝皆唯有一子'는 惠宗과 定宗의 아들인 惠宗의 子 興化宮君(義和皇后 林氏의 所生), 定宗의 子 慶春院
君(文成皇后 朴氏의 所生)으로 추정된다(全基雄 1985년).

72) 이 구절은 다음을 인용한 것 같다.
  ·『시경』, 大雅, 蕩之什, "蕩蕩上帝, 下民之辟, 疾威上帝, 其命多辟, 天生烝民, 其命匪諶, 靡不有初, 鮮克有終".
  ·『춘추좌씨전』傳, 宣公 2년 2월 後半, "… 詩曰, '靡不有初, 鮮克有終'. 夫如是, 則能補過者鮮矣. 若能有
從, 則社稷之固也. 豈唯群臣賴之?".

以無明囑, 故事歸於諸弟^{又不能囑後事於諸弟}. 定宗自被群臣翊戴, 以纂大業, 臨終, 亦早傳位於光宗, 以安宗社, 定·景二王^宗之遺命, 可謂明矣. 又曾見惠·定·光, 三王^宗相繼之初, 百事未寧之際, 兩京文武, 半已殺傷, 況屬光宗末年, 世亂讒興, 凡繫刑章, 多是非辜, 歷世勳臣·宿將, 皆未免誅鋤而盡. 及景宗踐祚, 舊臣之存者, 四十餘人耳. 其年亦有遇害者多^{其時亦有人遇害衆多}, 皆是後生讒賊, 誠不足惜, 唯天安·鎭州二郎君, 本皇家之枝葉也. 光宗猶自寬容, 竟不置之於法, 至景宗朝, 足爲藩屛, 却被權臣之賊害^{沒爲地下之冤魂, 在於宗盟}. 寧不痛惜^{先君不保永年, 多凶此禍, 後世可以爲鑑誡}? ○伏惟殿下^{陛下},[73] 以上聖之德, 遇中興之期, 因先君遜讓之恩, 纂烈聖^{列聖}庬鴻之業,[74] 無一物不樂其生, 無一夫不獲其所, 內外同歡, 人神相慶, 所天授人與者也. 聖上, 若克遵太祖之遺風, 何異玄宗, 追慕文皇之故事耶? 聖上, 又能取捨四朝之近事, 則惠宗有保全骨肉之功, 可謂友于之義也. 定宗, 先知亂萌, 克定蕭墻之難, 而再安宗社, 傳授至今, 可謂智謀之明也. 光宗, 八年之理, 可方三代, 又朝廷儀制, 頗有可觀, 所謂善否之均也. 景宗, 放先朝冤獄數千, 燒積年讒毀之文, 所謂寬仁之至也. 凡四朝爲政之迹, 大略如是, 聖上, 宜取其善者而行之, 見其不善而誡之, 除不急之務, 罷無益^盆之勞, 但要君安於上, 民悅於下, 因善始之心, 慮克終之美, 日愼一日, 雖休勿休, 雖貴爲君主, 而不自尊大, 富有才德, 而不自驕矜,^{唯敦恭己之情, 不絶憂民之念}, 則福不求而自至, 灾不禳而自消, 聖君^{聖壽},[75] 胡不萬年, 王業, 豈唯百世而已哉? ○臣^{雖愚昧, 忝職樞機, 旣奏陳之有心}, 又^{廻避之無路}, ^謹錄鄙懷, 不出時務□^計二十□^有八條, 隨狀別封以進.

一. 我國家, 統三以來, 四十七年, 士卒, 未得安枕, 糧餉, 未免糜費者, 以西北隣於戎狄, 而防戍之所, 多也. 願聖上以此爲念, □^夫以馬歇灘爲界, 太祖之志也, 鴨江邊石城爲界, 大朝之所定也.[76] 乞^{將此兩處, 斷於宸衷}, 擇要害,[77] 以定疆域, 選士人能射御者, 充其防戍. 又選其中二三偏將, 以統領之, 則京軍, 免更戍之勞, 芻粟, 省飛輓之費^{飛挽之費}.[78]

---

73) 여기에서 殿下로 表記된 用語는 다음의 구절인 上聖之德을 통해 볼 때 原資料였던 『성종실록』에서는 陛下로 표기되었을 것으로 판단된다. 陛下에 대한 설명으로 다음이 있다.
· 『자치통감』 권6, 秦紀1, 始皇帝 9년(BC238), "秋九月, 夷嫪毐三族, … 齊客茅焦上謁請諫, '… 聖主所欲急聞也, 陛下欲聞之乎?[胡三省注, 蔡邕獨斷曰, 陛, 階陛也. 與天子言, 不敢指斥, 故稱陛下. 應劭曰, 陛者, 升堂之陛, 王者必有執兵陳於階陛, 群臣與至尊言, 不敢指斥, 故呼在陛下者以告之, 因卑以達尊之意, 若今稱殿下·閣下之類]', 王曰, '何謂也', …".

74) 添字가 옳을 것이다.

75) 添字가 옳을 것이다.

76) 이 시기에 고려가 大朝로 呼稱하면서 接境하고 있던 中原의 帝國은 契丹이었을 것이다.

77) 要害에 대한 설명으로 다음이 있다.
· 『자치통감』 권28, 漢紀20, 元帝永光 2년(BC42) 11월, "… 詔罷吏士[胡三省注, 吏, 軍吏, 士, 卒也], 頗有屯田, 備要害處[師古曰, 要害者, 在我爲要, 於敵爲害也]".

78) 添字가 옳을 것이다. 또 馬歇灘(淸川江 以北의 어느 地域, 尹武炳 1953년 ; 李丙燾 1961년 58面)은 1010년(현종1) 12월 13일(丁巳) 이전에 馬灘으로 改稱되었던 것 같다. 그리고 이 기사는 지36, 兵2, 鎭戍에

一. 竊聞聖上, 爲設功德齋, 或親碾茶, 或親磨麥, 臣愚, 深惜聖體之勤勞也. 此弊, 始於光宗,

崇信讒邪, 多殺無辜, 惑於浮屠果報之說, 欲除罪業, 浚民膏血, 多作佛事, 或設毗盧遮那懺悔法,

或齋僧於毬庭, 或設無遮水陸會於歸法寺. 每値佛齋日, 必供乞食僧, 或以內道場餠果, 出施丐

者, 或以新池穴口與摩利山等處魚梁, 爲放生所, 一歳四遣使, 就其界寺院, 開演佛經, 又禁殺生,

御廚肉膳, 不使宰夫屠殺, 市買以獻, 至令大小臣民, 悉皆懺悔, 擔負米豆^{禾斗}·柴炭·馬料^{禾斗}, 施

與中外道路者, 不可勝紀. 然以旣信讒慝, 視人如草莽, 誅殺者, 堆積如山, 常竭百姓膏血, 以供

齋設, 佛如有靈, 豈肯應供. 當是時, 子背父母, 奴婢背主, 諸犯罪者, 變形爲僧, 及遊行丐乞之

徒, 來與諸僧, 相雜赴齋者, 亦多, 有何利益? 又使僧善會主其施與, 其僧以餠米妄費於他, 緣此

不得壽終, 曝尸道傍, 時議譏之. 願聖上 ~~今聖上在位~~, ~~所行之事~~, ~~與彼不同~~, ~~但此數事~~, ~~只勞聖體~~, ~~無所得利~~, ~~願~~ 正君王

之體, 不爲無益之事.

一. 我朝侍衛軍卒, 在太祖時, 但充宿衛^{侍衛}宮城, 其數不多, 及光宗信讒, 誅責將相, 自生疑惑,

□□□□^{增益軍卒}. 簡選州郡有風彩者, 入侍, □□□□^{皆會內庭}. 時議以爲繁而無益. 至景宗朝, 雖稍減

削, 泊于今時, 其數尚多. 伏望, 遵太祖之法, 但留驍勇者, 餘悉罷遣, 則人無嗟怨, 國有儲積.⁷⁹⁾

一. 聖上, 以漿酒豉羹, 施與行路, 臣竊謂, 聖上欲效光宗, 消除罪業, 普施結緣之意, 此所謂

小惠未遍也. 若明其賞罰, 懲惡勸善, 足以致福, 如此碎事, 非人君爲政之體, 乞罷之.

一. 我太祖情專事大, 然猶數年一遣行李, 以修聘禮而已. 今非但聘使, 且因貿易, 使价煩夥,

恐爲中國之所賤, 且因往來, 敗船殞命者多矣. 請自今, 因其聘使, 兼行貿易, 其餘非時買賣, 一

皆禁斷.

一. □^其佛寶錢穀, 諸寺僧人, 各於州郡, 差人勾當, 逐年長利^{息利}, 勞擾百姓, 請皆禁之, 以其

錢穀, 移置寺院田莊, 若其主典有田丁者,⁸⁰⁾ 幷取之, 以屬于寺院莊所, 則民弊稍減矣.

一. 王者之理民, 非家至而日見之, 故分遣守令, 往察百姓利害. 我祖聖^{聖祖}, 統合之後, 欲置外

官, 蓋因草創, 事煩未遑. 今竊見鄕豪, 每假公務, 侵暴百姓, 民不堪命, 請置外官. 雖不得一時

盡遣, 先於十數州縣, 幷置一官, 官各設兩三員, 以委撫字.⁸¹⁾

축약되어 있다.

79) 이 구절은 志36, 兵2, 宿衛에도 수록되어 있는데, 添字는 여기에서 달리 표기된 것이다.

80) 여기에서 主典은 特定寺院의 住持인지, 寺院의 僧職[僧綱, 三綱, 僧官]組織의 어떤 人物인지를 알 수 없다고 한다(李炳熙 2009년 25面).

81) 祖聖은 列傳6, 崔承老에는 聖祖로 되어 있는데, 後者가 옳을 것이다. 聖祖는 帝王의 先祖, 그 중에서도 開國을 이룬 帝王, 곧 高祖·太祖를 指稱한다. 그래서 『고려사』에서 聖祖로 표기된 帝王은 太祖 王建임을 알 수 있다. 또 이 조항의 축약이 志29, 選擧3, 選用守令에 수록되어 있다.

· 『漢書』 권15상, 王子侯表 第3上, "人哉, 聖祖之建業也. 後嗣承序, 以廣親親".

· 『孔子家語』 권3, 賢君第13, "孔子曰, 昔者, 夏桀貴爲天子, 富有四海, 忘其聖祖之道, 壞其典法, 廢其世祀,

一. 伏見聖上, 遣使迎屈山僧如哲, 入內, 臣愚以爲, 哲果能福人者, 其所居水土, 亦是聖上之有, 朝夕飮食, 亦是聖上之賜, 必有圖報之心, 每以祝釐爲事, 何煩迎致, 然後敢施福耶? 曩者, 有善會者, 規避徭役, 出家居山, 光宗, 致敬盡禮, 卒之, 善會暴死道傍, 曝露其尸. 如彼凡僧, 身且取禍, 何暇福人? 請放哲還山, 免致善會之譏.

一. 新羅之時, 公卿·百僚·庶人, 衣服鞋韈, 各有品色, 公卿·百僚, 朝會則著公襴, 其穿執, 退朝則逐便服之, 庶人·百姓, 不得服文彩, 所以別貴賤, 辨尊卑也. 由是, 公襴, 雖非土產, <u>百僚</u>, 自足用之, 我朝, 自太祖以來, 勿論貴賤, 任意服著, 官雖高, 而家貧, 則不能備公襴, 雖無職而家富, 則用綾羅錦繡. 我國土宜, 好物少, 而麤物多, 文彩之物, 皆非土產, 而人人得服, 則恐於他國使臣迎接之時, 百官禮服, 不得如法, 以取恥焉. 乞今百僚朝會, 一依中國及新羅之制, 具公襴穿執, 奏事之時, 著襪靴, 絲鞋·革履, 庶人不得著文彩紗縠, 但用<u>紬絹</u>.[82]

一. 臣聞, <u>僧人</u>往來郡縣, 止宿館驛, 鞭撻吏民, 責其迎候供億之緩, 吏民, 疑其銜命, 畏不敢言, 弊莫大焉. 自今, 禁僧徒止宿館驛, 以除其弊.[83]

一. 華夏之制, 不可不遵, 然四方<u>俗習</u>^{習俗}, 各隨土性, 似難盡變. 其禮樂詩書之敎, 君臣父子之道, 宜法中華, 以革卑陋, 其餘車馬·衣服制度, 可因土風, 使奢儉得中, 不必苟同.

一. 諸島居民, 以其先世之罪, 生長海中, □□□□^{土無所食}, 活計甚難, 又光祿寺, 徵求無時, 日至窮困, 請從州郡之例, 平其貢役.

一. 我國, 春設燃燈, 冬開八關, 廣徵人衆, 勞役甚煩, 願加減省, 以紓民力. 又造種種偶人, 工費甚多, 一進之後, 便加毀破, 亦甚無謂也. 且偶人, 非凶禮不用, <u>西朝</u>使臣, 嘗來見之, 以爲不祥, 掩面而過, 願自今勿許用之.[84]

一. '<u>易</u>曰, 聖人感人心, 而天下<u>和平</u>',[85] '<u>語</u>曰, 無爲而治者, 其舜也□^與. 夫何爲哉, 恭己, 正南面而已□^矣',[86] 聖人所以感動天人者, 以其有純一之德, 無私之心也. 若聖上執心撝謙, 常存敬畏, 禮遇臣下, 則孰不罄竭心力, 進告<u>謨猷</u>[87] 退思匡贊乎? 此所謂君使臣以禮, 臣事君以忠

荒于淫樂, 耽湎于酒".
82) 이 구절은 志39, 刑法2, 禁令에도 수록되어 있는데, 百僚가 百姓으로 잘못 표기되었다(東亞大學 2012년 19책 644面).
83) 이 구절은 僧人의 以下가 志39, 刑法2, 禁令에도 수록되어 있다.
84) 이에서 西朝는 宋帝國을 지칭하는데, 제1조에서 契丹을 人朝라고 표기한 것과 어떤 차별성을 보이는 것 같다.
85) 이 구절은 『周易下經』, 咸에서 인용한 것이다.
86) 이 구절은 『논어』, 衛靈公第15에서 인용한 것인데, 添字는 여기에서 달리 표기된 것이다.
87) 謨猷는 열전5, 崔承老에는 謀猷로 되어 있는데, 兩者 모두가 謀略, 策略과 같은 의미를 지니고 있기에 어느 쪽을 사용해도 無妨할 것 같다.

者也. 願聖上, 日愼一日, 不自驕滿, 接下思恭, 儻或有罪者, 輕重並論如法, 則大平^{太平}之業, 可

立待也.

一. 太祖, 除內屬奴婢, 在宮供役外, 出居外郊, 耕田納稅, 廏馬, 當御者外, 分遣外廏喂養,

以節國用. 至光宗, 多作佛事, 役使日繁, 乃徵在外奴婢, 以充役使, 內宮之分, 不足支給, 并費

倉米, ^{及乎聖朝, 弊猶未除.} 今^且內廏養馬數多, 糜費甚廣, 民受其害, 如有邊患, 糧餉不周. 願聖上, 一

依太祖之制, 酌定宮中奴婢, 廏馬之數, 餘悉分遣於外.

一. 世俗, 以種善爲名, 各隨所願, 營造佛宇, 其數甚多, 又有中外僧徒, ^{欲爲私作之所}, 競行營造,

普勸州郡長吏, 徵民役使, 急於公役, 民甚苦之. 願嚴加禁斷, [令遠而安南·安東, 近而御事都省,

撥劾^{撥劾}, 罪其長吏:刑法2禁令轉載], 以除□□^{丙姓}勞役.[88]

一. '禮云, 天子□^之堂九尺, 諸侯堂七尺',[89] 自有定制. 近來, 人無尊卑, 苟有財力, 則皆以營

室爲先. 由是, 諸州郡縣及亭驛津渡豪右, 競構大屋, 踰越制度, 非但盡一家之力, 實勞百姓, 其弊

甚多. 伏望, 命禮官, 酌定尊卑家舍制度, 令中外遵守, 其已營造踰制者, 亦令毀撤, 以戒後來.[90]

一. 寫經塑像, 只要傳久, 何用珍寶爲飾, 以啓盜賊之心? 古者, 經皆黃紙, 且以栴檀木, 爲軸,

其肖像, 不用金銀銅鐵, 但用石土木, 故無竊毀者. 新羅之季, 經像, 皆用金銀, 奢侈過度, 終底

滅亡, 使商賈, 竊毀佛像, 轉相賣買, 以營生產. 近代, 餘風未殄, 願嚴加禁斷, 以革其弊.[91]

一. 昔, 晋德衰, 而欒·郤·胥·原·狐·續·慶·伯, 降在皂隷.[92] 我三韓功臣子孫, 每蒙有旨, 必

云褒錄, 而未有受爵□^者, 混於皂隷, 新進之輩, 多肆陵侮, 怨咨以興. 且光宗末年, 誅黜廷臣, 世

家子孫, 未得承家, 請從累次恩宥, 隨其功臣等第, 錄其子孫. 又庚子年^{太祖23年}田科, 及三韓後入

仕者, 亦量授階職, 則冤屈得伸, 而灾害不生矣.

一. 崇信佛法, 雖非不善, 然帝王士庶之爲功德, 事實不同. 若庶民所勞者, 自身之力, 所費者,

---

88) 이 구절은 열전6, 崔承老에는 添字가 더 있지만, 지39, 刑法2, 禁令에 추가된 것은 열전6, 崔承老에서는
  탈락되었다(東亞大學 2012년 19책 644面).

89) 이 구절은 다음의 자료를 인용한 것인데, 이에 의거하여 添字를 추가하였다.
  · 『禮記』 권7, 禮器第10(『禮記纂言』 권26, 禮器), "有以高爲貴者, 天子之堂九尺, 諸侯七尺, 大夫五尺, 士三
    尺. 天子·諸侯臺門, 此以高爲貴也".

90) 이 구절은 지39, 刑法2, 禁令에도 수록되어 있다.

91) 이 구절에서 新羅之季 이하는 지39, 刑法2, 禁令에도 수록되어 있다. 또 열전6, 崔承老에는 願嚴加禁斷
  이 願加禁斷으로 축약되어 있다(東亞大學 2012년 19책 644面).

92) 이 구절은 다음의 자료를 인용한 것이다.
  · 『晏子春秋』, 內篇問下4, 晋叔向問齊國若何, 晏子對以齊惠衰. ○民歸出氏第17, "民聞公命, 如逃寇讎, 欒·
    郤·胥·原·狐·續·慶·伯, 降在皂隷, 政在家門".
  · 『春秋左傳正義』, 附釋音春秋左傳注疏권42, "民聞公命, 如逃寇讎, 欒·郤·胥·原·狐·續·慶·伯, 降在皂隷. 八
    姓晋舊臣之族也, 皂隷賤官".

自己之財, 害不及他, <u>猶之可也</u>.[93] 帝王則勞民之力, 費民之財. 昔, 梁武帝, 以天子之尊, 修匹夫之善, 人以爲非者以此. 是以帝王, 深慮其然, 事皆酌中, 弊不及於臣民. 臣聞人之禍福貴賤, 皆稟於有生之初, 當順受之. 況崇佛敎者, 只種來生因果, 鮮有益於見報, 理國之要, 恐不在此. 且<u>三敎</u>,[94] 各有所業, 而行之者, 不可混而一之也. 行釋敎者, 修身之本, 行儒敎者, 理國之源, 修身是來生之資, 理國乃今日之務. 今日至近, 來生至遠, 舍近求遠, 不亦謬乎? 人君, 惟當一心無私, 普濟萬物, 何用役不願之人, 費倉庫之儲, 以求必無之利乎? 昔, 德宗妃父王景先·駙馬高恬, 爲聖壽延長, 鑄金銅佛像, 獻之, 德宗曰, '朕以有爲功德, 謂無功德', 還其佛像於二人. 是其情, 雖不實, 然欲令臣民, 不得作無利事者, 如此. 我朝, 冬夏講會及先王先后忌齋, 其來已久, 不可取舍, 其他可減者, 請減之. _{若不得減, 則依'月令'所說. 五月中氣, '陰陽爭, 死生分. 君子齋戒, 處必掩身無躁, 止聲色, 薄滋味, 節嗜欲, 定心氣, 百官靜事無刑, 以定晏陰之所成'.[95] 十一月中氣, '陰陽爭, 諸生蕩, 君子齋戒, 處必掩身無躁, 去聲色, 禁嗜欲, 安形性, 事欲靜, 以待陰陽之所定'.[96] 此時則可以停之, 何也? 極寒則役使者苦, 而食物不精潔. 極熱則汗出淋漓, 或誤傷群蟲, 齋供不淨潔, 有何功德? 且今日作善, 來日未必獲善報. 以此而觀, 莫如修政敎. 請以一年十二月分半, 自二月至四月, 自八月至十月, 政事功德, 參半行之, 自五月至七月, 自十一月全正月, 除功德, 專修政事, 逐日聽政, 宵旰圖治. 每日午後, 乃用君子四時之禮, 修令安身. 如此則順時令, 安聖體, 減臣民之勞苦, 豈不爲人功德乎?}

一. <u>語曰</u>, '非其鬼而祭之, <u>諂也</u>'.[97] 傳曰, '鬼神, 非其族類<u>不享</u>'.[98] 所謂滛祀_{淫祀}無福. 我朝宗廟·社稷之祀, 尙多未如法者, 其山嶽之祭, 星宿之醮, 煩瀆過度. 所謂祭不欲數, 數則煩, 煩則不敬, 雖聖上, 齋心致敬, 固無所怠, 然其享官, 視爲尋常事, 厭倦而不致敬, 則神其肯享之乎? 昔, 漢文帝, 凡祭祀, 使有司, 敬而不祈, 其見超然, 可謂盛德也. 如使神明, 無知, 則安能降福, 若其有知, 私己求媚, 君子, 尙難悅之, 況神明乎? 祭祀之費, 皆出於民之膏血與其力役. 臣愚以爲, 若息民力, 而得歡心, 則其福, 必過於所祈之福. 願聖上, 除別例祈祭, 常存恭己責躬之心,

---

93) 이 字句는 열전6, 崔承老에는 탈락된 것 같다.
94) 三敎에 대한 설명으로 다음이 있다.
  · 『여유당전서』 권25, 小學紺珠, 三之類, "三敎者, 道術之分也[注, 術道也]. 儒敎尙仁義[尊孔子], 道敎尙虛無[尊老子], 佛敎尙寂滅[尊釋迦如來], 此之謂三敎也. 三敎之名, 出'唐書'[李適傳]".
95) 이 구절은 다음의 자료를 인용한 것이다.
  · 『禮記註疏』 권16, 樂令, "是月也, 日長至, 陰陽爭, 死生分. 君子齋戒, 處必掩身, 毋躁. 止聲色, 毋或進. 薄滋味, 毋致和. 節嗜欲, 定心氣. 百官靜事毋刑. 以定晏陰之所成"(四庫全書本8左3行).
96) 이 구절은 다음의 자료를 인용한 것이다.
  · 『예기주소』 권17, 樂令, "是月也, 日短至, 陰陽爭, 諸生蕩. 君子齋戒, 處必掩身, 身欲寧, 去聲色, 禁嗜慾, 安形性, 事欲靜, 以待陰陽之所定".
97) 이 구절은 『論語』, 爲政第2에서 인용한 것이다.
98) 이 구절은 다음의 자료를 인용한 것이다.
  · 『春秋左氏傳』 傳, 僖公 31년, 冬, "公命祀相. 寗武子不可曰, 鬼神, 非其族類, 不歆其祀".

以格上天, 則災害自去, 福祿自來□^欠.

一. 本朝良賤之法, 其來尙矣. 我聖祖^{人祖}創業之初, 其群臣, 除本有奴婢者外, 其他本無者, 或從軍得俘, 或貨買奴之. 聖祖, 嘗欲放俘爲良, 而慮動功臣之意, 許從便宜, 至于六十餘年, 無有控訴者. 逮至光宗, 始令按驗奴婢, 辨其是非. 於是, 功臣等, 莫不嗟怨, 而無諫者, 大穆王后切諫不聽. 賤隷得志, 陵轢尊貴, 競構虛僞, 謀陷本主者, 不可勝紀. 光宗自作禍胎, 不克遏絕, 至於末年, 枉殺甚多, 失德大矣. 昔, 侯景圍梁臺城, 近臣朱异家奴, 踰城投景, 景, 授儀同□□^{三司}. 其奴乘馬, 披錦袍, 臨城呼曰, '朱异, 仕宦五十年, 方得中領軍, 我始仕侯王, 已爲儀同□□^{三司}'. 於是, 城中僮奴, 競出投景, 臺城遂陷. 願聖上, 深鑑前事, 勿使以賤陵貴^{凌貴, 99)}於奴主之分, 執中處之. 大抵官高□^貴者, 識理, 鮮有非法, 官卑者, 苟非智足以飾非, 安能以良作賤乎? 惟宮院及公卿, 雖或有以威勢作非者, 而今政鏡無私, 安能肆乎? 幽·厲失道, 不掩宣·平之德, 呂后不德, 不累文·景之賢. 唯當今判決, 務要詳明, 俾無後悔, 前代所決, 不湏^須追究, 以啓紛紜.'"¹⁰⁰⁾

○承老見王有志, 而可與有爲, 乃進此書. 餘六條, 逸於庚戌^{顯宗1年}兵難:節要·列傳6崔承老轉載].

[秋七月庚寅朔^{人盡,建戊申}:追加].
[八月庚申朔^{小盡,建己酉}:追加].

[九月己丑朔^{大盡,建庚戌}:追加].
[是月壬子^{24日}, 遼景宗耶律賢崩. 癸丑^{25日}, 耶律隆緖卽位, 不改元, 是爲聖宗:追加].

[冬十月^{己未朔大盡,建辛亥}, 某日, 制, "令民間貸債出息者, 子母相侔, 更勿取息":節要·食貨2借貸轉載].¹⁰¹⁾

[十一月己丑朔^{小盡,建壬子}:追加].

[十二月^{戊午朔大盡,建癸丑}, 某日, 制, "百官遇父母忌, 給暇一日兩宵, 祖父母遠忌, 無親子, 則亦依

---

99) 陵貴는 열전6, 崔承老에는 凌貴로 달리 표기되어 있는데, 뜻으로 보면 후자가 옳지만 兩者는 通用된다 (東亞大學 2012년 19책 667面).

100) 이 구절은 지39, 刑法2, 奴婢에도 수록되어 있다.

101) 고려시대의 民間에서 행해졌던 公私借貸에서 利子[利殖, 利息, 貸債出息]은 年間 元金의 ⅓이었던 것 같다. 또 여기에서 利子의 支給이 가을[秋]이었으므로 年間의 의미는 10개월 정도였을 것으로 추측된다 (→文宗 1년의 是年).

· 지33, 食貨2, 借貸, 序文, "凡公私借貸, 以米十五斗, 取息五斗, 布十五匹, 取息五尺, 以爲恒式".

父母忌例”:節要轉載].[102]

[閏十二月戊子朔^{大盡,建癸丑}:追加].

是歲, 遣侍郎金昱如宋, 告嗣位, 帝詔報曰, “省所上表, 兄高麗國王伷, 去年七月內薨謝, 權以國務, 令臣主持事. 其悉. 卿世濟英材,[103] 家傳亮節, 習禮樂詩書之道, 識安危理乱之機. 奄鍾手足之悲, 諒極肺腸之痛. 而乃稟元昆之理命, 撫先政之舊封, 一方之士庶安寧, 萬室之蒸黎愛戴. 越重溟而奉表, 望雙闕以傾心, 無虧事大之儀, 頗得爲臣之禮. 更宜善修刑政, 恭守憲章, 勿忘兢愼之規, 永保延長之慶, 竚期命使, 別議加恩. 睠注所深, 寢興無舍”.[104]

○以王生日, 爲千春節, 節日之名, 始此.[105]

[○加□□□□□□^{內議令崔知夢}, □^爲左執政·守內史令·上柱國, 賜弘文崇化致理功臣號, 爵其父母:列傳5轉載].

[○改修天安府安城縣望夷山城:追加].[106]

---

102) 이와 관련된 자료로 다음이 있다.
  · 지18, 禮6, 百官忌暇, “制, 百官週父母忌, 給暇一口兩宵. 祖父母忌, 無親子, 則亦依父母例”. 여기에서 祖父母忌는 여타 두 자료의 祖父母遠忌와 차이를 보이고 있다(東亞大學 2012年 19冊 608面).
  · 지38, 刑法1, 官吏給暇, “判^㸃, “兩親忌, 給暇一日兩宵, 祖父母遠忌, 無親子者, 亦依此例”.
103) 材는 東亞大學本에는 林이고, 亞細亞文化社本에는 材인데, 의미상으로 볼 때 材·才가 옳을 것이다(東亞大學 2008年 1책 535面).
104) 이때 고려의 사신 金昱은 9월 25일(癸丑)에 宋에 도착하여 貢物을 바쳤다. 또 이때의 사신은 아래의 金全이라고 되어 있으나 侍郎 金昱의 오류일 것이다.
  · 『속자치통감장편』 권23, 太平興國 7년 9월, “癸丑, 權知高麗國王治, 遣使來, 貢方物, 且言其兄伷死, 求襲位”.
  · 『송사』 권487, 열전246, 外國3, 高麗, “^{太平興國}七年, 伷卒, 其弟治知國事, 遣使金全奉金銀線闊錦袍褥·金銀飾刀劍弓矢·名馬·香藥來貢, 且求襲位. 授治檢校太保·玄菟州都督·充入順軍使·封高麗國王, 以監察御史李巨源·禮記博士孔維奉使”.
  · 『元豊類藁』 권31, 高麗世次, “太平興國七年九月, 遣使來貢, 制以治爲王”.
  · 『송회요집고』 199책, 蕃夷7, 歷代朝貢, “^{太平興國七年}九月八日, 權知高麗國事 □治, 遣使金全貢方物”.
105) 成宗의 生辰이 12월 26일이기에 이 기사는 12월에 이루어진 것이다. 또 고려시대에 王의 生口을 節口이라고 하였으나 조선 초기 『고려사』를 편찬할 때 生日로 바꾸었다가 1424년(세종6)경에 다시 節日로 바꾸었는데(『세종실록』 권25, 6년 8월 11일) 완전하지 못해 生日로 기록된 곳도 없지 않다. 그리고 宋·遼·金의 자료에는 고려왕의 경우 生日로 표기하고 있는데, 이는 고려가 그들에게 稱臣하였기 때문이다.
106) 이는 다음의 자료에 의거하였는데, 동일한 기와[蓋瓦]가 두 곳에서 출토되었던 것 같다.
  · 瓦銘, “□^本下□^興國七年□□□□□」竹州丹草□^近□□□”(望夷山城 出土, 世宗文化財硏究院 編 2015年 38面)
  · 瓦銘, “太平興國七年壬午三月□」竹州凡草近水^{□?}水^{匽?}矣」”(奉業寺 출토, 세종문화재연구원 2015년 57面).

癸未[成宗]二年, 宋太平興國八年, [西曆983年]

983년 2월 16일(Gre2월 21일)에서 984년 2월 4일(Gre2월 9일)까지, 354일

春正月^{戊午朔大盡,甲寅}, 辛未^{14日}, 王祈穀于<u>圜丘</u>^{團丘}, 配以太祖.[107]

乙亥^{18日}, 躬耕<u>籍田</u>, 祀神農, 配以后稷. 祈穀·籍田之禮, <u>始此</u>.[108]

丁丑^{20日}, 宴群臣於天德殿, 賜物有差.

甲申^{27日}, 以崔承老爲門下侍郎平章事. [□□^{是時}, 承老上章辭, 不允[109]:列傳6崔承老轉載].

二月戊子□^{朔小盡,乙卯}, [春分]. 始置十二牧, [罷<u>今有·租藏</u>. 今有·租藏者, 並外邑使者之號:節要轉載].[110] 詔曰, "天高爲大, 分象緯以著明, 地厚無疆, 列山川而播氣. 庶望首天之類, 咸悉樂生, 足地之流, 無不<u>遂姓</u>^{遂性}. 見一夫之冒罪, 則意甚泣辜, 聞百姓之居貧, 則情深責己. 雖身居宮禁, 心遍蒸黎. 旰食宵衣, 每求啓沃. 聽卑視遠, 冀籍賢良. 爰憑方伯之功, 允<u>愜</u>^協閭閻之望, 效虞書之十二牧, 延周祚之八百年".[111]

三月^{丁巳朔小盡,丙辰}, 戊寅^{22日}, 宋遣大中大夫^{太中大夫}·光祿少卿<u>李巨原</u>,[112] 朝議大夫·將作少監孔維來,[113] 冊王. 詔曰, "王者, 關四海以爲家, 一六合而光宅. 揆文敎而奮武衛, 式固鴻基, 立萬國

---

107) 圜丘는 『고려사절요』 권2에는 圓丘로 달리 表記되어 있으나 같은 單語이다.

108) 이 기사는 지16, 禮4, 籍田에도 수록되어 있다. 籍田의 원래의 글자는 藉田이었고, 中原의 古代에서 孟春正月의 春耕 以前에 天子[帝王]이 諸侯를 거느리고 직접 出地를 耕作하던 典禮였다.
　·『사기』 권10, 孝文本紀第10, 2년(BC178), "正月, 上曰, '農, 天下之本, 其開籍田, 朕親率耕, 以給宗廟粢盛[注, 裴駰集解, 應劭曰, 古者天子耕籍田千畝, 爲天下先, 籍者, 帝王典籍之常. 韋昭曰, 籍, 借也. 借民力以治之, 以奉宗廟, 且以勸率天下, 使務農也'. 이는 『자치통감』 권13, 漢紀5, 文帝前 2년(BC178) 1월 丁亥에도 수록되어 있는데, 여기에서는 藉田으로 表記되어 있다.

109) 不允에 대한 注解로 다음이 있다.
　·『자치통감』 권235, 唐紀50, 德宗貞元 8년(792) 11월 壬子朔, "… 左庶子姜公輔久不遷官, 詣中書侍郎·同平章事<u>陸贄</u>求遷, 贄密語之曰, '聞相^{中書侍郎度支轉運使·同平章事崔損}屢注擬, 上不允[胡三省注, 今人謂聖旨不從所請, 爲不允, 習唐人之言也], 有怒公之言', <u>公輔</u>懼, 請爲道士. …".

110) 今有와 租藏은 다음의 글자[檢務·租藏]와 같은 것으로 이해되고 있고, 이를 우리말[高麗語]을 漢字로 音讀한 것이라는 추측도 있다(李基白 1968년 183面 ; 其山祐 2003년 145面).
　·"柳邦憲墓誌銘", "… 公姓柳氏, 諱邦憲, 字民則, 全州人, … 父諱潤謙, 字受益, 爲人亮直, 賤毫爲事, 仕爲檢務·租藏, 至人監[注, 並古官號], …"(金龍善 2006년 16面).

111) 戊子에 朔이 탈락되었다. 또 遂姓으로 되어 있으나 遂性이 옳을 것이다(東亞大學 2008년 1책 536面).

112) 大中大夫는 太中大夫로 고쳐야 옳게 될 것이다.

113) 이들은 前年 12월 21일(戊寅) 이후에 使臣으로 임명되었다.
　·『송사』 권4, 본기4, 태종1, 太平興國 7년 12월, "戊寅^{21日}, 高麗國王伷卒, 其弟治遣使求襲位, 詔立治爲高

而親諸侯, 咸遵茂典. 其有三韓舊域, 百済遺封, 地控鯨津, 誠尊象闕. 屬英王之捐館, 位固難虛, 聞令季以撫封, 才堪厥任. 言念承宗之美, 宜頒命德之文. 權知高麗國事王治, 鳳穴分華, 蟠桃並秀. 稟星雲之閒氣, 出作時英, 懋文武之兼才, 彌光世德, 洎丕承於景烈, 能善繼於貞規. 遵魏闕之風猷, 則虔修禹貢, 奠民宮之土宇, 則靜撫周藩. 爰議寵綏, 適符利建. 是命超加帝保, 大啓王封, 眞一字於日中, 鎭三山於海上.[114] 階勳並錫, 食賦俱優, 併示便蕃, 允光奇傑. 爾其纘乃舊服, 承予厚恩, 嚴六德以有邦, 謹四封而事大. 長爲外屛, 肅奉中區, 斯謂永圖, 勿忘丕訓. 可特授光祿大夫·檢校太保·使持節玄菟州諸軍事·玄菟州都督·充大順軍使·上柱國·食邑二千戶,   仍封高麗國王”.

○王受冊, 詔文武官僚·將校·僧道·三軍·萬姓等曰, “上天以雨露均霑, 滋成萬物, 王者以仁恩普及, 撫養群生. 況欲令人改過自新, 須得棄瑕舍垢. 不穀謬將虛薄, 獲嗣宗祧, 旰食宵衣, 每積憂勤之念, 踢天蹐地, 尤增兢慎之心. 道貴守常, 情專事大. 所以差馳使价, 特申述職之誠, 俾執幣圭, 代表朝宗之懇, 今者, 果蒙鷁艦, 涉鯷溟之浪, 便到國城, 皇華臨菟郡之鄉, 遽宣帝命, 官崇一品, 位陟三師. 莫不驟加茅土之封, 實荷彤旟之寵, 既致一身之榮幸, 合旌萬姓之忻懽. 於是, 議獄緩刑, 原情肆眚. 爰布如綸之旨, 式覃委轡之恩, 可自大平興國八年三月二十二日昧爽前,[115]

麗國土”.
· 『續資治通鑑長編』 卷23, 太平興國 7년 12월, “戊寅, 權知高麗國王治, 封高麗國王, 命監察御史李巨源, 巨源未見, 著作佐郎·直史館單貽慶奉使, 上喜, 訪求辭學之士, 初得須城趙鄰幾, 擢掌制誥, 才數月卒. 上嘆其窮薄, 因問近臣, 誰可繼鄰幾者. 楊守一與貽慶有舊, 力薦之, 由丰簿召對, 令中書試文稱旨, 卽命以官, 上知貽慶貧, 故使副巨源使高麗, 貽慶以母老辭, 乃留不行. 詔國子博士雍丘孔維代之, 貽慶萊州人也. 高麗王治, 問禮於維, 維對以君臣父子之道, 升降等威之序. 治喜曰, 吾今日, 復見中國夫子也”.
· 『송대조령집』 卷237, 政事90, 四裔10, 高麗, 太平興國七年十二月戊寅, 王治拜官封高麗國王詔, “並建萬國, 著於方冊之訓, 垂厥百世, 存乎帶礪之盟, 矧乃辰韓故墟, 聲敎攸曁, 屬英王之云沒, 有介弟以不承, 聿遵嗣襲之文, 式擧酬庸之命. 權知高麗國事王治, 世保海隅, 心存王室, 敦友弟以無爽, 紹堂構而克恭, 守臣云亡, 所部寧謐, 遠修貢於王府, 來請命於天朝, 事大之心, 固推忠而斯列, 柔遠之義, 在懋賞以爲先, 宜啓眞王之封, 式進上公之秩 併疏井賦, 用示寵章. 可光祿大夫·檢校太保·持節元ᄼ菟州諸軍事·元ᄼ菟州都督·充天順軍使^{大順軍使}·上柱國·食邑二千戶, 仍封高麗國土”. 여기에서 天順軍使는 大順軍使의 잘못일 것이다. 이 자료는 982년(太平興國7, 성종1) 宋이 成宗을 高麗國王으로 책봉한 詔書인데, 고려 측의 자료에는 이 책봉 조서가 보이지 않는다. 이 책봉 조서와 함께 보내진 것으로 추측되는 983년(성종2, 太平興國8) 3월 22일(戊寅)의 조서는 내용을 달리하고 있다.
114) 三山에 대한 설명으로 다음이 있다.
· 『여유당전서』 卷25, 小學紺珠, 三之類, “三山者, 所謂神仙之居也. 一曰蓬萊[注, 亦名曰蓬壺], 二曰方丈[亦名曰方壺], 三曰瀛洲[亦名曰瀛壺], 此之謂三山也[云在渤海中]. 三山之名, 出 '史記' 封禪書”.
115) 昧爽前은 黎明, 곧 日出 以前을 가리키고, 泰一(혹은 太一)은 天帝를, 泰畤는 天子가 天帝에게 禮를 올리는 장소를 가리킨다.
· 『자치통감』 卷20, 漢紀12, 武帝元鼎 5년(BC112) 11월, “辛巳朔, 冬至, 昧爽[胡三省注, 昧, 冥也. 爽, 明也. 謂日尙昧昧而天色漸明也]”, 天子始郊拜泰一, 朝朝日, 夕夕月則拜[應劭曰, 天子春朝日, 秋夕月, 朝日以朝, 夕月以夕. 臣瓚曰, '漢儀注', 皇泰畤, 皇帝平旦出竹宮, 東向揖日, 其夕西南向揖月, 便用郊日, 不用春,

已發覺未發覺, 已結正未結正犯罪人, 相鬪殺以下罪, 無輕重, 皆悉赦之".

癸未^{27日}, 御詳政殿, 賜文‧武元尹以上, 馬人一匹.

[夏四月丙戌朔^{大盡,丁巳:追加}].

夏五月^{丙辰朔小盡,戊午}, 戊午^{3日}, 以佐丞徐熙爲兵官御事, 大相鄭謙儒爲工官御事.

甲子^{9日}, 博士任老成至自宋, 獻‘太廟堂圖’一鋪幷記一卷‧‘社稷堂圖’一鋪幷記一卷‧‘文宣王廟圖’一鋪‧‘祭器圖’一卷‧‘七十二賢贊記’一卷.

是月, 賜崔行言等及第.[116)](#)

[□□^{是月}, 始臨軒覆試, 然不爲常例. 親試‧覆試, 例用詩賦:選擧1科目轉載].

○始定三省‧六曹‧七寺.

六月^{乙酉朔小盡,己未}, 庚寅^{6日}, [大暑]. 以光祿卿薛神祐爲刑官御事.

[某日, 定州‧府‧郡‧縣‧舘‧驛田. 千丁以上州縣, 公須田三百結, [紙田二十結, 長田七結:追加]. 五百丁以上, 公須田一百五十結, 紙田十五結, 長田五結. 二百丁以上, 缺[公須田一百結, 紙田十五結, 長田五結:追加]. 一百丁以上, 公須田七十結, 紙田十結, [長五結:追加]. 一百丁以下, 公須田六十結, 紙田十結, 長田四結. 六十丁以上, 公須田四十結. [紙十結, 長田四結:追加], 三十丁以上, 公須田二十結, [紙7結, 長田三結:追加]. 二十丁以下, [公須田十結:追加], 紙田七結, 長田三結. 鄕‧部曲, 千丁以上, 公須田二十結, [紙田5結, 長田3結:追加]. 一百丁以上, 公須田十五結, [紙田5結, 長田3結:追加]. 五十丁以下, 公須田十結, 紙田三結, 長田二結. 大路驛,[117)](#) 公須田六十結, 紙田五結, 長田二結. 中路驛, 公須田四十結, 紙田‧長田各二結. 小路驛, 公須田二十結, 紙田二結. 大路舘, 田五結, 中路, 四結, 小路, 三結:食貨1公廨田柴轉載].[118)](#)

[是月甲午^{10日}, 遼改乾亨五年爲統和元年:追加].

秋七月^{甲寅朔大盡,庚申}, 壬戌^{9日}, ^{太祖妃}明福宮大夫人皇甫氏薨.[119)](#) [王早喪宣義太后, 而長於后, 故

秋也. 師古曰, 春朝朝日, 秋暮夕月, 蓋常禮, 郊泰時而揖日月, 此又別儀].

116) 이와 관련된 기사로 다음이 있다.
  ‧ 지27, 선거1, 科目1, 選場, "成宗二年五月, 工融知貢擧, 取進士, 賜崔行言等五人及第".
117) 唐制는 全國의 驛이 業務量과 그 重要性[驛之閑要]에 의해 6등급으로 나누어져 驛馬와 驛卒을 지급되었는데 비해, 고려의 驛은 3등급으로 구분되었던 것 같다(『大唐六典』 권5, 尙書兵部, 駕部郎中‧員外郞).
118) 添字는 前後의 字句를 통해 추측한 것이다(安秉佑 1990년).

哀慕盡禮, 悲動左右:節要轉載].

癸酉[20日], 率百官, 詣殯堂哭臨. [上諡[號]曰神靜王太后, 陵曰壽陵:節要轉載].[120]

[八月甲申朔[小盡,辛酉]:追加].

九月[癸丑朔人盡,壬戌], 戊午[6日], 以佐丞李知白爲諫議大夫.

冬十月[癸未朔小盡,癸亥], 己亥[17日], 置酒店六所, 曰成禮·曰樂賓·曰延齡·曰靈液·曰玉漿·曰喜賓.

十一月[壬子朔人盡,甲子], 甲子[13日[壬戌十一]],[121) 日南至[冬至], 王御元和殿, 受朝賀, □[號]宴群臣於思賢殿.[122]

十二月[壬午朔大盡,乙丑], [丁未[26日]:比定],[123] 以千春節改爲千秋節, 賜群臣宴.

是歲[是月],[124] 臨軒覆試, 賜姜殷川等及第.[125]

---

119) 이날은 율리우스曆으로 983년 8월 19일(그레고리曆 8월 24일)에 해당한다.

120) 이와 관련된 자료로 다음이 있다.
- 열전1, 后妃1, 太祖, 神靜王太后皇甫氏, "成宗二年七月薨. 成宗早喪宣義太后, 長於后, 故哀慕盡禮, 率百僚, 臨于殯殿, 上諡曰, 神靜大王太后. 冊文曰, 德侔附寶, 功比姜嫄, 曾表異於手文, 亦炳靈於胎敎. 端逢聖祖, 始卜好逑, 膺妙選於六宮, 贊昌基於庶政. 克修婦道, 爰備坤儀, 節儉之風, 行乎閨闥, 箴規之義, 播於朝廷. 樊姬之不食鮮禽, 楚工改過, 衛女之不聽淫樂, 齊主知非. 列乃辭輦之謙, 群情所伏, 破環之智, 列辟攸尊. 霸業之興, 出其微誠, 洪圖之盛, 仗乃賢謀. 旋屬駕枉商山, 天崩杞國, 愁屆四紀, 鞠育諸孫, 名在景鍾, 事光彤管. 顧惟眇質, 早遭閔凶, 纔當齠齔之年, 旣違慈母, 比及幼冲之歲, 又喪嚴親, 便歸祖妣之懷中, 似接高堂之膝下. 旨甘輟口, 每加吐哺之恩, 軟暖附身, 幾沐字孤之惠. 盖凶撫養, 以至長成, 幸承門蔭之功, 叨獲禪傅之位. 欲報祖先之德, 誓輸孫子之誠, 豈甚太史書氛, 靈臺告祲? 松齡未享, 齒質俄捐, 魚軒靜兮, 鑑殿並空. 十亂缺兮, 百身難贖, 九族茹癠依之歎, 衆民含罔極之悲. 今則遠口已臻, 玄宮欲閟. 啓殯堂兮, 殯儀必備, 仍泉隧兮, 窆且將加. 特命禮官, 敎徵茂實, 考前芳而累行, 表徽號以易名. 今遣某官某, 謹上諡曰, 神靜大王太后. 葬壽陵". 壽陵은 失傳되어 현재 어디에 있는지를 알 수 없으나 正陵(恭愍王妃 魯國大長公主의 墳墓)의 隣近에 있었던 것 같다(→공민왕 21년 6월 6일, 洪榮義 2018년).

121) 이해의 冬至[日南至]는 11일(壬戌)이고, 이날은 율리우스曆으로 983년 12월 17일(그레고리曆 12월 22일)에 해당한다.
- 『춘추좌씨전』傳, 僖公 5년, "春, 王正月辛亥朔, □南至[杜預注, 周正月, 今十一月, 冬至之□, □南極]. 公旣視朔, 遂登觀臺以望, 而書雲物. …".
- 『신오대사』권2, 梁本紀2, 開平 3년(909년), "冬十一月甲午[2日], 日南至, 告謝于南郊". 여기에서 이날[是日]은 宣明曆으로 冬至이고, 율리우스曆으로 909년 12월 17일(그레고리曆 12월 22일)에 해당한다.

122) 添字는 『고려사절요』권2에 의거하였다.

123) 原文에는 이날의 날짜[日辰]가 기록되어 있지 않지만, 成宗의 生日이 12월 26일이므로 이날의 干支인 丁未를 추가하였다.

124) 이 기사는 『고려사절요』와 지27, 선거1, 科目1, 選場에 의하면 12월로 되어 있으므로 是歲는 是月로 고

[是年, 改州府郡縣吏職銜:節要轉載].

[→改州府郡縣吏職, 以兵部爲司兵, 倉部爲司倉, 堂大等爲戶長, 大等爲副戶長, 郎中爲戶正, 員外郎爲副戶正, 執事爲史, 兵部卿爲兵正, 筵上爲副兵正, 維乃爲兵史, 倉部卿爲倉正:選擧3鄕職轉載].

[○判^制, "諸驛長, 大路四十丁以上, 長三, 中路十丁以上, 長二, 小路, 亦依中路例, 差定":兵2站驛轉載].

[○罷今有·租藏[今有·租藏, 並外邑使者之號, 國初有之]:百官2外職轉載].[126]

[○城樹德鎭二百三十五閒, 門四, 水口一, 城頭·遮城各九:兵2城堡轉載].[127]

[○隘守鎭, 古稱梨柄, 成宗二年, 築城:地理3隘守鎭轉載].

[○兵官御事徐熙, 從幸西京. 成宗欲微行遊永明寺, 熙上疏諫, 乃止, 賜鞍馬以賞之:列傳7轉載].[128]

[○改修天安府安城縣奉業寺:追加].[129]

[增補].[130]

치는 것이 좋을 것이다.

125) 姜殷川은 姜邯贊의 初名이고, 이와 관련된 기사로 다음이 있다. 또 이해[是年]의 5월에 과거가 시행되었는데, 이때 再次 擧行된 것은 지배체제의 정비에 따른 일종의 特別試驗[別試]으로 설행된 것이고 한다(柳浩錫 1984년 ; 박수찬 2017년).
· 지27, 선거1, 科目1, 選場, "成宗二年十二月, 正匡崔承老·左執政李夢游·兵官御事劉彦儒·左丞盧奕, 取進士, 王覆試, 賜甲科姜殷川·乙科二人·明經一人及第".
· 『고려사절요』 권2, 성종 2년, "命取進士, 王臨軒覆試, 賜姜殷川等三人·明經一人及第. 覆試自此始, 殷川, 卽邯贊也".
  그리고 『補閑集』 권上에는 "姜仁憲公邯贊, 太平七年壬午太平興國八年癸未, 擢甲科第一人"으로 되어 있으나 1년의 차이가 있어 添字와 같이 고쳐야 옳게 될 것이다.
126) 이는 다음의 기사를 전재하여 적절히 變改하였다.
· 지31, 百官2, 外職, "今有·租藏 並外邑使者之號, 國初有之, 成宗二年, 罷".
127) 이 기사와 관련된 자료로 다음이 있다.
· 지12, 지리3, 北界, 安北大都護府, 樹德鎭, "樹德鎭, 成宗二年, 築城".
128) 이는 열전7, 徐熙에서 전재한 것이다. 또 永明寺에 대해서는 다음의 기록이 있고, 微行은 身分을 숨기고 조용히 行次한다는 의미를 지닌 것 같다.
· 지12, 지리3, 西京留守官平壤府, 乙密臺, "臺在錦繡山頂, 臺卜層崖之旁. 有永明寺, 卽東明王九梯宮. 內有麒麟窟, 窟南白銀灘. 有巖出沒潮水, 名曰朝天石".
· 『자치통감』 권31, 漢紀23, 成帝鴻嘉 1년(BC20) 2월, "上始爲微行[注, 張晏曰, 出入市里, 不復警驛, 若微賤者之所爲, 故曰微行], 從期門郞或私奴十餘人, 或乘小車, 或皆騎, 出入市里郊野, 遠至旁縣甘泉·長楊·五柞, 鬪鷄·走馬, 常自稱富平侯^{輔成張放}家人. …".
129) 이는 京畿道 安城市 竹山面 竹山里 240-1 奉業寺址에서 출토된 瓦銘 '□^梁國八年」天下泰平·'에 의거하였다(世宗文化財硏究院 編 2015년 58面).
130) 이해의 10월 契丹의 聖宗 隆緖(文殊奴)는 고려의 정벌을 준비하였다.
· 『요사』 권10, 본기10, 聖宗1, 統和 1년 10월, "丁酉^{15日}, 上^{聖宗}將征高麗, 親閱東京留守耶律末只所總兵馬. 丙午^{24日}, 命宣徽使兼侍中蒲領·林牙肯德等將兵東討, 賜旗·鼓及銀符".

甲申[成宗]三年, 宋開寶九年→11月雍熙元年, [西曆984年]

984년 2월 5일(Gre2월 10일)에서 985년 1월 23일(Gre1월 28일)까지, 354일

[春正月壬子朔^{大盡,丙寅}:追加].

[二月壬午朔^{小盡,丁卯}:追加].

春三月^{辛亥朔大盡,戊辰}, 庚申^{10日}, 始行雩祀.
是月, 賜李琮等及第.[131]

[夏四月辛巳朔^{小盡,乙巳}:追加].

夏五月庚戌朔^{大盡,庚午}, 震刑官門柱,[132] 責御事·侍郎·郎中·員外△^弗[133] 並罷之. 以主農卿李
謙宜爲御事,[134] 禮官侍郎韓彦恭·內史舍人崔延澤並爲侍郎, 殿中丞朴俊光·民官員外郎韓光黙
△^並爲郎中, 考功員外郎黃至仁爲員外郎.[135]

[六月庚辰朔^{小盡,辛未}:追加].
[秋七月己酉朔^{小盡,壬申}:追加].
[八月戊寅朔^{大盡,癸酉}:追加].
[九月戊申朔^{小盡,甲戌}:追加].
[冬十月丁丑朔^{大盡,乙亥}:追加].

[十一月丁未朔^{小盡,丙子}:追加].

---

131) 이와 관련된 기사로 다음이 있다.
   · 지27, 선거1, 科目1, 選場, "^{成宗}三年三月, 士融知貢擧, 取進士, 賜乙科李琮·丙科二人及第".
132) 이와 같은 기사가 지7, 五行1, 水, 雷震에도 수록되어 있다.
133) △에 郞字가 들어가야 옳게 되지만, 간혹 員外郞을 員外로 줄여서 표기하는 경우도 있으므로, 郞字가
   없어도 無妨하다.
134) 主農卿은 982년(성종1) 3월 18일(庚戌) 中央官制를 唐制로 改編할 때, 宋帝國의 눈총(눈치, 眼目)을 피
   하여 司農寺를 改稱한 主農寺의 장관으로 추측된다.[謙稱] 이후 成宗代 또는 穆宗代에 司農寺, 司農卿
   으로 還元되었을 것이다(『고려사』 권76, 지30, 백관1, 典農寺, "掌供粢盛. 穆宗時, 有司農卿, 後廢之").
135) 이곳의 △에 並이 없으나 일반적으로 2人 이상의 官僚가 동일한 官職에 임명되었을 때 並字가 있으므
   로 一貫性을 위해 추가하였다.

[是月丁巳^{11日}, 宋改太平興國九年爲雍熙元年:追加].

[十二月丙子朔^{大盡,丁丑}:追加].

是歲, 始定軍人服色.[136]

○命刑官御事李謙宜, 城鴨綠江岸, 以爲關城. 女眞以兵遏之, 虜謙宜而去, 軍潰不克城, 還者三之一.[137]

○遣韓遂齡如宋, 獻方物.[138]

[○^{內史令崔}知夢, 年七十八, 三上表乞骸,[139] 不允. 又上書固請, 乃命除朝參, 赴內史房, 視事如舊:列傳5崔知夢轉載].

[○城文州五百七十八閒, 門六:兵2城堡轉載].

[○契丹遣翰林學士耶律純來, 議地界:追加].[140]

---

136) 이 기사는 지39, 刑法2, 禁令에도 수록되어 있다.

137) 李謙宜는 中書侍郎平章事 李公弁의 女祖[5代祖]라고 한다(열전12, 李公弁).

138) 중국 측의 자료에 의하면 韓遂齡은 11월 6일(壬子) 宋에 도착하여 方物을 바쳤기에 이해의 9~10월경에 출발하였을 것이다.
   · 『太宗皇帝實錄』 권31, 雍熙 1년 11월, "壬子, 高麗國王王治遣使, 以方物來貢".
   · 『송사』 권4, 본기4, 태종1, 雍熙 1년 11월, "壬子, 高麗國王遣使來貢".
   · 『송사』 권487, 열전246, 外國3, 高麗, "雍熙元年, 遣使韓遂齡, 以方物來貢".
   · 『송회요집고』 199책, 蕃夷7, 歷代朝貢, 雍熙 1년 11월, "一日, 高麗國王王治, 遣使貢方物".
   · 『옥해』 권154, 朝貢, 獻方物, "興國九年十二月, 貢闕錦·龍鳳袍·弓甲·御馬".

139) 여기에서 乞骸는 '退職을 申請하다[乞退]'를 가리키고, 唐制에서 奉表二讓[三上表] 以後의 奉表[上表]는 閤門에서 按受하지 않는데, 이를 斷表라고 불렀던 것 같다(→昌王 1년 9월 某日 端揆의 脚注).
   · 『자치통감』 권3, 周紀3, 愼靚王 4년(BC317), "張儀說魏襄王曰 … 故願大王審定計議, 且賜骸骨[胡三省注, 人臣委身以事君, 身非我之有矣, 故於其乞退也, 謂之乞骸骨]".

140) 이는 다음의 자료에 의거하였다(張東翼 2000년 541面).
   · 『星命總括』, 星命總括序文, "大遼統和二年, 翰林學士耶律純, 以議地界事, 奉國書, 使於高麗遼東. 至其國, 頗聞國師精於星躔之學, 其重幣, 設威儀求見, 屢請不從. 一日, 白請於高麗國上曰, 臣奉國書來此, 稔聞國師富於道德星命之學, 願借玉音, 得遂一見, 以講所學, 何啻昌黎之遇人顚也. 國王遂命一見, 旣見之後, 往復數回, 前請曰, 微生, 跧伏北方, 聞國師深於星命之度, 今日天幸, 得瞻毫相願, 北面從師, 聞以一二, 以聳北方之學者, 亦是三生夙昔之幸, 不知可乎. 國師曰, 何不可之有, 但學士平生論學, 有何所得, 吾與學士從長商榷而已. 何以師爲曰, 膚學得於生剋, 制化之外, 亦有十條, 前有六條, 看根本後四條. … 今以授子, 子欲行之, 當誓於天地鬼神, 不可輕泄此天機玄妙, 吾得海上異人所傳, 而未嘗泄, 今子得吾之傳, 若不寶而重之, 必招譴於天, 不可逃也. 乃對師焚香設誓, 三日後, 國師遂以諸論八篇與夫二百字眞經二十五題授之, 百拜而寶之. 大遼統和二年八月十三日, 耶律純自識".
   이에 나타난 高麗國師는 어떠한 인물인지는 알 수 없으나, 成宗·穆宗 때의 國師였던 弘法人禪師(法名不明, 穆宗代에 入寂)일 가능성도 있다(忠州開天山淨土寺故國師弘法大禪師之碑).

[○是年四月, 高麗人船日本筑前國早良郡寄着:追加].[141]

乙酉[成宗]四年, 宋雍熙二年, [契丹統和三年], [西曆985年]

985년 1월 24일(Gre1월 29일)에서 986년 2월 11일(Gre2월 16일)까지, 13개월 384일

[春正月丙午朔^{大盡,戊寅}:追加].

[二月丙子朔^{小盡,己卯}:追加].

[三月乙巳朔^{大盡,庚辰}:追加].

[夏四月乙亥朔^{大盡,辛巳}:追加].

夏五月^{乙巳朔小盡,壬午}, [某日], 宋遣大常卿^{大帶卿}王著·秘書監呂文仲來,[142] 加冊王. 詔曰, "朕居域中之大, 以天下爲家, 萬國來庭, 適協觀賓之象. 三韓舊地, 素爲禮讓之邦, 玉靈交卜於剛辰, 金印宜加於寵命. 用旌世德, 光我朝恩. 大順軍使·光祿大夫·檢校太保·使持節玄菟州都督·上柱國·高麗國王·食邑二千戶王治, 溟渤炳靈, 蓬壺誕秀. 紹弓裘於先正, 斯謂象賢, 慕聲敎於華風, 彌觀亮節. 而自瞻雲北闕, 燾土東藩, 化行而海不揚波, 惠合而人皆受賜. 加以航琛作貢, 書契同文, 衣冠襲鄒魯之容. 帶礪保山河之誓, 屹爲外屛, 僉曰賢臣. 是宜均灑澤以疇庸, 遣皇華而錫命. 尊爲漢傅, 進彼侯封, 常安百濟之民, 永茂長淮之族. 於戲, 日月所照, 貴在於無私, 雷雨之行, 是稱於覃慶. 爾其冠仁佩義, 移孝資忠, 服大國之榮光, 享眞王之異數, 奠玆震位, 肅奉天朝. 可特授檢校太傅·依前使持節玄菟州諸軍事·玄菟州都督·充大順軍使·高麗國王·加食邑一千戶·散官勳如故".[143]

---

141) 이는 다음의 자료에 의거하였다. 이는 高麗人의 船舶이 筑前國[치쿠젠쿠니] 早良郡[사와라군, 現 福岡縣 福岡市 西部地域]에 도착한 것인데, 題目만이 남아 있어 어떠한 상황인지는 알 수 없다.
　·『小記目錄』권16, 異朝事, "同^{水雍}二年四月三日, 高麗人船來著^苔筑前國早良郡事".
　·『소기목록』권16, 이조사, "同^{水雍}二年四月廿一日, 高麗國人事".

142) 人는 여러 판본의 『고려사』에서 모두 人로 되어 있으나 太가 옳을 것이다(東亞人學 2008년 1책 539面). 어떠한 事緣으로 인한 것인지 알 수 없으나『고려사』에서 대부분의 太는 大로 改書되어 있지만, 간혹 그렇지 않은 곳도 있다. 이는 중국 역대의 여러 典籍에서도 마찬가지의 현상인데, 이들 전적이 만들어질 당시에 大와 太가 通用되었는지, 아니면 板本(板木)에 太로 雕造하였으나, 印刷過程에서 大로 印出되었을 가능성도 없지 않다.

143) 이때의 책봉은 아래의 자료와 같이 이해[是年] 1월 29일(甲戌)에 이루어졌고, 사신단의 파견은 2월 7일 (壬午)에 결정되었다.
　·『태종황제실록』권32, 雍熙 2년 1월, "甲戌, 制加高麗國王王治檢校太傅".

○王受册, 赦曰, "皇天在上行春, 敷生植之功, 王者守中濟世, 播惠和之德. 大信, 不約四時而長養靡靡, 至道, 無爲萬象而經緯有度. 莫不大爐貞觀, 合璧重明. 寡人忝守宗祧, 實多蒙昧, 宵衣軫慮, 念負重以兢兢, 乙夜觀書, 懷御奔而亹亹. 守常是切, 事大斯勤, 所以遣獻鵠籠, 遠越浮天之險, 聯將鳥迹, 寫陳任土之儀. 今者, 龍緍鳳紼之書, 光揚震域, 駈騎星軺之命, 禮重仁邦. 授一品以居高, 陟三師而寄重. 旣致邦家之慶幸, 合旌黎庶之忻懽, 美覃作解之恩, 用慰舍靈^{令靈}之望.[144] 可大赦境內, 准大朝南郊赦旨, 改大平興國十年, 爲雍熙二年. 於戲, 憂庶政則更約漢章, 念群生則恒垂禹泣. 更賴宰衡厥辟, 方嶽勳臣, 肅整朝儀, 重綏民望, 必使戴我日月, 並樂昇平, 處我乾坤, 大同文軌. 赦書日行五百里, 敢以赦前事言之者, 以其罪, 罪之".

○賜秦亮等及第.[145]

[○宋將伐契丹, 收復燕薊, 以我與契丹接壤, 數爲所侵, 遣監察御史韓國華, 賚詔來, 諭曰, "朕誕膺丕構, 奄宅萬邦, 草木虫魚, 罔不被澤, 華夏蠻夷, 罔不率從, 蠢玆北虜, 侵敗王略, 幽薊之地, 中朝土彊, 晋漢多故, 戎醜盜據. 今國家, 照臨所及, 書軌大同, 豈使齊民, 陷諸獷俗. 今已董齊師旅, 殄滅妖氛, 元戎啓行, 分道間出, 卽期誅剪, 以慶渾同. 惟王久慕華風, 素懷明略, 效忠純之節, 撫禮義之邦. 而接彼犬戎, 罹於蠆毒, 舒泄積忿, 其在玆乎, 可申戒師徒, 迭相掎角, 協比隣國, 同力盪平, 奮其一鼓之雄, 戡此垂亡之虜. 良時不再, 王其圖之. 應虜獲生口·牛羊·財物·器械, 並給賜本國將士, 用申勸賞".

○王遷延不發兵, 國華諭以威德. 王始許發兵西會, 國華乃還. 先是, 契丹伐女眞, 路由我境, 女眞謂我導敵構禍, 貢馬于宋, 因誣譖, 高麗與契丹, 倚爲勢援, 摽掠生口. 韓遂齡之如宋也, 帝出女眞所上告急木契,[146] 以示遂齡曰, "歸語本國, 還其所俘". 王聞之憂懼, 及國華至, 王語曰,

---

- 『太宗皇帝實錄』 권32, 雍熙 2년 2월, "壬午, 以翰林侍書左拾遺王著·翰林侍讀著作郎呂文仲使高麗".
- 『송사』 권487, 열전246, 外國3, 高麗, "雍熙二年, 加治檢校太傅, 遣翰林侍書王著·侍讀呂文仲充使".

144) 舍靈으로 되어 있으나 含靈의 오자일 것이다.

145) 이와 관련된 기사로 다음이 있다.
- 지27, 선거1, 科目1, 選場, "咸平四年五月, 王融知貢擧, 取進士, 賜乙科秦亮·丙科二人及第".

146) 木契는 나무로 만든 符信 또는 證憑書[凭證]이다. 이보다 먼저 女眞이 사용하였던 象形文字인 木契는 新羅時代에는 解讀되고 있었던 것 같다.
- 『신당서』 권46, 지36, 百官1, 刑部, "凡有召者, 降墨敕, 勘銅魚·木契, 然後入".
- 『嶺外代答』 권10, 蠻俗門, 木契, "猺人無文字, 其要約以木契, 合二板而刻之. 人執其一, 守之甚信. 若其投牒於州縣, 亦用木契. …".
- 『송사』 권196, 지149, 兵10, "康定元年, 頒銅符·契·傳信牌. … 其木契上下題某處契, 中剖之, 上三枚中爲魚形, 題一·二·三, 下一枚中刻空魚, 令可勘合, 左旁題云, 左魚合, 右旁題云, 右魚合. 上三枚留總管, 鈐轄官高者掌之. 下一枚付諸州牟城砦主掌之. …".
- 『요사』 권57, 지26, 儀衛志3, 符印, 符契, "木契, 正面爲陽, 背面爲陰, 閤門喚仗則用之. …".
- 『삼국사기』 권11, 본기11, 헌강왕 12년, "春□□^{某月}, 北鎭奏, 狄國人入鎭, 以片木掛樹而歸. 遂取以獻, 其

"女眞貪而多詐, 前冬, 再馳木契, 言契丹兵, 將至其境, 本國猶疑虛僞, 未卽救援. 契丹果至, 殺掠甚衆. 餘族遁逃, 入于本國懷昌·威化·光化之境, 契丹兵追捕, 呼我戍卒, 言女眞, 每寇盜我邊鄙, 今已復讎, 整兵而回. 於是, 女眞來奔者, 二千餘人, 皆資給遣還. 不意, 反潛師奄至, 殺掠吾吏民, 驅虜丁壯, 沒爲奴隸. 以其世事中朝, 不敢報怨, 豈期反相誣告, 以惑聖聰. 本國世稟正朔, 謹修職貢, 深荷寵靈, 敢有二心, 交通外國. 況契丹介居遼海之外, 復有二河之阻, 無路可從. 且女眞逃難, 受本國官職者, 十數人尙在, 望召赴京闕, 令入貢之使庭辨, 庶幾得實, 願達天聰". 國華許諾→成宗5年 5月로 옮겨감].

[六月^{甲戌朔人盡,癸未}, 庚子^{27日}, 大暑. □□等造成高靈縣磨崖菩薩坐像:追加].[147]

[秋七月甲辰朔^{小盡,甲申}:追加].
[八月癸酉朔^{小盡,乙酉}:追加].
[九月壬寅朔^{人盡,丙戌}:追加].
[閏九月壬申朔^{小盡,丙戌}:追加].

冬十月^{辛丑朔人盡,丁亥}, [某日], 禁捨家爲寺.

[十一月辛未朔^{小盡,戊子}:追加].
[十二月庚子朔^{大盡,己丑}:追加].

[是年, 新定五服給暇式, 斬衰·齊衰三年, 給百日, 齊衰期年,[148] 給三十日, 大功九月, 給二十日, 小功五月, 給十五日, 緦麻三月, 給七日:節要·刑法1官吏給暇轉載].[149]

木書十五字云, 寶露國與黑水國人, 共向新羅國和通".
147) 이는 慶尙北道 高靈郡 開津面 開浦里 磨崖菩薩坐像의 명문에 의거하였다(慶尙北道 有形文化財 118號, 鄭永鎬 1985년).
  · 「高靈開浦洞磨崖菩薩坐像」, "雍熙二年乙酉六月二十七日".
148) 期年은 12개월을 가리킨다.
  · 『자치통감』 권34, 漢紀26, 哀帝建平 2년(BC5) 4월, "… 上^{哀帝}以問黃門侍郎蜀郡揚雄及李尋, 尋對曰, … 止卿, 謂執政大臣也. 宜退丞相·御史, 以應天變. 然雖不退, 不出期年, 其人自蒙其咎[注, 師古曰, 期年, 十二月也. 蒙猶被也], …".
149) 이와 관련된 기사로 다음이 있고, 五服에 간략한 설명도 찾아진다.
  · 지18, 禮6, 五服, "凡五服, 聞喪, 給暇三分之二, 有剩日, 入暇限. 成宗四年 初定此制".
  · 『여유당전서』 권25, 小學紺珠, 五之類, "五服者, 喪紀之精麤也. 一曰斬衰[注, 爲君父], 二曰齊衰[有三年,

[增補].[150]

丙戌[成宗]五年, 宋雍熙三年, [西曆986年]

986년 2월 12일(Gre2월 17일)에서 987년 1월 31일(Gre2월 5일)까지, 354일

春正月^{庚午朔大盡,庚寅}, [某日], 契丹遣<u>厥烈</u>來, 請和.

[二月庚子朔^{小盡,辛未}:追加].

三月^{己巳朔大盡,壬辰}, [某日], 賜<u>崔英藺</u>及第.[151]

[某日], 始以詔稱<u>敎</u>.[152]

[夏四月己亥朔^{小盡,癸巳}:追加].

有期], 三日大功[九月也, 殤服七月], 四日小功[五月也, 女紅曰功], 五日緦麻[三月也], 此之謂五服也, 五服之名, 出'<u>學記</u>', 其目見'儀禮'喪服]". 여기에서 學記는『예기』권36~39의 學記를 가리키는 것 같다.

150) 이해의 7월 거란의 聖宗 隆緒(文殊奴)는 고려를 정벌하기 위해 戰備를 갖추었다가 8월에 遼東地域에서의 洪水로 인해 중지하였던 것 같다.
   · 『요사』 권10, 본기10, 聖宗1, 統和 3년 7월, 8월, "甲辰朔, 詔諸道繕甲兵, 以備東征高麗. 丁卯^{24日}, 遣使閱東京諸軍兵器及東征道路. … ^{八月}癸酉朔, 以遼澤沮洳, 罷征高麗".
   · 『요사』 권115, 열전45, 二國外紀, 高麗, 統和 3년, "秋七月, 詔諸道各完戎器, 以備東征高麗. 八月, 以遼澤沮洳, 罷師".

151) 이와 관련된 기사로 다음이 있다.
   · 지27, 선거1, 科目1, 選場, "^{成宗}五年三月, 李夢游知貢擧, 取進士, 賜崔英藺等及第".

152) 이때 成宗이 帝王의 명령을 指稱하는 詔·勅 중에서 詔를 諸侯의 命令[王言]인 가리키는 敎旨[敎]로 改稱한 사유는 분명히 알 수 없다. 그는 982년(성종1, 太平興國7) 12월 및 985년(성종4) 2월 宋으로부터 高麗國王으로 책봉될 때에 부여받은 光祿大夫로 임명됨을 계기로 958년(光宗9) 이래 사용되어 오던 唐의 文散階의 光祿大夫(從2品)를 興祿大夫로 改稱하였다. 또 982년(성종1) 3월 唐制의 3省 6部 制度를 受用할 때도 당시에 宋이 사용하고 있던 명칭인 中書省, 尙書省의 명칭도 사용하지 않았고 內史省, 御事都省, 御事六部 등을 사용하였다.
   이는 成宗을 輔弼하고 六頭品 出身 儒學者의 後裔였던 崔承老의 영향일 가능성이 없지 않다. 곧 新羅末 高麗初 이래 육두품 출신 유학자들은 각종 制勅을 起草할 때 中原을 크게 의식하고 있었고, 그들에 의해 撰述된 각종 금석문 자료에도 고려의 年號보다는 中原의 年號를, 고려의 帝王을 皇帝보다는 大王으로 표기한 사례가 찾아진다. 이러한 姿勢가 詔가 敎로 改稱된 배경의 하나가 되었을 것으로 추측되지만, 帝王의 명령을 기록한 또 다른 書式인 勅, 制 등의 用語는 그대로 사용되었다.
   · 『보한집』 권上, "成宗十五^{丙年}八月, 車蓋幸東京頒赦, 凡有奇才·異能·隱滯丘園者, 勅有司搜訪無遺, …".

[五月^{戊辰朔大盡,甲午}, 某日, 敎曰, "國以民爲本, 民以食爲天, 若欲懷萬姓之心, 惟不奪三農之務,¹⁵³⁾ 咨, 爾十二牧·諸州鎭使, 自今至秋, 並宜停罷雜務, 專事勸農, 予將遣使檢驗, 以田野之荒闢, 牧守之勤怠, 爲之褒貶焉":節要·食貨2農桑轉載].¹⁵⁴⁾

[某日, 宋將伐契丹, 收復燕薊, 以我與契丹接壤, 數爲所侵, 遣監察御史韓國華, 賫詔來, 諭曰, "朕誕膺조構, 奄宅萬邦, 草木虫魚, 罔不被澤, 華夏蠻夷^{蠻貊}, 罔不率從^俾, 蠢玆北虜^俗, 侵敗王略, 幽薊之地, 中朝土彊, 晋漢多故^虜, 蠆緣盜據, 今國家, 照臨所及, 書軌大同, 豈使齊民, 陷諸獷俗? 今已董齊師旅, 殄^殄滅妖氛, 元戎啓行, 分道間出, 卽期誅剪^翦, 以慶運^混同. 惟王久慕華風, 素懷明略, 效忠純之節, 撫禮義之邦. 而接彼犬戎^{邊疆}, 罹於蠆毒, 舒泄積憤, 其在玆乎, 可申戒師徒, 迭相掎角, 協比隣國, 同力盪平, 奮其一鼓之雄, 殲此垂亡之虜. 良時不再, 王其圖之. 應虜^伊獲生口·牛羊·財物·器械, 並給賜本國將士, 用申勸賞". ○王遷延不發兵, 國華諭以威德.

---

153) 三農에 대한 설명으로 다음이 있다.
· 『여유당전서』 권25, 小學紺珠, 三之類, "三農者, 稼穡之別也. 平地曰田農[注, 耕田也], 磽地曰山農, [磽, 多石], 濕地曰澤農,[下濕地], 此之謂三農也". 三農之名, 出'周禮[人宰九職, 其一曰三農]".

154) 이는 『고려사절요』 권2, 成宗 5년 5월 ; 지33, 食貨2, 農桑에서 전재한 것이다. 여기에서 成宗이 牧民官에게 '5월부터 가을까지 雜務를 중지하고 勸農에 힘쓰라'고 한 것은 中原에서 실시되었던 務限法에 의거한 것 같다. 이 법은 民間의 相續과 土地關係의 訴訟을 一定期間에는 受理와 審理를 停止시킨 慣行이었다. 곧 농업생산력을 향상시키기 위해 農繁期인 2월 1일 또는 3월 1일[入務]에서 9월 30일까지는 각종 民事訴訟을 停止시키고[入務에 의한 務限, 務停], 農閑期인 10월 1일[務開]부터 1월 30일까지 訴訟을 진행시켰던 일종의 審判制度이다(植松 正 1992年 ; 高橋芳郞 2002年 ; 蔡雄錫 2020년).
· 『구오대사』 권149, 지9, 刑法志, "周廣順三年四月乙亥, … 又賜諸州詔曰, '朕以敷政之勤, 惟刑是重, 旣未能化人於無罪, 則不可爲上而失刑. 況時當長贏, 事貴淸適, 念囹圄之閉囿, 復桎梏之拘縶, 處於炎燕, 何異焚灼. 在州及所屬刑獄見啓罪人, 卿可躬親錄問, 省略區分, 于入務不行者, 令俟務開繫, 有理須伸者, 速期疏決. 俾皆平允, 無至滯淹". 여기에서 疏決은 疏通 또는 '바르게 판결하다'는 의미를 지닌다.
· 『宋刑統』 권13, 戶婚律, 婚出入務, "[准]雜令, 諸訴出宅·婚姻·負債, 起十月一日, 至三月三十日檢校, 以外不合. 若先有文案, 交相侵奪者, 不在此例". 여기에서 檢校는 '檢查하여 바로 잡는다', '審查하여 事實을 밝힌다'는 의미가 있다.
· 『國朝典章』 권53, 刑部15, 停務, 年例停務月日 "至元二十四年月日, 尙書省咨戶部呈照得, 在先欽奉聖旨節文, 年例除公私債負外婚姻·良賤·家財·田宅, 三月初一日住接詞狀, 十月初一日擧行, 若有文案者不須審問追求及不關農田戶計者, 不妨隨卽受理歸問, 欽此欽遵本部具呈都省除外, 移咨欽依施行".
· 『경국대전』 권, 刑典, 停務, "^{務停}, 庶務皆停, 恐妨農事也, ^{務開}, 農功已畢, 庶務還開也".
· 『세종실록』 권51, 13년 3월 癸未^{19일}, "務停·務開之法, 政府·六曹擬議, 或以三月·九月初, 或以二月·七月, 紛紜不一, 上命以春·秋分爲限".
· 『세종실록』 권86, 21년 9월 癸亥^{18일}, "司諫院上疏曰, '臣等俱以庸材, 承乏言官, 未有絲毫之補, 謹以管見, 仰瀆天聰, 伏惟聖鑑裁擇. … 一. 迷劣疾病之徒, 凡奴婢財物之訟, 雖至十餘年, 未得決了. 所以然者, 其被告者, 甘於時執, 欲延歲月, 不卽對訟, 其聽訟者牽於請托, 謀待務停, 未卽區處, 冤抑莫伸. 乞自今雖當農月, 爲元告者不肯歸農, 則其隻亦不計務停聽斷. 如其所訟, 黑白分明, 知非濫執者, 依他人奴婢據執例, 嚴加罪責. 若曰農事全重, 不可緩弛, 則務開之日, 元隻皆詣訟庭, 親着對訟. 如有隻人一月不及, 則專給元告, 以防奸僞何如? …".

王始許發兵西會, 國華乃還. ○先是, 契丹伐女眞, 路由我境, 女眞謂我導敵構禍, 貢馬于宋因誣譖, "高麗與契丹, 倚爲勢援, 摽掠生口". 韓遂齡之如宋也, 帝出女眞所上告急木契, 以示, 遂齡曰, "歸語本國, 還其所俘". 王聞之憂懼, 及國華至, 王語曰, "女眞貪而多詐, 前冬再馳木契, 言契丹兵將至其境, 本國猶疑虛僞, 未卽救援. 契丹果至, 殺掠甚衆. 餘族遁逃, 入于本國懷昌·威化·光化之境, 契丹兵追捕, 呼我戍卒言, 女眞每寇盜我邊鄙, 今已復讎, 整兵而回. 於是, 女眞來奔者二千餘人, 皆資給遣還. 不意, 反潛師奄至, 殺掠吾吏民, 驅虜丁壯, 沒爲奴隷. 以其世事中朝, 不敢報怨, 豈期反相誣告, 以惑聖聰? 本國世稟正朔, 謹修職貢, 深荷寵靈, 敢有二心, 交通外國. 況契丹介居遼海之外, 復有二河之阻, 無路可從. 且女眞逃難, 受本國官職者, 十數人尙在, 望召赴京闕, 令入貢之使庭辨, 庶幾得實, 願達天聰". 國華許諾←成宗4年 5月에서 옮겨옴].[155]

155) 이 기사는 세가3, 성종 4년 5월에서 移動하여 온 것이다. 이 중에서 宋 太宗의 詔書는 아래에 인용된 중국 측의 자료에 의하면 986년(雍熙3, 성종5) 2월 4일(癸卯) 發給된 것이다. 이 역시 『고려사』를 편찬할 때 연대정리[繫年]에 실패한 하나의 사례가 될 것이므로, 이해의 5월로 옮겨왔다[校正事由]. 또 詔書에서 添字는 『宋史』 권487, 열전246, 外國3, 高麗에서 차이를 보이는 것인데, 아래의 여러 자료들은 『송사』 권487, 열전246, 外國3, 高麗에 수록되어 있는 자료와 文體나 語句가 거의 비슷하지만, 약간의 차이가 있다.
·『태종황제실록』 권35, "雍熙三年二月癸卯, 賜高麗國土士治詔曰, '朕誕膺丕構, 奄宅萬方, 草木虫魚^{昆虫}, 罔不蒙澤, 華夏蠻貊, 罔不率俾, 蠢玆北虜^{邊裔}, 敢拒皇威, 偏江沙漠之中, 遷延歲月之命, 幽薊之地, 本被皇風. 向以晋漢多虞, 戎醜因而盜據, 詩曰, 我疆我理, 南東^{東南}其畝. 今國家照臨所及, 書軌大同, 豈使齊民, 陷玆胡虜^{於强敵}, 今已董齊師旅, 誅滅妖氛, 元戎啓行, 分道間出, 卽期誅翦, 以慶混同. 惟王久慕華風, 素懷明略, 輸此忠勤之節, 撫玆禮義之邦, 而接此犬羊□□, 困於蠆毒, 舒泄積慎^悶, 其在玆乎, 便可中戒師徒, 相爲犄角, 叶比隣國, 同力底下, 奮其一鼓之雄, 戡此垂亡之虜^敵, 良時不再, 王其圖之. 應擄獲生口·牛羊·財物·器械, 並給本國將士, □□□□^{用申賞勸}. 遣監察御史韓國華, 齎詔諭之^{齎詔以諭之}. 高麗西與契丹接境, 常爲虜所侵, 上知之, 故降是詔". 이 기사에서 添字는 『宋大詔令集』에서 달리 표기된 것이고, '詩曰, 我疆我理, 東南其畝'은 『詩經』, 小雅, 信南山, 第1章, "信彼南山, 維禹甸之, 畇畇原隰, 曾孫田之, 我疆我理, 東南其畝"에서 引用한 것이다.
·『송대조령집』 권237, 政事90, 四裔10, 高麗, 北伐遣使諭高麗詔, 雍熙三年二月癸卯, "朕誕膺丕構, 奄宅萬方, 草木昆蟲, 罔不蒙澤, 華夏蠻貊, 罔不率俾, 蠢玆邊裔, 敢拒皇威, 偏江沙漠之中, 遷延歲月之命, 幽薊之地, 本被皇風. 向以晋漢多虞, □□□□. □□戎醜因而盜據. 詩曰, 我疆我理, 東南其畝. 今國家照臨所及, 書軌大同, 豈使齊民, 陷於强敵, 今已董齊師旅, 誅滅妖氛, 元戎啓行, 分道間出, 卽期誅翦, 以慶混同. 惟王久慕華風, 素懷明略, 輸此忠勤之節, 撫玆禮義之邦, 而接此□□, 困於蠆毒, 舒泄積悶, 其在玆乎, 便可中戒師徒, 相爲犄角, 叶比隣國, 同力底平, 奮其一鼓之雄, 戡此垂亡之敵, 良時不再, 王其圖之. 應擄獲生口·牛羊·財物·器械, 並給本國將士, 用申賞勸. 遣監察□御史韓國華, 齎詔以諭之".
·『송사』 권487, 열전246, 外國3, 高麗, "雍熙三年, 出師北伐, 以其國接契丹境, 常爲所侵, 遣監察御史韓國華, 賫詔諭之曰, '朕誕膺丕構, 奄宅萬方, 華夏蠻貊, 罔不蒙澤, 華夏蠻貊, 罔不率俾, 蠢玆北裔, 侵敗王略, 幽薊之地, 中朝土彊, 晋·漢多虞, 寅緣盜據. 今國家照臨所及, 書軌大同, 豈使齊民, 陷諸獷俗. 今已董齊師旅, 殄滅妖氛, 惟王久慕華風, 素懷明略, 效忠純之節, 撫禮義之邦. 而接彼邊疆, 罹於蠆毒, 舒泄積慎, 其在玆乎, 可中戒師徒, 迭相犄角, 協比隣國, 同力底下, 奮其一鼓之雄, 戡此垂亡之寇. 良時不再, 王其圖之. 應俘獲生口·牛羊·財物·器械, 並給賜本國將士, 用申勸賞'. 先是, 契丹伐女眞國, 路由高麗之界, 女眞忿高麗誘導構禍, 因貢馬來愬于朝, 且言高麗與契丹結好, 倚爲勢援, 摽略其民, 不復放還. 泊高麗使韓遂齡入貢, 太宗因出女眞所上告急木契, 以示遂齡, 仍令歸白本國, 還其所俘之民. 治聞之憂懼, 及國華至, 令人言國華曰, '前歲冬末, 女眞馳木契來告, 稱契丹與兵入其封境, 恐當道未知, 宜豫爲之備. 當道與女眞爲隣國, 而路途迂遠, 彼之情僞,

[六月戊戌朔^{大盡,乙未}:追加].

[秋七月^{戊辰朔小盡,丙辰}, 某日, 教曰, "余聞, 德惟善政, 政在養民, 國以人爲本, 人以食爲天. 肆我太祖, 爰置黑倉, 賑貸窮民, 著爲常式. 今生齒漸繁, 而所儲未廣, 其益以米一萬碩, 仍改名義倉. 又欲於諸州府, 各置義倉, 攸司, 檢點州府人戶多少·倉穀數目, 以聞":節要·食貨3常平·義倉轉載].[156]

素知之矣, 貪而多詐, 未之信也'. 其後又遣人告曰, '契丹兵騎已濟梅河. 當道猶疑不實, 未暇營救. 俄而契丹雲集, 入擊女眞, 殺獲其衆. 餘族敗散逃遁, 而契刀壓背追捕, 及于本國西北德昌·德成·威化·光化之境, 俘擄而去. 時有契丹一騎, 至德米河北, 大呼關城戌戌卒而告曰, 我契丹之騎也, 女眞每寇我邊鄙, 率以爲常, 今則復仇已畢, 整兵回矣. 當道雖聞而退, 猶憂不測, 內以女眞避兵來奔二千餘衆, 資給以歸之. 女眞于勸當道, 控梅河津要, 築治城壘, 以爲防遏之備, 亦以爲然. 方令行視興功, 不意, 女眞潛師奄至, 殺略吏民, 驅掠丁壯, 沒爲奴隷. 轉徙他方, 以其歲貢中朝, 不敢發兵報怨, 豈期反相誣構, 以感聖聽. 當道世禀正朔, 踐修職貢, 敢有二心, 交通外國. 況契丹介居遼海之外, 復有大梅·小梅二河之阻, 女眞·渤海木無定居, 從何徑路, 以通往復, 橫罹讒謗, 憤氣塡膺, 日月之明, 諒垂昭鑒. 間者, 女眞眞逃難之衆, 罔不存恤, 亦有授以官秩, 尙在當國, 其職位高者, 有勿屈尼十·鮑元·尹能達·鮑老正·衛迦耶夫等數十人, 欲望召赴京闕, 與當道入貢之使庭辯其事, 則丹石之誠, 庶幾昭雪'. 國華諾之, 乃命發兵西會. 治遷延未卽奉詔, 國華屢督之, 得報發兵而還, 具錄女眞之事以奏焉'.

·『송사』권277, 열전36, 韓國華, "雍熙中, 假太常少卿使高麗. 時太宗將北征, 以高麗接遼境, 屢爲其所侵, 命齎詔諭之, 且令發兵西會, 旣至, 其俗頗獷驁, 恃險遷延, 未卽奉詔, 國華移檄, 諭以朝廷威德, 宜亟守臣節, 否卽大兵東下, 無以逃責, 於是, 俯伏聽命, 使還, 賜緋魚".

·『河南先生文集』권16, 故太中大夫右諫議大夫 ··· 韓公^{國華}墓誌銘, "··· 公諱國華, 字某, 其先深州博野人 ··· 雍熙元年, 遷監察御史, 三年, 假太常少卿使高麗, 還拜右拾遺直史館, 賜五品服 ··· 雍熙中, 王師北伐, 聞高麗與契丹, 嘗爲仇怨, 會公諭旨以分虜勢, 公全, 其王治畏虜, 無報復意, 公爲陳中國威略, 動以禍福, 乃承詔, 然遷延師期. 公曰, '兵不卽發, 不若勿奉詔, 出不及虜境, 不若勿發兵', 口語激切, 又繼以書至十返. 治惲公堅止, 知大國不可欺, 乃命其大相韓光·元輔趙抗, 兵二萬五千, 以侵虜, 且俾光等, 率將校詣公, 公猶留館, 須其兵出境, 乃復命".

·『金石萃編』권25, 大宋故太中大夫行右諫議大夫 ··· 韓公^{國華}神道碑銘, "··· 公諱國華, 字光弼, 幼而警絶, 鄕擧進士, 人宗初興國二年, 甲秋授大理評事 ··· 以監察御史, 召彈擊有稜角巖, 然望高于臺閣屬. 大子議復燕薊, 揣庭臣曰, '安得勇而善辭令者, 爲我諭高麗出兵西攻契丹, 以分其力, 則吾事可不勞而集'. 旣曰, '非韓某不可', 卽假以太常少卿爲使. 公馳舸全其國, 其王負固不時奉詔, 公坐館舍, 遺工書以慢命, 且稱朝廷威德之盛, 諸僭僞, 悉已擒滅, 遂欲北取幽疆, 以雪晉恥, 而委王以方面, 其意不已重乎? 王惟我中國是賴, 可以得志諸△雖暫勤而衆, 實干長世之利也, 今若不勉, 大子怒, 一日大兵東出, 先誅不用命者, 如決海灌熽火, 王其無悔. 王大恐奔走率職, 明日遣大相韓光·元輔趙抗, 領兵數萬, 渡浿江, 以侵契丹, 且令光等, 率諸將, 詣館門聽命, 公待以陪臣禮, 爲指畫方略, 衛勒而慰遣之. 師期未集, 公又累與王書, 獎激勵碼, 使不得少懈. 復問曰, '深入攻之邪姑挑戰也'. 王報曰, '已深入矣', 公得其肝膽, 遂復命. 大子大喜, 拜右拾遺·直史館, 面賜五品服章, 兼判登聞院. ···".

·『河朔訪古記』권中, "安陽縣西北五十里水治村, 魏國諫議墓在焉, 諫議丞相忠獻公父也. ··· 公諱國華, 字光弼, 太宗初興國二年, 甲科授人理評事 ··· 以監察御史, 召望高臺閣屬. 天子議復燕薊, 揣廷臣勇而善辭令者, 諭高麗西攻契丹, 以分其力, 旣曰, '非韓某不可', 假以太常少卿爲使. 公馳舸至其國, 其王負固不受命, 公諭以禍福, 王大恐, 遣大將領兵數萬, 渡浿江, 以侵契丹, 公復命. 天子大喜, 拜右拾遺·直史館, 面賜五品服章, 兼判登聞院, ···". 여기에서 安陽縣은 元代의 中書省 彰德路의 관할 하에 있었다(現 河南省 最北端의 安養市 安陽縣).

[○教曰, "寡人^豰素慙薄德, 尚切崇儒, 欲興周孔之風, 冀致唐虞之理, 庠序以養之, 科目以取之, 今諸州所上學生, 慮有思鄕之人, 皆令從便去留, <u>汝等祗稟予言, 勿墜其業</u>, 其歸寧學生二百七人, 可賜布一千四百匹, <u>留京學生</u>^{願留者}五十三人, 亦賜幞頭一百六枚·米二百六十五碩^石". 仍差□□^{閣門}通事舍人高榮岩^嵒, 就客省宣諭, 賜酒果:節要轉載].¹⁵⁷⁾

[→^{成宗}五年七月, 教曰, "朕素慚薄德, 尚切崇儒, 欲興周孔之風, 冀致唐虞之理. 庠序以養之, 科目以取之. 今諸州所上學士, 慮有思鄕之人, 皆令從便去留, <del>汝等祗稟子言, 勿墜其業,</del> 其歸寧學生二百七人, 可賜布一千四百匹, <u>願留者五十三人</u>, 亦賜幞頭一百六枚·米二百六十五<u>石</u>". 仍差□□^{閣門}通事舍人高榮嵒, 就客省宣諭, 賜酒果:選擧2學校轉載].¹⁵⁸⁾

[○凡隱占人逃奴婢者, 依律文一日絹三尺例, 日徵布三十尺, 給本主, 日數雖多, 毋過元直. 奴年十五以上, 六十以下, 直布百匹, 十五以下, 六十以上, 五十匹, 婢年十五以上, 五十以下, 百二十匹, 十五以下, 五十以上, 六十匹:刑法2奴婢轉載].¹⁵⁹⁾

[八月^{丁酉朔小盡,丁酉}, 某日, 始令十二牧, 挈妻子赴任:節要·刑法1職制轉載].

秋九月^{丙寅朔大盡,戊戌}, 己丑^{24日} 教曰, "上帝不言, 列星辰而炤下, 大君施化, 藉賢彦以分方. 寡人雖身居九掞, 而心遍兆人. 思與賢能, 共淸風化, 擢簪纓之彦, 差牧宰之員, 均賦稅以化人, 尙廉平而成俗. 然而人鮮克擧, 事恐稽遲. 更開戒勗之端, 別降丁寧之旨. 凡爾牧民之官, 無滯獄訟, 懋實倉廩, 賑恤窮民, 勤課農桑, 輕徭薄賦, 處事公平. 欲愼終而從其始, 將潔流而澄其源. 寧損己以益人, 不飮泉而燃燭. 如此, 則獄無寃滯, 路不拾遺, 處處而人樂其生, 家家而衆安其業. 金渾運轉, 將七政以增光, 玉燭循環, 領四時而有度, 凡百在外, 勉遵不忘".

[冬十月^{丙申朔小盡,己亥}:追加].

---

156) 이 敎書에 의해 이루어진 것이 內外戶口의 점검일 것이다.
　• 『東都歷世諸子記』, "統和四年丙戌, 內外戶口施行".
157) 여기에서 밑줄[underline, 下部線]을 친 부분은 志28, 선거2, 學校에서 달리 표기된 것이다(添字). 또 敎書가 반포되기 이전에 州郡에 詔勅을 내려 子弟를 선발하여 開京에 나가 학습하게 하였다고 하는데, 그 시기는 詔書가 敎書로 바뀐 986년(성종5) 3월 이전일 것이다. 또 閣門舍人은 閣門通事舍人의 略稱이다.
　• 지28, 選擧2, 學校, "成宗, 詔, 令州郡縣選子弟, 詣京肄業".
158) 여기에서 밑줄을 친 부분과 添字는 같은 내용을 수록한 위의 기사와 달리 표기된 것인데, 이는 『고려사』의 편찬과정에서 원래의 『성종실록』을 記事로 當時의 政治的 現實에 副應하여 改字된 것이다.
159) 이 기사는 『고려사절요』 권2에 축약되어 있고("敎, 凡隱占人逃奴婢者, 依律文一日絹三尺例, 日徵布三十尺, 給本主, 日數雖多, 毋過元直"), 이 기사의 冒頭에도 敎가 붙어 있다. 또 以上과 같은 3種의 교서는 따로 내려진 것이 아니고 한꺼번에 내려진 것으로 추측된다.

[十一月乙丑朔^{大盡,庚子}:追加].

[十二月乙未朔^{小盡,辛丑}:追加].

[是年, 遣使如宋, 獻方物, 又遣崔罕·王琳, 如宋入學:追加].¹⁶⁰⁾

丁亥[成宗]六年, 宋雍熙四年, [西曆987年]

987년 2월 1일(Gre2월 6일)에서 988년 1월 21일(Gre1월 26일)까지, 355일

[春正月^{甲子朔大盡,壬寅}, 某日, 教△^曰, "自二月, 至十月, 萬物生成之時, 禁放火山野, 違者罪之,

---

160) 이는 다음의 자료에 의거하였다.
  • 『송사』 권5, 本紀5, 태종2, 雍熙 3년 10월, "壬子, 高麗國王遣使來貢".
  • 『송사』 권487, 열전246, 外國3, 高麗, "^{雍熙三年}十月, 遣使朝賀, 又本國學生崔罕·王彬詣國子監肄業".
  • 『옥해』 권154, 朝貢, 獻方物, "雍熙三年十月, 又貢馬, 追國人入學".
  • 『옥해』 권154, 朝貢, 錫予外夷, "雍熙三年十月, 又遣崔罕等肄業".
  • 『고려사절요』 권2, 成宗 5년, "是歲, 遣崔罕·王琳, 如宋入學". 이와 같은 내용이 지28, 選擧2, 科目2, 制科에도 수록되어 있으나 冒頭에 成宗六年이 脫落되었다. 또 制科는 制擧하고도 하며, 唐代 이래 실시된 것으로 帝王이 특별히 시행한 일종의 특별한 과거제도이다. 이는 非常設的이어서 時期, 科目, 응시자격 등이 규정되어 있지 않다. 宋代에 실시된 고려의 賓貢學生을 대상으로 한 제과는 일반 과거인 進士第가 실시될 때 비슷한 내용으로 시행되었던 것 같다(祝尙書 2008年).
  여기에서 崔罕은 이 자료 이외에는 찾아지지 않아 어떠한 인물인지는 알 수 없으나, 그와 함께 宋에 들어간 王琳(王彬)을 통해 一面을 알 수 있다. 986년(雍熙3, 성종5) 10월 王琳(王彬)과 같이 賓貢學生으로 고려의 사신을 따라 宋에 들어가 太學에 입학하여 修學하다가 992년(淳化3, 성종11) 3월 進士第에 급제하여 秘書省 校書郞(從8品)에 除授되어 같은 해 7월에 귀국하였다고 한다(『拙藁千百』 권2, 送奉使李中父還朝序 ; 『宋會要輯稿』107책, 選擧2, 貢擧 進士科).
  또 王琳(969~?)은 중국 측의 자료에는 王彬으로 되어 있다. 그는 원래 光州 固始人(固始縣은 現 河南省 東南部에 있고, 전근대사회에서 中国 南北의 地理分界線이었음)으로 祖 王彦英과 父 偑이 一族인 王潮가 터전을 잡고 있던 閩地域(長樂, 現 福建省 長樂)으로 移住하였는데, 그곳에서 權勢를 부리다가[用事] 王潮의 미움을 받아 王彦英이 家族을 거느리고 新羅로 逃走하였다고 한다. 신라에서 중용되었다고 하는데, 한국 측의 자료에서 확인되지 않는다.
  그리고 王彬은 986년(雍熙3, 성종5) 10월 18歲의 나이로 崔罕과 함께 賓貢學生으로 고려의 사신을 따라 宋에 들어가 太學에 입학하여 수학하다가 992년(淳化3, 성종11) 3월 進士第에 급제하여 秘書省 校書郞(從8品)에 除授되었다. 같은 해 7월 고려에 귀환하였으나, 祖上의 墳墓를 보호하기[正省墳墓] 위해 宋으로 돌아가 雍丘尉에 임명되었다. 이어서 秘書省 著作佐郞·筠州通判·知汀州事·知撫州事 등을 거쳐 提點荊湖路刑獄으로 발탁되었다가 知潭州事·判三司戶部勾院 등을 거쳐 京西轉運使가 되었다가 河北·京東·河東·陝西 등지의 轉運使를 거쳐 三司鹽鐵判官이 되었다. 이후 여러 관직을 거쳐 太常少卿(從5品)에 이르렀다가 逝去하였다고 한다(『송사』 권304, 열전63, 王彬 ; 『淳熙三山志』 권26, 人物類1, 科名, 淳化 3년 ; 지28, 선거2, 制科).

著爲常式”:節要·刑法2禁令轉載].

[二月甲午朔^{小盡,癸卯}:追加].

春三月^{癸亥朔人盡,甲辰}, 甲子^{2日}, [淸明]. 大匡[·內史令:節要轉載]崔知夢卒, [年八十一:列傳6崔知
夢轉載].¹⁶¹⁾ [知夢, 南海靈巖郡人, 幼名聰進. 性淸儉慈和, 聰敏嗜學, 博涉經史, 尤精於天文·
卜筮. 年十八^{太祖7年}, 太祖聞其名, 召使占夢, 得吉兆, 曰, “必將統御三韓”. 太祖喜, 改名知夢,
賜錦衣, 授以供奉職. 常從征伐, 不離左右, 及創位^{統合之後}, 入侍禁中, 以備顧問. 惠宗□□^{二年},
授司天□^臺職:節要轉載].¹⁶²⁾

[某日, 李夢游知貢擧, 取進士:選擧1選場轉載]. [□□^{恐脫}, 除頌, 試以詩·賦及時務策:選擧1科
目轉載].

[○□^又放榜, 下敎曰, “省今所擧諸生詩·賦·策, 文辭踳駁, 格律猥瑣, 皆不堪取. 唯進士三人
詩·賦·策, 及明經以下諸業, 通計六人, 對義名狀, 一如所奏. 進士鄭又玄, 五夜方闌, 二篇已就,
雖非卓異之才, 亦是敏捷之手, 宜置前列, 用勸後來. 明經以下, 諸業學生, 各勤本業, 方成厥志,
宜降優柔之澤, 俾升擢用之科, 其令有司, 准例敍用. 自今, 進士諸生, 不依考官格式, 放縱違律
者, 勿許試取, 永以爲式”. ○放榜下敎, 始此:選擧2崇奬轉載].

[是月壬辰^{30日}, 入歸法寺圓通首座均如所說‘釋華嚴旨歸章圓通鈔’於敎藏:追加].¹⁶³⁾

[夏四月癸巳朔^{小盡,乙巳}:追加].
[五月壬戌朔^{大盡,丙午}:追加].

[夏六月^{壬辰朔大盡,丁未}, 某日, 收州郡兵, 鑄農器:節要·食貨2農桑轉載].

---

161) 이날은 율리우스曆으로 987년 4월 2일(그레고리曆 4월 7일)에 해당한다.

162) 이와 관련된 기사로 다음이 있고, 崔知夢의 事蹟은 당시의 餘他 人物에 비해 그의 열전에 상세히 정리
되어 있다.

· 지18, 禮6, 諸臣喪, “三月, 內史令崔知夢卒, 王聞訃震悼, 賻布千匹, 米三百石, 麥二百石, 茶二百角, 香二
百斤, □^命官庀葬事. 贈太子太傅, 謚敏休”.

· 열전5, 崔知夢, “^{成宗}六年, 知夢疾病, 成宗命醫賜藥, 親臨問疾. 以馬二匹, 施歸法·海安二寺, 飯僧三千以禱,
凡可以已疾者, 靡所不爲. 卒年八十一, 訃聞震悼, 賻布千匹, 米三百碩, 麥二百碩, 茶二百角, 香二十斤, □^命
官庀葬事. 贈太子太傅. 謚敏休, 加贈太師”. 여기에서 添字가 탈락되었을 것이다.

163) 이는 다음의 자료에 의거하였다.

· 『釋華嚴旨歸章圓通鈔』권하, 跋, “本講和尙, 與工寺敎學僧統天其, 以甲午年^{高宗21年}, 始仕開泰寺, 於古藏搜
得此本, 乃八德山歸法寺圓通首座均如所說, 以雍熙四年丁亥^{成宗6年}三月三十日竟寫, 入敎藏本也”.

[七月^{壬戌朔小盡戊申}, 某日, 敎□曰, "放良奴婢, 年代漸遠, 則必輕侮本主. 今或代本主, 水路赴戰, 或廬墓三年者, 其主告于<u>攸司</u>, 考閱其功, 年過四十者, 方許免賤. 若有罵本主. <u>又與本主親族, 相抗者, 還賤役</u>"使:刑法2奴婢轉載].¹⁶⁴⁾

秋八月^{辛卯朔人盡己酉}, 乙卯^{25日} 命<u>李夢遊</u>, 詳定中外奏狀及行移公文式.

是月, 賜鄭<u>又玄</u>等及第.¹⁶⁵⁾ 敎曰, "自昔結繩旣往, 畫卦以來, 北辰御極之君, 南面經邦之主, 莫不習五常而設敎, 資六籍以取規. 故乃有虞開上下之庠, 夏后置東西之序, 殷修兩學, 周立二膠. 擇先生而討論, 命國子以肄習, 君臣父子, 咸知愛敬之風, 禮樂詩書, 足創經綸之業. 所以人倫軌範, 王道紀綱, 灼爾可觀, 煥然斯在. 寡人道慚握鏡, 德乏垂衣, 纂承累聖之鴻基, 奄有三韓之王業, 心存慄慄, 念切孜孜. 欲使俗變澆醨, 人知禮讓, 杏壇槐市, 增多鼓篋之徒, 米廩稷山, 蔚有橫經之子. 況復保生之理, 療病爲先, 故乃神農御宇之年, 備嘗藥草, 秦帝焚書之日, 不滅醫經. 將除百姓之艱危, 要廣十全之方術. 近者, 廣募諸州郡縣子弟, 詣京習業, 果以乘風而至, 應詔而來, 講肆之中, 學徒頗衆. 盖以辭家路遠, 爲客日多, 且志惰於爲山, 却情深於懷土. 憫其離索, 睠降諭言, 願留者, 任住京華, 求退者, 許還桑梓. 各有頒賜, 以遂去留. 然恐有性聰明, 無師敎授, 未學一經之旨趣, 虛過數紀之光陰. 雖有前程, 空爲棄物, 得人無計, 求士何因? 今選通經閱籍之儒, 溫古知新之輩, 於十二牧, 各差遣經學博士一員‧醫學博士一員. 勤行善誘, 好敎諸生, 則必審量功績之淺深, 超擢官榮而獎勵. 應其諸州郡縣長吏‧百姓有兒可敎學者, 合可訓戒, 勉篤師資. 儻其父母未識國風, 爲營家産, 只見今朝之利, 不思他日之榮, 謂學習何爲? 讀書勿益. 却妨編柳, 唯要負薪, 其子則沒齒無聞, 其親則榮身莫得. 彼甯越之抛耕取貴, 匡衡之鑿壁成功, 或朱翁子衣錦以還鄕, 馬長卿乘軺而返蜀, 皆勤志業, 以立榮名, 言念伊人, 寔多嘉獎. 於戲, 懷材抱器事君王, 則忠之始也, 立身揚名, 顯父母, 則孝之終也, 忠孝可稱, 寵榮何恡? 自後, 若有螢窓勵志, 鱣肆明經, 孝弟有聞, 醫方足用, 可其牧宰‧知州‧縣官, 具錄, 薦貢京師".¹⁶⁶⁾

---

164) 이 자료는 『고려사절요』 권2에서 攸司가 有司로 달리 표기되어 있으나 통용되는 글자이다. 또 "又與本土親族, 相抗者"가 省略되어 있다(東亞大學 2012년 19책 667面).

165) 이와 관련된 기사로 다음이 있다.
  ‧ 지27, 선거1, 科目1, 選場, "^{成宗}六年三月, <u>李夢游</u>知貢擧, 取進士, 八月下敎, 賜<u>夢游</u>所擧甲科鄭<u>又玄</u>‧明經一人‧卜業一人‧醫業二人‧明法業二人及第".
  ‧ 세가3, 성종 6년 8월, "下敎, 賜鄭<u>又玄</u>及明經一人‧卜業一人‧醫業二人‧明法業二人及第. 放榜下敎, 始此".

166) 이와 관련된 기사로 다음이 있다.
  ‧ 지28, 選學2, 學校, "以前年許還學生, 無師敎授, 敎, 選通經閱籍者, 爲經學‧醫學博士, 於十二牧, 各遣一人, 敦行敎諭. 其諸州郡縣長吏‧百姓, 有兒可敎學者, 幷令訓戒. 若有勵志明經, 孝弟有聞, 醫方足用者, 令牧宰‧知州縣官, 依漢家故事, 具錄薦貢京師, 以爲恒式".

九月^{辛酉朔小盡,庚戌}, 戊辰^{8日}, 改諸村大監·弟監, 爲村長·村正.

冬十月^{庚寅朔大盡,辛亥}, [某日], 命停兩京八關會.
[→命有司, 停兩京八關會:禮11仲冬八關會儀轉載].¹⁶⁷⁾

[十一月^{庚申朔小盡,壬子}, 某日, 改慶州爲東京留守:節要轉載].
[→以慶州爲東京. 置留守使一人三品以上, 副留守一人四品以上, 判官一人六品以上, 司錄□
^兼參軍事一人, 掌書記一人, 並七品以上, 法曹一人八品以上, 醫師一人, 文師一人, 並九品:百官
2東京留守官轉載].

[十二月己丑朔^{大盡,癸丑}:追加].

是歲, 定五部坊里.
[○連理木生于忠州:五行2轉載].

戊子[成宗]七年, 宋雍熙五年→1月端拱元年, [西曆988年]

988년 1월 22일(Gre1월 27일)에서 989년 2월 8일(Gre2월 13일)까지, 13개월 384일

[春正月己未朔^{小盡,甲寅}:追加].
[是月乙亥^{17日}, 宋改雍熙五年爲端拱元年:追加].

春二月^{戊子朔大盡,乙卯}, 壬子^{25日}, 左補闕兼知起居注李陽上封事.
其一曰, 古先哲王, 奉崇天道, 敬授人時, 故君知稼穡之艱難, 民識農桑之早晚, 以致家給人足,
年豊歲稔. 按'月令', '立春前, 出土牛, 以示農事之早晚',¹⁶⁸⁾ 請擧故事, 以時行之.

---

167) 이와 관련된 기사로 다음이 있으나 字句에 차이가 있다(徐今錫 2016년).
　· 『고려사절요』 권2, "冬十月, 罷兩京八關會".
168) 이는 다음의 사실을 가리키는 것 같다.
　· 『예기』 권2, 月令, "出土牛, 以送寒氣"
　· 『東京夢華錄』 권6, 立春, "立春前一日, 開封府進春牛, 入禁中鞭春, 開封·祥符兩縣, 置春牛于府前, 至日絶
早, 府僚打春, 如方州儀. …".

其二曰, 躬耕帝籍, 寔明王重農之意, 虔行女功, 乃賢后佐君之德. 所以致誠於天地, 積慶于邦家. 按'周禮'內宰職曰, '上春, 詔王后率六宮之人, 生種稑之種, 而獻之于王'.[169] 以此言之, 王者所擧, 后必贊之. 方今上春, 祈穀於上帝^{昊天上帝}, 吉日耕籍于東郊. 君雖有事於籍田, 后乃闕儀於獻種, 願依'周禮', 光啓國風.[170]

其三曰, 聖人俯察仰觀, 以通時變, 王者行仁布惠, 用邃物情. 按'月令', '正月中氣後, 犧牲毋用牝, 禁止伐木, 無麛無卵, 無聚大衆, 掩骼埋胔'.[171] 願當獻歲之晨, 遍布行春之令, 咸知時禁, 俾識天常.

○敎曰, "李陽所論, 皆據典經, 合垂兪允. 其出土牛事, 今年立春已過, 取後年立春前, 所司更奏施行. 其獻種之事, 宜令禮官議定. 奏取籍田吉日, 王后親行, 始自今歲, 以作通規. 當正月中氣之初, 若公私祭, 犧牲勿用牝以傷生, 禁伐木, 無犯盛德所在. 無麛無卵, 勿傷萌幼, 除禦寇城防要事之外, 毋聚大衆以防農. 或畜或人, 曝露枯骨腐肉, 皆令掩埋, 勿使死氣逆生氣也. 於戲, 天有四時,[172] 春布陽和之德, 君行五敎,[173] 仁爲禮義之先. 宜遵先聖之典謨, 用順勾芒之造化,[174] 遂使飛沈遂性, 草木懷恩, 至於枯朽之群, 盡荷生成之惠, 不亦美乎? 宜頒兩京百司, 及十二牧知州縣鎭使等, 咸使知委, 勉行條制. 當體予意, 普示黎元, 無犯此令".

[某日, 判^判, "禾穀不實州縣, 近道限八月, 中道限九月十日, 遠道限九月十五日, 申報戶部, 以爲恒式": 食貨1踏驗損失轉載].

---

169) 이 구절은 다음의 자료를 인용한 것이다.
　・『周禮』권2, 天官冢宰下, 內宰, "上春, 詔王后帥六宮之人, 而生種稑之種, 而獻之于王".
170) 여기에서 上帝는 圜丘(혹은 圓丘)에 奉安된 昊天上帝를 指稱할 것이다(『구당서』권21, 志1, 禮儀1, 祠令).
171) 이 구절은 다음을 인용한 것 같다.
　・『禮記注疏』권14, 月令, 末尾, "是月也, 命樂止入學習舞, 乃修祭典, 命祀山林川澤, 犧牲毋用牝. 禁止伐木, 毋覆巢, 毋殺孩蟲胎夭飛鳥, 毋麛無卵, 毋聚人衆, 毋置城郭, 掩骼埋胔"(四庫全書本27左 6行).
172) 四時에 대한 설명으로 다음이 있다.
　・『여유당전서』권25, 小學紺珠, 四之類, "四時者, 天氣之變也. 春曰靑陽[注, 陽始舒], 夏曰朱明[火之色], 秋曰白藏[收斂也], 冬曰玄英[英, 淸也], 此之謂四時也. 四時之名, 出'爾雅'[釋天文]".
173) 五敎에 대한 설명으로 다음이 있다.
　・『여유당전서』권25, 小學紺珠, 五之類, "五敎者, 天倫之彝典也. 父義母慈, 兄友弟恭, 子承以孝, 此之謂五敎也. 五敎之名, 出'虞書'[注, 其曰見'春秋'傳, 漢儒以此爲五, 亦名五典, '書'集傳以五倫爲五敎, 又父母兄弟妻子, 謂之六親, 見'春秋'傳".
174) 勾芒(句芒)은 五時(四節氣와 啓下·王日) 중의 立春에 五方上帝[五帝] 중 東方神인 靑帝를 享祀할 때, 五人帝의 하나인 太昊氏(伏犧의 혹은 宓犧)의 다음에 從祀된 五行神[五官]의 하나로서, 春과 木을 다스리는 신이다(中村裕一 2014年 225面).
　・『大唐六典』권4, 尙書祠部, 祠部郞中·員外郞, "… 立春之日, 祀靑帝於東郊, 太昊配焉, 其勾芒氏·歲星·東方三辰七宿, 並從祀".

[三月^{戊午朔小盡,丙辰}, 某日, 王融知貢擧, 取進士:選擧1選場轉載].

[夏四月丁亥朔^{大盡,丁巳}:追加].

[五月丁巳朔^{小盡,戊午}:追加].
[是月, 招僧英俊闕內, 敬聽奧旨, 賜磨衲袈裟一副:追加].¹⁷⁵⁾

[閏五月丙戌朔^{大盡,戊午}:追加].
[六月丙辰朔^{小盡,己未}:追加].
[秋七月乙酉朔^{大盡,庚申}:追加].
[八月乙卯朔^{大盡,辛酉}:追加].

秋九月^{乙酉朔小盡,壬戌}, 辛丑^{17日}, 賜李偉^{李緯}等及第.¹⁷⁶⁾

冬十月^{甲寅朔大盡,癸亥}, [某日], 宋遣銀靑光祿大夫·尙書禮部侍郞·上柱國呂端, 銀靑光祿大夫·行左諫議□□^{大夫}·上柱國呂祐之來,¹⁷⁷⁾ 加冊王, 檢校太尉, 加食邑一千戶·食實封五百戶, 依前充大

---

¹⁷⁵⁾ 이는 「陜川靈巖寺寂然國師慈光塔碑」에 의거하였다.
¹⁷⁶⁾ 이와 관련된 기사로 다음이 있다.
  · 지27, 선거1, 科目1, 選場, "^{成宗}七年三月, 王融知貢擧, 取進士, 九月下敎, 賜乙科李緯等二人·丙科二人·醫業二人及第".
¹⁷⁷⁾ □□에 大大가 탈락되었고, 이들 宋의 使臣團에 관한 자료로 다음이 있다.
  · 『태종황제실록』 권44, 端拱 1년 4월, "己丑^{3日}, 制加高麗國王王治·靜海軍節度使黎桓並檢校人尉".
  · 『송사』 권5, 본기5, 태종2, 端拱 1년 4월, "己丑, 加高麗國王治·靜海軍節度使黎桓並檢校太尉".
  · 『태종황제실록』 권44, 단공 1년 4월, "庚戌^{24日}, 命考功員外郞^{兼侍御史}知雜事呂端·起居舍人呂祐之, 使高麗, 戶部郞中魏庠·虞部員外郞李度, 使交州". 添字는 필자가 추가하였는데, 侍御史知雜端은 御史臺 侍御史 중에서 先任者[古參]가 就任하던 職責이며, 公廨雜事를 담당하는 동시에 侍御史·殿中侍御史·御史雜端[三院御史]의 잘못에 대한 징계권도 가지고 있었다고 한다(小野木聰 2018年).
  · 『송사』 권487, 열전246, 外國3, 高麗, "端拱元年, 加治檢校太尉, 以考功員外郞兼侍御史知雜端呂端·起居舍人呂祐之爲使".
  · 『속자치통감장편』 권29, 端拱 1년 4월, "庚戌, 遣考功員外郞兼侍御史知雜事呂端·起居舍人鉅野呂佑之, 使高麗, 假內庫錢五十萬, 以辦裝. 還遇風濤, 帆檣折, 舟人大恐, 端恬然讀書不輟, 佑之悉取所得貨沈之, 迺止. 詔償其所貨".
  · 『友會談叢』 권上, "相國呂公端, 任補闕, 與一供奉官被命, 同往高麗, 旣逮其國, 宣朝命畢, 以風信未便, 在高麗將及牟年, 未幾風便回棹, 王加等, 贈遺奇珍異貨, 盈牴而歸. 先是, 供奉者以公所得置之船底, 己之所得在公物上, 慮水氣見過也, 公亦不問, 措置委之前行, 方至海心, 風濤四起, 舟欲傾倒, 公神色自若, 供奉者倉皇失圖, 舟子前曰, 風濤之由, 以公等所載奇異, 海神必惜不欲令多到中國, 但少抛水中, 風必止矣. 公如其言, 令

順軍使·□□^{使持}節·玄菟州諸軍事·玄菟州都督·上柱國·高麗國王,[178] 散官勳如故. <u>是年正月</u>, 宋帝親耕籍田, 大赦, 改元端拱, 百官內外並加恩. 遂遣端等來, 冊王, 仍諭赦旨.[179]

○王旣受冊, 赦絞罪以下, 文班從仕年深者改服, 武班年老無子孫, 自癸卯年^{太祖26年}, 錄軍籍者, 皆放還鄕里, 兩班並加恩.

[→宋遣禮部侍郞呂端來, 冊王, <u>王宣赦</u>, 蠲欠負, 恤賑窮乏:食貨3恩免之制轉載].

[是月, 教, "<u>文·武常參官</u>以上, 父母妻, 封爵":選擧3封贈轉載].[180]

左右擲之, 才^牛風息, 得達登州岸, 遂開其載, 則在下者呂公之物咸在, 而供奉之物居上者, 略無子遺矣. 校供奉之物已磬矣, 諒非海神秘惜, 蓋罪小人用心奸險也. 公以所存者中分入之, 亦^亻厚矣".

· 『事實類苑』 권7, 君臣知遇, "呂正惠公端, 使高麗遇風濤, 恍惚問檣折, 舟人大恐, 公恬然讀書, 若在齋閣時". 이와 유사한 내용이 『東都事略』 권31, 열전14, 呂端 ; 『隆平集』 권4, 呂端 ; 『自警篇』 권2, 操修類 ; 『古今事文類聚』前集 권17, 怡然讀書 ; 『玉壺野史』 권5 ; 『五朝名臣言行錄』 권2-1, 丞相呂正惠公에도 수록되어 있다.

· 『孫公談圃』 권上, 呂相端, "呂相端, 奉使高麗, 過洋祝之曰, 回日無虞, 當以金書維摩經爲謝. 比回, 風濤輒作, 遂取經沈之, 聞絲竹之聲, 起于舟下, 音韻淸越, 非人間比, 經沈隱隱而去. 崔伯易, 在禮部, 求奉使高麗, 故實遂得中公事, 故楊康國錢緍, 皆寫此經往. 豐稷爲楊掌戔表言, 東海洋龍宮之寶藏所也, 氣如厚霧, 雖無風, 亦有巨浪, 使人臥木匣中, 雖蕩而身不搖, 食物盡嘔, 唯飮少漿, 舟前大龜如屋, 兩日如巨燭, 光耀沙上, 舟人以此卜之, 見則無虞也".

178) □□에 使持가 탈락되었다.

179) 이는 1월 17일(乙亥)에 이루어진 措置이다(『태종황제실록』 권43, 端拱 1年 1월 乙亥 ; 『송사』 권5, 본기 5, 太宗2, 端拱 1年 1월 乙亥).

180) 常參官은 唐制에서 5品以上의 職事官·8品以上의 供奉官·尙書員外郞, 監察御史 등이다. 여기에서 8品以上의 供奉官은 起居郞·起居舍人·通事舍人·左右補闕·左右拾遺·侍御史·殿中侍御史 등이다. 高麗의 경우 唐律을 수용하였던 前期에는 대체로 이와 유사하였을 것이지만 시간의 경과에 따라 약간의 變化가 있었을 것이다(松本保宣 2016年 ; 李鎭漢 1999년 126面).

· 『大唐六典』 권2, 尙書吏部郞中, "凡京師有常參官, 謂五品以上職事官·八品以上供奉官·員外郞·監察御史·太常博士. 供奉官, 爲侍中·中書令·左右散騎常侍·黃門□□^{使持}·中書侍郞·諫議大夫·給事中·中書舍人·起居郞·起居令人·通事令人·左右補闕·拾遺·御史大夫·御史中丞·侍御史·殿中侍御史".

· 『신당서』 권48, 지38, 百官3, 御史臺, "文武官職事九品以上及二王後, 朝朔望. 文冠五品以上及兩省供奉官·監察御史·員外郞·太常博士日參, 號常參官. 武官三品以上三日一朝, 號九參官, 五品以上及折衝當番者五日一朝, 號六參官".

· 『자치통감』 권224, 唐紀40, 代宗大曆 1년(766), "二月丁亥朔, 釋奠于國子監. 命宰相帥常參官[胡三省注, 堂參官, 常朝日常赴朝參官者也. 唐制, 文官五品以上及兩省供奉官·監察御史·員外郞太常博士日參, 號常參官. 武官三品以上三日一朝, 號九參官. 五品以上及新行折衝當番者五日一朝, 號六參官. 弘文·崇文館·國子監學生四時參. 凡諸王入朝及以恩追至者日參. 其文武官職事九品以上及二王後, 則朔望而已. 帥, 讀曰率], …".

· 『春明退朝錄』 권中, "… 盖天子坐朝, 莫先乎止衙殿. 於禮, 群臣無一日不朝者, 故止衙雖不坐, 常參官獨立班, 俟放朝後乃退. 唐有職事者, 謂之常參, 今隷外朝, 不釐務者, 謂之常參".

· 『송사』 권116, 지69, 禮19, 常朝之儀, "唐以宣政爲前殿, 謂之正衙, 卽古之內朝也. 以紫宸爲便殿, 謂之入閣, 卽古之燕朝也. 而外又有含元殿, 含元非正, 至大朝會不御. 正衙則日見, 羣臣百官皆在, 謂之常參, 其後此禮漸廢. 後唐明宗, 始詔羣臣每五日一隨宰相入見, 謂之起居, 宋因其制. 皇帝日御垂拱殿. 文武官日赴文德殿正衙曰常參, 宰相一人押班. 其朝朔望亦於此殿. 五日起居則於崇德殿或長春殿, 中書·門下爲班首. 長春卽垂拱也. 至元豐中官制行, 始詔侍從官而上, 日朝垂拱, 謂之常參官. 百司朝官以上, 每五日一朝紫宸, 爲六參官.

[十一月甲申朔^{大盡,甲子:追加}].

十二月乙丑朔^{甲寅朔小盡,乙丑}, 依浮屠法, 以正·五·九月爲三長月, 禁屠殺.[181]

[某日, 判^制, "水旱虫霜爲災, 田損四分以上免租, 六分免租·布, 七分租·布·役俱免":食貨3災免之制轉載].[182]

是歲^{是月}, 始定五廟.[183]

○以崔承老爲門下守侍中, [封淸河侯, 食邑七百戶. □□^{是歲}, 承老累表乞致仕, 皆不允:列傳6崔承老轉載].[184]

[是年, 判^制, "諸道轉運使及外官, 凡百姓告訴, 不肯聽理, 皆令就決於京官. 自今越告人及州縣長吏不處決者, 科罪":刑法1職制轉載].[185]

[○遣使如宋, 獻方物:追加].[186]

在京朝官以上, 朔望一朝紫宸, 爲朔參官·望參官, 遂爲定制".

181) 이해의 宋曆과 □本曆에서 11월은 大盡이고, 12월은 小盡으로 초하루[朔□]는 甲寅이다. 그런데 이 기사에 의하면 高麗曆은 12월의 초하루가 乙丑으로 되어 있어 차이를 보이고 있지만, 乙丑은 이달의 月建이므로 『고려사』의 편찬에서 어떤 錯誤가 있었던 것 같다.

182) 이는 지34, 식화3, 賑恤, 災免之制를 전재하였는데, 『고려사절요』권2에는 약간 차이가 나게 기록되어 있다
　・권2, 성종 7년, "是歲, 蝗, 蠲減財賦, 田損四分以上免租, 六分免租布, 七分租布役俱免".

183) 是歲는 是月의 오자로 추측된다. 이는 지15, 禮3, 諸陵의 "成宗七年十二月, 始定五廟"를 통해 알 수 있다.

184) 고려시대의 致仕를 적절히 설명해 주는 기사는 찾아지지 않지만, 中原에서는 옛 부터 일반적인 관례[通制]였던 것 같다. 또 朝鮮前期인 15세기 후반 丁克仁(1401~1481)의 사례를 통해 볼 때, 관료가 滿69歲가 되는 出生日의 몇 개월 전에 致仕를 銓注機關인 吏曹[吏部]에 요청하였던 것 같다.
　・『書經』, 略說, "… 大夫七十而致仕, 老于鄕里, 名曰父師, 士曰少師, 以敎鄕人子弟, 於門塾之基, 而敬之學焉[注, 儀禮疏引書曰, 傳略說].
　・『大唐六典』권2, 尙書吏部, 諸職事官, "… 凡職事官應觀省及移疾, 不得過程, … 年七十以上應致仕, 若齒力未衰, 亦聽釐務[注, 若請致仕, 五品已上, 皆上表文, 六品已下, 申尙書省奏聞]".
　・『不憂軒集』권1, 致仕吟, [注, 己丑八月, 以泰仁訓導, 拜正言, 十二月二十四日, 以年滿七十, 預先呈辭, 庚寅正月初六口, 還家]. 이때의 만70세는 현재의 만69세에 해당한다.

185) 이 기사의 내용을 통해 볼 때 당시의 轉運使는 租稅·貢物의 輸送과 같은 財政의 任務[漕司]와 行政과 刑獄을 監察하던 機能[憲司]을 함께 가지고 있었던 行政官[監司]이었던 것 같다(渡邊 久 1992年).

186) 이는 다음의 자료에 의거하였다.
　・『송사』권5, 本紀5, 태종2, 端拱 1년 11월, "甲申朔, 高麗工遣使來貢".
　・『옥해』권154, 朝貢, 獻方物, "端拱元年十一月, 貢馬".

己丑[成宗]八年, 宋端拱二年, [西曆989年]

989년 2월 9일(Gre2월 14일)에서 990년 1월 29일(Gre2월 3일)까지, 355일

[春正月癸未朔^{小盡,丙寅}:追加].

春二月^{壬子朔人盡,丁未}, 庚辰^{29日}, 敎曰, "聞朝野士庶之病者, 未能見醫, 亦無藥物, 不得瘳者多矣. 朕深欲遍賜醫藥, 然往古亦無博施之文. 自今, 內外文官五品·武官四品以上疾病, 並令本司, 具錄以聞, 遣侍御醫·尙藥直長·大醫·醫正等, 齎藥往治之". 群臣上表謝.

[三月^{壬午朔小盡,戊辰}, 某日, 始置東·西北面兵馬使, 以門下侍中·中書令^{內史令}·尙書令^{御事都省令}爲判事, 又兵馬使·知兵馬事各一人, 並三品, 副使二人, 判官三人, 錄事四人. 判事留京城, 兵馬使赴鎭, 親授鈇鉞, 使專制閫外:節要轉載].¹⁸⁷⁾

[某日, 王融知貢擧, 取進士:選擧1選場轉載].

夏四月^{辛亥朔小盡,己巳}, 壬戌^{12日}, 敎曰, "予方崇學校, 欲理邦家. 廓開函丈之筵, 廣募摳衣之子, 給田庄而肄業,¹⁸⁸⁾ 差文學以爲師. 年年懸甲乙之科, 徵諸俊乂, 日日訪丘園之士, 待彼英髦, 務得博識之儒, 使助眇沖之政. 懸旌勿怠, 側席忘疲. 然牛毛之學者雖多, 麟角之成人甚少. 空係名於國學, 罕較藝於春場, 宵旰凝懷, 寢興軫慮. 近覽有司所進, 擧人名數, 唯太學助敎宋承演·羅州牧經學博士全輔仁, 誘以能諄, 合宣父, 博文之意, 誨而不倦, 副寡人勸學之心, 宜加獎擢之恩,

---

187) 이 기사와 관련된 자료로 다음이 있다.
- 지26, 輿服, 冠服通制, "成宗八年三月, 始定東·西北面兵馬使玉帶紫襟, 兵馬副使紫衣帶鈒".
- 지21, 百官2, 外職, 兵馬使, "成宗八年, 置於東·西北面, 兵馬使一人三品, 玉帶紫襟, 親授鈇鉞, 赴鎭專制閫外, 知兵馬事一人亦三品, 兵馬副使二人四品, 兵馬判官三人五六品, 兵馬錄事四人. 又以門下侍中·中書令·尙書令爲判事, 留京城, 遙領之. 後以西北路, 邊圍事煩, 錄事增爲七人".
  이 기사에서 中書令·尙書令 등이 判事에 임명된 것은 1061년(문종15) 6월 이후의 사실일 것이다. 尙書省은 995년(성종14) 5월 御事都省이, 門下省은 1061년(문종15) 6월에 內史省이 각각 改稱된 것이다. 그래서 中書令은 內史令으로, 尙書令은 御事都省令으로 고쳐야 옳게 될 것이다.
188) 肄業(이업)은 '열심히 배운다[習業]'는 의미로 해석[讀]할 수 있을 것이다.
- 『춘추좌씨전』傳, 文公 4년 末尾, "衛寧武子來聘□^享, 公與之宴, 爲賦湛露及彤弓. 不辭, 又不答賦, 公使行人私焉, 對曰, 臣以爲, 肄業及之也. …". 여기에서 添字는 筆者가 추가하였다.
- 『陳書』권28, 열전22, 後主諸子, 吳興王胤, "吳興王胤, 字承業, 後主長子也, … 後主卽位, 立爲皇太子, 胤性聰敏, 好學, 執經肄業, 終日不倦, 博通大義, 兼善屬文".
- 『자치통감』권11, 漢紀3, 高帝 6년(BC201) 9월, "於是叔孫通使, 徵魯諸生三十餘人, … 月餘, ^{叔孫通}言於上^{到邦}曰, '可試觀矣'. 上使行禮曰, '吾能爲此', 令群臣習肄[胡三省注, 肄, 弋二翻, 亦習也]', …".

用示殊尤之寵"[189]

乙丑[15日], 始營大廟[太廟].[190]

癸酉[23日], 王詣大廟[太廟], 率百官輸材.

[某日, 始令京官六品以下, 四考加資, 五品以上, 必取旨, 以爲常式:節要·選擧3選法轉載].[191]

五月[庚辰朔大盡,庚午], 辛卯[12日], [夏至]. 守侍中崔承老卒.[192] [承老, 慶州人, 性聰敏好學, 善屬文. 年十二[太祖21年], 太祖召見, 使讀論語, 甚嘉之, 賜鹽盆. 明年[太祖22年], 命隷元鳳省學生, 賜鞍馬·例食二十碩. 自是, 委以文柄, 承老, 盡忠累代, 歷官至門下侍郞, 上章辭職, 不允. 未幾, 遂拜侍中, 封淸河侯·食邑七百戶, 累表乞致仕, 皆不允. 至是, 病卒, 年六十三. 王慟悼, 下敎褒其勳德, 贈太師, 賻布一千匹·麵三百碩·粳米五百碩·乳香一百兩·腦原茶二百角·大茶一十斤:節要轉載],[193] [諡文貞:列傳轉載].

----

189) 이와 관련된 기사로 다음이 있다.
- 지28, 選擧2, 學校, "入學[太學]助敎宋承演, 南海道羅州牧經學博士全輔仁, 誨人不倦, 宜加獎擢. 承演可超九等, 授國子博士, 仍賜緋公服一襲, 輔仁可賜公服一襲, 米五十石. 自今, 凡文官有弟子十人以下者, 有司於政滿遷轉之時, 具錄奏聞, 以爲褒貶. 其十二牧經學博士, 無一箇門生赴試者, 雖在考滿, 復令留任, 責其成效, 量授官階, 以爲恒式".

190) 이 기사는 지15, 禮3, 吉禮大祀에는 "[成宗]八年四月, 始營人廟"로 되어 있다. 또 大廟는 여러 판본의 『고려사』와 『고려사절요』에서 太廟와 함께 사용되고 있는데, 이는 兩者의 並用보다는 판본을 인쇄할 때 太字가 人字로 잘못 인쇄되었을 가능성이 많을 것이다. 中原의 史書에서도 같은 양상을 보이고 있는데, 先秦時代以來 太字가 大字로 바뀌어 筆寫되었다고 한다. 그래서 『고려사』에서 太廟와 大廟, 太僕寺와 大僕寺 등이 混在되었을 것이다.
- 『楚辭』 권5, 遠遊章句第5離騷, "問大微[太微]之所居, 傅訪단天庭在何處, 大一作太, …". 『楚辭章句』는 後漢代의 官僚인 王逸(生沒年 不詳)의 著述이다.
- 『자치통감』 권, 기, 祖 년, "胡三省注, 于龍朔改制, 中御大監察院, 大作人, 將作大監, 不改字. 按先秦古籍太, 一般均寫作大. 唐大監或即太監").

191) 常式은 延世大學本과 東亞大學本에는 當式으로 되어 있으나 오자일 것이다(東亞大學 2012년 17책 775面 ; 朴龍雲 1995년b).
- 『管子』 권11, 君臣下제31, "… 國有常式, 故法不隱, 則天下無怨心"(四庫全書本3左4行).
- 『賓退錄』 권3, "今人以月·一日·八日·十四日·十五日·十八日·二十三日·二十四日·二十八日·二十久逸·三十日, 不食肉, 爲之十齋, 釋氏之敎也. 余[禮興時]按'唐會要', 武德二年正月二十四日, 詔自今已後, 每年正月·九月及每月十齋日, 並不得行刑, 所在公私宜斷屠釣, 永爲常式. …"(四庫全書本3左7行).

192) 이날은 율리우스曆으로 989년 6월 17일(그레고리曆 6월 22일)에 해당한다.

193) 이와 관련된 기사로 다음이 있다. 이들 두 기록을 통해 고려시대의 量器인 石과 碩이 동일한 容積의 다른 표기임을 알 수 있다(李宗峯 2016년 127面).
- 지18, 禮6, 諸臣喪, "五月, 守侍中崔承老卒, 王慟悼, 下敎, 褒其勳德, 贈太師. 賻布千匹, 麵三百石, 粳米五百石, 乳香百斤, 腦原茶二百角, 大茶十斤".
- 열전6, 崔承老, "八年卒, 諡文貞, 年六十三. 王慟悼, 下敎褒其勳德, 贈太師, 賻布一千匹, 麵三百碩, 粳米五百碩, 乳香一百兩, 腦原茶二百角, 大茶一十斤".

[六月庚戌朔^{小盡,辛未}:追加].

[秋七月己卯朔^{大盡,壬申}:追加].

[秋八月^{己酉朔大盡,癸酉}, 某日, 下敎□^日, "申勸十二牧·諸州府<u>學生</u>·<u>醫生</u>, 仍賜酒食":節要轉載].194)

九月^{己卯朔人盡,甲戌}, 甲午^{16日}, <u>彗星見</u>, 赦. [王, 責己修行, 養老弱, 恤孤寒, 進用勳舊, 褒賞孝子·節婦, 放逋懸, 蠲欠負, 彗不爲災:天文1轉載].195)

[冬十月己酉朔^{小盡,乙亥}:追加].

[十一月戊寅朔^{人盡,丙子}:追加].

冬十二月^{戊申朔大盡,丁丑}, 丙寅^{19日}, 敎曰, "昔唐太宗, 每於皇考妣忌月, 禁屠殺, 勅天下僧寺, 限

194) 이와 관련된 기사로 다음이 있다. 여기에서 八年은 八月의 오자이고,『고려사절요』권2의 學生·醫生이 經學·醫學博士로 달리 표기되어 있다.
· 지28, 選擧2, 學校, "^{成宗八年}八年^{八月}, 下敎, 申勸十二牧諸州府經學·醫學博士, 仍賜酒食".

195) 宋에서는 이해의 7월 10일(戊子)에 彗星[彗孛, 星孛]이 나타나서 30여 일 후에 없어졌다고 한다(『송사』 권56, 지9, 천문9, 彗孛). 또 日本에서는 6월 1일(庚戌)에 彗星이 관측되었다고 한다(日本史料2-2冊 433, 460面). 이 彗星은 紀元前 1057년, 613년(문공14) 7월에도 출현하였던 핼리혜성(1p/Halley, Halley's comet)으로 太陽을 둘러싸고 運行하는 平均周期가 76.1년(76~79년)이며 肉眼으로 관측된다고 한다.
또 彗星(Comet)은 太陽系의 中小天體의 하나로서 얼음[冰凍]과 먼지[塵埃]의 凝固物이다. 行星과 같이 太陽을 公轉하는데, 經路는 긴 타원형 또는 포물선에 가까운 軌度로 運行하며, 太陽風의 壓力으로 인해 그 꼬리가 太陽의 반대편 方向에 있다. 이는 우리말로 꼬리별, 살별이라고도 하며, 彗星이 나타나는 現象을 天道에 異狀이 발생한 것으로 생각하여 凶兆로 받아들였다. 帝王을 象徵하는 太陽近處에 나타날 경우에 帝王의 權限을 威脅하는 叛臣이 등장하거나 異民族의 侵入·叛亂·大災地變·帝王의 有故 등이 일어날 凶兆로 解釋하여 각종 赦免措置가 이루어지고, 萬民이 謹愼하였다고 한다(東亞大學 2008년 1책 325쪽 ; 張東翼 2014년c 2책 282面).
·『中右記』, 長承 1년 9월 6일, "延喜以後彗星見乍乍, … 永延三年^{永祚1年}七月十二日, …".
·『日本紀略』後篇9, 一條, 永祚 1년 6월, 7월, "一日庚戌, 其日, 彗星見東西大 … 七月中旬, 連夜, 彗星見東西天".
·『자치통감』권3, 周紀3, 赧王 10년(BC305), "彗星見[胡三省注, 彗星, 世所謂掃星, 本類星, 末類彗, 小者數寸, 長或竟天, 見則兵起, 主掃除, 除舊布新. 唐史臣曰, '彗體無光, 傅日以爲光, 故夕見則東指, 晨見則西指, 或長或短, 光芒所及則爲災. 又曰, '孛星, 彗之屬也, 偏指曰彗, 氣四出曰孛. 孛者字字, 非常惡氣之所生, 災甚於彗. 天文書謂五星之精爲妖, 歲星流爲蒼彗, 熒惑. 鎭星, 散爲赤彗, 黃彗, 太白, 眞星變爲白彗, 黑彗. … 傅, 讀曰附, … 塡, 讀曰鎭]".
·『淮南子』(淮南鴻烈解)권15, 兵略訓六, "… 武王伐紂, 東面而迎歲[注, 人歲在寅], 至氾而水, 至共頭而墜. 彗星出而授殷人其柄[注, 時有彗星, 柄在東方, 可以掃西人也]. 當戰之時, 十日亂於上, 風雨擊於下, 然而前無蹈難之賞"(이때는 紀元前 1057년으로 推定됨, 四庫全書本9左3行).
·『춘추좌씨전』_經, 文公 14년, "秋七月, 有<u>星孛</u>入于北斗".

五日, 焚修轉念, 以爲常式. 況寡人, 幼而即閔, 長又早孤, 未酬罔極之恩, 每軫追思之念, 盍遵往轍, 以伸予懷. 可自今, 太祖忌齋·王考戴宗忌齋, 期五日, 王妣宣義王后忌齋, 期三日, 焚修轉念. 仍於是月, 禁屠殺, 斷肉膳".

[→教, "太祖及王考戴宗·王妣宣義王后忌月, 禁屠殺, 斷肉膳":禮6先王諱辰眞殿酌獻儀轉載].
丁丑^{30日}, 賜崔得中等及第.[196]

[□□^{是歲}],[197] 遣□□^{禮賓}侍郎韓藺卿·兵部^{兵官}郎中魏德柔如宋, 帝並授□□^{金紫}光祿大夫.[198]

庚寅[成宗]九年, 宋淳化元年, [西曆990年]

990년 1월 30일(Gre2월 4일)에서 991년 1월 18일(Gre1월 23일)까지, 354일

[春正月戊寅朔^{小盡,戊寅}:追加].
[是月戊寅朔, 宋改元淳化:追加].

[二月丁未朔^{小盡,己卯}:追加].
[三月丙子朔^{大盡,庚辰}:追加].
[夏四月丙午朔^{小盡,辛巳}:追加].
[五月乙亥朔^{小盡,壬午}:追加].

夏六月^{甲辰朔大盡,癸未}, [某日], 宋遣光祿卿柴成務·大常少卿^{大常少卿}趙化成等來,[199] 加冊王推誠順化功臣, 食邑一千戶·食實封四百戶, 餘如故.[200]

---

196) 이와 관련된 기사로 다음이 있다.
　· 지27, 선거1, 科目1, 選場, "^{成宗}八年三月, 王融知貢擧, 取進士, 十二月下教, 賜乙科崔得中等十人·丙科八人·明經一人·卜業二人及第".
197) 이곳에 是歲가 탈락되었을 것이다.
198) 중국 측의 자료를 통해 볼 때 앞의 □□에 選官이, 뒤의 □□에 金紫가 탈락되었다. 또 兵部는 兵官으로 해야 옳게 되는데, 이 시기에는 六典體制에서 尙書六部가 아니라 尙書六官이었다.
　· 『송사』 권487, 열전246, 外國3, 高麗, "^{淳拱}二年, 遣使來貢, 詔其使選官侍郎韓藺卿·副使兵官郎中魏德柔並授金紫光祿大夫, 判官少府丞李光授檢校水部員外郎. 先是, 治遣僧如可賚表來觀, 請大藏經, 至是賜之, 仍賜如可紫衣, 令同歸本國".
199) 大常少卿은 太常少卿으로 고쳐야 옳게 된다.

[→宋遣光祿卿柴成務·太常少卿趙化成等來, 冊王. 國俗, 拘忌陰陽, 每朝廷使至, 必擇月日
受詔. 成務在館, 踰月, 詰責之, 翌日, 王乃出拜命. 自是, 止擇日迎之:禮7賓禮轉載].

○王受冊, 赦絞罪以下.

[秋七月^{甲戌朔小盡,甲申}, 某日, 右補闕^{兼起居注}金審言請, 以劉向六正·六邪之說, 漢刺史六條之政,
頒示內外, 書之廳壁, 以爲勸戒, 王從之:節要轉載].[201]

---

200) 이는 이해[是年]의 1월 13일(庚寅)에 冊命이 내려지고 사신단이 선발된 것이다.
  • 『속자치통감장편』 권31, "淳化元年正月庚寅, 命戶部郎中柴成務·兵部員外郎趙化成, 使高麗, 左正言宋鎬
  右·王世則, 使交州, 以加恩制書, 賜王治及黎桓也. 高麗國俗, 信陰陽鬼神之事, 頗多拘忌, 每朝廷使至, 治必
  擇良月吉日, 方其禮受詔. 成務在館逾月, 乃貽治書, 責其牽于禁忌, 泥於小數, 眩惑口者之浮說, 稽緩天子之
  命書, 惟典冊之垂文, 非巫祝之能曉, 書稱上日, 不推六甲之元辰, 禮載仲冬, 但取一陽之嘉會, 燦然古訓, 足以
  明稽, 所宜改圖, 速拜君賜. 治覽書憮懼, 會霖雨不止, 乃請俟晴霽. 成務復貽書開諭, 治卽出拜命". 이 자료
  에 보이는 拘忌의 경우, 高麗前期에 口辰 중에서 辰口과 巳口을 싫어하며[拘忌口], 忌避하는 風俗[世俗]
  이 있었다고 한다(海東廣智大禪師之印墓誌銘). 또 『禮記』檀弓卜第4에 "子口과 卯口은 좋지 않다[子·卯不
  樂]"에 의거하여 이날을 避하는 風習도 있었던 것 같다(→명종 3년 11월 14일).
  • 『송사』 권487, 열전246, 外國3, 高麗, "淳化元年三月, 詔加治食邑千戶, 遣戶部郎中柴成務·兵部員外郎·直
  史館趙化成往使. 其國俗, 信陰陽鬼神之事, 頗多拘忌, 每朝廷使至, 必擇良月吉辰, 方其禮受詔. 成務在館逾
  月, 乃遺書於治曰, 于奕葉藩輔, 尊獎王室, 凡行大慶, 首被徽章, 今國家特馳信使, 以申殊寵, 非止歷川塗之綿
  邈, 亦復踦溟海之艱危, 皇朝眷遇, 斯亦隆矣. 而乃牽于禁忌, 泥於卜數, 眩惑日者之浮說, 稽緩天子之命書. 惟
  典冊之垂文, 非卜祝之能曉, 是以書稱上日, 不推六甲之元辰, 禮載仲冬, 但取一陽之嘉會. 燦然古訓, 足以明
  稽, 所宜改圖, 速拜君賜. 儵鳳紵無滯, 克彰拱極之誠, 則龍節有輝, 免貽辱命之責. 謹以誠告, 王其聽之. 治覽
  書憮懼, 遣人致謝焉. 會霖雨不止, 仍以俟霽爲請. 成務復遺書而責之, 治翌日乃出拜命".
  • 『송대조령집』 권237, 政事90, 四裔10, 高麗, "淳化元年, 高麗國工王治加恩制, 門下, 朕自祇膺景命, 順考
  靈章, 荷元匄眷祐之仁, 膺青齊發生之令, 是用凝昱旒於正殿, 陳羽衛於廣廷, 萬方執卡以來儀, 百辟稱觴而就
  列, 慶玆涼德, 祉受鴻名, 宜覃渙汗之恩, 遠耀辰韓之國. 其官王治, 風雲問氣, 詔濩雅音, 繼先世之徽猷, 啓眞
  王之土宇, 派分絿嶺, 蔚爲華顯之宗, 地接蓬邱, 宛是神仙之境. 爰自拱於北極, 爲我東藩, 傾望雲就日之誠, 勵
  事大勳王之操, 瞻九重之象闕, 常拜表函, 越萬里之鯨波, 歲陳方物, 職修事擧. 朕其嘉之, 屬開元行慶之辰, 降
  山綜懋功之典, 榮加奉邑, 寵賜功臣, 予於世勳, 豈悋殊渥, 爾宜愈堅愛戴, 善保初終, 當同文同軌之朝, 謁惟忠
  惟孝之道, 永隆多福, 豈不善歟".
  • 『송사』 권306, 열전65, 柴成務, "俄奉使高麗, 遠俗尙拘忌, 以月日未利拜恩, 稽留朝使. 成務貽書, 往反開
  諭人體, 國人信服, 事具高麗傳".
  • 『武夷新集』 권10, 宋故大中大夫行給事中 … 柴公^{成務}墓誌銘, "公諱成務, 字寶臣, 其先平陽人 … 改戶部員
  外郎·直史館, 賜服企紫, 除木曹郎中, 充三司戶部判官, 選爲光祿少卿. 未幾, 充高麗國信使, 復命領京東轉運,
  入爲司封郎中·知制誥 … 辰韓之區, 是爲君子之國, 世修職貢, 乃心本朝, 而尺詔頒恩, 輶軒遣使, 撫柔殊俗,
  震疊皇靈, 自非專對之才, 或致君命之辱, 而公奉辭于役, 奮壤咸懷".
  • 『武夷新集』 권11, 故人中大夫行給事中 … 柴公^{成務}行狀, "… 拜光祿少卿, 辰韓之墟, 稱藩海外, 屬有恩詔,
  慎求使材, 命公爲高麗國信使, 公雍容儒雅, 博聞强記, 衣冠之國, 文物旣盛. 學措話言, 是法是傚, 皇華之美,
  至今稱之. 復命爲京東水陸轉運使, 召入拜司封郎中·知制誥".
201) 이는 『고려사절요』 권2, 성종 9년 7월에서 轉載하였는데, 金審言이 封事한 六正·六邪는 그의 열전에
  수록되어 있다(열전6, 金審言). 여기에서 添字는 『說苑』 권2, 臣術에서 本文이 더 있거나 달리 표기된
  글자이다. 추측하건대 『고려사』의 편찬과정에서 本文을 축약하였을 것이고, 달리 표기된 글자인 嚴顏^儼,

[→成宗九年七月, ^{金審言}上封事. 王下敎褒奬曰, "朕自御洪圖, 思臻盛業, 內設百寮, 外分牧守, 無曠分憂之任, 欲施利俗之方, 柰沖人之庸昧, 想政敎之陵夷, 昨省右補闕兼起居注金審言所上封事二條. 其一曰, 周開盛業, 姬旦上無逸之篇, 唐啓中興, 宣宗製百僚之誡. 按說苑六正‧六邪文, 曰夫^故人臣之行, 有六正‧六邪. 行六正則榮, 犯六邪則辱. □□□□□□□□^{大榮辱者禍福之門}也. 何謂六正□□^{六邪}, □□□^{六邪}者一曰, 萌芽未動, 形兆未見, 明^昭然獨見興^存亡之機^氣□□□□^得失之要, 預禁乎未然之前, 使主超然立于^乎顯榮之處, □□□□□^{天下稱孝焉}. 如此者聖臣也. 二曰, 虛心白意, 進善通道, 勉主以禮義^誼, 諭主以長策, 將順其美, 匡救其惡, □□□□^{功成事立}, □□□□^{歸善於君}, □□□□□□^{不敢獨伐其勞}, 如此者良臣也. 三曰, □□□□^{卑身賤體}, 夙興夜寐, 進賢不懈^解, 數□^數稱往古之□^德行事, 以勵主意. □□□□^{庶幾有益}, □□□□□□□^{以安國家社稷宗廟}, 如此者忠臣也. 四曰, 明察□□^{幽見}成敗, 早防而救之, □□□□^{引而復之}, □□□□□□^{塞其間絶其源}, 轉禍□^以爲福, 使君終已無憂. 如此者智臣也. 五曰, 守文奉法, 任官職事, 辭祿讓賜, □□□□^{不受贈遺}, □□□□^{衣服端齊}, 飮食節儉. 如此者貞臣也. 六曰, 國家昏亂, 所爲不諛^道, □□^{然而}敢犯主之嚴顔^顔, 面言主之過失, □□□□^{不辭其誅}, □□□□^{身死國安}, □□□□^{不悔所行}. 如此者直臣也. 是爲六正□^也. 何謂六邪^{六邪}者, 一曰, 安官貪祿, □□□□^{營於私家}, 不務公事, □□□□□□^{懷其智藏其能}, □□□□^{主饑於論渴於策}, □□□□^{猶不肯盡節}, □□□^{容容呼}與世沈浮□□^{上下}, 左右觀望. 如此者具臣也. 二曰, 主所言皆曰善, 主所爲皆曰好^可, 隱而求主之所好, 而^卽進之以快主之耳目, 偸合苟容, 與主爲樂, 不顧其後害. 如此者諛臣也. 三曰, 中實陰詖^{頗險}, 外□^容貌小勤^謹, 巧言令色, 妬善^{又心}嫉賢, 所欲進則明其善, 而隱其惡. 所欲退則明其過, 而匿其美, 使主□□□□^{妄行過任}, 賞罰不當, 號令不行. 如此者姦臣也. 四曰, 智足以飾非, 辯足以行說, □□□□□□^{反言易辭而成文章}, 內離骨肉之親, 外構^妬亂於朝廷. 如此者讒臣也. 五曰, 專權擅勢, □□□□^{持招國事}以爲輕重, □^於私門成黨, 以爲富家^{以富其家}, □□□□□□^{又復增加威勢}, 擅矯主命, 以自貴顯. 如此者賊臣也. 六曰, 諂主以佞邪^邪, 陷^墜主於不義, 朋黨比周, 以蔽主明, □□□□□□^{入則辯言好辭}, □□□□□□^{出則更復異言}, □^使白黑無別, 是非無閒, □□□□□□^{伺候可推而因附}, □^然使主惡布於境內, 聞於四隣. 如此者亡國之臣也, 是謂六邪. 賢臣處六正之道, 不行六邪之術, 故上安而下理^治. ○又按漢書刺史六條政, 一則, 察民庶疾苦失職者, 二則, 察墨綏長吏以上居官政者, 三則, 察盜賊民之害及大奸猾, 四則, 察田犯律四時禁者, 五則, 察民有孝悌廉潔行修正茂才異者,[202] 六則, 察吏不簿入錢穀故散

何謂六邪^{六邪}, 陰詖^{頗險}, □^容貌, 妬善^{又心}, 構^妬亂於朝廷 등을 통해 볼 때 金審言이 읽은 六正‧六邪는 『說苑』(여러 판본에 따라 약간의 字句에 차이가 있음)은 아닌 것 같고, 『貞觀政要』권3, 論擇官第7, 貞觀14년에 인용된 내용으로 추정된다. 또 이때 金審言이 올린 上疏에 대한 면밀한 檢討도 찾아진다(金甲童 1994년b).

202) 茂才는 원래 秀才였으나 後漢代에 光武帝 劉秀를 避諱한 글자이다.

者.[203] 請將六正・六邪文及刺史六條, 俾委攸司, 於二京六官諸署局及十二道州縣官廳堂壁, 各寫其文, 出入省覽, 以備龜鑑.[204] 其二曰, 設職分司, 帝王令典, 開都列邑, 古今通規. 我國家, 以西京, 境壓鯨津, 地連鴈塞, 寫金湯而設險, 模鐵甕以築城, 署百官, 置萬戶, 分司文武甚多, 而廉恥者, 無人薦奏, 非違者, 無人糾彈, 涇渭同流, 薰蕕一致, 請依唐東都置知臺御史例, 分司憲一員, 使得糾理, 則下情上達, 黜陟惟明, 物泰時雍, 非朝創夕, 所奏如是, 予甚嘉之, 汝心敦補, 政志切匡時, 錄正邪二理, 諷我襟懷, 令內外諸司, 用爲勸戒, 其下內史門下, 頒示內外司存, 依所奏施行":列傳6金審言轉載].

[八月癸卯朔^(人盡,乙酉):追加].

秋九月^(癸酉朔人盡,丙戌), 丙子^(4日), 教曰, "凡理國家, 必先務本, 務本莫過於孝. 三皇・五帝之本務,[205] 而萬事之紀, 百善之主也. 由是, 漢皇嘉楊引之尊親, 旌門表里, 晋帝獎王祥之至孝, 命史書名. 寡人幼而貌孤, 長亦庸昧, 叨承顧托, 嗣守宗祧. 追思祖考之平生, 幾傷駒隙, 每念兄弟之在昔, 益感鴒原, 是以, 取則六經, 依規三禮, 庶使一邦之俗, 咸歸五孝之門. 頃者, 遣使六道,

---

. 『자치통감』 권21, 漢紀13, 武帝元封 5년(BC106) 冬, "上以名臣文武欲盡, 乃卜詔曰, … 其令州郡察吏, 民有茂才, 異等[注, 應劭曰, 舊言秀才, 避光武諱稱茂才. 異等者, 超等軼群, 不與凡同也. 師古曰, 茂, 美也]. 可爲將, 相及使絶國者".

203) 이에서 인용된 '漢書刺史六條'의 典據가 무엇인지를 알 수 없다. 다만 『漢書』에 수록된 監御史에 대한 顔師古의 注에 『漢官典職儀』를 인용하고 있으나 위의 내용과는 다르다. 또 隋唐代에도 각각 「刺史巡察六條」가 있지만, 역시 위의 내용과 차이가 있다. 여기에서 二千石은 漢代의 地方長官[郡守]의 別稱인데, 이는 그들의 年俸이 2,000石, 곧 月俸이 120斛인 것에서 유래하였다.

. 『한서』 권19上, 百官公卿表第7上, 監御史, "秦官, 掌監郡, 漢省. 丞相, 遣分刺史, 不常置, …. 顔師古注引, '漢官典職儀'云, 刺史班宣, 周行郡國, 省察治狀, 黜陟能否. 斷治冤獄, 以六條問事, 非條所問, 卽不省. 一條, 强宗豪右, 田宅踰制, 以强凌弱, 以衆暴寡. 二條, 二千石不奉詔書, 遵承典制, 倍公向私, 旁詔守利, 侵漁百姓, 聚斂爲姦. 三條, 二千石不卹疑獄, 風厲殺人, 怒則任刑, 喜則淫賞, 煩擾刻暴, 剝截黎元, 爲百姓所疾, 山崩石裂, 祅祥訛言. 四條, 二千石選署不平, 苟阿所愛, 蔽賢寵頑. 五條, 二千石子弟恃怙榮勢, 請託所監. 六條, 二千石違公下比, 阿附豪强, 通行貨賂, 割損正令也"(이는 『宋書』 권40, 지30, 百官下, 刺史, 刺史班行六條詔書 ; 『자치통감』 권30, 漢紀22, 成帝建始 1년(BC31) 4월, 刺史所察本有六條에도 수록되어 있으나 字句에 출입이 있다).

204) 이상과 같은 『고려사』의 六正・六邪文와 漢刺史六條의 내용은 조선 후기의 인물인 沈之漢(1596~1657)의 저술에도 거의 비슷하게 수록되어 있고, 圖版으로 내용을 정리하였다. 그가 이용한 것은 原典이 아니라 『고려사』일 가능성이 있다(『滄洲集』 권3, 說苑六正六邪, 漢書刺史六條). 또 漢刺史六條는 1018년(현종9) 2월 守令의 奉行六條로 이어지고, 1375년(우왕1) 2월 某日의 守令五事로 변용되어 고려시대의 牧民官이 준수해야 할 規範[守則]이 되었던 것 같다(具山祐 2018년b).

205) 五帝에 대한 설명으로 다음이 있다.

. 『여유당전서』 권25, 小學紺珠, 五之類, "五帝者, 上古之神聖也. 伏羲曰太昊注 配於春], 神農曰炎帝[配於夏], 軒轅曰黃帝[配中央], 金天曰少昊[配於秋], 高陽曰顓項[配於冬], 此之謂五帝也. 五帝之目, 見月令".

頒示敎條, 恤老弱之饑離, 賑鰥孤於窘乏, 求訪孝子順孫·義夫節婦. ○有全州求禮縣民孫順興, 其母病死, 畫像奉祀, 三日一詣墳墓, 饗之如生. 雲梯縣祗弗驛民車達兄弟三人, 同養老母, 車達謂其妻事姑不謹, 卽以棄離, 二弟亦不婚娶, 同心孝養. 西都牧丹里朴光廉, 母亡七日, 忽見枯木, 宛似母形, 負至其家, 養之盡禮. 南海狼山島民能宣女咸富, 其父死於毒虺, 殯于寢室, 凡五月, 供膳無異平生. 慶州延日縣民鄭康俊女字伊,[206] 及京城宋興坊^{安興坊}崔氏女,[207] 早寡不嫁, 孝事舅姑, 撫養兒息. 折衝府別將趙英, 葬母家園, 朝夕祀之. ○其咸富等男女七人, 並令旌表門閭, 免其徭役, 車達兄弟等四人, 免出驛島, 隨其所願, 編籍州縣, 順興等五人, 擬授官階, 以揚孝道. 今差起居郞金審言等, 往彼, 賜穀人一百石·銀盃二事·彩帛布幷六十八匹, 趙英超十等, 授銀靑光祿大夫·檢校侍御司憲·左武侯·衛翊府郞將, 仍賜公服一襲·銀三十兩·綵二十匹. 於戱, 君后, 萬民之元首, 萬民, 君后之腹心, 若有爲善, 是吾福也, 若有爲惡, 亦吾憂也. 光顯奉親之行, 用彰美俗之心. 田野愚氓, 尙勤思孝, 搢紳君子, 其怠奉先, 能爲孝子於家門, 必作忠臣於邦國, 凡諸士庶, 可復予言".

己卯^{7日}, 敎曰, "我太祖應期降世, 敷德臨人, 百郡來庭, 三韓安堵. 尊居南面, 創置西京, 差宗室之親, 守咽喉之地, 分司職務, 各掌權機. 每當春秋, 親修齋祭, 欲防戎虜, 以固藩籬, 憑玆平壤之雄都, 固我祖宗之霸業. 厥後, 聖神相繼, 社稷以寧, 或依前跡以遵行, 或命近臣而發遣, 臨時制斷, 歷代風殊. 寡人謬以眇沖, 早承顧托, 感當年之盛化, 每切心遑, 聞往日之洪猷, 如承面訓. 今者, 天人合慶, 遐邇咸寧, 三農共賀於豊穰, 九穀皆登於實熟, 欲取十月, 言邁遼城, 行祖禰之舊規, 布邦家之新令. 非但視關河之夷險, 將兼知黎庶之安危, 減增尹牧之員, 刪定山川之祀. 其行次儀仗, 侍從官僚, 御膳樂官, 皆當減損, 西都留守官, 幷沿路州縣守令, 諸鎭戎帥, 不得輒離任所. 稟予儉素之訓, 戒爾繁華之風".

冬十月^{癸卯朔小盡,丁亥}, 甲子^{22日}, 幸西都, 敎曰, "虞舜巡泰嶽之年, 諸侯麕至, 唐皇幸洛陽之日, 四海咸蘇. 是以, 遐開展義之風, 大擧省方之禮, 緬徵古列, 屬在時行. 朕纂御靈圖, 思崇寶業, 自卽眞於南面, 十換炎涼, 未展禮於西巡, 再思行邁. 遵祖先之軌, 順時令之宜, 親省關河, 歷觀黎庶, 農桑豊稔, 人物阜寧. 其沿路縣吏州司·田夫野老, 懽呼路左, 拜舞駕前, 競陳執贄之儀, 共表來蘇之意. 是穹蒼之所佑, 非沖眇之敢當. 合施大賚之仁, 俾慶中興之運. ○扈從臣僚及西京

---

206) 延日縣은 『고려사절요』 권2에는 迎日縣으로 되어 있는데, 어떠한 事緣인지는 알 수 없으나 兩者는 近世에 이르기까지 오랫동안 함께 사용되었다[竝用].

207) 宋興坊은 開京의 5部坊里 중에서 南部에 소속된 安興坊의 오자일 것이다(지10, 지리1, 王京開城府, 朴龍雲 1996년).

等諸州·郡, 見禁囚徒, 十惡外, 絞罪以下, 並令出獄. 平壤府·開·平·黃·洞·安·鳳·信·白·貞·塩·海等州, 牛峯·兎山·遂安·土山·十谷·俠溪·江陰·德水·臨津·瓮津·咸從·軍岳等縣及安城等十一驛, 賜稻穀九千三百七十五石. 西京入流, 年八十以上者, 優賞各有差, 三品以上, 公服一襲, 五品以上, 彩二匹·幞頭二枚·茶一十角, 九品以上, 綵一匹·幞頭一枚·茶五角. 入流以上, 母妻年八十者, 三品以上, 布一十四匹·茶二斤, 五品以上, 布一十四·茶一斤, 九品以上, 布六匹·茶二角. 庶人男女百歲以上者, 令京官四品, 存問其家, 兼賜布二十四·稻穀一十石. 九十以上, 布四匹·稻穀二石, 八十以上及篤疾者, 布三匹·稻穀二石. 隨駕軍人, 有父母年八十者, 許先赴東京^{西京}問安.²⁰⁸⁾ 於戲, 乾坤覆載, 遐覃不宰之恩, 日月運行, 宛放無私之照. 適當在車駕之經歷, 固合垂雨露之霑滋".

[某日, 置左·右軍營:節要·兵1五軍轉載].

[十一月壬申朔^{大盡,戊子}:追加].

十二月^{千寅朔人盡,己丑}, 戊申^{7日}, 以姪誦爲開寧君, 敎曰, "周開麟趾之封, 禮崇藩屛, 漢叙犬牙之制, 義篤宗支. 故能敷大命於四方, 固本支於百世. 景彼前烈, 予無閒然. 崇德宮嫡男誦, 太祖令孫, 寡人猶子. 蒙能養正, 纔當稱象之年, 德不踰閑, 已蘊成人之器. 歷觀前籍, 緬考古風, 睦親爲百世之良規, 慈幼是五常之雅旨. 雖當齒學, 敢怯疏封? 將興美績於來今, 顯降殊恩於爰始. 今遣使工官御事·知都省事朴良柔, 使副殿中監趙光等,²⁰⁹⁾ 持節備禮, 冊爾爲開寧君. 爾其自家而國, 移孝爲忠, 遵君臣父子之規, 威儀不忒, 習禮樂詩書之敎, 敦閱是勤. 勿務豪奢, 毋耽酒色. 知艱難於稼穡, 輔政敎於朝廷. 敬哉愼哉, 無廢予命".

是歲, 敎曰, "秦皇御宇, 焚三代之詩書, 漢帝應期, 闡五常之載籍. 國家草創之始, 羅代喪亡之餘, 鳥跡玄文, 燼乎原燎, 龍圖瑞牒, 委於泥途. 累朝以來, 續寫亡篇, 連書闕典. 寡人自從嗣位, 益以崇儒, 踵修曩日之所修, 繼補當年之所補. 沈隱士二萬餘卷, 寫在麟臺, 張司空三十車書, 藏在虎觀. 欲收四部之典籍,²¹⁰⁾ 以畜兩京之府藏. 靑衿無閱市之勞, 絳帳有執經之講. 使秦韓之

---

208) 東京은 西京으로 고쳐야 앞뒤가 相應하게 될 것이다.
209) 使臣團의 副使를 使副로 표기하기도 한다.
210) 여기에서 '四部의 典籍'은 唐代 이래 여러 典籍을 經, 史, 子, 集의 네 종류로 분류하고 甲, 乙, 丙,丁으로 整理[編次]하여 四庫書, 또는 四部書라고 呼稱한 것에서 由來하였다.
  ·『자치통감』 권192, 唐紀8, 高祖武德 9년(626) 9월 己酉, "… 上御弘文殿聚四部書二十餘萬卷[胡三省注, 歐陽修曰, '歷代盛衰, 文章與時高下, 然其變態百出, 不可窮極, 何其多也. 自漢以來, 史官列其名氏篇第, 以

舊俗, 知鄒魯之遺風, 識父慈子孝之常, 習兄友弟恭之懿. 宜令所司, 於西京開置修書院, 令諸生, 杪^抄書史籍而藏之".[211]

○遣兵官侍郎韓彦恭如宋, 謝恩.[212]

[增補].[213]

爲六藝·七略, 至唐始分爲四類, 曰經史子集, 以甲乙丙丁爲次, 謂之四庫書, 亦曰四部書], 嘗弘文館於殿側, …".
• 『여유당전서』 권25, 小學紺珠, 三之類, "四庫者, 書籍之藏也. 載道曰經, 紀事曰史, 垂敎曰子[注, 諸子之所作], 聚文曰集, 此之謂四庫. 四庫之名, 出『唐書』[藝文志. 後人以經史子集, 爲四部, 非也. 四部者, 甲乙丙丁部也".

211) 이와 관련된 기사로 다음이 있다. 여러 版本의 『고려사』에는 杪로 되어 있으나 『고려사절요』 권2에는 抄로 되어 있는데, 의미상으로 후자가 옳을 것이다(東亞人學 2008년 1책 550面). 전자는 板刻過程에서 行書로 쓰여진 校正本의 木區을 手區으로 잘못 판독하여 오자가 발생하였을 것이다.
• 지31, 百官2, 外職, 西京留守官, "成宗九年, 置修書院, 令諸生抄書籍, 藏之, 其院官, 令御事選官奏差".

212) 韓彦恭은 12월 14일(乙卯) 宋에서 공물을 바쳤으므로, 이해의 10월 이후에 출발하였을 것이다.
• 『송사』 권5, 본기5, 태종2, 淳化元年十二月, "乙卯, 高麗國遣使來貢".
• 『송사』 권487, 열전246, 外國3, 高麗, "淳化二年, 遣使韓彦恭來貢, 彦恭表述治意, 求印佛經. 詔以藏經幷'御製秘藏詮'·'逍遙詠'·'蓮華心輪', 賜之".
• 『송회요집고』 199책, 蕃夷7, 歷代朝貢, 淳化元年, "十二月十四日, 高麗國王王治, 遣使貢方物".
• 『옥해』 권154, 朝貢, 獻方物. 淳化元年, "十月, 貢馬·漆弓·漆甲及神龜壽樽".
• 『옥해』 권154, 朝貢, 錫予外夷, 淳化元年, "十月, 王治遣使朝貢, 進奉使韓彦恭等獻神龜壽樽, 賜銀帶, 又賜以藏經及'御製秘藏詮'等"(『玉海』의 十月은 十二月의 잘못일 것이다).

213) 이해에 隣近 國家에 다음과 같은 사실이 있었다.
[契丹] 이해 무렵[是年頃]에 거란이 高麗를 媒介로 海道로 宋과 交通하는 女眞을 沮止하기 위해 鴨綠江沿岸에 威寇·振化·來遠 등의 3柵을 구축하였던 것 같다(李丙燾 1961년 175面).
• 『요사』 권13, 본기13, 聖宗 統和 9년 2월, "甲子, 建威寇·振化·來遠三城, 屯戌軍".
• 『속자치통감장편』 권32, 淳化 2년, "是歲, 女眞 首領野里鷄等上言, '契丹怒其朝貢中國, 去海岸四百里立三木柵, 柵置兵三千, 願聚兵以俟'. 上但降詔撫諭, 而不爲出師, 其後遂歸契丹".
[日本] 7월, 고려의 皇后가 宋의 商人 周文德과 楊仁紹를 통해 觀世音菩薩像·金鼓·金鐘 등을 일본의 勝尾寺(가쓰오지, 現 大阪府 箕面市 粟生에 있는 眞言宗 金剛山派의 寺刹)에 寄贈하였다고 한다. 이에 관련된 자료로 다음이 있다(『日本佛敎全書』 권118, 427面 ; 『日本史料』 2-1冊 625面 ; 張東翼 2004년 350面).
• 『應頂山勝尾寺緣起』 권下, "正曆元年庚寅太宋淳化元年, 宋商二人來, 一台州人, 名周文德, 一婺州人, 名楊仁紹. 二商云, 百濟國后妃有美姿, 國主愛重, 未邁壯齡, 其髮早白, 后愁之, 服藥求法驗, 二事無效, 王尤切憂之. 一夕后夢, 日本國勝尾寺千手大悲, 靈感無比, 備其祈之. 覺後, 后悅甚, 便向日本國, 作禮祈求, 夢日本國一山放光, 照拔庭. 夢覺, 后髮紺碧過始, 以是寄我等二人, 以聖觀世音菩薩像, 幷閼伽器·金鼓·金鐘等什物, 白心樹, 樹已枯矣. 株杭屹尙在荒廟後, 上獻彼像, 未知勝尾寺爲何處, 太宰府君遂令使者逆到寺云. 支那商船, 昔著博多, 故太宰府君傳令者也". 이 자료는 『元亨釋書』 권28, 志2, 寺像6에도 수록되어 있고, 台州人 周文德은 江南에서 日本 다자이후[大宰府], 하카다[博多]를 왕래하던 海商인 것 같다(龜井明德 1995년).
• 『攝州島下郡應頂山勝尾寺支證類聚第一緣起』 권2 ; 『勝尾寺流記』 권2, "古語曰, 百濟國皇后, 軟雲變苔華之色, 壯日有白髮之愁, 秦醫之術失驗, 燕寢之恩屢薄. 仍雖祈彼國之佛神, 全無悉之圓滿, 爰夢中老翁來曰, 奉祈日本國勝尾寺觀世音者, 定有感應歟云云 迺抽片棘專備香花, 遙向此方深祈祈念, 然問又有夢告, 從此蕭寺忽放靈光, 照彼椒房, 早呈瑞相, 然後精祈, 惟白素髮再鬢, 我願旣滿, 佛恩宜報, 仍付大宋國商客周文德. 庚寅歲, 當我朝正曆元年, 聖觀音像一體·黃鐘一口·金鼓一口·閼伽器一前·鈴杵等. 白心木七本, 奉迭之, 通萬里之遠信, 爲一寺之明效, 利益非啻洽于我國, 靈德迥被于異朝, 感應之道, 古今趂棄而已. 此條在別記, 又載勝

辛卯[成宗]十年, 宋淳化二年, [契丹統和九年], [西曆991年]

991년 1월 19일(Gre1월 24일)에서 992년 2월 6일(Gre2월 11일)까지, 13개월 384일

[春正月壬申朔^{大盡,庚寅}:追加].

春二月^{壬寅朔小盡,辛卯}, 辛酉^{20日}, 遣諸道安慰使, 問民疾苦.[214]

[是月, 靈巖郡任內定安縣金藏寺大師玄坦建金堂:追加].[215]

[○契丹建威寇·振化·來遠三城, 屯戍卒:追加].[216]

閏[二]月^{辛未朔小盡,辛卯}, 癸酉^{3日}, 始立社稷, 敎曰, "予聞, 社土地之主也, 地廣不可盡敬, 故封土

尾寺讚, … 寬元元年癸卯五月廿一日老沙彌心空記之".

214) 이때 安慰使가 파견된 要因이 무엇인지는 알 수 없으나, 宋에서는 前年에 大水·旱災가 계속되어 減稅措置가 수차에 걸쳐 내려졌고, 이해에 蝗害까지 더해져서 경제적으로 어려움이 있었다(『송사』 권5, 본기5, 太宗2, 淳化 1년, 2년 ; 張東翼 2014년 2책 313面). 일본에서도 前年(正曆1) 8월 28일(庚午) 京都에서 大風雨와 洪水가 있었다고 한다(中火氣象臺 1941年 1冊 18面).
 ·『小右記』, 正曆 1년 8월, "廿八日, 自未時許, 風威猛烈, 就中, 入夜劇猛".
 ·『本朝世紀』 第11, 永祚 2년(正曆1) 8월, "廿八日庚午, 天陰降雨, 自中刻吹大風, 終夜不止, 諸司所々屋等, 或顚倒. 或破損, 洪水共之".
215) 이는 다음의 자료에 의거하였다.
 ·『동문선』 권68, 龍頭山金藏寺金堂主彌勒三尊改今記, "… 謹案金堂記, 初無金堂. 有寺主明眞弘曉大師玄坦, 於宋淳化二年, 我成宗十一年^{十年}辛卯二月, 始創之"(李憕 撰). 여기에서 十一年은 당시의 紀年方式(卽位年稱元法)에 의한 것이고 『고려사』의 그것(踰年稱元法)에 의하면 十年으로 바꾸어야 한다.
216) 이는 다음의 자료에 의거하였다. 이에서 威寇·振化·來遠 등 3城의 위치를 알 수 없으나 그중 保州 來遠城은 現在의 遼寧省 丹東市 九連城鎭 尖村 古城址에 있었던 것으로 추측된다(馮永謙 2012년). 그렇지만 鴨綠江 河口의 水路가 수시로 바뀌어 聚落과 田畓의 位置에 잦은 變動이 있었던 것 같다(『西厓集』 권16, 莫佐里坪).
 또 1035년(정종1) 5월 契丹의 來遠城使·檢校右散騎常侍 安署가 興化鎭(現 平安北道 枇峴郡^{피현군} 下段里에 位置, 옛 義州郡 威遠面 元1里의 古城)에 牒을 보내와 戰爭이래 通交가 끊겼음을 전하고, 石城·木柵의 築造를 나무라며 양국의 우호를 위해 朝貢하기를 慫慂하기도 하였다. 이에 대해 고려의 寧德鎭(現 平安北道 피현군 下段里에 位置)에서 答書를 보내었는데, 이후 양국 邊境의 接觸窓口는 來遠城과 寧德鎭城이 되었던 것 같다. 그리고 來遠城[來遠縣]에 대한 다른 기록도 있다.
 ·『요사』 권13, 본기13, 聖宗4, 統和 9년 2월, "甲子^{23日}, 建威寇·振化·來遠三城, 屯戍卒".
 ·지25, 樂2, 三國俗樂, 高句麗, 來遠城, "來遠城, 在靜州, 卽水中之地. 狄人來投, 置之於此, 名其城曰來遠, 歌以紀之". 이 자료에서 언급된 來遠城의 由來는 적절한 것 같지 않다(尹京鎭 2011년b).
 ·『海東繹史續』 권10, 地理考, 高麗1, 疆域總論, "至顯宗初年, 遼人復爭六州之地. … 是時, 遼置保州及來遠縣於鴨綠江東, 今之義州也".
 ·『자치통감』 권28, 漢紀20, 元帝初元 2년(BC47) 是歲, "初, 武帝滅南越, 開置珠厓·儋耳郡, 在海中洲上[注, 師古曰, 居海中之洲也. 水中可居者曰洲]. 吏卒多中國人, 多侵陵之".

爲社, 以報功也. 稷五穀之長也, 穀多不可徧祭, 故立稷神以祭之. 禮曰, 王爲群姓立社, 曰大社, 自爲立社, 曰王社. 諸侯爲百姓立社, 曰國社, 自爲立社, 曰侯社. 大夫以下成群立社, 曰置社.[217] 故有國有家者, 不可不立社稷, 上自天子, 下至大夫, 示本報功, 不可不備. 爰自聖祖^{太祖}, 至于累朝, 未置夏松之祀, 尚虧周栗之禮. 朕纘承以來, 凡所施爲, 必依禮典, 子穆父昭之室, 髣髴經營, 春祈秋報之壇, 方將創立, 其令群公, 擇地置壇".[218]

是月, 賜崔沆等及第.[219]

[三月月庚子朔^{人盡,壬辰}:追加].

夏四月^{庚午朔小盡,癸巳}, 庚寅^{21日}, 韓彦恭還自宋, 獻大藏經, 王迎入內殿, 邀僧開讀, 下敎赦.[220]

[→^{韓彦恭}, 如宋謝恩, 宋以彦恭儀容中度, 授金紫光祿大夫·檢校兵部尙書兼御史大夫. 彦恭奏請大藏經, 帝賜藏經四百八十一函, 凡二千五百卷, 又賜御製'秘藏詮'·'逍遙^{逍遙詠}'·'蓮花心輪^{蓮華心輪}':列傳6韓彦恭轉載].[221]

---

217) 이 구절은 다음의 자료에 나오는 구절인데, 이와 비교해 볼 때 몇 글자가 빠져 있으나 文章의 構成에는 문제가 없다.
   ·『禮記』, 祭法第23, "王爲群姓立社, 曰大社, 王自爲立社, 曰王社. 諸侯爲百姓立社, 曰國社, 諸侯自爲立社, 曰侯社. 大大以下, 成群立社, 曰置社".
218) 이 기사는 지13, 禮1, 吉禮人祀에도 수록되어 있다. 이 기사에서 成宗이 스스로를 予로, 朕으로 달리 표기하고 있는데, 이는 『고려사』의 撰者들이 일관성을 고려하지 아니하고 정리했던 결과로 추측된다.
219) 이와 관련된 기사로 다음이 있다.
   ·지27, 선거1, 科目1, 選場, "^{成宗}十年閏二月, 翰林學士白思柔知貢擧, 取進士, 賜甲科崔沆·乙科六人·明經三人及第".
220) 이때 韓彦恭이 가져온 大藏經이 符仁寺大藏經(혹은 初雕大藏經)의 底本이 된 것으로 추측되는데, 이는 남아 있는 판본에 宋版의 刊記가 그대로 刻板되어 있는 점을 통해 알 수 있다. 筆者가 영인본을 극히 단시간에 一瞥했는데, 고려 측의 흔적을 보여 주는 刊記는 거의 없고, 板本을 인쇄한 후 版本에 佛典의 脫落된 부분을 加筆한 것, 末尾의 題記, 宋版과 대조한 흔적, 그리고 이것이 日本에 전수된 후 寺社에 기진한 題記, 寫經僧의 題記 등이 찾아진다.
   ·『佛說月燈三昧經』末尾題記[加筆], "此經者, 鄕宋二藏, 所謂月燈三昧經. 先公譯者, 而與彼丹藏經, 文義迥異, 未知孰是, 按開元先公譯本曰, 下註云, …". 以下 一行의 左側半分부터 세로[縱]로 截斷되어 그 구체적인 내용을 알 수 없지만, 향후 專門家가 절단된 내용을 中國人藏經과 비교하여 복원하여야 할 것이다.
   ·『佛說希有校量功德經』末尾[加筆], "希有校量功德經".
   ·『彌勒菩薩所問經論』卷第3, 卷第4의 中間餘白[加筆], "以唐本合校合畢".
221) 여기에서 韓彦恭이 가져온 人藏經[藏經]은 481函, 2,500卷이었다고 한다. 이때 수입된 대장경은 983년(太平興國8)에 간행이 완성된 『開寶大藏經』(開寶藏, 蜀版大藏經)으로 추측되는데, 이것은 『開元錄』에 의하면 480秩, 5,048卷이라고 한다. 여기에서 卷數의 差異는 고려 측의 傳寫過程에서 어떤 錯誤가 생긴 것 같다고 한다(池內 宏 1979年 2책 492面).
   또 '逍遙·蓮花心輪'은 '逍遙詠·蓮華心輪'으로 校正하여야 좋을 것이다(『송사』 권487, 열전246, 外國3, 高

[五月己亥朔^{小盡,甲午}:追加].

[六月戊辰朔^{大盡,乙未}:追加].

秋七月^{戊戌朔小盡,丙申}, [□□^{是月}], 旱.[222]

己酉^{12日}, 敎曰, "季夏已闌, 孟秋將半, 尙愆時雨, 深軫憂懷. 未知政化之陵夷歟, 刑賞之不中歟, 啓牢獄, 放囚徒, 避正殿, 減常膳, <u>勤祈寺院</u>^{祈天禱佛}, 望祀山川, 未覩石燕之飛, 轉見金烏之赩. 由予涼德, 致此亢陽, 欲推養老之恩, 以表憂農之念. 准雍熙三年^{成宗5年}賜給老人制, 在京城庶民, 年八十以上者, 所司, 其錄姓名申聞".[223]

[某日, 判^{判文}, "無父母族親孩童·有病者, 官給租救恤":食貨3<u>鰥寡孤獨</u>賑貸之制轉載].[224]

[八月丁卯朔^{大盡,丁酉}:追加].

[九月丁酉朔^{小盡,戊戌}:追加].

冬十月^{丙寅朔大盡,己亥}, 戊辰^{3日}, 幸西都, 所經州縣. 父老有持牛酒以獻者, 酒以賜軍士, 牛還之.

[→幸西都, 民戶 有以疾疫, 失農業者, 免其租賦:食貨3災免之制轉載].

[→幸西都, 篤疾·癈疾者, 給藥, 且謂有司曰, "此行雖因齋祭, 亦爲省方, 所歷州郡, 男女年

麗→성종 9년 是歲의 脚注). 宋 太宗 趙炅(匡義, 光義의 改名)이 찬한 '蓮華心輪'은 『御製蓮華心輪迴文偈頌』 25권의 略稱이다.

222) 이 위치에 月日이 脫落되었을 것이다. 또 일본에서는 5월~7월 京都에서 무더위가 있었다고 한다(中央氣象臺 1941年 2冊 528面).
   · 『扶桑略記』 권27, 正曆 2년, "六,七月, 天下旱魃".
   · 『日本紀略』 後篇9, 正曆 2년 7월, "今月, 旱魃".
   · 『百練抄』 第4, 正曆 2년, "今年, 天下有旱魃之愁".

223) 勤祈寺院은 지8, 五行2에는 祈天禱佛로 되어 있다. 또 이 敎書의 내용은 唐代의 自然災害에 대한 對處 方式[禳弭]이 반영되어 있는데, 이는 祈雨·避正殿·改元·求言·慮囚·出宮人·減膳·罷免宰相 등이 있었고, 이와 병행하여 壓勝術로 閉坊門·榮城門·徙市·盖井·禁婦人入街市·造土龍·斷屠 등이 시행되었다고 한다 (李軍 2014年). 祈雨에 대한 施策과 祭禮는 中原의 方式을 수용하였던 것 같다(→靖宗 2년 5월 14일의 脚注).

224) 鰥寡孤獨[四窮]의 出典은 다음과 같다.
   · 『맹자』, 梁惠王章句下, "齊宣王曰, 王政可得聞與. 對曰, 昔者文王之治岐也, 耕者九一, 仕者世祿, 關市譏而不征, 澤梁無禁, 罪人不孥, 老而無妻曰鰥, 老而無夫曰寡, 老而無子曰獨, 幼而無父曰孤. 此四者, 天下之窮民, 而無告者. 文王發政施仁, 必先斯四者. 詩^{小雅正月}云, 哿矣富人, 哀此煢獨".
   · 『여유당전서』 권25, 小學紺珠, 四之類, "四窮者, 下民之無告者也. 老而無妻曰鰥[注, 魚名, 夜不能眠者], 老而無夫曰寡[與寡少], 幼而無父曰孤[子立也], 老而無子曰獨[單身也], 此之謂四窮也. 四窮之名, 出'孟子'[梁惠王下]".

八十以上者, 特加賑卹”:食貨3鰥寡孤獨賑貸之制轉載].

[□□^{乞丑}, 韓彦恭奏, “宋樞密院, 卽我朝宿直員吏之職”. 於是, 始置中樞院:節要轉載].²²⁵⁾

[十一月丙申朔^{大盡,庚子}:追加].

[十二月丙寅朔^{大盡,辛丑}:追加].

[是月, 女眞首領野里雄等上言, “契丹怒其朝貢中國, 去海岸西四百里立三柵, 柵置兵三千, 絶其朝貢之路, 于是航海入朝, 求發兵與三十首領共平三柵. 若得師期, 卽先付本國, 願聚兵以俟”. 帝但降詔撫諭, 而不爲出師. 其後遂歸契丹:追加].²²⁶⁾

[□□^{是歲}],²²⁷⁾ 逐鴨綠江外女眞於白頭山外, 居之.

[○遣翰林學士白思柔如宋,謝賜經及御製→成宗11年으로 옮겨감].²²⁸⁾

[○降興麗府^{興禮府}爲恭化縣:追加].²²⁹⁾

---

225) 이 기사와 관련된 자료로 다음이 있다. 또 漢代以來 禁中에 入直[宿直]하는 官僚는 10일에 한번씩 休暇 를 받았던 것 같다.

· 지30, 百官1, 密直司, “成宗十年, 兵官侍郎韓彦恭, 使宋還奏, ‘宋樞密院, 卽我朝直宿員吏之職’. 於是, 始 置中樞院”.

· 열전6, 韓彦恭, “彦恭奏, ‘宋樞密院, 卽我朝直宿員吏之職, 請置其官’. 於是, 始設中樞院, 置使·副各二人, 以彦恭爲副使, 俄轉爲使”.

· 『자치통감』 권28, 漢紀20, 元帝初元 2년(BC47) 1월, “…^{中書令弘}恭·^{僕射石}顯令二人告^{前將軍}望之等謀欲罷車 騎將軍□□^{史高}, 疏退許·史狀, 望之山休日[胡三省注, 漢制, 自三署郞以上入直禁中者, 十日一山休沐], 令^{僕朋·} ^{待詔華}龍上之”.

226) 이는 『속자치통감장편』 권32, 宋 人宗淳化 2년(991), 是歲에 의거하였는데, 三柵은 威寇·振化·來遠 등의 三城을 指稱하는 것 같다.

· 『속자치통감』 권16, 宋紀, 太宗淳化 2년(991) 12월, “女眞首領野里雄等上言, ‘契丹怒其朝貢中國, 去海岸 西四百里卜立三柵, 柵置兵三千, 絶其貢路, 於是汎海入朝, 求發兵與三十首領共平三柵. 若得師期, 卽先赴本 國, 願聚兵以俟’. 帝但降詔撫諭, 不爲出師. 其後遂歸於遼[注, 考異, 女眞請宋共滅, ‘長編’不繫月, ‘契丹國志’ 作十二月, 今從之”.

227) 이 위치에 是歲가 脫落되었을 것으로 추측된다.

228) 白思柔는 993년(성종12, 淳化4) 1월 宋에 도착하였다[校正事由].

· 『송사』 권487, 열전246, 外國3, 高麗, “^{淳化}四年正月, 治遣使白思柔貢方物幷謝經及御製”.

229) 이는 다음의 자료에 의거하였다.

· 『경상도지리지』, 慶州道, 蔚山郡, “成宗代, 淳化二年辛卯, 降改恭化縣. 統和九年, 以功臣朴允雄之鄕, 復 號興麗府^{興禮府}”.

· 『신증동국여지승람』 권22, 蔚山郡, 郡名, “興麗, 一作興禮”.

이는 991년(성종10) 興禮府(興麗府, 現 蔚山市)를 降等하여 恭化縣이라고 하였고, 같은 해 곧 統和 9년 에 功臣 朴允雄으로 인해 다시 興麗府로 승격시켰다는 것인데, 年代整理[繫年]에 어떤 착오가 있었던

[〇金海府量田使·中大夫趙文善申省狀稱, 首露王廟屬田結數多也, 宜以十五結仍舊貫, 其餘分折於府之役丁, 所司傳狀奏聞:追加].[230]

[〇僧決凝赴選佛場, 捷獲選, 受大德:追加].[231]

壬辰[成宗]十一年, 宋淳化三年, [契丹統和十年], [西曆992年]

992년 2월 7일(Gre2월 11일)에서 993년 1월 25일(Gre1월 30일)까지, 354일

[春正月^{內申朔小盡,工寅}, 某日, 教曰, "殷宗之於傅巖, 徵用胥靡, 周王之於渭水, 登庸漁師, 或任之耳目之司, 或授以台衡之職, 故能匡扶社稷, 經濟邦家. 朕自摠萬機, 思齊七政. 非積學, 無以知善, 非任賢, 無以成功, 是以內開庠序,[232] 敦崇儒術, 外置學校, 勸課生徒, 啓較藝之場, 廣窮經之業, 猶未致懷寶出衆之士, 安知無蔽賢防能之人, 凡有文才武略者, 聽詣闕自擧":選擧3薦擧·節要轉載].

[二月乙丑朔^{大盡,癸卯}:追加].
[三月乙未朔^{小盡,甲辰}:追加].
[夏四月甲子朔^{大盡,乙巳}:追加].

[夏五月^{甲午朔小盡,丙午}, 某日, 教曰, "王者, 旁求多士, 爰備百僚, 以才俊爲先, 匪恪勤勿授. 今欲克明俊德, 無曠庶官. 京官五品以上, 各擧一人, 其德行才能, 具疏名下, 以奏":選擧3薦擧·節要轉載].[233]

것 같다. 곧 이 자료의 淳化 2년(辛卯)은 사실일 가능성이 있고, 統和 9년의 내용은 993년(성종11, 統和10) 11월 4일(癸巳) 州·府·郡·縣 및 關·驛·江·浦 등의 名稱을 고칠 때 興禮府로 復原되었을 가능성이 있다. 또 여기에서 興麗府는 興禮府의 다른 표기일 것인데, 1019년(天禧3, 현종10)에 만들어진 臨江寺鍾(大阪市 正祐寺所藏)에는 興麗府로 되어 있다.

230) 이는 『삼국유사』 권2, 기이2, 駕洛國記 ; 『신증동국여지승람』 권32, 金海都護府, 陵墓, 首露王陵에 의거하였는데, 이에 대한 분석도 이루어졌다(具山祐 2018년b).

231) 이는 「榮州浮石寺圓融國師塔碑」에 의거하였다(許興植 1984년 479面 ; 李智冠 2000년 2冊 272面).

232) 庠序는 『고려사절요』 권2에는 序庠으로 되어 있으나 두 글자가 모두 學校를 가리키므로 문제가 없다. 兩者 사이에 자구의 출입이 있다.

233) 이와 관련된 자료로 다음이 있다.
• 『익재난고』 권9상, 忠憲王世家, "十一年五月, 命五品以上, 各擧賢良, 所擧者, 德行才術, 具疏名下".

夏六月^{癸亥朔小盡,丁未} [甲子, 宋遣光祿卿劉式·秘書少監陳靖, 加冊王檢校太師·食邑一千戶·食實封四百戶, 餘並如故. 初, 白思柔之入宋也, 孔目吏張仁詮上書, 陳便宜, 思柔以爲告國陰事. 仁詮不敢還, 至是, 帝命陳靖等領還, 且詔王, 釋仁詮罪. 王上表, 略曰, "小人趍利, 豈虞僭越之誅, 聖主寬恩, 遠降哀矜之命, 其張仁詮, 已依詔旨放罪"→成宗12二年으로 옮겨감].²³⁴⁾

[某日, 制, "六品以下, 不入常參官, 父母喪百日後, 所司勸令出仕, 除起復衛, 以黲服奐角, 遙謝, 行公":禮6五服制度轉載].

秋七月壬辰朔^{人盡,戊申} [立秋]. 流宗室郁于泗水縣.²³⁵⁾ [郁, 太祖第八子, 其第與景宗妃皇甫氏私第相近. 景宗薨, 妃出居, 嘗夢登鵠嶺, 旋流溢國中, 盡成銀海. 卜之, 曰, "生子則王有一國", 妃曰, '我旣寡, 何以生子?', 後郁遂烝有娠, 人莫敢言. 妃戴宗女也. 一日, 妃宿郁第, 家人積薪于庭, 而火之, 火方熾. 王亟往問, 知其由, 以郁犯義, 流之. ○妃還其第, 纔及門胎動, 攀門前柳枝, 免身而卒.²³⁶⁾ 王爲擇傅姆, 養其兒, 兒至二歲, 召見, 姆抱以入, 仰視王, 呼云爺, 就膝上, 捫衣襟, 又再呼爺. 王憐之, 涕出曰, "兒慕父耶", 乃送于泗水, 以歸郁. 兒卽詢也:節要轉載].

[→居第在王輪寺南, 與景宗妃皇甫氏私第近. 景宗薨, 妃出居其第, 郁遂烝有身. 事覺, 成宗流郁 泗水縣, 謂曰, "叔犯大義, 故流之, 愼勿焦心". 命內侍謁者高玄押送, 玄還, 郁贈詩曰, "與君同日出皇畿, 君已先歸我未歸. 旅檻自嗟猿似鏁, 離亭還羨馬如飛. 帝城春色魂交夢, 海國風光泪滿衣. 聖主一言應不改, 可能終使老漁磯". ○初, 流郁之日, 皇甫氏免身而卒, 成宗爲擇傅姆養其兒. 兒至二歲, 姆常誨之曰爺. 一日成宗召見, 姆抱以入, 兒仰視成宗, 呼云爺. 就膝上

---

²³⁴⁾ 陳靖과 劉式은 993년(성종12, 淳化4) 2월 고려에 파견되었다[校正事由].
· 『송사』 권487, 열전246, 外國3, 高麗, "^{淳化四年}二月, 遣秘書丞直史館陳靖·秘書丞劉式爲使, 加治檢校太師, 仍降詔存問軍吏·耆老".

²³⁵⁾ 다음의 자료에는 郁(顯宗의 父, 追贈安宗)이 泗水縣(現 慶尙南道 泗川市)에 流配된 시기가 契丹의 침입이 있던 993년(성종12) 겨울이었다고 潤色하였다.
· 「開豊玄化寺碑」, "成宗文懿人王之季年也, 癸巳^{成宗12年}冬, 因契丹不道, 無故興兵, 侵擾我封疆, 動亂我民庶. 隣兵漸近, 我虎用張, 成宗大王親領雄師, 山催臣敵. 未行之前, 先差中樞副使·給事中崔肅傳宣旨, '今者, 隣敵來侵邦家有, 朕親領衆, 出催彼兵, 所恐京都, 或成離亂, 君宜將家屬, 暫出南方, 就彼安居, 以避斯亂, 纔候邊方寧靜, 則期命駕回還'. 遂差內謁者監高玄, 爲先排使, 賜御槽·鞍馬·衣服·匹帛·酒食·銀器并在彼田宅·奴婢等, 差使衛送直至泗州".

²³⁶⁾ 다음의 자료에는 顯宗의 母后인 皇甫氏[獻貞王后, 孝肅王太后]가 994년(성종12) 3월 19일 逝去하였다고 되어 있지만 潤色일 것이다. 또 위의 기사와 관련된 자료로 다음이 있다.
· 「玄化寺碑」, "以淳化四年三月十九日, 崩于大內之寶華宮".
· 열전1, 후비1, 景宗, 獻貞王太后皇甫氏, "成宗十一年七月, 后宿安宗第, 家人積薪于庭而火之. 火方熾, 百官奔救, 成宗亦亟往問之, 家人遂以實告, 乃流安宗. 后慚恨哭泣, 比還其第, 纔及門胎動, 攀門前柳枝, 免身而卒. 成宗命擇姆以養其兒, 是爲顯宗".

扡衣襟, 又再呼爺. 成宗憐之, 下淚曰, "此兒深慕父也". 遂送泗水以歸郁. 是爲顯宗. 郁工文辭, 又精於地理. 嘗密遺顯宗金一囊曰, "我死, 以金贈術師, 令葬我縣城隍堂南歸龍洞, 必伏埋":列傳3太祖王子安宗郁轉載].[237]

[□□^{是月}, 崔罕·王琳^{王彬}登宋賓貢科, 授秘書郎而還:節要轉載].[238]

[八月壬戌朔^{小盡,己酉}:追加].

[九月^{辛卯朔大盡,庚戌}, 某日, 登州稻穗長七寸, 黍穗長一尺四寸. 群臣將賀, 不許:節要·五行轉載].

[冬十月辛酉朔^{小盡, 辛亥}:追加].

冬十一月^{庚寅朔大盡,丁子}, 癸巳^{4日}, 改州·府·郡·縣及關·驛·江浦號.

---

237) 歸龍洞과 관련된 後代의 자료로 다음이 있다(金甲童 2017년d 239面).
　　· 『신증동국여지승람』 권31, 泗川縣, "佛宇, 歸龍寺, 在歸龍山. 排房寺, 舊名蘆谷, 在臥龍山. 高麗顯宗微時, 嘗寓居此寺, 見蛇兒題詩曰, '小小蛇兒繞藥欄, 滿身紅錦自斑斕. 莫言長在花林下, 一日成龍也不難'. 祠廟, 城隍祠, 在山城內. 古跡, 陵華峯, 在臥龍山, 高麗安宗^郁, 葬於峯下, 至今名其洞曰陵華里".
238) 이는 『고려사절요』 권2, 성종 11년 7월 ; 『고려사』 권74, 지28, 選擧2, 科目2, 制科 ; 『訥齋集』 권5, 世寶失傳記에 의거하여 전재·추가하였는데, 이들은 같은 해 3월 24일(戊午) 進士第에 급제하여 秘書省校書郎에 임명되어 귀국하였다. 여기에서 고려의 賓貢이 40人이라고 되어 있는데, 이는 4人의 오류일 것이다. 이때 급제한 인물은 王彬·崔罕 등이다. 崔瀣에 의하면 992년(淳化3) 孫何의 榜에 王彬·崔罕이 급제하였다고 한다(『拙藁千百』 권2, 送奉使李中父還朝序).
　　· 『송사』 권5, 본기5, 태종2, 淳化 3년 3월, "戊戌, 親試禮部擧人. 辛丑, 親試諸科擧人. 戊午, 以高麗賓貢進士四十人, 並爲秘書省校書郎, 遣還".
　　· 『송회요집고』 107책, 選擧2, 貢擧 進士科, ^{大中祥符七年九月}二十二日^{淳化三年三月戊}, 詔第一人孫何·第二人朱台符爲將作監丞 … 賓貢王彬·崔罕並授秘書省^郎校書郎, 於^放歸高麗". 이의 年代整理(繫年)는 淳化 3年을 잘못 기재한 것이고, 於는 放으로 해야 옳을 것이다.
　　· 『淳熙三山志』 권26, 人物類1, 科名, 淳化 3年, "王彬, 係高麗賓貢, 長樂人, 初, 挈族奔高麗, 以外國生賓貢入太學, 至是, 登弟授校書郎, 放歸, 尋歸正省墳墓, 知汀州撫州, 終太常少卿".
　　· 『송사』 권304, 열전63, 王彬, "王彬, 光州固始人, 祖彥英, 父仁偓, 從其族人潮入閩, 潮有閩土. 彥英頗用事, 潮惡其逼, 陰欲圖之, 彥英覺之, 挈家浮海, 奔新羅 新羅長愛其材, 用之, 父子相繼執國政, 彬年十八, 以賓貢入太學, 淳化三年, 進士及第, 歷雍丘尉, … 累遷太常少卿, 卒". 王彬은 지28, 선거2, 制科에는 그의 이름이 王琳으로 되어 있다.
　　· 『訥齋集』 권5, 世寶失傳記, "先祖兵部侍郎, 娶高麗左僕射王琳之女. 王公以貢士, 登宋賓貢科, 以是見待於中朝, 多得奇貨來. 吾先兵部議郎得璜公, 以王家外甥, 亦得玉獅子·金塵尾駝仙亭等物, 傳及版圖公之子大禪師天祺, 以此獻于高麗王, 而得人爵云. 累代傳來舊物, 歸之納賂之資, 可惜, 出家子孫, 不念傳世之寶若是, 豈不戒哉?".

十二月大廟成庚申^{庚申朔,太廟成},²³⁹⁾ 敎曰, "邦家之本, 宗廟爲先. 自昔帝王, 莫不增修大室, 創立閟宮, 設子穆父昭之班, 行三祫五禘之禮. 我國朝, 乘時擧義, 應運開都, 雖累經纂業承基, 而未設酌金灌玉. 朕以謬傳神器, 添屬孫謀, 爰自前年, 新營大廟^{太廟}, 在朝儒臣等, 其議定昭穆位次, 禘祫儀禮, 以聞".

丙寅^{7日}, 敎曰, "王者化成天下, 學校爲先. 祖述堯舜之風, 聿修周孔之道, 設邦國憲章之制, 辨君臣上下之儀, 非任賢儒, 豈成軌範? 揆天拓地, 保大定功, 固將崇奬而行, 不可斯須而廢. 國朝創業已久, 守文以興. 寡人謬以眇躬, 忝居大寶, 思闡九流之說, 廣開四術之門.²⁴⁰⁾ 發彼童蒙, 置諸學校, 爨中稷下, 橫經之士成群, 夏序虞庠, 鼓篋之徒爲市. 啓緗闈而較藝, 關會府以掄材, 就省試者猶多, 占仙科者尚少. 斯則學無塾黨, 才未精硏. 其令有司, 相得勝地, 廣營學舍, 量給田庄, 使之金鍊爲眞, 玉磨成器. 凡在諸儒, 尚知予意".²⁴¹⁾

[某日, 夜, 天門開:天文1轉載].²⁴²⁾

是月, 親祫于大廟^{太廟}.

[是歲, 遣翰林學士白思柔如宋, 謝賜經及御製←成宗10년에서 옮겨옴].²⁴³⁾

[○判^判, "公田租, 四分取一. 水田, 上等一結, 租^a二石^{二石}十一斗二升五合^b五勺^{行字}, 中等一結, 租二石十一斗二升五合, 下等一結, 租一石十一斗二升五合. 旱田, 上等一結, 租一石^c十二斗^{十二斗}十一升二合五勺, 中等一結, 租一石^d十斗^{六斗}六升二合五勺, 下等一結, ^e缺^{十一斗二升五合}. [又^又, 水田, 上等一結, 租四石七斗五升, 中等一結, 三石七斗五升, 下等一結, 二石七斗五升, 旱田, 上等一結, 租二石三斗七

---

239) '大廟成庚申'은 添字와 같이 고쳐야 옳게 될 것이다. 또 이해의 宋曆과 日本曆에서 11월(庚寅朔)과 12월(庚申朔)이 모두 大盡이기에 高麗曆도 12월은 庚申朔이 될 수밖에 없다. 그럼에도 불구하고 庚申의 앞에 '太廟成[大廟成]'이 있는 것은 『고려사』를 처음 乙亥字로 組版할 때 글자가 倒置되었을 것이다. 또 이달은 '庚申朔大盡,建辛丑'에 해당한다.
　• 지15, 禮3, 古禮大祀. "^{成宗}十一年十一月^{十二月}, 太廟成, 命儒臣, 議定昭穆位次, 及禘祫儀, 遂行祫禮". 여기에서 十一月은 十二月의 誤字일 것이다.

240) 四術에 대한 설명으로 다음이 있다.
　• 『여유당전서』 권25, 小學紺珠, 四之類, "四術者, 樂正之敎法也. 春學樂, 秋學'禮'[注, 順天氣], 冬讀'書', 夏讀'詩', 此之謂四術也. 四術之名, 出王制".

241) 이와 관련된 기사로 다음이 있다. 이에서 國子監이 是年에 創建되었다는 것은 國初부터 國學이 존재해 온 것을 고려해 볼 때 오류일 것이다(朴龍雲 2009년 243面).
　• 지28, 選擧2, 學校, "敎, 有司相得勝地, 廣營書齋·學令, 量給出庄, 以充學粮. 又創國子監".

242) 이는 다음의 자료를 전재하였다. 또 '天門이 열렸다[天門開]'라는 現象은 赤氣·靑赤氣·黃赤氣·白氣 등과 함께 오로라[極光]가 관측되었다는 것을 의미한다고 보는 견해도 있다(梁洪鎭 1998년).
　• 지1, 天文1, 月五星凌犯及星變, "十二月夜, 天門開".

243) 白思柔는 993년(성종12, 淳化4) 1월 宋에 도착하였다[校正事由].
　• 『송사』 권487, 열전246, 外國3, 高麗, "^{淳化}四年正月, 治遣使白思柔貢方物并謝經及御製".

升五合, 中等一結, 一石十一斗二升五合, 下等一結, 一石三斗七升五合]”:食貨1租稅轉載].[244]

[○定漕船輸京價.[245]

△運五石, 價一石, 通潮浦[前號末潮浦, 泗州通陽倉, 在焉], 螺浦[前號骨浦, 合浦縣石頭倉, 在焉].

△運六石, 價一石, 波平浦[前號大沙浦, 樂安郡], 潮陽浦[前號沙飛浦, 昇平郡海龍倉, 在焉], 風調浦[前號馬西良浦], 海安浦[前號麻老浦, 光陽郡], 安波浦[前號冬鳥浦, 兆陽縣], 利京浦[前號召丁浦, 麗水縣], 麗水浦[前號金遷浦, 大原郡忠州], 銀蟾浦[前號蟾口浦, 平原郡原州].[246]

△運八石, 價一石, 潮東浦[前號薪浦, 靈岩郡長興倉, 在焉], 南海浦[前號木浦, 通義郡羅州],[247] 通津浦[前號置乙浦, 羅州海陵倉, 在焉], 德浦[前號德津浦, 務安郡], 崐岡浦[前號白岩浦, 陰竹縣], 黃麗浦[前號黃利內地, □□驪州],[248] 海葦浦[前號葦浦, 長淵縣].[249]

△運九石, 價一石, 利通浦[前號屈乃浦, 合豊郡茂豊縣],[250] 勵涉浦[前號主乙浦, 希安郡保安郡], 芙蓉浦[前號阿無浦, 靈光郡芙蓉倉, 在焉], 速通浦[前號所津浦, 承化郡全州],[251] 朝宗浦[前號鎭浦, 臨陂郡鎭城倉, 在焉],[252] 濟安浦[前號無浦, 保安郡安興倉, 在焉], 古塚浦[前號大募浦, 安山郡泰山郡],[253] 西河郡浦[前號豊州, □□豊州].[254]

---

244) 이 기사는 等級間의 數値를 고려해 볼 때, 筆寫 또는 組版過程에서 오류가 발생했던 것 같다. 곧 a, c, d, e는 衍字와 같이 修正, 補完되어야 하고, b는 잘못 들어간 글자[衍字]로 추정된다고 한다(東亞大學 2011년 18책 390面). 또 [注]로 제시된 收租額 規定의 冒頭도 衍字와 같이 校正되어야 할 것이며, 이에서 受取量이 크게 上向 調整되었음을 보아 常耕法이 크게 보급되어 농업생산력이 향상되었다고 하는 13세기 이후[高麗後期]에 개정된 내용일 것이다.
그리고 이 기사를 통해 고려시대의 量器의 단위가 勺·合·刀·斗·石(碩·斛과 같은 容積임) 등의 5단계임을 알 수 있는데, 이들의 關係는 10작=1합, 10합=1승, 10승=1두, 15두=1석이라고 한다(李宗峯 2016년 127面).
245) 原文에서 輸京價의 순서가 바뀐 것은 바로 잡았다(韓禎訓 2009년). 이에 수록된 60浦倉의 所在地를 朝鮮前期, 後期, 그리고 現在로 정리한 주목되는 업적도 있다(文敬鎬 2014년 43面).
246) 大原郡과 平原郡은 忠州와 原州의 別號이다(韓禎訓 2009년).
247) 通義郡은 羅州의 別號라고 한다(韓禎訓 2009년·2019년 ; 文敬鎬 2014년 49面).
248) 黃麗浦는 驪州에 있을 것으로 추측된다고 한다(韓禎訓 2013년).
249) 長淵縣에 관한 자료로 다음이 있다.
• 『旅菴遺稿』 권1, 民隱詩[注, 乙酉1765年], 龍井[注, 邑西二十里, 有一崗橫於人野, 崗南有石井, 圓徑可十餘步, 穿崗北流, 其流甚駛, 崗南之人, 築洑導之. 又南流, 崗南北所灌漑者, 無慮落種八百餘石, 大旱不被災, 其分流也. 以木作水衡, 彼此均平, 農民無所爭, 邑號長淵, 以有此井也, 舊有龍異, 故名龍井].
• 『旅菴遺稿』 권1, 民隱詩, 祭堂[注, 在長山北, 歲降香祝, 春二祭, 秋二祭].
• 지12, 지리3, 西海島, 甕津縣, 長淵縣, “… 有長山串[注, 春秋降香祝, 行祭, 載小祀]”.
250) 合豊郡은 茂豊縣(尹京鎭 2002년) 또는 咸豊縣(韓禎訓 2019년)의 오류일 가능성이 있다고 한다.
251) 承化郡은 991년(성종10)에 附與된 全州의 別號라고 한다(韓禎訓 2019년).
252) 鎭城倉은 현재의 전라북도 群山市 聖山面 倉梧里에 위치해 있었다고 한다(文敬鎬 2015년b).
253) 安山郡은 大山郡(太山郡, 泰山郡, 현 全羅北道 井邑市 地域)의 오류로 추측되고 있다(韓禎訓 2019년 ; 文敬鎬 2014년 48面).
254) 西河郡浦는 豊州에 있을 것으로 추측된다고 한다(韓禎訓 2013년).

△運十石, 價一石, 澄波浦[前號登承浦], 安石浦[前號犯貴伊浦], 柳條浦[前號柳頂浦], 梨花浦[前號梨浦], 淥花浦[前號花因守寺浦], 丈崇浦[前號仰崇浦, 並川寧郡], 陽原浦[前號荒津浦], 花梯浦[前號花連梯浦], 恩波浦[前號仇知津], 虞山浦[前號山尺浦], 神魚浦[前號小神寺浦, 並楊根郡].

△運十三石, 價一石, 利涉浦[前號葛城浦, <u>豊山縣</u>禮山縣],[255] 風海浦[前號松山浦, <u>海豊郡</u>洪州], 懷海浦, [前號居伊彌浦, 新平郡], 便涉浦[前號打伊浦, 牙州河陽倉, 在焉].

△運十五石, 價一石, 媚風浦[前號大文浦, <u>漢南郡</u>木州], 息浪浦[前號加西浦], 白川浦[前號金多川浦, <u>大川郡</u>利川郡].[256]

△運十八石, 價一石, 尙原浦[前號上津村浦, <u>淮安郡</u>廣州], 和平浦[前號無限浦], 鹵水浦[前號未音浦, <u>廣陵郡</u>楊州], 從山浦[前號居知山浦, 同郡].

△運二十石, 價一石, 德原浦[前號置音淵浦, <u>廣陵郡</u>楊州], 深原浦[前號果州浦, □□果州],[257] 同德浦[前號同志浦, <u>淮安郡</u>廣州], 深逐浦[前號下置音淵浦, <u>始興郡</u>衿州], 丹川浦[前號㐲於浦, 同郡]:食貨2漕運轉載].

△運二十一石, 價一石, 潮海浦[前號省草浦], 淸水浦[前號加乙斤實浦], 廣通浦[前號津浦, 孔岩縣], 楊柳浦[前號楊等浦, 金浦縣], 德陽浦[前號所支浦, <u>德陽郡</u>幸州], 靈石浦[前號召斤浦], 居安浦[前號居乙浦, 金浦縣], 慈石浦[前號甘岩浦, 同縣].[258]

[□□先是, 國初, 南道水郡, 置十二倉, 忠州曰<u>德興</u>,[259] 原州曰興元, 牙州曰河陽, 富城曰永豊, 保安曰安興, 臨陂曰鎭城, 羅州曰海陵, 靈光曰芙蓉, 靈岩曰長興, <u>昇州</u>昇平郡曰<u>海龍</u>,[260] 泗州曰通陽, 合浦曰石頭. 又於西海道長淵縣, 置安瀾倉, 倉置判官. 州郡租稅, 各以附近輸諸倉, 翌年二月漕運, 近地限四月, 遠地限五月, 畢輸京倉. 限內發舡, 因風失利, 梢工三人以上, 水手・雜人五人以上, 幷米穀漂沒者, 勿徵, 限外發舡, 梢工・水手三分之一, 敗沒者, 其官色典・梢工・水手等, 平均徵納:食貨2漕運轉載].

---

255) 豊山縣은 禮山縣의 오류일 가능성이 있다고 한다(尹京鎭 2002년 ; 韓禎訓 2013년 ; 文敬鎬 2014년).

256) 大川郡은 利川郡의 오류일 가능성이 있다고 한다(尹京鎭 2002년).

257) 深原浦는 果州에 있을 것으로 추측된다고 한다(韓禎訓 2013년).

258) 이상의 浦口 中에서 전라도 지역의 것은 현재의 위치가 거의 확인되었다(韓禎訓 2019년).

259) 德興倉은 조선시대에 可興倉으로 改稱되었던 것 같고, 忠州牧 官衙의 서쪽 15里에 위치한 金遷站에 서쪽 丘陵에 있었다고 한다.
   • 『신증동국여지승람』 권14, 忠州牧, 驛院, 金遷站, "在州西十五里" ; 倉庫, 可興倉, "古稱德興倉, 又稱慶原倉, 在可興驛東二里, 舊在金遷站西虛, 世祖移于此, …". 여기에서 德興倉의 改稱이 慶原倉이라고 하였으나 別個의 倉庫이다.
   • 『세종실록』 권149, 지리지, 忠州牧, "… 慶原倉[注, 在州西十里, 淵遷, 收受慶尙道貢賦之所]. 德興倉[注, 在慶原倉之北]".

260) 海龍倉의 土城으로 만들어진 遺址는 조선시대의 順天都護府 官衙 남쪽 10里에 있는 海龍山에 있었다고 한다.
   • 『신증동국여지승람』 권40, 順天都護府, 古跡, 海龍倉, "海龍山有土城古基, 世傳授貢稅, 漕運之地".

[○造太廟第四室享器:追加].²⁶¹⁾

[增補].²⁶²⁾

癸巳[成宗]十二年, 宋淳化四年, [契丹統和十一年], [西曆993年]

993년 1월 26일(Gre1월 31일)에서 994년 2월 13일(Gre2월 18일)까지, 13개월 384일

[春正月庚寅朔^{小盡,甲寅}, 是月, 天安府管內竹山縣人朴廉改修彌勒堂石塔:追加].²⁶³⁾

[春二月^{己未朔大盡,乙卯}, 某日, 置常平倉于兩京·十二牧:節要轉載].

[→教曰, "漢□^書食貨志, 千乘之國, 必有千金之價, 以年豊歉, 行糶糴, 民有餘, 則斂之以輕, 民不足, 則散之以重. 今依此法行之, 以千金, 准時價, 金一兩, 直布四十匹, 則千金, 爲布六十四萬匹, 折米十二萬八千石. 半之爲米六萬四千石, 以五千石, 委上京京市署糶糴, 令大府寺·司憲臺, 共管出納.²⁶⁴⁾ 餘五萬九千石, 分西京及州郡倉一十五所, 西京委分司司憲臺, 州郡倉, 委其界官員管之, 以濟貧弱":食貨3常平·義倉轉載].²⁶⁵⁾

---

261) 이는 黃海南道 白川郡[배천군] 圓山里 陶窯地의 4개의 窯址(북한의 국보유적 제165~168호) 중 2號(제166호)의 4次窯에서 出土된 器皿銘(高杯, 口徑 24.4cm, 靑瓷)에 의거하였다(朝鮮歷史中央博物館 所藏, 齋藤 忠 1996年 ; 金榮擔 2002년 150面 ; 社會科學院 考古學硏究所 2009년d 104~105面). 또 이들 器皿에서 淳化 3년, 4년에 걸쳐 王公伬·李昧巨·沈邦·沈祈·崔金蔓·崔金恒(이상 3년), 崔古會(4년) 등과 같은 陶工의 行首[窯의 職人, 後日의 窯直, 丙科權務]의 姓名이 찾아졌다고 한다(小田富士雄 2013年). 이 중에서 沈氏 2인, 崔氏 3人은 같은 血緣으로 전문적인 職業의 傳授가 필요한 陶工[匠人]의 樣相을 보여줄 수 있을 것이다.
- 銘文, "淳化三年壬辰,太廟第四室享器匠王公伬造". 이 銘文은 器皿의 後面에 周緣을 따라 縱書로 된 것으로 壬辰은 注形式의 橫書로 되어 있다(東洋陶磁學會 編 2002年 12面 ; 小田富士雄 2013年 528面 寫眞).
262) 이해에 契丹은 고려를 정벌하려고 하였다. 이와 같은 내용이 『요사』 권115, 열전45, 二國外記, 高麗에도 수록되어 있다. 여기에서 是月 곧 12월로 되어 있으나, 是歲로 고쳐야 사실의 전후가 설명될 수 있다(池內 宏 1976年 166面).
- 『요사』 권13, 본기13, 聖宗4, 統和 10년 12월, "是月^{甲午}, 以東京留守蕭恒德等伐高麗".
263) 『韓國金石遺文』, 143面, 永泰二年塔誌에 의거하였다.
264) 共管出納은 延世大學本과 東亞大學本은 其管出納과 같이 刻字되었으나 잘못일 것이다.
265) 이는 지34, 食貨3, 常平·義倉에서 전재한 것인데, 『고려사절요』 권2, 성종 12년 2월은 이의 冒頭만을 수록한 것으로 추측된다. 또 위의 기사는 다음의 자료를 요약한 것이다(東亞大學 2011년 18책 546面).
- 『한서』 권24下, 食貨志第4下, "太公退, 又行之于齊, 至管仲相桓公, … 故萬乘之國, 必有萬金之賈, 千乘之國, 必有千金之價者, 利有所幷也. 計本量委則足矣, 然而有飢餓者, 穀有所藏也. 民有餘則輕之, 故人君斂之以輕, 民不足則重之, 故人君散之以重".

春三月^{己丑朔大盡,丙辰}, 乙未^{7日}, 敎曰, "朕聞, 王者父天母地, 兄日姊月, 因時制禮, 追孝敬親. 天子七廟, 諸侯五廟, 祖功宗德, 左昭右穆. 大孝感于神明, 至德動乎天地. 我國以大聖生聖, 重明繼明, 保大定功, 超今越古. 朕謬叨顧命, 纘守洪基, 遵奉祖先, 聿懷襟臆. 爰從去歲, 新作閟宮, 締構旣完. 蒸嘗有次, 殷以十二君爲六代, 唐以一十帝爲九室. '晋書'所云, '兄弟旁及, 禮之<u>變也</u>'.²⁶⁶⁾ 則宜爲主立室, 不可以室限神. 兄弟一行, 禮文斯在, [況我惠宗, 若論同世, 豈可異班?": 禮3吉禮大祀轉載], 宜奉惠・定・光・景四主, 通爲一廟, [祔於太廟:禮3吉禮大祀轉載].

[某日, 翰林學士崔暹, 取進士:選擧1選場轉載].

[夏四月己未朔^{小盡,丁巳}:追加].

夏五月^{戊子朔人盡,戊午}, [某日], 西北界女眞報, "契丹謀擧兵來侵". 朝議謂其紿我, 不以爲備.

[六月^{戊午朔小盡,己未}, 甲子^{7日}, 宋遣光祿卿劉式・秘書少監陳靖, 加冊王檢校太師・食邑一千戶・食實封四百戶, 餘並如故. 初, <u>白思柔</u>之入宋也, 孔目吏張仁詮上書, 陳便宜, 思柔以爲告國陰事. 仁詮不敢還, 至是, 帝命陳靖等領還, 且詔王, 釋仁詮罪. 王上表, 略曰, "小人趨利, 豈虞僭越之誅, 聖主寬恩, 遠降哀矜之命, 其張仁詮, 已依詔旨放罪"←成宗12年에서 옮겨옴].²⁶⁷⁾

---

266) 이 기사에서 兄弟旁及은 『晋書』에 나온다고 되어 있으나 다음의 자료를 인용한 것이다. 또 『晋書』 권 44, 열전14, 華表, 恒과 권19, 지9, 禮上에는 華恒이 禮制의 改定에 참여한 것은 기록되어 있으나 兄弟旁及에 대해 언급한 내용은 찾아지지 않는다.
· 『通典』 권48, 禮典2, 兄弟相繼藏主室, "晋人常華恒被符, 宗廟宜時有定處. 恒按前茲以爲, 七代制之正也, 若兄弟旁及, 禮之變也. 則宜爲神主立室, 不宜以室限神主. 今有七室, 而神主有十, 宜當別立. 臣爲經朝已從漢制. 今經上繼武帝, 廟之昭穆, 四代而已".

267) 이들 宋의 使臣團은 다음 자료와 같이 993년(성종4, 淳化4) 2월 고려에 파견되었다.
· 『송사』 권5, 본기5, 太宗2, ^{淳化四年二月}乙丑^{7日}, 加高麗國王王治檢校太師, 靜海郡節度使黎桓封交阯郡王".
· 『송사』 권487, 열전46, 外國3, 高麗, "^{淳化四年}二月, 遣秘書丞直史館陳靖・秘書丞劉式爲使, 加治檢校太師, 仍降詔存問軍吏・耆老. 靖等自東牟趣八角海口, 得思柔所乘海船及高麗水工, 卽登舟, 自芝罔島順風泛大海. 再宿抵甕津口登陸, 行百六十里抵高麗之境曰海州, 又百里至閻州, 又四十里至白州, 又四十里至其國. 治迎使于郊, 盡藩臣禮, 延留靖等七十餘日而還. 遺以襲衣・金帶・金銀器數百兩, 布三萬餘端, 附表稱謝. ○先是, 上親試諸道貢擧人, 詔賜高麗賓貢進士王彬・崔罕等及第, 旣授以官, 遣還本國. 至是, 靖等使回, 治上表謝曰, 學生王彬・崔罕等入朝習業, 蒙恩並賜及第, 授例仕郎・守秘書省校書郎, 仍放歸本國. 竊以當道存修貢奉, 多歷歲年, 蓋以上國天高, 遐荒海隔, 不獲躬趨金闕, 面叩玉墀, 唯深拱極之誠, 莫展來庭之禮. 彬・罕等幼從筎筡, 嗟混迹於嵎夷, 不憚蓬飄, 早賓王於天邑. 綈袍賜褐, 斗粒桂薪, 堪憂食貧, 若爲卒歲. 皇帝陛下天慈照毓, 海量優容, 豐其館穀之資, 勗以藝文之業. 去歲高懸軒鑑, 大選魯儒, 彬・罕接武澤宮, 敢萌心於中鵠, 濫巾英域, 空有志於羨魚. 陛下以其萬里辭家, 十年觀國, 俾登名於柱籍, 仍命秩於藝臺, 憫其懷土之心, 慰以倚門之望, 別垂宸旨, 令歸故鄉. 玄造曲成, 鴻恩莫報, 臣不勝感天戴聖之至. ○又有張仁銓者, 進奉使白思柔之孔目吏也, 上書獻便宜. 思柔忿其持國陰事以告, 仁銓懼不敢歸. 上命靖等領以還國, 仍詔治釋仁銓罪. 治又上表謝曰, 官告國

[秋七月丁亥朔^{小盡,庚申}:追加].

秋八月^{丙辰朔大盡,辛酉}, 甲戌^{19日}, 賜李維賢等及第.[268]

[某日], 判△^曰, 給諸州·府·郡·縣·驛路公須柴地. 千丁以上, 八十結. 五百丁以上, 六十結. 五百丁以下, 四十結. 一百丁以下, 二十結. 十二牧, 勿論丁多少, 一百結. 知州事, 雖百丁以下, 六十結. 東西道大路驛, 五十結. 中路驛, 三十結. 兩界大路驛, 四十結. 中路驛, 二十結. 東西南北小路驛, 十五結:食貨1公廨田柴轉載].

是月, 女眞復報契丹兵至, 始知事急, 分遣諸道兵馬齊正使.[269]

[九月丙戌朔^{小盡,壬戌}:追加].

冬十月^{乙卯朔大盡,癸亥}, [某日], 以侍中朴良柔爲上軍使, 內史侍郎徐熙爲中軍使, 門下侍郎崔亮爲下軍使, 軍于北界, 以禦契丹.[270]

信使陳靖·劉式至, 奉傳聖旨, 以當道進奉使從行孔目官張仁銓至闕, 輒進便宜, 飜懷憂懼, 今附使臣帶歸本國者. 仁銓壩宅細民, 海門賤吏, 獲趨上國, 敢貢愚誠, 罔思狂瞽之尤, 輒奏權宜之事, 妄塵旒扆, 上黷朝廷. 今者, 仰奉綸言, 釋其罪咎. 小人趨利, 豈虞僭越之求, 聖主寬恩, 遠降哀矜之命. 其張仁銓者已依詔放罪, 令掌事如故. 又上言願賜板本九經書, 用敎儒敎, 許之. 先是, ^劉式等復命, ^治遣使元證衍迓之, 證衍全安香浦口, 値風損船, 溺所賚物. 詔登州給證衍文據遣還, 仍賜治衣段二百疋·銀器二百兩·羊五十口".
• 『옥해』 권154, 朝貢, 錫予外夷, "淳化四年十一月二十七日庚辰, 治因劉式等復命上言, 願賜板本九經, 從之".
• 『公是集』 권51, 家傳, 先祖磨勘府君家傳, "諱式, 字叔度, 少有志操, 好學問, … 轉秘書丞. 淳化中, 高麗絶契丹自歸, 天子方事取幽州, 嘉其識去就, 厚答其使, 因欲結其心, 斷敵肩臂, 使叔度往諭指, 王以下郊迎, 叔度美秀明辯, 進退有規矩, 望見者, 皆心服. 先是, 高麗大旱, 及使者授館, 澍雨尺餘, 國中大喜, 事漢使愈謹, 自陳國小齒下, 願執子弟禮, 叔度不許, 然所賂遺甚厚, 叔度亦爲之納, 還朝封上, 天子善之, 高麗通中國, 自此始也. 轉太常博士領舊職". 이 자료는 『名臣碑傳琬琰之集』 中권40, 劉磨勘府君家傳에도 수록되어 있다. 여기에서 劉式이 고려에 파견되었을 때의 逸話를 기록한 내용 중에서 이때부터 고려가 중국과 通交를 시작하였다고 한 점은 잘못이다.
• 『江西通志』 권72, 人物7, 遠州府, 劉式, "淳化中, 齎冊往二韓, 轉太常博士, 賜玉書法帖十六軸".
• 『新安志』 권6, 敍先達, 呂侍郎, "時呂端·呂祐之, 亦嘗爲使, 三人皆宽厚文雅. 國主王治, 嘗對使者劉式語, 及中國用人, 必應以族望, 如唐之崔盧李鄭者, 式言惟賢是用, 不拘族姓, 治曰, 何姓呂者, 多君子也".

268) 이와 관련된 기사로 다음이 있는데, 添字가 탈락되었을 것이다.
• 지27, 선거1, 科目1, 選場, "^{成宗}十二年三月, 翰林學士崔遑□□□^{知貢擧}, 取進士, 八月下敎, 賜甲科李維賢等二人·乙科三人·同進士五人·明經三人·明法三人及第".
269) 兵馬齊正使는 軍事[兵馬]를 바로 잡는[齊正] 使臣이라는 의미를 지닌다. 이때 齊正은 整治를 가리킨다.
• 『毛詩注疏』, 詩譜序, 附釋音毛詩注疏 권1, "故詩有六義焉. … 疏, … 天子則威加四海, 齊正萬方, 政敎所施, 皆能齊正, 故名之爲雅風".
270) 이와 같은 기사가 열전7, 徐熙에도 수록되어 있다.

閏[十]月^{乙酉朔小盡,癸亥}, 丁亥^{3日}, 幸西京, 進次安北府, 聞契丹蕭遜寧^{蕭恒德271)} 攻破蓬山郡, 不得進乃還. 遣徐熙請和, 遜寧罷兵.²⁷²⁾

[→閏月, □□^{丁亥}, 幸西京, 進次安北府, 聞契丹蕭遜寧, 將兵攻蓬山郡, 獲我先鋒軍使·給事中尹庶顏等, 王不得進, 乃還. 徐熙引兵, 欲救蓬山, 遜寧聲言, “大朝, 旣已奄有高句麗舊地, 今爾國侵奪疆界, 是用征討^{是以來討}”. 又移書云, “大朝統一四方, 其未歸附, 期於掃蕩, 速致降款, 毋涉淹留”. 熙見書還奏, 有可和之狀. 王遣監察司憲·借禮賓少卿李蒙戩, 如契丹營請和. ○遜寧又移書云, “八十萬兵至矣, 若不出江而降, 當須殄滅, 宜君臣速降軍前^{宜君臣速降軍前}”. ○蒙戩至營, 問所以來侵之意 遜寧曰, “汝國不恤民事, 是用恭行天罰, 若欲求和, 宜速來降”. 蒙戩還, 王會群臣議之, 或言車駕還京闕, 令重臣率軍士乞降. 或言割西京以北之地, 與之, 自黃州至岊嶺^{慈悲嶺273)}, 畫爲封疆, 可也. 王將從割地之議, 開西京倉米, 任百姓所取, 餘者尙多, 王恐爲敵所資,

---

271) 蕭遜寧은 蕭恒德의 字인데, 당시의 契丹人의 이름은 두 개의 要素로 구성되어 있었다고 한다. 漢字文獻에 의하면 하나는 첫째의 이름[名]인데, 당시에 小名 또는 小字라고 하였다고 한다. 다른 하나는 漢人의 習俗을 모방했을 것으로 추측되는 字인데, 이는 成人된 후에 사용한 둘째 이름이지만 父子의 連名現象이 나타나는 특이한 모습을 보인다고 한다(愛新覺羅 烏拉熙春 2004年 ; 劉浦江 2007年, 前者는 吉本智慧子로 改名하였다). 그렇다면 蕭遜寧은 蕭恒德의 두 번째 이름에 해당하기에 어느 쪽을 사용하여도 무방할 것이다.
· 『요사』 권88, 열전18, 蕭排押, 恒德, “恒德, 字遜寧”.

272) 이때의 형편은 『고려사절요』 권2, 성종 12년 閏10월 ; 『고려사절요』 권2, 목종 1년 7월, 徐熙의 卒記에 보다 구체적으로 서술되어 있다. 또 이때 거란에 대한 방어정책이 실패했음은 1117년(예종12) 3월 金이 兄을 칭하면서 兄弟關係의 체결을 요구하여 왔을 때 이를 수긍하려던 金富儀의 주장에서도 확인된다. 그리고 고려가 初戰에서 大敗하여 수많은 戰死者가 발생하였기에 서둘러 和議를 진행시키지 않을 수 없었던 것 같다.
· 열전10, 金富儀, “昔, 成宗之世, 禦邊失策, 以速遼人之入寇, 誠爲可鑑”.
· 「耶律元寧墓誌銘」, “公諱元寧, 字安世 … 而國重軍旅之事, 須命將材. 遂移權東京統軍兵馬都監. 會高麗恃阻河海, 絶貢苞茅, 時與駙馬·蘭陵王^{蕭恒德}, 奉順天之詞, 問不庭之罪, 公射率銳旅, 首爲前鋒, 始遇敵於建安之南, 賊來向三千餘衆, 掎角纏籠, 剪戮殆盡. 我一賈於餘勇, 彼累上於降書, 願爲藩臣, 永事大闕. 故高麗歲時之貢, 不絕于此, 由公之力也. 因是□□□^{鴨綠江}之上, 建來遠城, 留公主之, 爲兵馬都部署. 復以枋翰之功, 聞於宸極之上, 不數歲, 授金紫崇祿大夫·檢校太保·守右監門衛上將軍兼御史大夫·上柱國. 未幾, 遷東京中臺省左平章事, …”(劉鳳翥 2009年 284面).
이 자료의 耶律元寧(939~1008)은 『요사』에서는 보이지 않으나 998년(統和16, 목종1) 2월 17일(丙午) 監門衛上將軍으로 中臺省左丞相에 임명된 耶律喜羅로 추측되고 있다(『요사』 권14, 본기14, 성종5, 武田和哉 編 2006年 141面). 또 그가 高麗征伐에 참가한 것은 그의 卒年을 감안하면 거란의 1차 침입인 993년(統和11, 성종12)임을 알 수 있다. 그리고 고려가 이때 大敗하여 거란에 대해 신하로서 섬겼던 것은 다른 자료에서도 확인된다.
· 『고려도경』 권40, 同文, 正朔, “然自建隆開寶間, 願效臣節, 不敢少懈, 以迄于今. 至與北虜, 則封境之相距, 纔一水耳. 虜人朝發馬, 夕已飮水於鴨綠矣, 嘗人敗衂, 始臣事之, 用其年號, 終統和開泰, 凡二十一年. 至王詢, 大破北虜, 復通中國, …”.

273) 岊嶺은 慈悲嶺의 別稱이었다.
· 지12, 지리3, 西海道, 平州, 洞州, “… 高麗, 更今名. 成宗十四年, 置防禦使. 顯宗初, 廢防禦使, 來屬. 元

令投之大同江. 熙奏曰, "食足則城可守, 戰可勝也, 兵之勝負, 不在强弱, 但能觀釁而動耳, 何可遽令棄之乎? 況食者, 民之命也, 寧爲敵所資, 虛棄江中? 又恐不合天意", 王然而止之. ○熙又奏曰, "自契丹東京, 至我安北府, 數百里之地, 皆爲生女眞所據,[274] 光宗取之, 築嘉州·松城等城. 今丹兵[契丹]之來, 其志不過取此二城, 其聲言取高句麗舊地者, 實恐我也. 今見其兵勢大盛, 遽割西京以北與之, 非計也. 且三角山以北, 亦高句麗舊地, 彼以谿壑之欲, 責之無厭, 可盡與乎? 況今割地□□[與敵], 則誠萬世之恥也. 願駕還都城, 使臣等一與之戰, 然後議之, 未晚也". ○前民官御事李知白奏曰, "聖祖[人祖]創業垂統, 泊于今日, 無一忠臣, 遽欲以土地, 輕與敵國, 可不痛哉. 古人有詩云, '千里山河輕孺子, 兩朝冠劍恨焦周[譙周]',[275] 蓋謂焦周[譙周]爲蜀大臣, 勸後主納土於魏, 爲千古所笑也. 請以金銀寶器賂遜寧, 以觀其志.[此] 與其輕割土地, 棄之敵國, 曷若復行先王燃燈·八關·仙郞等事, 不爲他方異法, 以保國家致大平[太平]乎? 若以爲然, 則當先告神明, 然後戰之與和, 惟上裁之". ○時王樂慕華風, 國民[國人]不喜, 故知白及之. ○遜寧以蒙戱回還[還兵], 久無回報, 遂攻安戎鎭, 中郞將大道秀·郞將庾方, 與戰克之. 遜寧不敢復進, 遣人促使來降. 王遣和通使·閤門舍人[閤門通事令人,276] 張瑩,[276] 往丹營[契丹營]. 遜寧曰, "宜更以大臣, 送軍前面對". 瑩還, 王會群臣問曰, "誰能往丹營[契丹營], 以口舌却兵, 立萬世之功乎?". 群臣無有應者, 熙獨奏曰, "臣雖不敏, 敢不唯命", 王出餞江頭, 執手慰藉而送之.[277] ○熙奉國書, 如丹營[遜寧營,278] 與遜寧抗禮, 不小屈, 遜寧心異之, 語熙曰, "汝國興新羅地, 高句麗之地, 我所有也, 而汝侵蝕之, 又與我連壤, 而越海事

宗朝, 以安胎, 降爲瑞興縣令官. 別號岊西[成廟所定], 要害處, 有岊嶺[卽慈悲嶺]".
　・『신증동국여지승람』 권41, 黃海道 瑞興都護府, 山川, 慈悲嶺, "在府西六十里, 一名絶影, 自平壤通京都舊路也. 世祖朝, 以多虎害, 凡中朝使臣, 皆由棘城路以行, 其路遂廢".

274) 前近代社會의 中國人들은 그들과 接觸하고 있던 特定의 異民族을 近接한 地域에 定住하면서 中國의 政令을 어느 정도 首肯하는 集團[近邊, 馴致者]과 遠地에 거주하면서 敎化에 부응하지 않고 독립성을 지닌 집단[遠者]으로 分離하여 각각 隸屬, 羈縻하려고 하였던 것 같다. 前者를 熟獠, 熟女眞처럼, 後者를 生獠, 生女眞처럼 命名하였다.
　・『자치통감』 권187, 唐紀3, 高祖武德 2년(619) 10월, "癸卯, 以左武候大將軍龐玉爲梁州總管. 時集州獠反[集], 玉討之, 獠險阻自守, 軍不得進, 糧且盡. 熟獠與反者皆鄰里親黨[胡三省注, 近邊者爲熟獠, 遠者爲生獠], …". 여기에서 獠는 현재의 廣東, 廣西에서 雲南, 貴州로 연결되는 北緯 20~25° 사이의 南部地域에 거주하던 種族인 것 같다.

275) 焦周는 蜀漢의 宰相 譙周(201~270)의 오자일 것이고, 인용된 詩句는 唐代 羅隱(833~909)의 詩文이다.
　・『全唐詩』 권657, 籌筆驛, "抛擲南陽爲主憂, 北征東討盡良籌, 時來天地皆同力, 運去英雄不自由, 千里山河輕孺子, 兩朝冠劍恨譙周, 唯餘巖下多情水, 猶解年年傍驛流".

276) 閤門令人은 閤門通事令人의 略稱일 것이다.

277) 慰藉는 열전7, 徐熙에는 慰籍으로 되어 있고, 여타의 典籍에도 그렇게 사용한 사례도 있지만 前者가 적절할 것이다.

278) 이상과 같은 기사가 열전7, 徐熙에도 수록되어 添字는 이에 의거하였다. 여기에서 徐熙와 蕭恒德의 談判에 대한 기록은 『고려사절요』 권2의 기록은 縮約, 潤文한 것이므로 문제가 없지 않다. 그러므로 以下의 내용은 徐熙列傳을 살펴보는 것이 더 좋을 것이다.

宋, 大國是以來討, 今割地以獻, 而修朝聘, 可無事矣". 熙曰非也, "我國卽高勾麗之舊也, 故號高麗, 都平壤. 若論地界, 上國之東京, 皆在我境, 何得謂之侵蝕乎? 且鴨綠江內外, 亦我境內, 今女眞盜據其間, 頑黠變詐, 道途梗澁, 甚於涉海, 朝聘之不通, 女眞之故也. 若令逐女眞, 還我舊地, 築城堡, 通道路, 則敢不修聘, 將軍如以臣言, 達之天聰, 豈不哀納", 辭氣慷慨. 遜寧知不可强, 遂具以聞.[279] ○丹帝^{聖宗}曰, "高麗旣請和, 宜罷兵". 熙留丹營七日而還, [遜寧贈以駝十首·馬百匹·羊千頭·錦綺羅紈五百匹:列傳7徐熙轉載]. 王大喜, 出迎江頭, 卽遣侍中朴良柔, 爲禮幣使, 入覲. 熙復奏曰, "臣與遜寧約, 盪平女眞, 收復舊地, 然後朝覲可通, 今纔收江內, 請俟得江外, 修聘未晚". 王曰, "久不修聘, 恐有後患", 遂遣之:節要轉載].

[→○熙奉國書, 如遜寧營, 使譯者問相見禮. 遜寧曰, "我大朝貴人, 宜拜於庭". 熙曰, "臣之於君, 拜下禮也, 兩國大臣相見, 何得如是?" 往復再三, 遜寧不許. 熙怒還, 臥所館不起, 遜寧心異之, 乃許升堂行禮. 於是, 熙至營門, 下馬而入. 與遜寧分庭揖, 升行禮, 東西對坐. 遜寧語熙曰, "汝國興新羅地, 高勾麗之地, 我所有也, 而汝侵蝕之. 又與我連壤, 而越海事宋, 故有今日之師. 若割地以獻, 而修朝聘, 可無事矣". 熙曰, "非也. 我國卽高勾麗之舊也, 故號高麗, 都平壤. 若論地界, 上國之東京, 皆在我境, 何得謂之侵蝕乎? 且鴨綠江內外, 亦我境內, 今女眞 盜據其閒, 頑黠變詐, 道途梗澁, 甚於涉海. 朝聘之不通, 女眞 之故也, 若令逐女眞 , 還我舊地, 築城堡通道路, 則敢不修聘? 將軍如以臣言, 達之天聰, 豈不哀納?" 辭氣慷慨, 遜寧知不可强, 遂具以聞. 契丹帝曰, "高麗旣請和, 宜罷兵". 遜寧欲宴慰, 熙曰, "本國雖無失道, 而致上國勞師遠來, 故上下皇皇, 操戈執銳, 暴露有日, 何忍宴樂?" 遜寧曰, "兩國大臣相見, 可無歡好之禮乎?" 固請, 然後許之, 極歡乃罷. 熙留契丹營七日而還, 遜寧贈以駝十首·馬百匹·羊千頭·錦綺羅紈五百匹. 成宗大喜, 出迎江頭, 卽遣良柔爲禮幣使入覲. 熙復奏曰, "臣與遜寧約, 盪平女眞, 收復舊地, 然後朝覲可通, 今纔收江內, 請俟得江外, 修聘未晚." 成宗曰, "久不修聘, 恐有後患." 遂遣之:列傳9徐熙轉載].

[十一月甲寅朔^{大盡,甲子}:追加].

[十二月^{甲申朔大盡乙丑}, 某日, 遣侍中朴良柔如契丹, 納禮幣, 請和:追加].[280]

---

279) 慨는 延世大學本과 東亞大學本에는 慷와 같이 刻字되어 있으나 오자이다(東亞大學 2006년 21책 512面).
280) 이는 『고려사절요』 권2, 성종 12년 10월 ; 表1, 年表1에 의거하였다. 朴良柔는 다음 해인 994년(성종13, 統和12) 1월 17일(丙午), 또는 2월 일(己丑) 契丹에서 表를 올렸다고 한 점을 보아 是年 12월에 고려에서 출발하였을 것이다.
　• 『요사』 권115, 열전45, 二國外記, 高麗, "^{統和十二年春止月}丙午, 高麗王治, 遣朴良柔奉表請罪, 詔取女直鴨淥江

[某日, 以^{內史侍郎}徐熙爲內史侍郎同內史門下平章事:列傳7徐熙轉載].[281]

[是月, ^{契丹帝,} 詔取女直鴨綠江東數百里地賜之:追加].[282]

[是年, 遣元證衍^{元徹衍}如宋, 獻方物:追加].[283]

[○享器匠崔吉會造太廟第一室享器:追加].[284]

甲午[成宗]十三年, 宋淳化五年→2月高麗行契丹統和十二年, [西曆994年]

994년 2월 14일(Gre2월 19일)에서 995년 2월 2일(Gre2월 7일)까지, 354일

[春正月^{甲寅朔小盡,丙寅}, 某日, 遣正位高良如契丹:追加].[285]

春二月^{癸未朔大盡,丁卯}, [某日], 蕭遜寧致書曰, "近奉宣命, 但以彼國信好早通, 境土相接. 雖以小事大, 固有規儀, 而原始要終, 湏^須存悠久.[286] 若不設於預備, 慮中阻於使人. 遂與彼國相議,[287]

東數百単地, 賜之". 여기에서 原文의 十一年은 十二年으로 고쳐야 옳게 될 것이다(池內 宏 1934年). 또 993년(統和11) 1月에는 丙午가 17일(陽2月 11日)이지만, 994년(統和12) 1月에는 丙午가 없다. 이는 『요사』의 初期記事도 『고려사』처럼 時期의 整理(繫年)에 문제가 있기 때문이다.

281) 原文에는 "^{成宗十二年,} … 成宗大喜, 出迎江頭, 卽遣良柔爲禮幣使入覲. 熙復奏曰, '臣與遜寧約, 盪平女眞, 收復舊地, 然後朝覲可通, 今纔收江內, 請俟得江外, 修聘未晩'. 成宗曰, '久不修聘, 恐有後患'. 遂遣之. 轉平章事"로 되어 있다.

282) 이는 12월 某日 記事의 脚注에 의거하였다.

283) 이는 다음의 자료에 의거하였다.
• 『옥해』 권154, 朝貢, 錫予外夷, "^{淳化}四年十一月二十七日庚辰, 治因劉式等復命上言, 願賜板本九經, 從之".
• 『송사』 권487, 열전246, 外國3, 高麗, "^{淳化四年}先是, ^劉式等復命, 治遣使元證衍送之, 證衍至安香浦口, 値風損船, 溺所賚物. 詔登州給證衍文據遣還, 仍賜治衣段二百疋·銀器二百兩·羊五十口".

284) 이는 梨花女子大學 博物館에 소장되어 있는 粗質白磁壺(高 35.2cm)의 底部에 새겨져 있는 銘文("淳化四年癸巳, 太廟第一室享器匠崔吉會造")에 의거하였다(崔淳雨 1983년 ; 鄭良謨 1992년). 太廟의 第1室은 太祖王建의 位牌가 奉安된 廟室이고, 이 자기는 白磁인가, 靑瓷인가하는 두 견해가 있었으나 圓山里 靑瓷窯址에서 출토된 여타의 자기와 같은 것으로 판단되어 後者로 결정되었던 것 같다(長谷部樂爾 1977년 圖1, 本文 98面 ; 企榮揖 1993년).

285) 이는 세가10, 宣宗 5년 9월條에 의거하였다. 이해의 2월 7일(己丑)에 도착한 고려의 사신은 高良으로 추측된다.
• 『요사』 권13, 本紀13, 聖宗4, 統和 12년 2월, "己丑^{7日}, 高麗來貢".
• 『요사』 권115, 열전45, 二國外記, 高麗, "^{統和十二年}入貢".

286) 여러 판본의 『고려사』에서 湏로 되어 있으나 의미상으로 볼 때 須가 옳을 것이다(東亞大學 2008년 1책 554面). 고려시대의 각종 자료에서 湏와 須는 並用되었다. 또 悠는 『고려사절요』 권2에서 攸로 되어 있는데, 어느 쪽을 取하더라도 無妨하다.

便於要衝路陌, 創築城池者. 尋准宣命, 自便斟酌, 擬於鴨江西里, 創築五城, 取三月初, 擬到築城處, 下手修築. 伏請大王, 預先指揮, 從安北府, 至鴨江東, 計二百八十里, 踏行穩便田地, 酌量地里遠近, 幷令築城, 發遣役夫, 同時下手, 其合築城數, 早與回報. 所貴交通車馬, 長開貢覲之途, 永奉朝廷, 自恊^{某丹}安康之計".[288]

□□^{某丹}, 始行契丹統和年號.[289]

[三月^{癸丑朔小盡,戊辰}, 某日, 王融知貢擧, 取進士:選擧1選場轉載].

[某日, 命有司曰, "少孤無養育者, 限十歲, 官給粮, 過限者, 許從所願居住":節要·食貨3鰥寡孤獨賑貸之制轉載].

夏四月^{壬午朔人盡,己巳}, 甲辰^{23日}, 禘于大廟^{太廟}, 躋戴宗于第五室. 以功臣裴玄慶·洪儒·卜智謙·申崇謙·庾黔弼配太祖, 朴術熙^{朴述熙}·金堅術配惠宗. 王式廉配定宗, 劉新城·徐弼配光宗, 崔知夢配景宗. 大赦, 賜文武△^官爵一級, 執事者二級, 百姓大酺三日.[290]

[→有事太廟, 大赦. 恤孤獨, 賞耆舊, 蠲欠負, 放逋懸:食貨3恩免之制轉載].[291]

是月, 遣侍中朴良柔, 奉表如契丹, 告行正朔, 乞還俘口.[292]

[五月壬子朔^{大盡,庚午}:追加].

六月^{壬午朔小盡,辛未}, [某日], 遣元郁如宋乞師, 以報前年之役. 宋以北鄙甫寧, 不宜輕動, 但優禮

---

287) 『고려사절요』 권2에서 相議는 商議로 되어 있는데, 어느 쪽을 取하더라도 無妨하다.

288) 恊은 『고려사절요』 권2에 叶으로 되어 있는데, 叶(協의 俗字)은 같은 글자이기에 無妨하고, 恊(愶의 俗字)은 協으로 고쳐야 옳게 될 것이다.

289) 『동도역세제자기』에 "甲午年에 宋의 연호를 처음으로 사용하였다(右甲午, 宋朝大年號始用)"이라고 되어 있으나, 이는 轉寫 과정에서 어떤 착오가 생긴 것일 것이다. 이해에 고려가 契丹의 연호를 사용한 것은 고려가 기록한 『大遼古今錄』에도 반영되어 있다고 한다(『요사』 권42, 지12, 曆象志上, 曆).

290) 文武에 官字가 탈락되었을 것이고, 이와 관련된 기사로 다음이 있다.
  · 지15, 禮3, 吉禮大祀, "^{成宗}十三年四月, 親禘, 祔太祖, 惠·定·光·戴·景宗于廟, 各以功臣, 配享".
  · 열전5, 卜智謙, "成宗十三年, ^{洪儒·裴玄慶·申崇謙·卜智謙}四人皆贈太師, 配享太祖廟庭".

291) 이 기사에서 '有事太廟'라는 구절을 '太廟에 祭祀가 있어서'를 의미한다.
  · 『新五代史』(『五代史記』)권2, 梁本紀2, 開平 3년 2월의 注釋, "祀于南郊, 書曰有事, 錄當時語".

292) 『요사』에 의하면 고려의 사신이 3월 5일(丁巳) 被虜된 人·畜의 刷還을 요청하였다고 한다. 그렇다면 朴良柔의 파견은 그 이전에 이루어졌을 것이다.
  · 『요사』 권13, 本紀13, 聖宗4, 統和 12년 3월, "丁巳, 高麗遣使請所俘人畜, 詔贖還".
  · 『요사』 권115, 열전45, 二國外記, 高麗, "^{統和十二年}三月, 王治遣使請所俘生口, 詔贖還之, 仍遣使撫諭".

遣還. 自是, 與宋絶.²⁹³⁾ → 遣還. 自是, 與宋絶.[293]

[秋七月辛亥朔^{小盡,壬申}:追加].

秋八月^{庚辰朔人盡,癸酉}, 癸巳^{14日}, 臨軒覆試, 賜崔元信等及第.[294]

[九月^{庚戌朔小盡,甲戌}, 月初, 命內史侍郎平章事徐熙, 逐女眞, 築長興鎭·歸化鎭·郭州·龜州城,[295] 至十月上旬畢:追加].[296]

---

293) 중국 측의 자료에 의하면 元郁은 6월 27일(戊申) 또는 29일(庚戌)에 宋에 도착하였다고 하므로, 元郁은 이보다 먼저 고려에서 출발하였을 것이다.
   · 『속자치통감장편』 권36, 淳化 5년 6월, "庚戌^{29日}, 高麗國王治, 遣使元郁來, 乞師言. 契丹侵掠其境故也, 上以夷狄^{譬戌}相攻. 蓋常事. 而北邊甫寧. 不可輕動干戈". 여기에서 添字는 版本에 따라 차이를 보이는 글자이다.
   · 『元豊類藁』 권31, 高麗世次, "^{淳化}五年, 來乞師, 優詔答之".
   · 『宋史全文』 권4, ^{淳化元年}六月, 高麗國王治, 遣使來, 乞師言, 契丹侵掠其境, 上以夷狄相攻, 蓋常事".
   · 『속자치통감장편』 권36, 淳化 5년 7월, "壬子^{2日}, 厚禮其使而歸之, 仍優詔答之. 高麗, 自是絶, 不復朝貢矣".
   · 『송대조령집』 권237, 政事90, 四裔10, 高麗, "淳化五年秋七月壬子, 賜高麗璽書, 制詔高麗國王, 所上書言, 隣國侵寇事, 王雄長藩國, 世受王封, 保絶城之山河, 丁戈載戢, 奉大朝之正朔, 忠義愈明, 蠢玆邊人, 敢寇隣境, 假皇靈而護塞, 越滄海以馳誠, 雖山戎輒議於侵疆, 而大道固宜於助順, 省奏之際, 軫念良深".
   · 『稽古錄』 권17, 순화 5년, "高麗王治爲契丹所攻, 遣使乞師, 上以北邊甫寧, 不欲興兵, 優詔遣之, 自是, 不復入貢".
   · 『皇朝編年綱目備要』 권5, 순화 5년, "秋七月, 高麗請伐契丹, 詔却之, 高麗爲契丹所侵掠, 來求援, 上以北邊甫寧, 不欲出兵, 優詔答之, 自是, 不復入貢".
   · 『皇朝十朝綱要』 권2, 淳化 5년 7월, "高麗王治爲契丹所攻, 遣使乞師, 上以邊境甫寧, 不欲興兵, 自是不復入貢".
   · 『宋史全文』 권4, 순화 5년, "秋七月, 厚禮其使而歸之, 高麗, 自是絶不復朝貢矣".
   · 『송사』 권5, 본기5, 태종2, 淳化 5년 6월, "戊申^{27日}, 高麗遣使, 以契丹來侵乞師".
   · 『송사』 권487, 열전246, 外國3, 高麗, "淳化五年六月, 遣使元郁來, 乞師, 愬以契丹寇境, 朝廷以北邊甫寧, 不可輕動干戈, 爲國生事, 但賜詔慰撫, 厚禮其使遣還. 自是授制于契丹, 朝貢由絶".
   上記의 기사는 宋에서 6월과 7월에 걸쳐 일어난 사건을 『고려사』가 중국 측의 자료를 그대로 轉用한 것으로, 고려가 宋에 사신을 파견한 것은 이보다 앞선 時点일 것이다. 그런데 이 기사를 어떤 人物이 고려 측의 자료인 『성종실록』 또는 고려시대에 이루어진 여러 史書에 반영시켰는지는 알 수 없다.
294) 이와 관련된 기사로 다음이 있다.
   · 지27, 선거1, 科目1, 選場, "^{成宗}十三年三月, 王融知貢擧, 取進士, 八月覆試, 賜甲科^{進士}崔元信等四人·乙科四人·明經九人及第".
295) 郭州城은 현재 평안북도 郭山郡 郭山邑(옛 定州郡 郭山面)에 있는 凌漢山城(국보유적 제61호)에 比定된다고 한다. 또 龜州城(구주성, 現 平安北道 龜州市^{구성시}에 위치, 국보유적 제60호)은 韓國에서는 '귀주성'으로 읽는 경우가 많은데, 장차 南北往來를 기대하면서 現地의 읽는 방식[讀音, 讀法]에 따르는 것이 좋을 것이다(姜在光 2020년).
296) 이는 세가10, 宣宗 5년 9월·권94, 열전7, 徐熙·권82, 지36, 兵2, 城堡 ; 『東人之文四六』 권3 ; 『동문선』

[→命平章事徐熙, 率兵攻逐女眞, 城長興‧歸化二鎭及郭‧龜二州:兵2城堡轉載].[297]

[冬十月己卯朔^{大盡,乙亥}:追加].

[十一月己酉朔^{小盡,丙子}:追加].

[十二月戊寅朔^{大盡,丁丑}:追加].

是歲, 契丹遣崇祿卿蕭述管‧御史大夫李浣等, 齎詔來, 撫諭.[298]

[○置鴨綠渡勾當使, 後諸津渡, 皆有勾當:百官2勾當轉載].

○以李承乾爲鴨江渡勾當使, 尋遣河拱辰代之.

○遣使契丹, 進妓樂, 却之.[299]

[○改安東大都護府爲東京留守官:追加].[300]

乙未[成宗]十四年, 契丹統和十三年, [宋至道元年], [西曆995年]

995년 2월 3일(Gre2월 8일)에서 996년 1월 22일(Gre1월 27일)까지, 354일

[春正月戊申朔^{小盡,戊寅}:追加].

권48, 入遼乞罷榷場狀에 의거하였다. 그 중에서 『고려사절요』 권2, 성종 13년에는 "命^{內史侍郞}平章事徐熙 率兵, 逐女眞, 城長興‧歸化二鎭及郭‧龜二州"로 되어 있다.
　이 築城은 契丹과 의논하여 압록강의 양편에서 각각 이루어져 契丹側은 東京[遼陽府]留守 蕭遜寧(蕭恒德의 小名)이, 高麗側은 徐熙가 각각 담당하였다. 고려 측은 9月初에 城砦를 修築하여 10月 上旬에 끝냈는데, 이때 鴨綠江勾當使 河拱辰이 築城과 警戒에 참여하였다고 한다.

297) 이와 같은 기사가 열전7, 徐熙에도 수록되어 있다.
298) 이들 사신의 파견은 3월 14일(丙寅)에 결정되었으므로 이해의 前牛에 도착하였을 것이다.
　　‧『요사』 권13, 本紀13, 聖宗4, 統和 12년 3월, "丙寅^{14日}, 遣使撫諭高麗".
　　‧『요사』 권115, 열전45, 二國外記, 高麗, "^{統和十二年}三月, … 仍遣使撫諭".
299) 이 기사는 중국 측의 자료를 전재하였을 가능성이 있다.
　　‧『요사』 권13, 本紀13, 聖宗4, 統和 12년 12월, "戊子^{11日}, 高麗進妓樂, 却之".
　　‧『요사』 권115, 열전45, 二國外記, 高麗, "統和十二年十二月, 王治進妓樂, 詔却之".
300) 이는 다음의 자료에 의거하였다. 또 이러한 지방 관제의 개혁은 明年(성종14)에 집행되었는데, 이 기록이 이해[是年]에 收錄된 것은 이때에 정책 결정이 이루어졌음을 표시한 결과일 것이다.
　　‧『경상도지리지』, 慶州道, 慶州府, "成宗時, 統和甲午, 改稱東京留守官".
　　‧『東都歷世諸子記』, "統和十二年甲午, 安東大都護府改爲東京留守官, 右甲午宋朝^{至道}人年號始用". 여기에서 添字와 같이 고쳐야 『고려사』의 내용과 合一될 수 있을 것이다.

[是月戊申朔, 宋改元至道:追加].

春二月^{丁丑朔大盡,己卯}, 己卯^{3日} 敎曰, "觀乎天文, 以察時變, 觀乎人文, □^共化成天下,³⁰¹⁾ 文之時義, 大矣哉. 予恐業文之士, 纔得科名, 各牽公務, 以廢素業. 其年五十以下, 未經知制誥者, 翰林院出題, 令每月進詩三篇·賦一篇, 在外文官, 自爲詩三十篇·賦一篇, 歲抄, 附計吏以進, 翰林院品題以聞".

是月, 遣李周禎如契丹, 獻方物. 又進鷹.³⁰²⁾

[三月^{丁未朔人盡,庚辰}, 某日, 白思柔知貢擧, 取進士:選擧1選場轉載].

夏四月丁丑□^{朔小盡,辛巳}, [立夏]. 內史侍郎^{內史侍郎同內史門下平章事}崔亮卒.³⁰³⁾ [亮, 慶州人, 性寬厚, 能屬文, □□□^{光宗朝}登第, 爲攻文博士. 王在潛邸, 引爲師友, 及卽位, 遂至大拜, 甚協人望. 以

---

301) 여기에서 以가 탈락되었을 것이다. 이 구절은 『易經』, 賁에 言及된 賁卦의 卦辭로서, 原文은 "觀乎天文, 以察時變, 觀乎人文, 以化成天下"이다(今井宇三郞 1994年 469面).

302) 이 기사도 중국 측의 자료를 전재하였을 가능성이 있다. 李周禎이 2월 28일(甲辰)에 契丹에 도착하여 方物을 바쳤다고 하는데, 이 경우는 1개월 안에 契丹에 도착할 수 있으므로 문제가 없다. 그렇지만 매[鷹]을 바쳤다는 것은 이해의 5월 7일(壬子)에 이루어진 일이다.
  · 『요사』 권13, 본기13, 聖宗4, 統和 13년 2월, "甲辰^{28日}, 高麗遣李周禎^{李周憲}來貢".
  · 『요사』 권13, 본기13, 聖宗4, 統和 13년 5월, "壬子^{7月}, 高麗進鷹".
  · 『요사』 권70, 表8, 屬國表, "統和十三年五月, 高麗進鷹".

303) 丁丑에 朔이 탈락되었다. 또 이때 崔亮의 官職은 內史侍郎同內史門下平章事이었다. 또 이날은 율리우스曆으로 995년 5월 3일(그레고리曆 5월 8일)에 해당한다.
  · 『고려사절요』 권2, 성종 14년 4월, "^{成宗十四年}夏四月, 平章事崔亮卒 … 累遷至內史侍郎平章事·監修國史. 卒, 王痛悼, 贈太子太師, 賻米三百碩·麥二百碩·腦原茶一千角, 以禮葬之".
  · 지18, 禮6, 凶禮, 諸臣喪, "^{成宗}十四年四月, 平章事崔亮卒. 王慟悼, 下敎贈太子太師. 賻米三百石, 麥二百石, 腦原茶千角, 以禮葬之. 諡匡彬".
  · 열전6, 崔亮, "^{成宗}十四年卒, 王痛悼, 贈太子太師, 賻米三百石, 麥二百石, 腦原茶一千角, 以禮葬之. 諡匡彬. 後^{顯宗18年}配享成宗廟庭, 累贈太尉·太保·太師·內史令·三重大匡".
  · 「惠居國師塔碑」, "內史門下平章事·監修國史·太子少師臣崔亮奉宣撰".
  그런데 『고려사』 백관지에 "文宗, 定門下侍郎平章事, 中書侍郎平章事各一人. 又於中書·門下省, 各置平章事, 秩正二品"(添字는 省略 또는 缺字일 것이다)이라는 내용이 있다. 이에 의하면 內史省(후일의 中書省)과 門下省에 각각 中書平章事, 門下平章事가 별도로 설치되어 있는 셈이고, 이를 현재의 學者들도 그대로 首肯하고 있다. 그렇지만 『고려사』에 나타나는 中書平章事와 門下平章事를 事實의 前後, 다른 編目, 개인의 열전, 묘지명, 관련된 문집자료 등과 비교해 보면 모두 중서시랑평장사·문하시랑평장사, 곧 중서시랑동중서문하평장사·문하시랑동중서문하평장사의 略稱임을 알 수 있다(張東翼 2013년a). 以下 이들 平章事를 添字로 붙일 때, 특별한 경우가 아니면 모두 門下侍郎平章事, 中書侍郎平章事로 表記한다.

疾解官, 旣而, 王謂左右曰, "亮在告百日, 御史·選官, 依例請解職, 朕已允之. 然念亮, 自我潛邸, 竭其忠貞, 以匡眇昧, 言念勳勞, 未敢忘也". 乃命復職, 累遷至內史侍郎平章事·監修國史. 卒, 王痛悼, 贈太子太師, 賻米三百碩·麥二百碩·腦原茶一千角, 以禮葬之, 謚<u>匡彬</u>, 後累贈太尉·太保·大匡, 配享<u>王廟</u>:節要轉載].

[某日, 僧曉禪刻廣濟嵒門四字於康州斷俗寺洞口:追加].[304]

五月^{丙午朔大盡,壬午}, 戊午^{13日}, 敎曰, "唐虞之制, 周漢之儀, 皆釐百辟之名, 永奉一人之慶. 今以諸官司事體, 雖遵於禮典, 額名頗有所權稱. 考厥典常, 分其可否, 悉除假號, 克示通規".

[○是時, 改御事都省爲<u>尙書都省</u>, 御事選官爲尙書吏部, 御事兵官爲尙書兵部, 御事兵官爲尙書兵部, 御事民官爲尙書戶部, 御事刑官爲尙書刑部, 御事禮官爲尙書禮部, 御事工官爲尙書<u>工部</u>, 有尙書·侍郎·郎中·員外郎:百官1尙書省·六曹轉載].[305]

[○改御事司績爲尙書考功, 庫曹爲尙書庫部, 司度爲尙書度支, 金曹爲尙書金部, 倉曹爲尙書倉部, 都官爲尙書<u>都官</u>:百官1六曹轉載].[306]

[○改司憲臺爲御史臺, 有大夫·中丞·侍御史·殿中侍御史·監察御史:百官1司憲府轉載].

[○<u>以</u>^矛崇文館爲弘文館, 置學士:百官1諸館殿學士轉載].[307]

[○改內書省^{□書者}爲秘書省, 有監·少監·丞·郎·校書郎·正字:百官1典校寺轉載].[308]

₃₀₄₎ 이는 慶尙南道 山淸郡 丹城面 雲里 333에 위치한 斷俗寺의 동쪽 洞口의 石刻인데("廣濟」嵒門」統和十三年乙未四月日」書者釋惠□, 刻者釋孝禪)", 許興植 1984년 430面), 崔致遠이 刻字한 것이라고도 한다.
· 『신증동국여지승람』 권30, 晋州牧, 佛宇, 斷俗寺, "在智異山束, 洞口有崔致遠所書廣濟嵒門四字刻石".

₃₀₅₎ 『고려사』를 편찬할 때 一字, 一句의 分量도 줄이기 위해 고려시대의 사실을 생략한 부분이 매우 많다. 그래서 尙書六部 이하 여러 官署의 職掌은 고려왕조가 典範으로 수용했던 隋·唐의 律令이 반영되어 있는 『隋書』·『구당서』·『신당서』의 내용과 비교, 검토할 필요성이 있다.

₃₀₆₎ 都官에 대한 기사로 다음이 있는데, b와 같이 교정하여야 할 것이다[校正事由].
a지30, 百官1, 都官, "都官, 掌奴婢簿籍決訟. <u>文宗定尙書都官</u>, 郎中二人正五品…".
b지30, 百官1, 都官, "都官, 掌奴婢簿籍決訟. <u>國初</u>, <u>稱御事都官</u>, 成宗十四年, <u>置尙書都官</u>, 文宗定, 郎中二人正五品, …".

₃₀₇₎ 以는 改의 오자일 것이다. 또 이 시기에 崇文館과 弘文館이 존재하고 있었다는 사례가 찾아지지 않기에 이 기사는 오류일 가능성이 있다(朴龍雲 2009년 235面).

₃₀₈₎ 이 內書省의 後身이 秘書省임을 보아 어떤 誤謬가 발생한 것 같다. 곧 隋·唐에서는 內史省이 616년(大業12)에 內書省으로 改稱되었다가 武德 初期에 內史省으로 還元되었고, 620년(唐 武德3) 다시 中書省으로 개칭되었다.
· 『수서』 권28, 지23, 百官下, 中書省, "煬帝,卽位, 多所改革, ^{大業三年}, 定令, … 十二年, 改內史爲內書, …".
· 『大唐六典』 권9, 中書省, "… 中書令二人, 正三品, [注, … 隋煬帝□□^{大業}十二年, 把內史省, 改爲內書省, 唐武德初, 又爲內史省, 武德三年, 改爲中書省".
· 『구당서』 권1, 본기1, 高祖紀, 武德 3년 3월, "己卯^{10日}, 改^{門下者}納言爲侍中, 內史令爲中書令, 給事郎爲給事中".

[○改司衛寺爲衛尉寺:百官1衛尉寺轉載].

[○改禮賓省爲客省, 後復改禮賓省:百官1禮賓寺轉載].

[○改典獄署爲大理寺, 有評事:百官2典獄署轉載].

[○改掖庭院爲掖庭局:百官2掖庭局轉載].

[○始分文武官階, 賜紫衫以上正階, 改文官大匡爲開府儀同三司, 正匡爲特進, 大丞爲興祿大夫, 大相^{佐丞}爲金紫興祿大夫, 銀靑光祿大夫^{大相}爲銀靑興祿大夫:百官2文散階轉載].309) [□□^{佐丞?}爲正議大夫, 元甫爲通議大夫, 正甫爲大中大夫·中大夫, 元尹爲中散大夫·朝議大夫, 佐尹爲朝請大夫·朝散大夫, 正朝爲朝議郎·承議郎, 正位爲奉議郎·通直郎, □□^{不明}爲朝請郎·宣德郎, 甫尹爲宣議郎·朝散郎, 軍尹爲給事郎·徵事郎, 中尹爲承奉郎·承務郎:追加].

[○定武散階, 凡二十有九, 從一品曰驃騎大將軍, 正二品曰輔國大將軍, 從二品曰鎭國大將軍, 正三品曰冠軍大將軍, 從三品曰雲麾大將軍, 正四品上曰中武將軍^{忠武將軍}, 下曰將武將軍, 從四品上曰宣威將軍, 下曰明威將軍, 正五品上曰定遠將軍, 下曰寧遠將軍, 從五品上曰遊騎將軍, 下曰遊擊將軍, 正六品上曰耀武將軍^{昭武校尉}, 下曰耀武副尉^{昭武副尉}, 從六品上曰振威校尉, 下曰振武副尉^{振威副尉}, 正七品上曰致果校尉, 下曰致果副尉, 從七品上曰翊威校尉^{翊麾校尉}, 下曰翊麾副尉, 正八品上曰宣折校尉^{宣節校尉}, 下曰宣折副尉^{宣節副尉}, 從八品上曰禦侮校尉, 下曰禦侮副尉, 正九品上曰仁勇校尉, 下曰仁勇副尉, 從九品上曰陪戎校尉, 下曰陪戎副尉:百官2武散階轉載].310)

그런데 『고려사』에서 內書省이 上記의 記事에서만 찾아지고, 이에 임명된 官僚는 찾아지지 않는다. 단지 內書省과 名稱에서 같은 文字가 있는 白書省이 찾아지며, 고려왕조가 개창된 5일 후인 918년(태조1) 6월 20일 白書省 長官[卿]의 임명(朴仁遠, 金言規), 27일 白書省 孔目인 直晟의 郞中으로의 승진이 각각 찾아진다. 또 930년(태조13) 3월 4일 白書省 郞中인 行順과 英式이 함께 內書令人으로 승진한 사실도 있다.

그렇다면 이 기사에서 內書省이 圖書의 수집과 관리를 담당하는 祕書省의 前身이었다고 한 점을 보아 隋代의 內書省과 관련이 없고, 泰封國 이래 存置되어 있던 白書省의 誤字일 것으로 추측된다.

309) 여기에서 添字와 같이 고쳐야 옳게 된다. 또 原文에는 '銀靑光祿大夫爲銀靑興祿大夫'로 되어 있으나, 이는 원래 '大相·銀靑光祿大夫爲銀靑興祿大夫'를 『고려사』를 편찬할 때 잘못 정리한 것으로 추측된다. 이때 이루어진 文散階의 改編은 國初 이래의 官階를 폐지하고 唐制를 수용했던 958년(광종9) 이래의 光祿大夫를 興祿大夫로, 金紫光祿大夫를 金紫興祿大夫로, 銀靑光祿大夫를 銀靑興祿大夫로 改稱한 것이다. 이는 前年(성종13) 2월 이래 契丹의 年號를 사용하면서 稱臣하였기에 太宗 耶律德光(堯骨)의 이름인 光을 回避하였던 것 같다. 원래 契丹人, 女眞人, 黨項人(西夏)들은 避諱를 하지 않았으나 그들이 漢人의 習俗을 본받아 새로 지은 漢名에 避諱를 적용하였는데, 皇帝의 御名을 위시하여 歷代의 祖宗, 皇太子, 皇后의 이름에 이르기까지 범위를 확대하였다고 한다(竺沙雅章 2000年 255面 ; 漆俠 等編 2010年 5冊 322面).

310) 『고려사』의 撰者는 이 記事 끝에 "今以見於史冊者, 考之, 則武官, 皆無散階, 其沿革廢置, 未可考"라고 하여 여러 資料를 통해 武官의 階官[散階]을 찾아보지 못하였다고 하였다. 이는 이들이 고려의 文·武官이 文散階를, 軍人·鄕吏·技術者, 僧侶, 耽羅支配層 등이 武散階를, 女眞酋長이 歸化武散階를 附與받았던 사실을 認知하지 못했던 것 같다. 그래서 歸化武散階는 그 순서를 제대로 정리하지 못하였다.

[六月丙子朔:追加].

[秋七月, 某日, 改開州爲開城府, 管<u>赤縣</u>六·畿縣七:節要·地理1開城府轉載].³¹¹⁾

[是時, 置□□^{開城}府尹:百官1開城府轉載].

[○置知西京留守事一人三品以上, 副留守一人四品以上, 判官二人六品以上, 司錄參軍事二人·掌書記一人, 並七品以上, 法曹一人八品以上:百官2西京留守官轉載].³¹²⁾

[○置留守使一人三品以上, 副留守一人四品以上, 判官一人六品以上, 司錄參軍事一人·掌書記一人, □七品以上, 法曹一人八品以上, 醫師一人·文師一人, □九品:百官2東京留守官轉載].³¹³⁾

[八月乙亥朔:追加].

秋九月^{甲辰朔大盡,丙戌}, 庚戌^{7日}, 定<u>十道</u>.³¹⁴⁾

또 이 기사에서 添字는 唐의 武散官[武散階]에 의한 것인데, 그중 이들에게 지급된 1076년(문종30)의 武散階 田柴科의 支給規定의 22結에도 각각 耀武校尉, 翊麾校尉로 되어 있다(지32, 食貨1, 田柴科, 旗田巍 1972年 381面).

311) 赤縣은 원래 中原[中國]을 指稱하는 말인데, 中原 이외에도 赤縣九州가 있었다고 한다. 당시 고려가 王都를 赤縣과 畿縣으로 나눈 것은 唐의 長安이 京縣과 畿縣으로 區劃되었던 것을 參照한 것 같다. 또 이때 개편된 開城府의 治所를 王城의 外廓인 朝鮮時代의 廢開城縣 地域으로 비정한 것(末松保和 1965年 : 1996년 7面)과 현재의 開城市內에 해당되는 壽昌宮 附近에 있었을 것이라고 추정하는 意見(朴龍雲 1996년)도 있어 향후의 면밀한 조사가 요청된다.
   · 『사기』 권74, 孟子·荀卿列傳第14, "中國名曰赤縣神州. 赤縣神州內, 自有九州. 禹之序九州是也. 不得爲州數. 中國外如赤縣神州者九, 乃所謂九州也".
   · 『唐六典』 권3, "凡三都之縣, 在城內曰京縣, 城外曰畿縣, 又望縣, 有八十五焉". 이에 비해 『구당서』 권44, 지24, 직관3, 縣令과 『通典』 권33, 직관15, 州郡下, 縣令에는 京縣이 赤縣으로 달리 표기되어 있다.
312) 이는 다음의 기사에 의거하였다,
   · 지12, 지리3, 西京留守官 平壤府, "成宗十四年, 稱西京留守".
   · 지31, 百官2, 外職, 西京留守官, "成宗十四年, 置知西京留守事一人三品以上, 副留守一人四品以上, 判官二人六品以上, 司錄軍事二人, 掌書記一人, 七品以上, 法曹一人, 八品以上".
313) 이는 다음의 기사에 의거하였다. b에서 慶州大都督府가 東京留守官 體制로 승격된 것은 987년(성종6)이라고 하지만, 이러한 體制의 整備는 上記의 西京留守官과 함께 是年에 이루어진 것으로 추측된다(朴龍雲 2009년 711面).
   · a지11, 지리2, 東京留守官 慶州, "… ^{太祖}二十三年, 降爲大都督府, … 成宗六年, 改爲東京留守, 十四年, 稱留守使, 屬嶺東道".
   · b지31, 百官2, 外職, 東京留守官, "成宗□□^年, 以慶州爲東京, □□□^{十三年}, 置留守使一人, 三品以上, 副留守一人, 四品以上, 判官一人, 六品以上, 司錄軍事一人, 掌書記一人, 七品以上, 法曹一人, 八品以上, 醫師一人, 文師一人, 九品". 여기에서 添字가 脫落 또는 省略되었을 것이다.
314) 이때 州縣을 再編制한 것은 唐帝國 初期에 高祖 李淵이 群雄을 招諭하기 위해 州縣을 新設, 增置시켰던 것을 倂合하여 山川의 形便에 따라 十道로 재편성한 太宗 李世民의 政策을 모델[典範]로 삼았을 가능

[→又定十道, 曰關內道, 管二十九州八十二縣, 曰中原道, 管十三州四十二縣, 曰河南道, 管十一州三十四縣, 曰江南道, 管九州四十三縣, 曰嶺南道, 管十二州四十八縣, 曰嶺東道, 管九州三十五縣, 曰山南道, 管十州三十七縣, 曰海陽道, 管十四州六十二縣, 曰朔方道, 管七州六十二縣, 曰浿西道, 管十四州四縣七鎭:節要轉載].[315]

성도 있다.
- 『자치통감』 권192, 唐紀8, 太宗貞觀 1년(627) 1월 辛丑, "初, 隋末喪亂, 豪桀竝起, 擁衆割地, 自相雄長, 唐興, 相帥來歸, 上皇^{高祖}爲之割晢州縣以寵祿之, 由是州縣之數, 倍於開皇·大業之間. 上^{太宗}以民少吏多, 思革其幣, 二月, 命大加幷省, 因山川形便, 分爲十道, 一曰關內, 二曰河南, …".

315) 이때 정해진 10道는 아래에 제시된 것과 같이 關內·中原·河南·江南·嶺南·嶺東·山南·海陽·朔方·浿西道 등이다. 또 이때 開京 이외의 주요 據點地域에는 2京·4都護府를 설치하고 그 이외의 全國은 10道로 나누어 觀察使를 파견하고, 그 예하는 5代의 制度에 依據하여 지역의 大小에 따라 네 개의 類型으로 나누어 큰 지역인 12州에는 節度使를, 中·小地域에는 防禦使·團練使·刺史 등을 파견하였던 것으로 추측된다(淸木場東 1972年).
- 지10, 地理1, "成宗, 又改州·府·郡·縣, 及關·驛·江·浦之號, 遂分境內爲十道, 就十二州, 各置節度使, 其十道, 一曰關內, 二曰中原, 三曰河南 四曰江南, 五曰嶺南, 六曰嶺東, 七曰山南, 八曰海陽, 九曰朔方, 十曰浿西, 其所管州郡, 共五百八十餘".
- 지10, 지리1, 楊廣道, "成宗十四年, 分境內, 爲十道, 以楊州·廣州等州縣, 屬關內道, 忠州·淸州等州縣, 爲忠原道, 公州·運州等州縣, 爲河南道".
- 지11, 지리2, 慶尙道, "成宗十四年, 分境內, 爲十道, 以尙州所管, 爲嶺南道, 慶州·金州所管, 爲嶺東道, 晉州所管, 爲山南道".
- 지11, 지리2, 全羅道, "成宗十四年, 以全州·瀛州·淳州·馬州等州縣, 爲江南道, 羅州·光州·靜州·昇州·貝州·潭州·朗州等州縣, 爲海陽道".
- 지12, 지리3, 交州道, "成宗十四年, 分境內, 爲十道, 以春州等郡縣, 屬朔方道".
- 지12, 지리3, 西海道, "成宗十四年, 分境內, 爲十道, 以黃州·海州等州縣, 屬關內道".
- 지12, 지리3, 東界, "成宗十四年, 分境內, 爲十道, 以和州·溟州等郡縣, 爲朔方道".
- 지12, 지리3, 北界, "成宗十四年, 分境內, 爲十道, 以西京所管, 爲浿西道".
- 지11, 지리2, 金州, "成宗十四年, 改爲金州·安東都護府".
- 지11, 지리2, 古阜郡, "本百濟古沙夫里郡, 新羅景德王, 改今名. 太祖十九年^{成宗十四年}, 稱瀛州觀察使". 添字가와 같이 고쳐야 옳게 될 것이다(尹京鎭 2012년 392面).
- 지11, 지리2, 靈岩郡, "成宗十四年, 改□□朗州·安南都護府." 添字가 追加되어야 옳게 될 것이다.
- 지12, 지리3, 豊州, "成宗十四年, 陞爲□□^{安西}都護府". 이때 豊州에 설치된 都護府는 安西都護府로 추정된다(具山祐 2018년b).
- 지12, 지리3, 和州, "成宗十四年, 改和州·安邊都護府".
- 지10, 지리1, 南京留守官 楊州, "成宗十四年, 初定十道, 置十二節度使, 號左神策軍, 與海州, 爲左右二輔, 屬關內道".
- 지10, 지리1, 廣州牧, "成宗十四年, 置十二州節度使, 號奉國軍, 屬關內道"
- 지10, 지리1, 忠州牧, "成宗十四年, 置十二州節度使, 號昌化軍, 稱中原道^{屬忠原道}". 이 記事에서 '稱中原道'는 '屬忠原道', 또는 '屬中原道'로 고쳐야 될 것이다.
- 지10, 지리1, 淸州牧, "成宗十四年, 置十二州節度使, 號全節軍, 屬中原道".
- 지10, 지리1, 淸州牧, "成宗十四年, 置十二州節度使, 號安節軍, 屬河南道".
- 지11, 지리2, 晉州牧, "成宗十四年, 置十二州節度使, 號晉州定海軍, 屬山南道".
- 지11, 지리2, 尙州牧, "成宗十四年, 置十二州節度使, 號歸德軍, 屬嶺南道".

- 지11, 지리2, 全州牧, "成宗十四年, 置十二州節度使, 號順義軍, 屬江南道".
- 지11, 지리2, 羅州牧, "成宗十四年, 初定十道, 稱爲鎭海軍節度使, 屬海陽道".
- 지11, 지리2, 昇州郡, "成宗十四年, 爲昇州·衰海軍節度使. 一云昇化".
- 지12, 지리3, 安西大都護府 海州, "成宗十四年, 置十二州節度使, 稱右神策軍, 與楊州, 爲左右輔".
- 지12, 지리3, 黃州牧, "成宗十四年, 置十二州節度使, 稱天德軍□□□^{節度使}, 屬關內道". 여기에서 첨자가 추가되어야 옳게 될 것이다.
- 지12, 지리3, 西海道, 塩州, "成宗十四年, 置防禦使".
- 지12, 지리3, 西海道, 安州, "成宗十四年, 置防禦使".
- 지12, 지리3, 黃州牧, 鳳州, "成宗十四年, 置防禦使".
- 지12, 지리3, 黃州牧, 信州, "成宗十四年, 置防禦使".
- 지12, 지리3, 黃州牧, 平州, "成宗十四年, 置防禦使".
- 지12, 지리3, 黃州牧, 洞州, "成宗十四年, 置防禦使".
- 지12, 지리3, 黃州牧, 谷州, "成宗十四年, 置防禦使".
- 지12, 지리3, 高州, "成宗十四年, 爲高州防禦使".
- 지12, 지리3, 宜州, "成宗十四年, 置防禦使".
- 지12, 지리3, 北界, 安北大都護府, 雲州, "成宗十四年, 稱雲州防禦使".
- 지12, 지리3, 北界, 安北大都護府, 延州, "成宗十四年, 爲防禦使".
- 지12, 지리3, 北界, 安北大都護府, 博州, "成宗十四年, 稱博州防禦使".
- 지12, 지리3, 北界, 安北大都護府, 嘉州, "成宗十四年, 稱防禦使".
- 지12, 지리3, 北界, 安北大都護府, 撫州, "成宗十四年, 稱撫州防禦使".
- 지10, 지리1, 洪州, "成宗十四年, 置運州都團練使".
- 지10, 지리1, 天安府, "成宗十四年, 改爲懽州都團練使".
- 지11, 지리2, 陝州, 含陽縣, "成宗十四年, 陞爲許州都團練使".
- 지11, 지리2, 星州牧, "成宗十四年, 稱岱州都團練使".
- 『경상도지리지』, 尙州道, 星州牧官, "統和乙未, 乃爲岱州界官都團練使".
- 지11, 지리2, 安東府, 順安縣, "成宗十四年, 稱剛州都團練使".
- 지11, 지리2, 羅州牧, 潭陽郡, "成宗十四年, 爲潭州都團練使".
- 지10, 지리1, 安南都護府, "高麗初, 改樹州, 成宗十四年, 置團練使".
- 지10, 지리1, 安南都護府, 衿州, "高麗初, 更今名, 成宗十四年, 置團練使".
- 지10, 지리1, 水州, "成宗十四年, 置團練使".
- 지10, 지리1, 廣州牧, 竹州, "成宗十四年, 置團練使".
- 지12, 지리3, 交州, "交州, 高麗初, 稱伊勿城, 成宗十四年, 更今名, 爲團練使".
- 지12, 지리3, 春州, "成宗十四年, 稱團練使, 屬安邊府".
- 지12, 지리3, 東州, "成宗十四年, 置團練使".
- 지12, 지리3, 漳州縣, "成宗十四年, 置團練使".
- 지12, 지리3, 安邊都護府 登州, "成宗十四年, 置團練使".
- 지12, 地理3, 東界, 溟州, "^{成宗}十四年, 爲團練使".
- 지12, 地理3, 東界, 三陟縣, "成宗十四年, 改陟州團練使".
- 지10, 지리1, 原州, 堤州, "成宗十四年, 置刺史".
- 지10, 지리1, 淸州牧, 鎭州, "成宗十四年, 置刺史".
- 지10, 지리1, 天安府, 嘉林縣, "成宗十四年, 置刺史".
- 지11, 지리2, 東京留守官, 永州, "成宗十四年, 爲永州刺史".
- 지11, 지리2, 東京留守官, 河陽縣, "成宗十四年, 爲河州刺史".
- 지11, 지리2, 金州, 咸安郡, "成宗十四年, 爲咸州刺史".

辛酉^{18日}, 覆試, 賜李子琳等及第.[316]

[冬十月甲戌朔^{小盡,丁亥}:追加].

[十一月癸卯朔^{大盡,戊子}:追加].

[十二月癸酉朔^{小盡,己丑}:追加].

是歲, 遣^{前民官御事}李知白如契丹, 獻方物. 遣童子十人於契丹, 習其語.[317]

○遣左承宣趙之遴如契丹, 請婚, 以東京留守·駙馬蕭恒德女, 許嫁.

[○命^{內史侍郎}平章事徐熙城安義·興化二鎭及郭·龜二州:節要轉載].[318]

- 지11, 지리2, 密城郡, "成宗十四年, 爲密州刺史".
- 지11, 지리2, 固城縣, "成宗十四年, 爲固州刺史".
- 지11, 지리2, 尙州牧, 龍宮郡, "成宗十四年, 陞爲龍州刺史".
- 지11, 지리2, 尙州牧, 永同郡, "成宗十四年, 陞爲稽州刺史".
- 지11, 지리2, 尙州牧, 一善縣, "成宗十四年, 爲善州刺史".
- 지11, 지리2, 安東府, "成宗十四年, 稱吉州刺史".
- 지11, 지리2, 寶城郡, "成宗十四年, 稱貝州刺史".
- 지11, 지리2, 海陽縣, "成宗十四年, 降爲刺史".
- 지31, 百官2, 外職, 團練使·都團練使·刺史·觀察使, "團練使·都團練使·刺史·觀察使, 成宗爲州府之職, 穆宗罷之".

316) 李子琳(改名 可道)은 1029년(현종20) 開京의 羅城을 築造하였는데, 이때의 功勞로 같은 해 11월에 賜姓을 받아 王氏로 改姓하였다(열전7, 王可道). 또 이와 관련된 기사로 다음이 있다.

- 지27, 선거1, 科目1, 選場, "^{成宗}十四年三月, 白思柔知貢擧, 取進士, 九月覆試, 下敎, 賜甲科李子琳·乙科四人·明經三人及第".

317) 이 기사도 중국 측의 자료를 전재하였을 가능성이 있다. 또 契丹文字[本國語]는 契丹大字와 契丹小字의 두 종류가 있는데, 前者는 920년(神冊5) 太祖 耶律阿保機의 命에 의해 耶律突呂不, 耶律魯不古가 漢字를 참조하여 3,000餘字를 만들었다. 이어 약간 늦게 만들어진 後者는 耶律阿保機의 弟인 耶律迭剌이 위구르문자[回鶻文字]를 바탕으로 大字를 改造하여 만들었다고 한다. 兩者는 모두 表意와 表音의 성격을 띠고 있으나 小字가 大字에 비해 表音文字的인 性格을 더 많이 가지고 있다고 한다. 이들 두 글자는 契丹人들에 의해 公的인 文書에 사용되었지만 대부분이 逸失되었기에 현재 墓碑·墓誌 등을 통해 그 實狀을 파악할 수 있다. 이들 글자는 거란[契丹]이 멸망한 이후에도 女眞人이 계속 사용하였지만, 女眞文字가 만들어진 이후인 1191년(明昌2) 禁令에 의해 폐지되게 되었다. 현재 金代에 만들어진 大字碑 1点, 小字碑 4点이 남아 있다고 하며(吉池孝一 2019年). 이의 중요한 用語는 『요사』 권106, 國語解第46에 설명되어 있다(愛新覺羅 烏拉熙春 2004年a, b ; 武內康則 2012年 ; 豊田五郎 2015年 ; 吉本智慧子 <s>愛新覺羅 烏拉熙春</s> 2017年, 여기에서 下部線은 添字의 改名).

- 『요사』 권13, 본기13, 聖宗4, 統和 13년 10월, "甲申^{11日}, 高麗遣李知白來貢".
- 『요사』 권13, 本紀13, 聖宗4, 統和 13년 11월, "戊辰^{26日}, 高麗遣童子十人來, 學本國語".
- 『요사』 권70, 表8, 屬國表, "統和十三年十一月, 高麗遣童子十人來, 學本國語".
- 『요사』 권64, 表2, 皇子表, 德祖六子, 迭剌, "… 回鶻使至, 無能通其語者, ^{宮簡}太后謂太祖曰, '迭剌聰可使', 遣迓之, 相從二旬, 能習其言與書. 因制契丹小字, 數少而該寬".

318) 이는 열전7, 徐熙 ; 권82, 지36, 兵2, 城堡 ; 『고려사절요』 권2, 성종 14년에서 전재하였다. 그 중에서

[→命徐熙, 帥兵深入女眞, 城安義·興化二鎭. ○城靈州六百九十九閒, 門七, 水口二, 城頭十二, 遮城二. ○城猛州^{孟州}六百五十五閒, 門五, 水口四, 城頭十九, 遮城二:兵2城堡轉載].³¹⁹⁾

[○公牒相通式:刑法1公牒相通式轉載].³²⁰⁾

▽京官,

△內史門下·尙書都省, 於六官諸曹·七寺·三監出納, 門下侍郞□□□^{平章事}以上, 不姓草押, 拾遺以上, 着姓草押, 錄事·注書·都事·內位, 着姓名. 六官諸曹·七寺·三監, 於三省, 侍郞·少卿以下, 具位姓名, 御史·卿以上, 着姓草押.

安義鎭城은 현재의 平安北道 天摩郡(옛 龜城郡과 그 隣近地域)에 있었던 것 같고, 興化鎭城은 平安北道 枇峴郡(現地에서 피현군으로 읽음) 下段里에 있다고 한다(보존유적 제133호)

319) 이와 같은 기사가 열전7, 徐熙에도 수록되어 있는데, 猛州는 孟州의 別稱 또는 誤字일 가능성이 있다. 이때 徐熙가 축조한 六城은 조선시대의 名稱으로 다음과 같다고 한다.
  · 『신증동국여지승람』 권55, 孟山縣, 建置沿革, "本高麗鐵甕縣, 顯宗 l 年, 稱孟州[注, 孟, 一作猛]防禦使".
  · 『硏經齋全集』續集16冊, 東國地理辨, 高麗六城辨, "高麗六城, 曰興化鎭, 今入義州, 曰通州, 今宣州府, 曰龍州, 今龍川府, 曰鐵州, 今鐵山府, 曰郭州, 今郭山郡, 曰龜州, 今龜城府, 本定州, 後移治隨州, 卽今定州也. 自契丹破渤海, 浿西地荒廢, 不復理, 往往爲熟女直所據. 弓裔起于鐵圓, 擊取十二鎭, 考之圖經, 今平壤·江東·江西·順安·三和·三登·安州·成川·肅川·慈山·价川·陽德等地, 高麗太祖仍之. 其後置州漸廣, 如六城, 多光宗時所置, 然宣州·義州之境, 與契丹爲隣, 契丹蕭遜寧入寇, 成宗至西京禦之, 議者, 欲割黃州至品嶺爲界, 與之而請和. 徐熙曰, 自契丹東京, 至我安北府數百里, 舊爲女眞 所據, 光宗取之, 築嘉州·松城, 今契丹欲此二城, 聲言取高句麗舊地, 今欲割西京以北與之, 三角以北, 皆高句麗舊地也, 可盡與乎? 遂請行, 至遜寧營, 遜寧曰, '汝國自興新羅地, 高句麗地我所有也, 汝侵蝕之, 又與我接壤, 而越海南宋, 何也?'.熙曰, '我國, 卽高句麗之舊也, 故號高麗, 都平壤, 若論地界, 上國東京, 皆在我舊境, 何得謂侵蝕乎? 今鴨綠江內外, 女眞 盜據其間, 朝聘之不通, 女眞 之故也, 若逐女眞 遷通道路, 敢不修朝聘'. 遜寧知不可强, 遂還. 於是, 熙以兵逐女眞, 城長興·歸化二鎭, 郭·龜二州, 又城安義·興化二鎭, 靈·宣·孟三州. ...".

320) 公牒相通式은 지38, 刑法1, 公牒相通式을 전재한 것인데, 이것의 制定年代를 알 수 없으나 御事都省이 尙書都省으로 改稱된 是年에 편입시켰다. 이때 문제가 되는 것은 外官에 기록되어 있는 慶尙道巡檢使, 西海巡察使, 三道巡察使 등에서 慶尙道, 西海□灘, 三道 등이 行政道가 아닌 方向·地域을 가리키는 道임을 證明하여야 할 과제가 남겨져 있다.
  그런데 東·西北面都巡檢使[東·西都巡檢使]는 東·西北界의 防禦를 擔當하던 軍司令官을 指稱하며, 그중에서 西北面都巡檢使는 西北面地域을 統括하는 本營이 西京에 있었기에 西京都巡檢使라고도 불렸던 것 같다. 年代記에 의하면 都巡檢使는 997년(목종16)에서 998년(현종1) 사이에 찾아지는데, 西北面에는 康兆(穆宗代, 中樞使·右散騎常侍)가 都巡檢使로, 李鉉雲(穆宗代, 史部侍郞)·李周禎(殿中監)이 都巡檢副使로, 楊規(현종1, 刑部郞中)가 巡檢使, 東北界에는 卓思政(현종1, 前給事中)이 都巡檢使로 찾아지고 있다. 이들 都巡檢使, 副使, 巡檢使는 국경지역을 방어하기 위해 파견된 軍司令官으로서, 1005년(목종5) 3월 都團練使·團練使·刺史 등이 폐지된 이후에 설치된 것 같다. 이들은 해당지역의 행정도 담당하였을 것으로 추측되며, 康兆가 契丹에 被虜된 후 999년(현종2) 中臺省이 中樞院으로 還元될 때 폐지되었을 것으로 추측된다.
  한편 1108년(예종3) 2월 女眞을 정벌할 때 雄州에서 敵을 격파한 都巡檢使 崔弘正(당시 兵馬判官이었음)이 찾아지는데, 이는 고려초기의 都巡檢使와는 다른 職制에 의한 것이다. 또 中原에서는 五代에 京城을 위시하여 重要據點에 巡檢使 또는 都巡檢使가 파견되어 외적의 침입을 수비·방어하거나 점령지의 치안을 담당하기도 하였다고 한다(열전7, 楊規·권96, 열전9, 吳延寵·열전40, 康兆, 宇生健一 1965년 ; 張東翼 2014년 489面).

△六官諸曹, 於七寺·三監, 員外郎以上, 着姓草押, 七寺·三監, 於六官諸曹, 少卿以下, 具銜姓名.

△七寺·三監, 於諸署局, 丞·注簿, 着姓草押. 諸署局, 於七寺·三監, 直長以上, 着姓名.

△諸下局署, 於三省·諸曹·式目·七寺·三監, 直長以下, 具位姓名.

△吏部·臺省, 於六官諸曹·七寺·三監, 門下侍郎平章□^事以下, 拾遺以上, 着姓草押, 錄事, 具銜姓名, 於諸署局, 錄事·注書, 着草押.

△諸署局, 於三省, 直長以上, 具銜姓名.

▽外官[321]

△別命使臣, 於牧·都護, 當云某使貼某牧·都護. 奉使事重, 備記事下典, 七品以上使, 着姓草押, 八品使, 着姓名署, 雖六七品使, 奉使事輕, 無人吏下典者, 具銜着姓名署. 牧·都護, 於七八品使, 副使以上, 着姓草押, 以下, 着姓名. 於奉使事重, 使及常參以上獨使, 着姓草押, 副使以下, 着姓名.

△別命使臣, 於中都護·知州·防禦·縣令·鎭將官, 雖無記事下典, 六七品使, 則着姓草押, 八品使, 則着姓名署, 於鎭將·縣令, 着姓草押. 中都護·知州·防禦·縣令·鎭將官, 於七八品使, 着姓草押, 副使以下, 着姓名署, 於奉使事重, 使及常參使, 則皆着姓名.

△三軍兵馬使, 於西京留守官, 判官以上, 着姓草押, 以下員, 着姓名署. 東西巡檢使, 於留守官, 副使以上, 着姓草押. 留守官, 於中軍兵馬使, 留守, 着草押, 副留守, 着姓名. 於左右東西都巡檢使, 副留守以上, 着草押, 判官以下, 着姓名. 西京監軍使, 於中軍兵馬使, 着姓, 於東西巡檢使, 着草押. 西京留守·三軍兵馬使, 於監軍判官以上, 着姓草押, 東西都巡檢使, 於監軍副使以上, 着姓草押.

△西京留守·三軍兵馬使·東西都巡檢使·都部署, 於八牧·二大都護府·諸道府官, 幷皆着姓草押, 八牧·二大都護, 於三軍兵馬使, 及西京留守官·監軍使·東西都巡檢使·東西海巡察使, 着姓名, 於諸都部署使, 着姓草押, 副使以下, 着姓名. 中都護·知州以下, 諸道外官, 於兵馬使·西京留守官·東西都巡檢使·東西海巡察使·都部署, 着姓名, 中軍兵馬使, 於左右軍·東界都巡檢使, 判官以上, 着姓草押, 以下, 着姓名, 左右軍·東界都巡檢使, 於中軍兵馬使, 使, 着姓草押, 副使以下, 着姓名.

△慶尙道巡檢使^{巡察使}·西海巡察使·猛州^{孟州}都知兵馬使^{都知兵馬事},[322] 於西京留守, 及監軍使, 副使以上, 着姓草押, 以下, 着姓名. 諸都部署, 於西京留守官·監軍使, 參以上員, 爲都部署副使, 則副使以上, 着姓草押, 參外員爲副使, 則着姓草押, 副使以下, 着姓名. 留守官·監軍使, 於諸

---

321) 外官의 公牒相通式을 치밀하게 분석, 정리하여 補正한 성과도 있다(尹京鎭 2007년a).

322) 여기에서 添字로 고쳐야 옳게 될 것이다(尹京鎭 2007년a).

都部署, 判官以上, 着姓草押, 以下, 着姓名.

△三道巡察使·兵馬使, 於中軍兵馬使, 着姓名, 唯三品以上巡察兵馬使, 着姓草押. 三軍兵馬使·諸都部署, 於慶尙道·西海巡察使·猛州^{孟州}都知兵馬使^{都知兵馬事}, 着姓草押, 諸都部署, 於三軍兵馬使, 着姓名, 於左右軍兵馬使, 則三品以上使, 以大將軍, 兼文班卿監者, 着姓草押, 以下, 着姓名.

△西京留守, 於申省狀, 着姓草押, 副留守以下, 監軍使·東西都巡檢使等, 別命使臣, 及諸道外官, 雖三品以上, 着姓名, 鎭將·縣令·監倉·驛巡官, 於防禦鎭使以上官, 具銜着姓名.

丙申[成宗]十五年, 契丹統和十四年, [宋至道二年], [西曆996年]

996년 1월 23일(Gre1월 28일)에서 997년 2월 9일(Gre2월 14일)까지, 13개월 384일

[春正月壬寅朔^{大盡,庚寅}:追加].
[二月壬申朔^{小盡,辛卯}:追加].

春三月^{辛丑朔大盡,壬辰}, [某日], 契丹遣翰林學士張幹·忠正軍節度使蕭熟葛來, 冊王曰, "漢重呼韓, 位列侯王之上, 周尊熊繹, 世開土宇之封. 朕法古爲君, 推恩及遠. 惟東溟之外域, 順北極以來王, 歲月屢遷, 梯航靡倦, 宜擧眞封之禮, 用旌內附之誠. 爰採彝章, 敬敷寵數. 咨爾高麗國王王治, 地臨鯷壑, 勢壓蕃隅. 繼先人之茂勳, 理君子之舊國, 文而有禮, 智以識機. 能全事大之儀, 盡協酌中之体. 鴨江西限, 曾無恃險之心, 鳳扆北瞻, 克備以時之貢. 言念忠敬, 宜示封崇, 升一品之貴階, 正獨坐之榮秩. 仍疏王爵, 益表國恩, 冊爾爲開府儀同三司·尙書令·高麗國王. 於戲, 海岱之表, 汝惟獨尊, 辰卞之區, 汝惟全有. 守玆富貴, 戒彼滿盈, 無庸小人之謀, 勿替大君之命. 敬修乃事, 用合朝經, 俾爾國人, 同躋壽域. 永揚休命, 可不美哉". 幹等至西郊, 築壇傳冊.³²³⁾

○王備禮受冊, 大赦.

[□□^{是月}],³²⁴⁾ 遣韓彥卿如契丹, 納幣.

---

323) 이들 契丹의 사신은 前年 11월 19일(辛酉)에 파견이 결정되었다.
  · 『요사』 권13, 本紀13, 聖宗4, 統和 13년 11월, "辛酉, 遣使冊王治爲高麗國王".
  · 『요사』 권115, 열전45, 二國外記, 高麗, "統和十三年十一月, 遣使冊治爲王".
324) 是月이 탈락된 것으로 추측된다. 그런데 고려 측의 자료에 의하면 韓彥卿이 996년(성종15) 3월에 거란 [契丹]에 파견되어 貢物을 바쳤다고 하지만, 『요사』에는 997년(통화15, 성종16) 7월 14일 거란에 도착하여 幣帛을 바치고, 越國公主(駙馬 蕭恒德의 妻)의 喪을 弔問하였다고 한다(『요사』 권13, 본기13, 聖宗

[○崔暹爲都考試官, 取進士:選擧1選場轉載].

[□□^{芝甫}, 改知貢擧爲都考試官:選擧2試官轉載].

夏四月辛未□^{朔小盡,癸巳}, <u>鑄鐵錢</u>.[325]

[五月^{庚子朔人盡,甲午}, 戊午^{19□}, 高麗人寄着日本石見國:追加].[326]

[六月庚午朔^{小盡,乙未}:追加].

秋七月^{己亥朔人盡,丙申}, 乙巳^{7□}, <u>郁死于泗水縣</u>.[327]

[→<u>郁</u>, 卒于貶所. 顯宗^弱如其言, 將葬請伏埋, 術師曰, "何大忙乎?":列傳3太祖王子安宗郁轉載].

[某日, 定朝官遭喪給暇式, 忌日給三日, 每月朔望一日, 大·小祥祭七日, 大祥後, 經六十日, 行禫祭, 給五日:節要轉載].[328]

---

4. 권115, 列傳45, 二國外紀, 高麗). 이 두 기사가 같은 내용으로 年代整理[繫年)에서 실패한 것인지, 아니면 韓彥卿이 2차에 걸쳐 거란에 파견되었는지를 판가름하기가 어렵다.

[325] 辛未에 朔이 탈락되었다. 또 이와 관련된 기사로 지33, 食貨2, 貨幣, "成宗十五年四月, 始用鐵錢"이 있다. 또 이때 鑄造된 貨幣로 추정되는 3種이 日帝强占期인 大正(1915~1926) 初에 開城地域의 古墳에서 출토되었다고 한다. 아무런 錢文이 없는 無文錢인 鐵錢과 銅錢(圓錢, 圓空), 그리고 唐 乾元重寶의 錢文을 踏襲한 鐵錢의 乾元重寶(圓錢, 方空)이다. 그중 乾元重寶는 背面에 東國二字가 새겨져 있고, 質朴하며 重量은 2量 9分이라고 한다(藤間治郎 1918年 ; 奧平昌洪 1938年 권15).

[326] 이는 다음 자료에 의거하였다. 이는 高麗人이 石見國[이와미노쿠니, 現 島根縣의 西部地域]에 寄着한 사실을 諸卿들이 議論[定申]하여 延喜年間에 異國人이 但馬國[타지마노쿠니, 現 兵庫縣의 北部地域]에 왔을 때처럼, 船舶을 만들어 식량을 지급하고 본국에 돌려보낼 것을 결정[定申]한 것이다.
  · 『小右記』, "長德二年五月十九□戊午, 高麗人寄石見國, 其事諸卿定申, 延喜年中異國人來但馬國, 造船給粮還遣本國, 依彼例給粮可返遣之由, 定申了".
  · 『小記目錄』 권16, 異朝事, "長德二年五月十九日, 高麗人來寄著石見事".

[327] 『고려사』의 편찬자가 王子로 諸王이었던 郁의 죽음을 薨 또는 卒로 표기하지 아니하고, 死로 표기한 것을 볼 때 이들이 典故에 어두웠을 가능성이 있다. 또 「玄化寺碑」에도 이날 王의 季父 郁이 逝去하였다고 기록되어 있음을 보아 당시의 朔日이 宋曆, 契丹曆과 동일하였음을 알 수 있다("以統和十四年丙申七月初七日, 殂落于彼"). 또 이날은 율리우스曆으로 996년 7월 24일(그레고리曆 7월 29일)에 해당한다.

[328] 이 기사와 관련된 자료로 다음이 있으나 b는 현종 9년 5월에 제정된 給暇規定에서 잘못 인용된 내용이 많은 것 같다(지18, 禮6, 凶禮, 五服制度, 蔡雄錫 2009년b 113面).
  · a지18, 禮6, 凶禮, 五服制度, "成[※]十五年七月, 定朝官遭喪給暇式, 忌暇各三日, 每月朔望祭, 暇各一日, 大·小祥祭, 暇各七日, 大祥後, 經六十日, 行禫祭, 暇五日".
  · b지38, 形法1, 公式, 官吏給暇, "成宗十五年, 判, 凡官吏, 父母喪三年, 每月朔望祭, 暇一日, 第十二月初忌日 小喪齋, 暇三日, 其月晦小喪祭, 暇三日, 第二十五月人喪齋, 暇三日, 其月晦人喪祭, 暇七日, 全二十七月晦禫祭, 暇五□".

[閏七月己巳朔^{大盡,丙申}:追加].

[八月己亥朔^{小盡,丁酉}:追加].

[九月戊辰朔^{大盡,戊戌}:追加].

[冬十月戊戌朔^{小盡,己亥}:追加].

[十一月丁卯朔^{大盡,庚午}:追加].

冬十二月^{丁酉朔小盡,辛丑}, 丁巳^{21日}, 賜郭元等及第.³²⁹⁾

[是年, 定^判, 凡事審官, 五百丁以上州四員, 三百丁以上州三員, 以下州二員:選擧3事審官轉載].³³⁰⁾

[○徐熙, 城宣·孟二州:節要·列傳7徐熙轉載].

[→城宣州一千一百五十八閒, 門六, 城頭三十六, 水口一, 遮城三:兵2城堡轉載].

[○熙, 嘗扈駕海州, 成宗幸熙幕欲入, 熙曰, "臣之幕, 非至尊所當臨." 命進酒曰, "臣之酒不堪獻也". 成宗乃坐幕外, 進御酒共飮而罷. ○供賓令鄭又玄, 上封事論時政七事, 忤旨. 成宗會宰相議曰, "又玄敢越職論事, 罪之何如". 皆曰, "惟命". 熙曰, "古者諫無官, 越職何罪. 臣以不才, 謬居宰相, 竊位素餐, 使官卑者, 論政敎得失, 是臣之罪也. 況又玄論事甚切, 宜加褒奬". 成宗感悟, 擢又玄監察御史, 賜熙繡鞍廐馬·酒果, 以慰之, 拜□^守太保·內史令:列傳7徐熙轉載].

[○^{守太保·內史令徐}熙患疾, 在開國寺, 成宗駕幸問疾, 以御衣一襲·馬三匹, 分施寺院. 又以穀一千石, 施開國寺, 凡所以祈命者, 無所不爲:列傳7徐熙轉載].³³¹⁾

[○遣使如契丹, 問起居, 此後無時遣使:追加].³³²⁾

이와 관련된 기사로 다음이 있다. 이때 ^{進士}郭元·尹徵古·徐訥 등이 급제하였다(『登科錄』; 『前朝科擧事蹟』, 朴龍雲 1990년; 許興植 2005년).
· 지27, 선거1, 科目1, 選場, "^{成宗}十五年三月, 崔暹爲都考試官, 取進士, 十二月, 卜敎, 賜甲科郭元等四人·乙科三人·明經六人及第".
· 열전7, 徐熙, 訥, "成宗十五年, 擢甲科".
· 열전7, 郭元, "成宗十五年, 登甲科".

330) 이는 지29, 선거3, 銓注, 事審官에서 전재하였는데, 定은 判(원래는 制)의 오자로 추측된다.

331) 이 기사의 原文은 "又明年^{成宗15年}, 城宣·孟二州. … 拜太保內史令. 十五年, 熙患疾, 在開國寺, … 施開國寺, 凡所以祈命者, 無所不爲. 明年^{成宗16年}頒祿, 熙病尙未愈"로 되어 있다. 여기에서 '又明年'이 성종 15년에 해당하므로 十五年은 잘못 들어간 글자[衍字], 또는 是年의 잘못이다.

332) 이는 다음 자료에 의거하였다. 이에서 고려의 사신이 매우 빈번하게[至者無時] 거란에 파견되었다고 하였는데, 이의 대체적인 형편을 보여주는 c와 d의 두 사례가 찾아진다.
· a 『요사』 권13, 本紀13, 聖宗4, 統和 14년 6월, "己丑, 高麗遣使來問起居, 後全無時".
· b 『요사』 권115, 열전45, 二國外紀, 高麗, "^{統和十四年}六月, 遣使來, 問起居, 自是, 至者無時".

[〇僧鼎現赴彌勒寺五敎大選, 捷獲選:追加].[333]

丁酉[成宗]十六年, 契丹統和十五年, [宋至道三年], [西曆997年]

997년 2월 10일(Gre2월 15일)에서 997년 1월 30일(Gre2월 4일)까지, 355일

[春正月丙寅朔^{大盡,壬寅}:追加].

[春二月^{丙申朔小盡,癸卯}, 某日, 王從弟詢, 還京自泗水縣:列傳3太祖王子安宗郁轉載].[334]

- c 『契丹國志』 권21, 外國進貢禮物, "新羅國進貢禮物, 金器二百兩·金抱肚一條五十兩·金鈔羅五十兩·金鞍轡馬一匹五十兩·紫花綿紬一百疋·白綿紬五百疋·細布一千疋·麤布五千疋·銅器一千斤·法淸酒醋共一百瓶·腦元茶一斤·藤造器物五十事·成形人參不定數·無灰木刀攬十箇·細紙墨不定數目. 本國, 不論年歲, 惟以八節貢獻, 人使各帶止官, 惟稱偕臣. 〇橫進物件, 粳米五百石, 糯米五百石, 織成五彩御衣企不定數. 〇每次回賜物件, 犀玉腰帶二條·細衣二襲·金塗鞍轡馬二匹·素鞍轡馬五匹·散馬二十匹·弓箭器仗二副·細花綺羅綾二百疋·衣著絹一千疋·羊二百口·酒果子不定數. 並命刺史已上官充使, 一行六十人, 直送入本國". 이는 고려의 進貢禮物과 特別進獻[橫進物件], 거란의 回賜物 등에 대한 기록인데, 여기에서 新羅國은 宋人들이 고려와 신라를 並用하였던 결과이다. 또 고려의 사신이 8節, 곧 立春·立夏·立秋·立冬·春分·夏至·秋分·冬至 또는 上元·淸明·立夏·端午·中元·中秋·冬至·除夕에 사신을 파견해 온다고 되어 있으나 사실이 아닐 것이다. 그리고 『契丹國志』는 14세기 전반[元代中期以前]에 『大金國志』와 함께 만들어진 僞書로서, 이 책의 내용은 역대 여러 典籍에서 적절히 변조한 것으로 이해되고 있다(劉浦江 1999年 323~334面 ; 吉本道雅 2013年 附論5, 契丹國志疏證).
- d 『文獻通考』 권325, 四裔考2, 高句麗, "自王徽^{文宗}以降, 雖通使於我, 然受契丹封冊, 奉其正朔. 上朝廷及他大書^{文書}, 蓋有稱甲子者, 歲賀契丹至於六, 而誅求不已. 常云高麗乃我奴耳. 南朝何以厚待之. 遼使至其國, 尤倨暴, 館伴及公卿小失意, 輒行捶箠, 聞我使全, 必假他事來覘, 分取賜物, 嘗詰其西向修貢事, 麗人表謝, 其略曰, 中國, 三甲子方得一朝, 大邦, 一周天每修六貢. 契丹悟, 乃得免"(이와 같은 기사가 『송사』 권487, 열전246, 외국3, 고려에도 수록되어 있으나 자구에 출입이 있다). 이는 거란이 고려에게 宋[西向]과 교통하는 것을 힐문하자, 고려가 표를 올려 사과하면서 송과는 3년에 一貢을 하지만 거란[人邦]에게는 1년에 6貢을 행한다고 하자, 거란이 느낀 바가 있어 고려를 면책해 준 것으로 서술한 것이다. 당시 거란에 파견한 사신은 정기적인 2월의 春季問候使(歲貢使), 9월의 秋冬問候使, 11월의 冬至使, 賀正使, 賀聖節使, 12월의 謝生辰使 등이, 비정기적인 奏請使, 陳慰使, 進賀使, 密奏使 등이 있었다. 또 거란의 고려에 대한 견제[控制]의 거점이었던 東京[遼陽府]을 오가는 兩國의 持禮使가 있었다. 이에 비해 거란이 고려에 파견한 정기적인 사신은 11월의 고려국왕의 생신을 慶賀하는 生口使 뿐이고, 비정기적으로 冊封使, 通告使[報哀使], 橫宣使(혹은 橫賜使), 詢問使 등이 있었다.
333) 이는 「竹山七長寺慧炤國師塔碑」에 의거하였다(寶物 第488號, 許興植 1984년 487面 ; 李智冠 200년 2冊 307面).
334) 이는 다음의 기사를 전재하여 적절히 變改하였다. 또 詢(郁의 子)은 成宗의 從弟인 동시에 妹(景宗妃 獻貞王后 王氏)의 所生이기에 甥姪에 해당한다.
  - 열전3, 太祖王子, 安宗郁, "明年二月, 顯宗還京".

[三月乙丑朔^{大盡,甲辰}:追加].

[是月癸巳^{29日}, 宋太宗<u>趙匡義</u>崩. <u>趙恒</u>卽位, 是爲眞宗:追加].

[夏四月乙未朔^{小盡,乙巳}:追加].

[是月辛酉^{27日}, 竹州戶長·校尉<u>安帝京</u>, 倉正<u>崔廉</u>等之香徒造成長命寺五層石塔:追加].³³⁵⁾

[<u>夏五月</u>^{甲子朔大盡,丙午}, 是月頃, 移牒三通於日本:追加].³³⁶⁾

---

335) 이는 다음의 자료에 의거하였는데, 長命寺는 京畿道 安城市 竹山面 西部洞 515에 있는 寺刹이다(石塔誌 石은 國立中央博物館 所藏).
　　・『한국금석문집성』 35책, 29面, 安城市長命寺石塔誌石, "統和十五年丁酉四月二十七日,國泰人」安, 願以 長命寺五增^{五層}石塔造立, 香」徒姓名如後,」棟梁大行明徒·戶長安帝京, 倉正崔」廉, 博士口煙雲, 口口金位 等,」料色光恩師玄肯, 鑄匠只未知". 여기에서 五增은 五層의 誤刻일 것으로 추측된다.

336) 이는 다음의 자료에 의거하였다. 이들 자료에 의하면 고려가 다자이후[大宰府] 출신으로 무역에 종사 하고 있던 것으로 추측되는 日本人을 통해서 일본에 3통의 國書를 보냈다고 하는데, 그중 1통은 일본 정부에, 나머지 2통은 對馬島에 보낸 것이라고 한다. 이 國書의 내용에 대해서는 언급이 없고, 단지 문장 중에 "有使辱日本國之句, 所非無怖畏者, 有令耻日本國之文"과 같이 일본을 모욕하는 내용이 있었 던 것 같다(『小右記』). 이에 대해 "이때의 高麗 牒狀은 의문에 싸여 있지만, 그 속에는 고려가 中國과 동일한 大國의 입장을 가지면서 일본을 蕃國으로 간주한 내용이 담겨 있었을 가능성도 배제할 수 없 다"는 견해도 제시되어 있다(南基鶴 2000년).
　　・「異國牒狀記」, "長德三年五月, 高麗の牒到來, 文章舊儀にたがふ上, 其狀體蕃禮にそむくよし沙汰ありて, 返牒 なし".
　　・『小右記』, 長德 3년 6월, "十二日甲辰, 勘解由長官源俊賢云, 高麗國啓牒有使辱日本國之句, 所非無怖畏 者. 前丹波守^{藤原}貞嗣朝臣來云, 大貳^{藤原有國}消息, 徵城六个國人^{域內國々}兵, 令警固要害, 又高麗國使日本人云々".
　　・『小記目錄』 권16, 異朝事, "同^{長德}三年六月十二日, 高麗人啓牒事".
　　・『百練抄』第4, "長德三年六月十三日, 諸卿定申高麗國牒狀事, 僉議不可遣返牒, 可警固要害. 又牒狀不似高 麗國牒, 是大宋國之謀略歟".
　　・『小右記』, 長德 3년 6월, "十三日乙巳, 參宮, 少選參內 右人臣^{藤原顯光}·左人將^{藤原公季}·民部卿^{藤原懷忠}·式部人輔 ^{菅原正}·左衛門督^{藤原誠信}·右衛門督^{藤原公任}·左大辨^{源人義}·宰相中將^{藤原齊信}·勘解由長官同參 左中辨^{藤原行成奉詔}, 卜賜 右大臣大宰府解文·高麗國牒三通, 一枚牒日本國, 一枚牒對馬嶋司, 一枚同嶋. 諸卿相共定申, 大略不可遣返 牒, 又警固要害, 兼致內外祈禱事. 又高麗牒狀, 有令耻日本國之文, 須給官符大宰, 其官符文, 注高麗爲日本 所稱之由, 又可注事者, 高麗國背禮儀事也. 商客歸去之時, 有披露彼國歟. 但見件牒, 不似高麗國牒, 是若人 宋國謀略歟. 仰高麗使大宰人也, 若不可返遣, 可被勘其罪, 大宰申請四ケ條, 九國戎兵具皆悉無實, 可令國司 修補事, 若其無其勤, 雖有他功, 不可預勸賞者. 定申云, 先可造要須戎其也, 不可申止勸賞事, 九國域內諸神 可授一階事. 定中云々, 先被祈禱, 相次可被定下, 可加寄香椎廟內大臣^{藤原伊周}封廿五戶事. 定中云, 可被加寄歟 者, 對馬守高橋仲堪, 非文非武, 智略又乏, 以人監卆中方, 差遣彼嶋, 備不虞事. 定中云, 如府所注, 仲堪非文 非武, 智略乏由, 令尋先例, 如此之時, 改任堪能武者. 狀^{未歟}無蹤路, 雖然忽被改任如何, 如府申請, 先差遣中 方, 隨人申請, 乍有可被定下也. 府解文云, 中方身爲文章生, 又習弓馬云々, 戌刻許各退出, 又北陸·山陰等道 可給官符之由, 僉議了. 上達部云々, 人宋國人近在越前, 又在鎭西, 早可歸遣歟. 就中在越州之唐人, 見聞當 州衰亡歟, 寄來近都國, 非無謀略, 可恐之事也者".

[六月甲午朔^{小盡}「^{丁未}:追加].

[秋七月癸亥朔^{大盡,戊申}:追加].

秋八月^{癸巳朔大盡,己酉}, 乙未^{3日}, 幸東京, 宴群臣, 扈從臣僚軍士, 賜物有差. 中外官各加勳階, 義夫節婦·孝子順孫, 旌門賜物. 遂頒赦.³³⁷⁾

[→幸東京, 減所過州縣今年田租之半:食貨3恩免之制轉載].

[某日, 命有司, 奇才異能, 隱滯丘園者, 搜訪以聞:選擧3薦擧轉載].

[是月, 禮部侍郎柳邦憲知貢擧, 取進士:選擧1選場轉載].

[□□^{是時}, 復稱□□□□^{都考試官}, □^爲知貢擧:選擧2試官轉載].³³⁸⁾

九月^{癸亥朔小盡,庚戌}, [某日], 遂幸興禮府, 御大和樓, 宴群臣. 捕大魚於海中. 王不豫.
己巳^{7日}, 至自東京.

冬十月^{壬辰朔大盡,辛亥}, 戊午^{27日}, 王疾大漸, 召開寧君誦, 親降誓言傳位, 移御內天王寺. 平章事王融請頒赦, 王曰, "死生在天, 何至釋有罪, 枉求延命乎? 且繼我者, 何以布新恩". 不許, 薨.³³⁹⁾ 壽三十八, 在位十六年. 諡^初曰文懿, 廟號成宗, 葬于南郊, 陵曰康陵.³⁴⁰⁾ 穆宗五年加諡^初康威, 顯宗五年加章獻, 十八年加光孝, 文宗十年加獻明, 高宗四十年加襄定.

李齊賢贊曰,³⁴¹⁾ "成宗^{成王}立宗廟,³⁴²⁾ 定社稷, 贍學以養士, 覆試以求賢. 勵守令恤其民, 資孝節美其俗. 每下手札, 詞旨懇惻, 而以移風易俗爲務. 及乎契丹意在吞噬, 遣將來侵, 鳳駕西都, 進兵安北, 卽寇準澶淵之策也. 其欲移關防於岊嶺, 棄委積於大同, 當時庸臣之議耳, 必非成宗^{成王}

---

337) 이때의 사정을 보다 구체적으로 설명해 주는 자료로 다음이 있다.
· 『보한집』 권上, "成宗十七年八月, 車蓋幸東京頒赦, 凡有奇才·異能·隱滯丘園者, 勅有司搜訪無遺, 又收籍內外義夫·節婦·孝子·順孫, 旌表門閭, 錫物段有差. 時有敬順工入朝日, 不來者, 已鮐背矣, 猶爲白衣作詩獻內相王融云 …". 여기에서 成宗十五年은 十七年의 잘못일 것이다.

338) 이는 다음의 기사를 轉載한 것이다
· 지28, 선거2, 試官, "成宗十五年, 改知貢擧, 爲都考試官, 明年, 復稱知貢擧".

339) 이와 관련된 기사로 다음이 있으나 添字와 고쳐야 옳게 될 것이다. 또 이날은 율리우스曆으로 997년 11월 29일(그레고리曆 12월 4일)에 해당한다.
· 『익재난고』 권9상, 忠憲王世家, "成宗十六年十二月^{甲午朔}二十七日, 薨".

340) 康陵은 현재의 開城市 板門郡 進鳳里에 있다(보존급유적 567호, 張慶姬 2013년 ; 洪榮義 2018년).

341) 『익재난고』 권9하, 史贊, 成王에 수록되어 있는 成宗史贊은 崔承老의 이른바 五朝政績評에 모두 실려 있으나, 『고려사』에서는 崔承老의 열전에 수록되어 있고, 史贊만이 이곳에 전재되어 있다.

342) 成宗은 『익재난고』에 成王으로 되어 있다.

^于本意也. 嚮若觀崔承老^{承老}之書,³⁴³⁾ 悅而繹之, 去浮誇^{浮今}務篤實,³⁴⁴⁾ 以好古之心, 求新民之理, 行之無倦, 而戒其欲速, 躬行心得, 而推己及人, 齊變至魯, 魯變至道, 可冀也. 蕭遜寧爭能誣不恤民事, 以興無名之師.³⁴⁵⁾ 李知白^{李智伯}安敢援不革土風, 以爲却敵之策乎?³⁴⁶⁾ 然其未老, 而樹繼嗣, 爲國家之慮長矣, 臨絶而惜肆赦, 達死生之理, 明矣. 所謂有志, 而可與有爲者, 非耶, 嗚呼, 賢哉".

[成宗在位年間]

[○移錫三重大師智宗於積石寺, 賜號爲慧月, 淳化中, 下詔迎入闕, 請啓高談, 聞妙義, 仍賜磨衲袈裟:追加].³⁴⁷⁾

---

343) 崔承老는 『익재난고』에 承老로 되어 있다.

344) 浮誇는 『익재난고』에 浮今로 되어 있는데, 의미상으로 문제가 없다.

345) 『익재난고』에는 이 句節의 注로 "成王, 聞契丹來侵, 使李蒙戩知^于契丹軍營, 問所以來侵之忿, 其將曰, 汝國不恤民事, 是用, 恭行天罰"이 더 있다. 여기에서 添字로 고쳐야 옳게 된다.

346) 『익재난고』에는 李知白이 李智伯으로 되어 있고, 이 句節에도 "成王樂慕華風, 國民不喜, 及契丹之難, 知信州口^于李智伯奏言, '復行先祖法度, 不爲他方異法, 國家可保矣'. 由是燃燈·八關·仙郎等事不絶"의 注가 더 있다.

347) 이는 「原州居頓寺圓空國師勝妙塔碑」에 의거하였다.

穆宗

穆宗宣讓·□□^{孝思}·□□^{威惠}·□□^{靖恭}大王,¹⁾ 諱誦, 字孝伸, 景宗長子, 母曰獻哀太后皇甫氏. 景宗五年庚辰五月壬戌^{20日}生, 成宗卽位, 養于宮中. [及就學, 命內書郞金承祚侍讀:節要轉載]. 九年六月^{十二月戊申},²⁾ 封開寧君.

十六年十月戊午^{27日}, 受內禪卽位.

十一月^{壬戌朔人盡壬子}, [某日], 遣閤門使王同穎如契丹, 告嗣位.³⁾

十二月^{壬辰朔小盡,癸丑}, 壬寅^{11日}, 御威鳳樓赦. 褒孝·順, 洗痕累, 救疾病. 文武官及僧徒, 加一級, 國內神祇, 皆加勳號, 仍賜內外大酺一日. 尊母皇甫氏, 爲王太后.

[→御威鳳樓, 頒赦. 放三年役, 除一年租, 恤耆舊, 褒孝·順, 洗痕累, 救疾病, 蠲欠負, 放逋懸, 文武官加一級, 五品以上子, 授蔭職, 常參官以上及職事七品以上, 父母妻, 各加官封, 進士·明經十學不第, 及書者·地理學生滿十年者, 並許脫麻, 國內神祇, 皆加勳號, 仍賜內外大酺一日. 尊母皇甫氏, 爲應天啓聖靜德王太后:節要轉載].⁴⁾

[→穆宗卽位, 冊上尊號曰, 應天啓聖靜德王太后. 穆宗年己十八, 太后攝政, 居千秋殿, 世號千秋太后:列傳1景宗獻哀王太后皇甫氏轉載].

[→穆宗卽位, 放三年役, 除一年租, 恤耆舊, 蠲欠負, 放逋懸:食貨3恩免之制轉載].

是月, 契丹遣千牛衛大將軍耶律迪烈來, 賀千秋節, 王迎命, 告于成宗柩前.⁵⁾

---

1) 여기에서 穆宗은 廟號이고, 宣讓大王은 諡號인데, 이는 1012년(현종3) 閏10월에 穆宗의 陵[義陵]이 開京의 동쪽에 마련될 때 붙여진 것이다(『고려사절요』 권3, 현종 3년 閏10월). 그런데 穆宗은 1014년(현종5) 4월에 孝思가, 1027년(현종18) 4월에 威惠가, 1056년(문종10) 10월에 克英이, 1253년(고종40) 6월 4일(辛亥)에 靖恭이 각각 덧붙여졌으나 이 자료에 반영되어 있지 않다.

2) 穆宗이 開寧君으로 冊封된 것은 成宗 9년 6월이 아니라, 9년 12월 7일(戊申, 陽12월 26日)이다(→성종 9년 12월 戊申).

3) 이 기사도 중국 측의 자료를 전재하였을 가능성이 있다.
   ·『요사』 권13, 본기13, 聖宗4, 統和 15년 11월, "是月, 高麗王治凞, 姪誦遣王同穎來告".
   ·『요사』 권115, 열전45, 二國外紀, 高麗, "統和十五年十一月, 治凞, 其姪誦遣王同穎來告".

4) 이 기사의 '五品以上子, 授蔭職'은 지29, 選擧3, 蔭敍에, '常參官以上, 父母妻'의 封爵은 선거지3, 封贈에도 수록되어 있다.

5) 이 기사도 중국 측의 자료를 전재하였을 가능성이 있다.

[是年, 遣韓彦敬^{韓彦卿}如契丹奉幣, 弔越國公主之喪:追加].6)

[○以^{參知政事·上柱國}韓彦恭爲內史侍郞平章事:列傳6韓彦恭轉載].

[○頒祿, ^{守太保·內史令徐}熙病尙未愈, 命有司曰, “熙年雖未及致仕, 以疾病未得待朝, 宜給致仕祿”:列傳7徐熙轉載].

[是年頃, 以英俊爲禪師, 賜磨衲袈裟一領, 籍以報法寺, 不遠京城, 以爲住持:追加].7)

戊戌[穆宗]元年, 契丹統和十六年, [宋咸平元年], [西曆998年]

998년 1월 31일(Gre2월 5일)에서 999년 1월 19일(Gre1월 24일)까지, 354일

春正月^{辛酉朔小盡,甲寅}, [某日], 賜周仁傑等及第.8)

[□□^{是時}, 取恩賜一人. 東堂取恩賜, 自此始, 然不爲常例:選擧2恩例轉載].9)

- 『요사』 권13, 본기13, 聖宗4, 統和 15년 12월, “甲寅^{23日}, 遣使祭高麗王治, 詔其姪權知國事”.
- 『요사』 권115, 열전45, 二國外紀, 高麗, “^{統和十五年}十二月, 遣使致祭, 詔其姪權知國事”.

6) 이는 다음의 자료에 의거하였다.
- 『요사』 권13, 본기13, 聖宗4, 統和 15년 7월, “丙子, 高麗遣韓彦敬^{韓彦卿}奉幣, 弔越國公主之喪”.
- 『요사』 권115, 列傳45, 二國外紀, 高麗, “^{統和十五年}, 韓彦敬^{韓彦卿}來納聘幣, 弔駙馬蕭恒德妻越國公主之喪”.

7) 이는 「陜川靈巖寺寂然國師慈光塔碑」에 의거하였다.

8) 이와 관련된 기사로 다음이 있다. 이때 ^{進士}周仁傑·^{進士}許元 등이 급제하였다(『登科錄』; 『前朝科擧事蹟』, 朴龍雲 1990년; 許興植 2005년).
- 지27, 선거1, 科目1, 選場,“^{成宗}十六年八月, 禮部侍郞柳邦憲知貢擧, 取進士. 穆宗元年 正月, 賜邦憲所擧甲科周仁傑等二人·乙科三人·明經七人·明法五人·明書三人·明四人·二禮十人·三傳二人及第”.
- 『고려사절요』 권2, 목종 1년 1월 “賜周仁傑等五人·明經七人及第. 成宗嘗命取進士, 適不豫, 至是, 賜第”.

9) 東堂은 원래 晉의 正殿인 太極東堂에서 유래하였다고 한다. 郗詵이 이곳에서 賢良對策으로 優秀하게 及第[以對策上第]하였으므로 人材를 選拔하는 곳[試場]을 東堂이라고 불렀다고 한다. 또 唐代에는 尙書省의 都堂을 東堂이라고 하였고, 이에서 실시된 省試를 射策東堂이라고 하였다고 한다. 그래서 東堂은 試院, 試場을 指稱하게 되었던 것 같다. 그리고 『고려사전문』의 편찬에서 주도적인 역할을 맡았던 申槩(1374~1446)의 恩賜及第에 대한 견해도 찾아진다.
- 『晉書』 권52, 열전22, 郗詵, “… 泰始中, 詔天下擧賢良直言之士, ^{濟陰}太守文立擧詵應選, … 以對策上第, 拜議郞, 母憂去職. … 累遷雍州刺史, 武帝於東堂會送, 問詵曰, ‘卿自以爲如何?’ 詵對曰, ‘臣擧賢良對策, 爲天下第一, 猶桂林之一枝, 昆山之片玉’. 帝笑”.
- 『樊南文集詳注』 권4, 爲某先輩獻集賢相公啓, “… 郗詵試東堂得第, 東堂者, 晉宮之正殿, … 儀禮大射, 皆俟於東堂, 故選士之地, 稱以東堂. 而晉時太極東堂, 實爲策問之所. 唐時, 尙書省都堂, 亦謂之東堂, 如舊·新書宋璟傳中所書者, 故凡言省試, 皆曰射策東堂也”.
- 『寅齋集』 권3, 請罷科擧恩賜啓, “謹稽歷代科擧, 並無恩賜之制, 惟宋開寶二年, 太宗閱擧人久不中第者, 心憐之, 賜本科出身. 特進科名, 自此始, 然此特出於一時之恩命, 非經常可久可行之事也. 前朝之時, 每當式年, 聽擧人自願, 不拘其數, 例賜科目, 謂之恩賜及第. 非徒無益於取士, 抑亦有乖於自上恩賜之意, 我朝因循, 迄今未革,

[是月辛酉朔, 宋改元咸平:追加].

[二月庚寅朔^{大盡,乙卯}:追加].
[是月戊申^{19日}, 宋賜金成績及第:追加].¹⁰⁾

三月^{庚申朔小盡,丙辰}, [某日], 賜姜周載等及第.¹¹⁾
[某日, 以諸郡縣戶長, 年七十者爲安逸戶長, 仍賜職田之半:節要轉載].¹²⁾

夏四月^{己丑朔小盡,丁巳}, 壬子^{24日}, 謁大廟^{太廟}, 祔成宗, 以侍中崔承老·大師^{太師}崔亮配享, 赦.
○以王生日爲長寧節.
是月, 契丹以前王薨, 勑還納幣之物.

五月^{戊午□}^{朔大盡,戊午},¹³⁾ 教有司曰, "太祖及皇考忌齋, 各限五日焚修, 輟朝一日, 惠·定·光·戴·成忌齋, 各限一日, 以爲常式".¹⁴⁾

實爲未便, 自今科擧, 停罷恩賜".
10) 이는 다음의 자료에 의거하였다. 여기에서 d.高麗[高句麗]가 처음으로 賓貢進士를 보냈다는 내용은 잘못이다. 그 외에 고려 측의 자료에도 金成績이 賓貢으로 급제하였다는 기록이 있다(『졸고천백』 권2, 「送奉使李中父還朝序」; 『고려사절요』 권2, 목종 원년 是歲 ; 지28, 선거2, 科目2, 制科).
 • a『옥해』 권116, 選擧, 科擧, 咸平賓貢, "咸平元年二月戊申, 賜高麗賓貢進士金成績及第, 附春牓".
 • b『송회요집고』 107책, 選擧1, 貢擧, "眞宗咸平元年二月十九日, … 詔放合格進士孫僅已下五十一人, '文獻通考', 眞宗咸平元年二月, 詔禮部放牓, 得進士孫僅已下五十人·高麗賓貢一人".
 • c『문헌통고』 권30, 選擧考3, 擧士, "眞宗咸平元年, 詔禮部放牓, 得進士孫僅以下五十人·高麗賓貢一人, 自淳化五年, 停擧凡五年, 至是始行之".
 • d『송사』 권155, 지108, 選擧1, 科目上, "自淳化末, 停貢擧五年, 眞宗創位, 復試, 以高句麗始貢一人".
11) 이와 관련된 기사로 다음이 있다.
 • 지27, 선거1, 科目1, 選場, "^{穆宗元年三月}, 左司郎中崔成務知貢擧, 取進士, 賜甲科姜周載等七人·乙科二十五人·同進士十八人·恩賜一人·明經二十人·明法二十三人·明書五人·明十一人及第".
12) 이 기사와 관련된 자료로 다음이 있다.
 • 지29, 선거3, 銓注, 鄕職, "穆宗元年三月, 判制, 諸州縣戶長, 年滿七十, 屬安逸".
 • 지32, 食貨1, 田制, 田柴科, "穆宗元年三月, 賜郡縣安逸戶長, 職田之半".
13) 戊午에 朔이 탈락되었다.
14) 輟朝는 帝王이 어떠한 事案으로 인해 政務를 論議하는 것[臨朝聽政]을 停止하는 것을 가리킨다.
 • 『구당서』 권17下, 본기17下, 文宗下, 開成 5년, 史臣曰, "… 初, 帝在藩時, 喜讀'貞觀政要', 每見太宗孜孜政道, 有意十效, 泊卽位之後, 每延英對宰臣, 率漏下十一刻. 故事, 天子隻日視事, 帝謂宰輔曰, 朕欲與卿等每日視見, 其輟朝, 放朝, 用雙日可也". 여기에서 隻日은 一日[單日]을 가리킨다.

[六月戊子朔^{小盡,己未}:追加].

秋七月^{丁巳朔大盡,庚申}, 庚午^{14日}, □^守太保·內史令徐熙卒.¹⁵⁾ [年五十七, 賻贈甚厚, 謚^諡彰威, 以禮葬之. 配享成宗廟庭:節要轉載].¹⁶⁾

癸未^{27日}, 改西京爲鎬京.

[八月丁亥朔^{人盡,辛酉}:追加].
[九月丁巳朔^{小盡,壬戌}:追加].
[冬十月丙戌朔^{大盡,癸亥}:追加].
[十一月丙辰朔^{人盡,甲子}:追加].

[十二月^{丙戌朔小盡,乙丑}, 某日, 改定文武兩班及軍人田柴科. 其一科, 田一百結·柴七十結, 以次遞降, 摠十八科. 又限外科, 給田十七結:節要轉載].

[→改定文武兩班及軍人田柴科.

第一科, 田一百結, 柴七十結[內史令, 侍中].

第二科, 田九十五結, 柴六十五結[內史·門下侍郎平章事, 致仕侍中].

第三科, 田九十結, 柴六十結[參知政事, 左·右僕射, 檢校太師].

第四科, 田八十五結, 柴五十五結[六尙書, 御史大夫, 左·右散騎常侍, 太常卿, 致仕左·右僕射, 太子太保].

第五科, 田八十結, 柴五十結[秘書·殿中·少府·將作監, 開城尹, 上將軍, 散左·右僕射].

第六科, 田七十五結, 柴四十五結[左·右丞, 諸侍郎, 諫議大夫, 大將軍, 散六尙書].

第七科, 田七十結, 柴四十結[軍器·太常少卿, 給舍·中丞, 太子賓客, 太子詹事, 散卿·監·侍郎].¹⁷⁾

第八科, 田六十五結, 柴三十五結[諸少卿·少監, 國子司業, 諸衛將軍, 太卜監, 散軍器監·上將軍, 太子庶子].

---

15) 이날은 율리우스曆으로 998년 8월 8일(그레고리曆 8월 13일)에 해당한다.

16) 이와 관련된 기사로 다음이 있다. 徐熙는 현재 京畿道 利川市 官庫洞 雪峰書院에 配享되어 있고, 그의 墓所도 利川市에 있다.
· 지18, 禮6, 諸臣喪, "^{穆宗元年}七月, 內史令徐熙卒. 賻布千匹·麵麥三百石·米五百石·腦原茶二百角·大茶十斤·梅香三百兩, 謚章威, 以禮葬之".
· 열전7, 徐熙, "穆宗元年卒, 年五十七, 聞訃震悼, 賻布一千匹·麥三百石·米五百石·腦原茶二百角·大茶十斤·梅香三百兩, 以禮葬之, 謚章威. 顯宗十八年, 配享成宗廟庭, 德宗二年, 加贈太師".

17) 여기에서 給舍는 給事中과 中書舍人(모두 從4品)의 合稱이다.
· 『曲洧舊聞』 권6, "自崇寧以來, 給事多不論駁, 靖康新政 人人爭言事, 唐恪在鳳池, 謂朝請大夫工仰曰, 近來, 給令封駁太多, 而晁^{晁說}之令人特甚, 朝廷幾差, 除不行也".

第九科, 田六十結, 柴三十三結[諸郎中, 軍器少監, 秘書·殿中丞, 內常侍, 國子博士, 中郎將, 折衝都尉, 太醫監, 閤門使, 宣徽諸使·判事, 散少卿, 少監].

第十科, 田五十五結, 柴三十結[諸員外郎, 侍御史, 起居郎舍, 諸局奉御, 內給事, 諸陵令, 郎將, □□^{折衝}果毅, 太卜少監, 太史令, 閤門副使, 散郎中·大將軍·閤門使·太醫監, 太子諭德·家令·率更令·僕].

第十一科, 田五十結, 柴二十五結[殿中侍御史, 左·右補闕, 寺·監丞, 秘書郎, 國子助教, 大學^{太學}博士, 太醫少監, 尙藥奉御, 通事舍人, <u>宣徽諸使使</u>, 太子中允·中舍人, 散員外郎·太卜少監·太史令·諸奉御·閤門副使].[18]

第十二科, 田四十五結, 柴二十二結[太常博士, 左·右拾遺, 監察御史, 內謁者監, 六衛長史, 六局直長, 軍器丞, 太子洗馬, 四官正, 散諸衛將軍·寺·監·丞, 太醫少監, 尙藥奉御, 宣徽諸使使].

第十三科, 田四十結, 柴二十結[尙書, 錄事, 都事, 內侍伯, 寺監, 注簿, 四門博士, 太學助教, 及中尙·京市·武庫太官·太倉·典廐·供御·典客·太樂令, 諸陵丞, 別將, 太卜·太史丞, 侍御醫, 尙藥直長, 內殿崇班, 大理評事, 閤門祗候, 宣徽諸使副使, 散直長·中郎將·折衝都尉·四官正, 藥藏郎, 典膳·內直·宮門郎, 典設郎].

第十四科, 田三十五結, 柴十五結[六衛錄事, 正八品丞·令, 內謁者, 東·西頭供奉官, 散員, 指揮使, 協律郎, 太子監丞, 散寺監·注簿·郎將·□□^{折衝}果毅·內殿崇班·閤門祗候·太卜·太史丞·侍御醫·尙藥直長·宣徽諸使副使].

第十五科, 田三十結, 柴十結[八品丞·令, 秘書校書郎, 四門助教, <u>諸尉</u>^{折衝}校尉, 靈臺郎, 保章正, 挈壺正, 太醫丞·博士, 律學博士, 左·右侍禁, 左·右班殿直, 散正八品及散別將·指揮·供奉官].

第十六科, 田二十七結[太祝, 司廩, 司庫, 九品丞·主事·錄事, 秘書正字, 製述·明經登科將仕郎, 書·算學博士, 司辰, 司曆, 卜博士, 卜正, 監候, 食醫, 醫正, 醫佐, 律學助教, 篆書博士, 宣徽諸使判官, <u>諸尉</u>^{折衝}隊正, 殿前承旨, 中樞·宣徽·銀臺別駕, 散校尉·左右班殿直·侍禁].

第十七科, 田二十三結[諸業將仕郎, 令史, 書史, 監事, 監作, 書令史, 楷書內承旨, 客省·閤門承旨, 借殿前承旨, 親事, 內給事, 馬軍, 散殿前承旨·隊正].

第十八科, 田二十結[散殿前副承旨, 大常司儀·齋郎, 國子典學·知班·注藥·藥童·軍將官·通引·廳頭·直省·殿驅官·堂引·追仗·監膳·引謁等流外雜職, 諸步軍].

不及此限者, 皆給田十七結, 以爲常式:食貨1田柴科轉載].

[是年初, 契丹使來, 致祭, 命王權知高麗國事:追加].[19]

---

18) 宣徽使[宣徽院]의 淵源에 대한 註釋으로 다음이 있다.
  ·『자치통감』권243, 唐紀59, 穆宗長慶 3년(823) 4월, "丙申17日, 賜宣徽院供奉官錢, 紫衣者百二十緡, 下至承旨各有差[胡三省注, 唐中世以後, 置宣徽院, 以宦者主之. 其大朝賀及聖節上壽, 則宣徽使宣答. 徐度 '卻掃編'曰, '宣徽使, 本唐宦者之官, 故其所掌皆瑣之事. 本朝更用士人, 品秩亞二府, 有南·北院, 南院比北院資望尤優, 然其職猶多因唐之舊. …]".
19) 이는 다음의 자료에 의거하였다.
  ·『요사』권13, 본기13, 聖宗4, 統和 15년 12월, "甲寅^{23日}, 遣使祭高麗王<u>治</u>, 詔其姪權知國事".

[○尙書禮部侍郞蔡仁範卒, 年六十五. 贈禮部尙書, 賻贈又厚, 後^{顯宗卽位年}贈尙書右僕射:追加].²⁰⁾

己亥[穆宗]二年, 契丹統和十七年, [宋咸平二年], [西曆999年]

999년 1월 20일(Gre1월 25일)에서 1000년 2월 7일(Gre2월 12일)까지, 13개월 384일

[春正月乙卯朔^{大盡,丙寅}:追加].

[二月乙酉朔^{小盡,丁卯}:追加].

[三月庚寅朔^{大盡,戊辰}:追加].

[閏三月甲申朔^{小盡,戊辰}:追加].

[夏四月癸丑朔^{小盡,乙巳}:追加].

[是月, 僧海麟受具足戒於龍興寺戒壇:追加].²¹⁾

[五月壬午朔^{大盡,庚午}:追加].

[六月壬子朔^{小盡,辛未}:追加].

秋七月^{辛巳朔大盡,壬申}, [某日], 作眞觀寺于城南, 爲太后願刹.

[八月辛亥朔^{小盡,癸酉}:追加].

[九月庚辰朔^{大盡,甲戌}:追加].

冬十月^{庚戌朔大盡,乙亥}, [某日], 幸鎬京齋祭, 赦, [蠲田租一年, 所歷州縣, 半之:節要轉載].²²⁾ 存問耆老, 賜物. 兩京諸鎭軍, 年八十以上有職者增級, 無職者除陪戎校尉, 扈駕八品以下員吏·軍人, 賜物有差. [鎬京醫·卜業生, 在學滿二十年, 年踰五十者, 並許脫麻, 鎬京文武三品以上官妻,

---

・『요사』권115, 열전45, 二國外紀, 高麗, "統和十五年十二月, 遣使致祭, 詔其姪權知國事".

20) 이는 「蔡仁範墓誌銘」에 의거하였는데, 그는 蔡忠順의 父로 추측되고 있다(金龍善 2006년 6面).

21) 이는 「原州法泉寺智光國師玄妙塔碑」에 의거하였다(국보 제59호, 許興植 1984년 517面 ; 李智冠 2004년 2冊 358面).

22) 이 句節과 관련된 기사로 다음이 있다.
・지34, 食貨3, 恩免之制, "除鎬京一年租, 所歷州縣, 半之".

寡居守節者, 封爵:節要轉載].[23]

[十一月庚辰朔^{大盡,丙子}:追加].

[十二月庚戌朔^{小盡,丁丑}:追加].

[□□^{芝盡}],[24) 契丹遣右常侍^{右散騎常侍}劉績來, 加冊王, △^爲尙書令.[25]

○日本國人道要彌刀等二十戶來投, 處之^{廣州}利川郡, 爲編戶.

[○遣吏部侍郎朱仁紹如宋,帝特召見.仁紹自陳國人思慕華風,爲契丹劫制之狀.帝賜詔齎還→穆
宗3年으로 옮겨감].

[○以竹山七長寺僧鼎賢爲大師:追加].[26]

庚子[穆宗]三年, 契丹統和十八年, [宋咸平三年], [西曆1000年]

1000년 2월 8일(Gre2월 13일)에서 1001년 1월 27일(Gre2월 2일)까지, 355일

[春正月己卯朔^{大盡,戊寅}:追加].

[二月己酉朔^{小盡,己卯}:追加].

[三月戊寅朔^{大盡,庚辰}:追加].

[夏四月戊申朔^{小盡,辛巳}:追加].

[五月丁丑朔^{小盡,壬午}:追加].

[六月丙午朔^{大盡,癸未}:追加].

[秋七月丙子朔^{小盡,甲申}:追加].

[八月乙巳朔^{大盡,乙酉}:追加].

[九月乙亥朔^{小盡,丙戌}:追加].

---

23) 鎬京의 分司에 재직하던 文武三品以上官의 妻에 대한 封爵은 지29, 選擧3, 封贈에도 수록되어 있다.

24) 이 위치에서 是歲가 탈락되었을 것이다.

25) 『고려사절요』에는 爲가 더 있는데, 그렇게 해야 옳게 될 것이다. 또 거란이 고려에 使臣을 파견한 것이
前年 11월이었기에, 이 기사는 이해의 1월에 있었던 사실로 추측된다. 또 右常侍는 右散騎常侍의 略稱
인데, 契丹에서도 정식 명칭을 사용하였다(→현종 14년 4월 7일).
· 『요사』 권14, 본기14, 聖宗5, 統和 16년, "十一月, 遣使冊高麗國王誦".
· 『요사』 권115, 열전45, 二國外紀, 高麗, 統和十六年, "遣使冊誦爲王".

26) 이는 「竹山七長寺慧炤國師塔碑」에 의거하였다.

冬十月^{甲辰朔大盡,丁亥}, [某日], 創崇敎寺, 爲願刹.²⁷⁾

[十一月甲戌朔^{大盡,戊子}:追加].

[十二月甲辰朔^{大盡,己丑}:追加].

是歲, 賜宋翃等及第.²⁸⁾

[○遣吏部侍郎朱仁紹如宋^{吏部侍郎·知銀臺事趙之遴, 遣牙將朱仁紹如宋}, 帝特召見. 仁紹自陳國人思慕華風, 爲契丹劫制之狀. 帝賜詔齎還←穆宗2年에서 옮겨옴].²⁹⁾

[○城德州七百八十四閒, 門五, 水口九, 城頭二十四, 遮城三:兵2城堡轉載].³⁰⁾

[○改^{金州·安東都護府}爲安東大都護府:追加].³¹⁾

[○以^{翰林學士}柳邦憲爲中樞院副使:追加].³²⁾

---

27) 崇敎寺는 開京의 南部에 위치해 있었던 것 같고, 15세기 후반에는 廢寺되어 遺址만 남겨져 있었던 것 같다.
  · 『신증동국지승람』 권5, 開城府下, 古跡, "崇敎寺, 在南部歡喜坊, 今有長竿·趺石".

28) 이와 관련된 기사로 다음이 있다.
  · 지27, 선거1, 科目1, 選場, "^{穆宗三年}^{翰林學士}柳邦憲□□□^{知貢擧}, 取進士, 賜甲科宋翃等八人·乙科七人·明經八人及第".

29) 이 자료는 아래에 인용된 中國 측의 자료에 의하면 999년(목종2)의 사실이 아니라 1000년(咸平3, 목종3) 10월에 일어났던 사건이다[校正事由]. 또 이 구절은 吏部侍郎 趙之遴이 牙將 朱仁紹를 登州에 보내어 이보다 먼저 파견한 兵校 徐遠의 事情을 살피게 한 것이다. 그래서 "吏部侍郎趙之遴, 遣牙將朱仁紹如宋"으로 고쳐야 옳게 된다.
  · 『속자치통감장편』 권47, 咸平 3년 10월, "庚午, 自淳化末, 高麗朝貢中絶, 及王治卒, 弟誦立, 嘗遣兵校徐遠來, 候朝命, 遠久不至. 於是, 其臣吏部侍郎趙之遴, 遣牙將朱仁紹, 至登州偵之, 州以聞. 上特召見仁紹, 勞問賜以器帛. 仁紹因自陳國人思慕皇化, 爲契丹羈制之狀. 乃賜誦鈿函詔一通, 令仁紹齎送. 時明州又言, 高麗國民池達等八人, 以海風壞船, 漂至鄞縣, 詔付登州給資糧, 俟便, 遣歸其國".
  · 『송사』 권487, 열전246, 外國3, 高麗, "治卒, 弟誦立, 嘗遣兵校徐遠來, 候朝廷德音, 遠久不至, 咸平三年, 其臣吏部侍郎趙之遴, 命牙將朱仁紹至登州偵之, 州將以聞, 上特召見仁紹. 因自陳國人思慕皇化, 爲契丹羈制之狀, 乃賜誦鈿函詔一通, 令仁紹齎還".
  · 『元豊類藁』 권31, 高麗世次, "治死, 弟誦立. 誦初立, 遣兵校徐遠來, 候朝廷德音, 遠久不全. 咸平三年, 其臣吏部侍郎趙之遴, 命牙將朱仁紹, 至登州訪之, 州以聞, 召見. 仁紹回. 因賜誦鈿函詔".
  · 『옥해』 권154, 朝貢, 錫予外夷, "咸平三年十月, 王誦遣周仁紹^{朱仁紹}至登州, 自陳慕化之意. 召見便殿, 賜誦鈿函詔". 이상과 유사한 자료가 『고려도경』 권2, 王氏 ; 『문헌통고』 권325, 四裔考2, 高句麗에도 수록되어 있다.

30) 이는 지36, 兵2, 城堡 ; 『고려사절요』 권2, 목종 3년에서 전재한 것이다.

31) 이는 다음의 자료에 의거하여 추가한 것이다.
  · 『경상도지리지』, 晋州道, 金海都護府, "穆宗庚子, 改爲安東大都護府".

32) 이는 「柳邦憲墓誌銘」에 의거하였다.

辛丑[穆宗]四年, 契丹統和十九年, [宋咸平四年], [西曆1001年]

1001년 1월 28일(Gre2월 3일)에서 1002년 2월 14일(Gre2월 20일)까지, 13개월 383일

[□□□□^{某丹某卅}, 以^{內史侍郞卒章事}韓彦恭爲門下侍中:列傳6韓彦恭轉載].

[春正月甲戌朔^{小盡,庚寅}:追加].

[二月癸卯朔^{大盡,辛卯}:追加].

[三月癸酉朔^{小盡,壬辰}:追加].

[夏四月壬寅朔^{大盡,癸巳}:追加].

[五月壬申朔^{小盡,甲午}:追加].

[六月辛丑朔^{小盡,乙未}:追加].

[秋七月庚午朔^{大盡,丙申}:追加].

[八月庚子朔^{小盡,丁酉}:追加].

[九月己巳朔^{大盡,戊戌}:追加].

[冬十月己亥朔^{小盡,己亥}:追加].

冬十一月^{戊辰朔大盡,庚子}, [某日], 幸中原府, 巡省風俗, 宴群臣, 赦. [所歷州縣, 蠲田租一年:節要轉載], 扈從官及所歷州郡官, 加一階, 賜物有差. [王還至長湍, 謂侍中韓彦恭曰, "此卿本貫也, 念卿功勞, 陞爲湍州":節要轉載].³³⁾

[→幸中原府, 巡省風俗, 所歷州縣, 減田租一年, 其就行程, 祗奉州縣, 半之:食貨3恩免之制轉載].

[十二月戊戌朔^{大盡,辛丑}:追加].

[閏十二月戊辰朔^{小盡,辛丑}:追加].

[是年, 中原府長淵縣^{某延縣}, 水田三結, 陷爲池, 深不可測:節要·五行3轉載].³⁴⁾

[○城永豊·平虜二鎭:兵2城堡轉載].³⁵⁾

---

33) 이와 같은 기사가 열전6, 韓彦恭에도 수록되어 있다.

34) 이 기사에서 長淵縣은 西海道 瓮津縣의 屬縣이고, 長延縣은 忠州牧의 屬縣이므로 後者가 옳을 것이다(지 10, 지리2, 忠州牧·권58, 瓮津縣).

35) 이 기사와 관련된 자료로 다음이 있다.

壬寅[穆宗]五年, 契丹統和二十年, [宋咸平五年], [西曆1002年]

1002년 2월 15일(Gre2월 21일)에서 1003년 2월 3일(Gre2월 9일)까지, 354일

[春正月丁酉朔^{人盡,壬寅}:追加].

[二月丁卯朔^{大盡,癸卯}:追加].

[三月^{丁酉朔小盡,甲辰}, 某日, <u>崔成務</u>知貢擧, 取進士:選擧1選場轉載].

夏四月^{丙寅朔大盡,乙巳}, 壬申^{7日}, 親享<u>大廟</u>^{太廟}, 加上先王·先后徽號. [是時, 加諡太祖曰元明, 太祖妃神靜王太后皇甫氏曰定憲. 惠宗曰明孝, 惠宗妃義和王后林氏爲成懿, 定宗曰章敬, 定宗妃文恭王后朴氏爲淑節, 光宗曰宣烈, 光宗妃大穆王后皇甫氏爲安靜, 景宗曰成穆, 景宗妃獻肅王后金氏爲溫敬, 戴宗曰和簡, 戴宗妃宣義王后曰貞淑, 成宗曰康威, 成宗妃文德王后劉氏爲孝恭:轉載].[36]

五月^{丙申朔小盡,丙午}, [某日], 敎曰, "<u>余以弱齡</u>, 忝登寶位, 繼祖先之基業, 思邦國之興安. 功不百而不行, 利非千而不務, 必欲延洪社稷, 開濟生靈. 爰自前年, 迄于近日, 不揣心之所欲, 謂爲時之可行. 或不念居安思危, 臨深履薄, 廣徵土木, 勞役軍夫, 築高臺而作深池, 爲資遊賞, 役人戶而造佛寺, 漫有經營. 此雖皆從執奏而施行, 豈非一人之失德? 非但致軍中之怨讟, 抑亦爲宇內之艱難, 若有訓衆而練兵, 若有彼侵而我伐, 將何買勇, 將何得人? 何異截羽翼而欲高飛, 去舟楫而涉大水? <u>古史</u>云, '芳餌之下, 必有懸魚, 善賞之朝, 必有勇士'.[37] 古猶如此, 今豈無之? 庶欲防已往之愆違, 尤勵將來之懲勸. 特宣朕意, 用示軍行, 宜其所司, 各成六衛軍營, <u>備置職員</u>·將帥, 令其軍士, 蠲除<u>雜役</u>".[38]

[六月^{乙丑朔小盡,丁未}, 某日, 耽羅山開四孔, <u>赤水湧出</u>, 五日而止, 其水皆成瓦石:節要·五行3轉載].[39]

- 지12, 地理3, 東界, 永豊鎭, "永豊鎭, 本甑人伊, 穆宗四年置, 後改爲縣".
- 『고려사절요』권2, 목종 4년, "□□^{未詳}, 城平虜鎭".

36) 이들 諡號는 세가편에 수록되어 있는 歷代帝王의 기사 ; 열전1, 王妃 ; 열전3, 王子에서 拔萃한 것이다.

37) 古史는 『後漢書』를 가리키는 것 같다.
- 『후한서』권21, 耿純列傳第11에 "重賞甘餌, 可以聚人者也. 徒以恩德懷之, 是故士衆樂附[李黃賢注, 黃石公記曰, 芳餌之下, 必有懸魚, 重賞之下, 必有死夫]"(→태조 26년 4월 訓要 7條).

38) 이와 관련된 기사로 다음이 있다.
- 지31, 百官2, 西班, "穆宗五年, 備置六衛職員".
- 지35, 兵1, 五軍, "穆宗五年五月, 作六衛軍營, 備置職員·將帥, 令其軍士, 蠲除雜役".

[是月, 高麗人寄着日本太宰府:追加].[40]

[秋七月^{甲午朔大盡,戊申}, 某日, 教曰, "自古有國家者, 率先養民之政, 務崇富庶之方. 或開三市, 以利民, 或用二銖, 而濟世, 遂使生靈滋潤, 風俗淳厖. 惟我先朝, 式遵前典, 爰頒丹詔, 俾鑄<u>靑蚨</u>, 數年貫索盈倉, 方圓適用, 仍命重臣而開宴, 旣諏吉日以使錢, 自此以來, 行之不絶.[41] 寡人, 叨承丕緒, 祇奉貽謀, 特興貨買之資, 嚴立遵行之制, 近覽侍中<u>韓彦恭</u>上疏言 '欲安人而利物, 須仍舊以有恒, 今繼先朝而使錢, 禁用麤布, 以駭俗, 未遂邦家之利益, 徒興民庶之怨嗟'. 朕, 方知啓沃之精詞, 可弃遺而不納, 便存務本之心, 用斷使錢之路, 其茶酒食味等諸店交易, 依前使錢外, 百姓等, 私相交易, 任用土宜":食貨2貨幣轉載].[42]

秋八月甲子□^{朔小盡,己酉}, 賜<u>朴元徽</u>等及第.[43]

---

39) 이는 耽羅[現 濟州道]의 漢拏山 一帶의 火山噴出로 추측되는데, 일본에서는 이달[是月, 6월] 12일(丙子, 高麗曆과 同一) 大雷가 있었다고 한다.
   · 『權記』, 長保 4년 6월, "十二日丙子, 淡路守朝臣調食物, 一兩大夫等來. 大雷. …".

40) 이는 다음의 자료에 의거하였다. 이들 자료는 다자이후[大宰府]가 그곳에 도착한 高麗人에 대해 보고한 것에 대해 일본 국왕이 2件의 문서[宣旨]를 내렸다는 것이다. 이를 통해 구체적인 내용을 알 수 없으나, 다자이후에 도착한 고려 漂流人[流來高麗人] 4人 및 移住를 희망한 고려인[參來高麗人] 20人에게 각각 1文을 지급하라고 한 것만 알 수 있다. 이들 고려인을 일본 측이 어떻게 처리하였는지는 알 수 없으나, 過去의 사례에 의거하여 귀국시켰을 것으로 추측된다(南基鶴 2000년).
   · 『百練抄』第4, "長保四年六月廿七日, 諸卿定申高麗國人, 不堪彼國苛酷, 引卒伴類, 可住日本國之由言上事".
   · 『小記目錄』16, 異朝事, "同^{長保}四年六月廿七日, 高麗國人, 不堪彼國苛酷, 引率來著^耆事, 有公卿定事".
   · 『權記』, 長保 4년 7월 16일, "十六日乙酉, 參殿, 而左少史^{藥原}爲孝一人候, 仍退出□^耆詣左府^{藥原道民}, 詣東院, 下給宣旨二枚, 大宰府申流來高麗人四人文一枚, 又申參來同國人二十人文一枚".

41) 靑蚨는 銅錢을 가리키고, 이 句節은 996년(성종15) 4월 鐵錢[乾元重寶]의 通用에 대한 서술이다.

42) 이 기사와 관련된 자료로 다음이 있다. 이때 乾元重寶라는 화폐가 발행되었는데, 모두 紋樣이 없는 圓錢方空이며, 背面에 錢文이 없는 것, 字體가 다른 東國二字가 새겨져 있는 2種 등 3種이다. 이들은 함께 出土되었으며 質은 후박하지만 字는 얕게 새겨져 있고, 製作手法이 精緻하지 못하고 素朴하였다[銅質厚字淺, 製作粗朴]고 한다(藤間治郎 1918년 ; 奧平昌洪 1938년 권15). 또 이들과 함께 출토된 南唐의 開元通寶는 銘文에서 篆書와 隷書로 새겨진 두 종류가 있었는데, 이를 高麗錢으로 추정한 바도 있다(奧平昌洪 1938년). 그렇지만 고려 초기에 南唐과 외교관계를 맺고 있었기에 그때 流入된 銅錢으로 理解하는 것이 좋을 것이다.
   · 『고려사절요』 권2, 목종 5년 7월, "某日, 敎曰, 近覽侍中韓彦恭上疏言, '今繼先朝而使錢, 禁用麤布, 以駭俗, 未遂邦家之利益, 徒興民庶之怨嗟'. 其茶酒諸店, 交易依前使錢外, 百姓等, 私相交易, 任用土宜".
   · 열전6, 韓彦恭, "時全用錢幣, 禁麤布, 民頗患之, 彦恭上疏, 論其弊, 王納之".

43) 甲子에 朔이 탈락되었다. 이와 관련된 기사로 다음이 있다.
   · 지27, 선거1, 科目1, 選場, "^{穆宗}五年三月, 崔成務知貢擧, 取進士, 八月, 下敎, 賜乙科朴元徽等三人·丙科六人·明經十九人及第".

[九月癸巳朔大盡,庚戌:追加].

[冬十月癸亥朔小盡,辛亥:追加].

[十一月壬辰朔大盡,壬子:追加].

[十二月壬戌朔小盡,癸丑:追加].

[是年, 安東·金州大都護府改差:追加].⁴⁴⁾

[○遣使如契丹, 賀伐宋捷, 又遣使, 獻本國地理圖:追加].⁴⁵⁾

癸卯[穆宗]六年, 契丹統和二十一年, [宋咸平六年], [西曆1003年]

1003년 2월 4일(Gre2월 10일)에서 1004년 1월 24일(Gre1월 30일)까지, 355일

春正月辛卯朔大盡,甲寅, [某日], 敎曰, "昔我太祖, 旣偃干戈, 大開庠序, 王室宗支, 橫經問道, 蓬廬賤子, 負笈追師, 累朝以來, 才士不乏. 予謬以眇冲, 嗣守艱大, 欲廣眞儒之道, 以崇往聖之猷. 但以誨人不倦者, 靡多, 好古敏求者, 盖寡. 州鄕之內, 黌校之中, 或因小利, 或逐異端, 師長之敎授漸惰, 後學之功業不成. 今者, 闢闢容賢之門, 恢弘進善之路, 其三京·十道群僚庶官, 體朕諭言, 勸其藝業. 令文儒醫卜之輩, 就經明博達之師, 博士師長, 獎勸生徒, 有勤勞者, 錄名申聞. [管內有才學者, 逐年薦擧, 勿墜恒規":節要轉載].⁴⁶⁾

二月辛酉□朔人盡,乙卯,⁴⁷⁾ 敎曰, "唐以八元而理, 周因十亂而興, 爲國所資, 惟賢而已. 余幼失義方, 長無師訓. 臨朝蒞事, 慄慄兢兢. 豈謂去年以來, 屢見乾坤之變, 又多邊境之憂, 但深責己之

---

44) 이는 『동도역세제자기』에 의거하였는데, 이의 의미를 구체적으로 알 수 없으나 994년(성종13, 統和12) 慶州에 위치한 安東大都護府가 東京留守官으로 승격함에 따라 이루어진 後續措置로 安東大都護府가 金州(現 慶尙南道 金海市)로 移轉하였던 것으로 이해된다.

45) 이는 다음의 자료에 의거하였다.
· 『요사』 권14, 본기14, 聖宗5, 統和 20년 2월, "丁丑11日, 高麗遣使賀伐宋捷".
· 『요사』 권115, 열전45, 二國外紀, 高麗, "統和二十年, 誦遣使賀伐宋之捷".
· 『요사』 권14, 본기14, 聖宗5, 統和 20년 7월, "辛丑8日, 高麗遣使來, 貢本國地理圖".
· 『요사』 권70, 표8, 屬國表, "統和二十年六月辛丑, 高麗遣使來, 進本國地理圖".
· 『요사』 권115, 열전45, 二國外紀, 高麗, "統和二十年七月, 來貢本國地理圖".

46) 이와 같은 기사가 지29, 選擧2, 學校에도 수록되어 있다.

47) 辛酉에 朔이 탈락되었다.

懷, 敢有尤人之念? 追思曩代, 或覽策書, '宋公發善言, 妖星退舍',[48] '隋主^{隨+}修德政',[49] 隣寇寢兵. 是知小善亦能動天感人. 克己自勤, 安敢飾非拒諫? 今見上自台輔, 下至庶僚, 曾無謇諤之言, 但有阿諛之說. 嗚呼, 言而不用, 余^予宜自慚, 危而不扶, 誰任其咎? 京官五品以上, 各上封事, 皆陳藥石之辭, 共贊邦家之業".[50]

[丁巳^{某甲}, 有流星, 光燭于地:天文1轉載].[51]

[三月辛卯朔^{小盡,丙辰}:追加].
[夏四月庚申朔^{人盡,丁巳}:追加].
[五月庚寅朔^{小盡,戊午}:追加].

[六月己木朔^{人盡,己木}, 某日, 制, "五品以下官吏, 父母喪, 百日後, 所司勸令出仕, 卽上讓表, 不允, 遙謝後, 起復結銜, 以黲服宊角, 出仕":禮6五服制度轉載].

[秋七月己丑朔^{小盡,庚申}:追加].
[八月戊午朔^{大盡,辛酉}:追加].
[九月戊子朔^{小盡,壬戌}:追加].
[冬十月丁巳朔^{大盡,癸亥}:追加].
[十一月丁亥朔^{小盡,甲子}:追加].

---

48) 이 字句와 관련된 자료로 다음이 있다. 여기에서 '熒惑守心, 心宋之分野也'는 '火星[熒惑]이 心星의 座에 들어가 머물렀는데, 大空의 心星은 地上의 宋國(西周以來, 商丘의 위치한 諸侯國, 現 河南省 商丘市 一帶)에 比定되므로'와 같이 읽는 것이 좋을 것이다[讀].
  •『사기』 권38, 宋微子世家第8, "… 景公三十七年, 楚惠王滅陳. 熒惑守心, 心宋之分野也. 景公憂之, 司星子韋曰, '可移于相', … 景公曰, '歲饑民困, 吾誰爲君', 子韋曰, '天高聽卑, 君有君人之言三, 熒惑宜有動'. 於是候之, 果徙三度".
49) 여기에서 隋는 원래 隨(西周以來의 隨國, 現 湖北省 隨州市의 남쪽에 位置)가 옳은데, 組版하는 과정에서 책받침[辶]이 있으면 글자가 크게 되어 다른 글자와의 균형을 맞추기 위해 책받침을 생략하였던 것으로 추측된다. 그리고 南北朝를 통합했던 隋 文帝(581~604 在位)는 隨字의 辶를 불안정한 것이라 하여 隨에서 책받침[辶]를 빼고 國號를 隋라고 하였다고 한다. 또 이 字句와 관련된 자료로 다음이 있다.
  •『춘추좌씨전』傳, 桓公 6년 春, "楚武王侵隨, … 隨侯懼而脩政, 楚不敢伐".
50) 余는 『고려사절요』 권2에는 予로 되어 있는데, 두 글자가 같은 意味이기에 문제가 없으나, 이곳에서만 余를 使用하고 있어 異彩롭다.
51) 이달에는 丁巳가 없고, 1월 27일과 3월 27일이 丁巳이다. 또 日本에서는 3월 27일(丁巳, 高麗曆과 同一함) 비가 심하게 내렸다고 한다.
  •『權記』, 長保 5년 3월, "廿七口丁巳, 甚雨".

[十二月丙辰朔^{大盡,乙丑}:追加].

是年, □□^{懿大}太后皇甫氏與<u>金致陽</u>通, 生子, 謀爲王後, 逼<u>大良君</u>□^{大良院君}君詢爲僧.⁵²⁾

[→千秋太后皇甫氏, 逼大良院君詢爲僧. 初, 洞州人<u>金致陽</u>, 太后外族, 性姦巧, ^{陰能闕輸}. 嘗詐祝髮, 出入千秋宮, 頗有醜聲, 成宗^{惡之}, 杖配遠地. 成宗薨^{穆宗卽位}, 召授閤門通事舍人, 不數年, 貴寵無比, 驟遷至右僕射兼□^判三司事. 百官子^與奪, 皆出其手, 親黨布列, 勢傾中外, ^{貼將公行}. 起第至三百餘間, 臺榭園池, 窮極美麗. 日夜與太后遊戲, 無所畏忌. ^{又役農民} <u>洞州立祠</u>^{立祠洞州}, 額曰星宿寺. 又於宮城西北隅, 立十王寺, 其圖像, 奇怪難狀. 潛懷異志, 以求陰助, 凡器皿, 皆銘其意. 其鍾銘曰, "當生東國之時, 同修善種, 後往西方之日, 共證菩提". 王常欲黜之, 恐傷母志, 不敢也. 至是, 太后生子, 是私致陽所生也. <u>與致陽</u>^{致陽與太后}, 謀爲王後, 忌大良君, <u>强令出家</u>^{逼令爲僧}. 大良君, 時年十二. 後, 寓居三角山神穴寺, 太后潛遣人, 謀害者屢矣, 寺有老僧, 穴地室中, 匿之, 而上置臥榻, 以防不測:節要轉載].⁵³⁾

[→世號千秋太后. 與金致陽通而生子, 欲以其子, 嗣王位. 時顯宗爲大良院君, 太后忌之, 强令出家, 寓居三角山 神穴寺, 時稱神穴小君. 太后屢遣人謀害. 一日, 使內人遺以酒餠, 皆和毒藥. 內人到寺, 求見小君, 欲親勸食, 寺有僧, 輒匿小君於地穴中, 紿之曰, "小君出遊山中, 安知去處耶". 及內人還, 散之庭中, 烏雀食而卽斃. 凡忠臣義士, 尤所忌憚, 多以非罪陷之, 穆宗不能禁:列傳1景宗獻哀王太后皇甫氏轉載].

[○修德州·嘉州·威化·光化四城:節要·兵2城堡轉載].

[○遣戶部侍郎<u>李宣古</u>如宋, 獻方物, 乞王師屯境上, 爲之牽制契丹. 帝不許:追加].⁵⁴⁾

[○□□□□□^{門下侍中崔}<u>彦恭</u>病, 王賜醫藥及車二乘, 往浴溫泉, 命州縣供給. 疾篤, 遣近臣問疾, 又賜廐馬三匹, 以資祈禱, 竟不愈:列傳6轉載].

---

52) 大良君은 大良院君에서 院이 탈락되었을 것이다. 『고려사절요』 권2에는 옳게 되어 있다.

53) 添字는 열전40, 金致陽에 의거하였다. 金致陽을 洞州 豪族인 金行波의 後孫으로 추측한 견해가 있다(金塘澤 1980년).

54) 이는 다음의 자료에 의거하였다.
· 『속자치통감장편』 권55, 咸平 6년 8월, "丙戌, 高麗國王誦, 遣其戶部侍郎<u>李宣古</u>來貢. 且言, 晉割幽·薊, 以屬契丹, 遂直趨元^玄菟, 屢來攻伐, 求取無厭, 乞<u>王</u>師屯境上, 爲之牽制. 詔書優答焉, 上謂輔臣曰, 晉祖, 何不厚利謝敵, 遽以土地民衆委之, 遺患至今, 蓋彼朝乏人故也".
· 『송사』 권487, 열전246, 外國3, 高麗, "^{咸平}六年, 誦遣使戶部侍郎<u>李宣古</u>來朝, 謝恩. 且言, 晉割幽·薊, 以屬契丹, 遂有路直趣玄菟, 屢來攻伐, 求取不已, 乞王師屯境上, 爲之牽制, 詔書優答之".
· 『송회요집고』 199책, 蕃夷7, 歷代朝貢, "^{咸平六年八月}二十九日, 高麗國<u>王王誦</u>, 遣使<u>李宣古</u>來貢".
· 『옥해』 권154, 朝貢, 獻方物, "咸平六年八月, <u>王誦</u>遣使來貢".
· 『元豊類藁』 권31, 高麗<u>世次</u>, "咸平六年, 來貢, 乞師, 優詔答之".

甲辰[穆宗]七年, 契丹統和二十二年, [宋景德元年], [西曆1004年]

1004년 1월 25일(Gre1월 31일)에서 1005년 2월 11일(Gre2월 17일)까지, 13개월 384일

[春正月丙戌朔^{小盡,丙寅}:追加].

[是月丙戌朔, 宋改元景德元年:追加].

[二月乙卯朔^{大盡,丁卯}:追加].

春三月^{乙酉朔小盡,戊辰}, [某日], 改定科擧法.

[先是, 每春月試取, 或至秋冬放牓. 至是, 始定以三月開場, 鎖闈十日, 一日, 貼禮經十條, 明日試詩·賦, 越一日, 試時務策, □□□^{至十日}, 定奏科第, □^乃開鎖. □^其明經以下諸業, 上年十一月, 試取^{畢還}, 與進士, 同日放牓, 以爲恒式:節要轉載].⁵⁵⁾

[是月, 于陵嶋人十一人寄着日本因幡國:追加].⁵⁶⁾

夏四月^{甲寅朔大盡,己巳}, [某日], 賜黃周亮等及第.⁵⁷⁾

---

55) 貼禮經에서 貼經은 帖經으로도 표기하며 應試者가 學習한 經書의 1行만을 남겨 놓고 全面을 덮고, 다시 1행의 몇 글자만을 보여주면서 내용을 파악하게 하는 시험방법이다. 또 添字는 지27, 選擧1, 科目에서 달리 표기된 글자이다.
   · 『통전』 권15, 選擧3, 歷代制下, 人唐, "帖經者, 以所習經, 掩其兩端, 中閒開唯一行, 裁紙爲帖, 凡帖三字, 隨時增損, 可否不一, 或得四, 得五六者, 爲通".
   · 『隨園隨筆』 권10, 科第類, 三場雖定八月, 而試期可改, "天宝十三載, 擧人間策外, 加詩·賦·貼經, 爲三場".
   · 『속자치통감장편』 권24, 太宗, 太平興國 8年 12月 癸卯, "… 進士免貼經, 只試墨義二十道, 皆以經中正文大義爲問題".

56) 이는 다음의 자료에 의거하였다. 이들 자료는 고려의 于陵嶋(鬱陵島)人 忻就悅(혹은 折就悅) 등 11人이 因幡國[이나바노쿠니, 現 鳥取縣 東部地域]에 도착하였을 때, 이에 대해 日本國王에게 보고한 후, 見聞한 것을 기록한 것인데, 고려 측의 자료에서 鬱陵島에 가다가 일본에 漂流하였던 예로 1389년(昌王1)에 귀환한 永興君 環이 찾아지고 있다(열전4, 永興君 環 ; 권115, 열전28, 李崇仁).
   · 『權記』, 長保 6年 3月, "七日辛卯, … 因幡國^{藤原惟憲}言上于陵嶋人十一人事等, 定文在別".
   · 『本朝麗藻』 권下, 餞送部, 代迂陵島人感皇恩詩, 源爲憲, "遠來殊俗感皇恩, 彼不能言我代言, 一葦先摧身殀沒, 流蓬暗轉命纔存, 故郷有母秋風淚, 旅舘無人暮雨魂, 豈慮紫泥許歸去, 望雲遙指舊家園".
   · 『本朝麗藻』 권下, 餞送部, 高麗蕃徒之中, 有新羅國迂陵島人忻就悅之者, 其文不優, 頗知詩篇, 臨別之日, 予與一篇, 勘解^{藤原有國}相公, "我尋京洛辭雲去, 君赴高麗棹浪歸, 後會難期何歲月, 秋風宜使雁書飛".
   · 『千載和歌集』 권11, 前人納言公任, 이는 日本語로 되어 있어 原文은 省略한다.
   · 『前大納言公任卿集』, 이는 일본어로 되어 있어 原文은 생략한다(以上에서 생략한 것은 張東翼 2004년 73~74面 參照).

57) 이와 관련된 기사로 다음이 있다.

[五月甲申朔^{大盡,庚午}:追加].

六月^{甲寅朔小盡,辛未}, <u>己未</u>^{6日}, 門下侍中<u>韓彦恭</u>卒, [年六十五:列傳6轉載].⁵⁸⁾ [彦恭, 性敏好學, 赴擧不第. 歷遷至侍中, 累加特進·開國侯·食邑一千戶·監修國史. 王嘗幸平州, 日暮寒甚, 駐輦道傍, 酗飮, 不行, 彦恭進曰, "臣等, 醉飽, 奈軍士何?". 王嘉之, 賜貂鼠裘, 促駕入行宮. 遇事直言, 多類此. 至是, 病, 賜醫藥及安車, 往浴溫泉, 命州縣供給, 又賜廐馬三匹, 以資祈禱, 竟不愈, 卒. 賻米布甚厚, 贈內史令, <u>謚</u>貞信, <u>以禮葬之</u>. 後配享王廟:節要轉載].⁵⁹⁾

[七月癸未朔^{人盡,壬申}:追加].
[八月癸丑朔^{小盡,癸酉}:追加].
[九月壬午朔^{人盡,甲戌}:追加].
[閏九月壬子朔^{小盡,甲戌}:追加].
[冬十月辛巳朔^{人盡,乙亥}:追加].

冬十一月^{辛亥朔小盡,丙子}, 甲寅^{4日}, 幸鎬京齋祭, 赦杖罪以下, [蠲鎬京田租一年, 北邊沿路州縣, 半之:節要·食貨3恩免之制轉載], 養耆老, 加方嶽·州鎭神祇^{神祇}勳號.⁶⁰⁾

· 지27, 선거1, 科目1, 選場, "^{穆宗}七年四月, 內史舍人崔沆知貢擧, 取進士, 下敎, 賜甲科黃周亮等五人·乙科十人·明經四人及第".

58) 이날은 율리우스曆으로 1004년 6월 26일(그레고리曆 7월 2일)에 해당한다. 한편 이때 일본의 교토[京都]에서 前日(5日, 戊午) 오전 11시[巳時] 이전에 비가 내리다가 오후에 그쳤으나 이날[是日]의 밤중에 다시 내렸다고 한다. 그렇지만 7일(庚申)이후에는 계속 비가 내리지 않아 是年 11월에는 京都에서 渴水現象이 심하였다고 한다. 이를 감안해 볼 때 11월 4일(甲寅) 고려에서의 恩免實施는 西京에의 幸次에 따른 賜與일 것이겠지만, 부魃로 인한 조치일 수도 고려해 볼 수 있다.
· 『御堂關白記』, 寬弘 1년 6월, "五日戊午, 巳時以前雨降, 午後天晴, … 六日己未, 從夜雨又下, …".
· 『어당관백기』, 寬弘 1년 11월, "7日丁巳, 渡上御門, 日者依無井水, 渡枇杷殿, 掃水出, 仍還來, 從夏旱猶同, 京中井水, 四條以北盡, 至鴨河邊同, 河三條以北盡, 上下人入枇杷殿, 水用之".

59) 이와 관련된 기사로 다음이 있다.
· 지18, 禮6, 諸臣喪, "六月, 侍中韓彦恭卒. 賻米五百石, 麵麥三百石, 平布八百匹, 中布四百匹, 茶二百角. 贈內史令, 謚貞信, 以禮葬之".
· 열전6, 韓彦恭, "訃聞, 王悼甚, 賻米五百石, 麥三百石, 布一千二百匹, 茶二百角. 贈內史令, 謚貞信, 以禮葬之".

60) 여러 판본의 『고려사』에서 神祇(신지)로 되어 있으나 神祇(신기)로 고쳐야 옳게 될 것이다(東亞大學 2008년 5책 469面). 神祇에서 神은 天神을, 祇는 地神을 指稱하지만[天神地祇], 神祇라고 하였을 때는 여러 神들을 의미하며, 中原에서도 神祇를 神祇(신지)로 표기하는 사례가 많이 있었다.

[十二月庚辰朔^{大盡,丁丑}:追加].

[是年, 黃龍寺九層塔·丈六佛成:追加].⁶¹⁾

[○僧海麟赴王輪寺大選, 捷獲選, 受大德:追加].⁶²⁾

[○命秘書監·中樞院使柳邦憲撰獻和大王^{景宗}陵神道碑, □□^{地誌}, 以柳邦憲爲正議大夫·判翰林院事·左散騎常侍·參知政事·監修國史·上柱國·河東縣開國侯·食邑三百戶:追加].⁶³⁾

[○契丹使來, 傳詔, 以伐宋事, 諭:追加].⁶⁴⁾

乙巳[穆宗]八年, 契丹統和二十三年, [宋景德二年], [西曆1005年]

1005년 2월 12일(Gre2월 18일)에서 1006년 1월 31일(Gre2월 6일)까지, 354일

春正月^{庚戌朔小盡,戊寅}, [某日], 東女眞寇登州, 燒州鎭部落三十餘所, [而去:節要轉載]. 遣將禦之.

[二月己卯朔^{大盡,己卯}:追加].

三月己酉□^{朔小盡,庚辰}, 汰外官.⁶⁵⁾ [唯置十二節度·四都護·東西北界防禦鎭使·縣令·鎭將, 其餘觀察使·都團練·團練·刺史, 悉罷之:節要轉載].

[某日, 崔沆知貢擧, 取進士:選擧1選場轉載].

夏四月^{戊寅朔大盡,辛巳}, 癸酉^{未丑},⁶⁶⁾ 賜崔冲等及第.⁶⁷⁾

---

61) 이는 『동도역세제자기』에 의거하였다.
62) 이는 「原州法泉寺智光國師玄妙塔碑」에 의거하였다.
63) 이는 「柳邦憲墓誌銘」에 의거하였다.
64) 이는 다음의 자료에 의거하였다.
　　· 『요사』 권14, 본기14, 聖宗5, 統和 22년 9월, "己丑, 以南伐諭高麗".
　　· 『요사』 권115, 열전45, 二國外紀, 高麗, "^{統和}二十二年, 以南伐事詔諭之".
65) 己酉에 朔이 탈락되었다.
66) 이달에는 癸酉가 없고, 癸未(6일), 癸巳(16일), 癸卯(26일), 乙酉(8일), 丁酉(20일)가 있으므로, 癸酉는 이들 중 어느 하나의 오자일 것이다.
67) 이와 관련된 기사로 다음이 있다. 1788년(정조12) 10월에 模寫된 姜民瞻肖像畵의 題記에 의하면, 이때 姜民瞻(963~1021)도 급제하였다고 한다(國立中央博物館 所藏, 보물 제588호).
　　· 지27, 선거1, 科目1, 選場, "^{穆宗}八年三月, 崔沆知貢擧, 取進士, 四月, 下敎, 賜甲科崔冲等七人·乙科十人·

[五月戊申朔^{小盡,壬午}:追加].

[六月丁丑朔^{大盡,癸未}:追加].

[秋七月丁未朔^{大盡,甲申}:追加].

[八月丁丑朔^{小盡,乙酉}:追加].

[九月丙午朔^{大盡,丙戌}:追加].

[冬十月丙子朔^{小盡,丁亥}:追加].

[十一月乙巳朔^{大盡,戊子}:追加].

[十二月乙亥朔^{小盡,己丑}:追加].

是歲, 宋溫州文士周佇來投, 授禮賓注簿.[68]

[○城鎭溟縣五百一十閒, 門五, 城金壤縣七百六十八閒, 門六. ○城郭州七百八十七閒, 門八, 水口一, 城頭五, 遮城二:兵2城堡轉載].[69]

[○遣使契丹, 賀與宋和:追加].[70]

[增補].[71]

明經三人及第".
- 열전8, 崔冲, "穆宗八年, 擢甲科第一".

[68] 溫州는 현재의 浙江省 溫州市로 東南部에 위치해 있다.

[69] 郭州城은 현재의 평안북도 郭山郡 郭山邑에 위치한 凌漢山城으로 추측된다고 한다(국보유적 제61호, 梁時恩 2021년).

[70] 이는 다음의 자료에 의거하였다. 거란은 宋과 이해의 1월 1일(庚戌) 講和하였다(『송사』 권7, 본기7, 眞宗2).
- 『요사』 권14, 본기14, 聖宗5, 統和 23년 5월, "丙寅^{19日}, 高麗以與宋和, 遣使來賀".
- 『요사』 권115, 열전45, 二國外紀, 高麗, "^{統和}二十三年, 高麗聞與宋和, 遣使來和".

[71] 다음의 자료 a에 의하면, 이해에 契丹이 振武軍과 保州에 榷場을 설치하였다고 되어 있지만, b에 따르면 保州(現 遼寧省 丹東市 振安區 九連城鎭 尖村 古城址, 馮永謙 2012년)에 설치된 것은 아니다. 곧 이해[是年] 2월 8일(丙戌) 西京道 管內의 振武軍節度使(現 內蒙古自治區 呼和浩特市 和林格爾縣)에 榷場이 다시 設置되었다는 기록이 있지만, 保州는 언급되지 않았다(→현종 5년 是年의 脚注).
또 자료 c에 의하면 이해의 12월 6일(己卯) 宋에서 宰相들을 龍圖閣에 불러 契丹 聖宗이 承天節(眞宗의 誕日)을 祝賀하기 위해 보내온 禮物을 관람하게 하고 일부를 하사하였는데, 그 중 止旦에 承天皇太后(聖宗母) 蕭氏가 보내온 예물에 新羅酒가 포함되어 있는데, 이는 고려가 거란에 바친 高麗酒로 판단되는데, 이것이 다시 宋에 下賜된 것 같다.
- a 『요사』 권60, 지29, 食貨志下(序文), "... ^{統和}二十三年, 振武軍及保州, 竝置榷場". 여기에서 添字가 탈락되었다.
- b 『요사』 권14, 본기14, 성종5, 統和 23년 2월, "丙戌^{8日}, 復置榷場於振武軍".
- c 『속자치통감장편』 권61, 景德 2년 12월, "己卯, 召輔臣於龍圖閣, 觀契丹禰物及祖宗朝所獻者. 自後使至, 必以綺帛, 分賜中書·樞密院, 果實·脯臘, 賜近臣·三館. 凡承天節, 獻刻絲花羅御樣透背御衣七襲, 或五襲, ... ○正旦, 御衣三襲, 鞍勒馬二疋^匹, 散馬一百疋^匹, 其母^{太后}又致御衣綴珠貂裘, ... 水晶鞍勒, 新羅酒, 淸白鹽. ...". 여기에서 疋은 匹로 고쳐야 옳게 되지만, 量을 나타내는 말[量詞]로 사용될 때 通用된다고 한다.

丙午[穆宗]九年, 契丹統和二十四年, [宋景德三年], [西曆1006年]

1006년 2월 1일(Gre2월 7일)에서 1007년 1월 21일(Gre1월 27일)까지, 355일

[春正月^{甲辰朔人盡.庚寅}, 某日, 某等造成法住寺鐵鑊一口:追加].[72]

[春二月^{甲戌朔小盡.辛卯}, 某日, 王謂有司曰, "比年, 秋穀不登, 百姓艱食, 自統和二十一年^{穆宗6年}以來, 貢賦未納者, 並除之, 其有絶食·無穀種者, 開倉賑給":節要·食貨3災免之制轉載].

[三月癸卯朔^{小盡.壬辰}:追加].

[夏四月^{壬申朔人盡.癸巳}, 某日, 令文官六品以上, 各擧才堪治民者一人. 且曰, "所擧可賞, 并賞擧者, 罰亦如之":節要轉載].[73]

[五月壬寅朔^{小盡.甲午}:追加].

六月^{辛未朔大盡.乙未}, 戊戌^{28日}, 震天成殿鴟吻.[74] 王憂懼責己, 肆赦.[75]

□ˉ. 孝順·義節, 並加恩賞.

□ˉˉ. 加國內神祇^{諸神祇}勳號.

□ˉˉˉ. 文武三品以上加勳, 四品以下增一級, 九品以上入仕滿二十年者, 改服.

---

72) 이는 忠淸北道 報恩郡 俗離山面 舍乃里 209 法住寺에 소장된 鐵鑊(충청북도 유형문화재 제143호)의 銘文에 의거하였다(許興植 1984년 433面). 또 이와 관련된 기사로 다음이 있는데, 이는 19세기 후반 善山府 林隱洞 出身의 許薰(1836~1907, 義兵將 許蔿의 弟)의 見聞이다. 여기에서 보이는 石鑊이 위의 鐵鑊과 같은 시기에 製造된 것 같은데, 사실의 여부를 판가름하기에 어려움이 있다.

· 『舫山集』 권1, 憩法住寺[注, 新羅聖德王重修, 此寺有石橋·石槽·石瓮·石鑊, 寺中有珊瑚殿·丈六金身像, 門外有鑄銅幢, 刻云統和二十四年造. 石橋·石鑊, 今不存, 惟槽與瓮在, 而半埋土中, 珊瑚殿·鑄銅幢, 亦無有矣].

73) 이와 관련된 기사로 다음이 있다.

· 지29, 선거3, 選用守令, "穆宗九年四月, 詔, 文班常參以上, 各擧才堪治民者一人, 視所擧當否, 賞罰".

74) 이와 같은 기사가 지7, 五行1, 水, 雷震에도 수록되어 있다.

75) 이때 일본의 교토[京都]에서 6월 28일(戊戌, 高麗曆과 同一) 비가 내리지 않았던 것 같고, 30일(庚子) 비가 내렸다고 한다.

· 『御堂關白記』, 寬弘 3년 6월, "廿八日戊戌, 參山城法興院, 參御八講 …, 卅十日庚子, 法興院五卷日參, 雨下".

· 『權記』, 寬弘 3년 6월, "廿八日戊戌, 參內, 詣左府, 詣山城法興院, 八講始也. …, 卅十日庚子". 여기에서 30일의 기록은 없다.

□ 一. 禪・教僧徒大德以上加法號.

□ 一. 年六十以上者, 加職有差.

[□ 一. 減今年稅布之半, 并蠲甲辰年^{穆宗7年}前逋欠租稅:節要・食貨3 災免之制轉載].

[秋七月^{辛丑朔人盡丙申}, 某日, 應天太后皇甫氏與尙書左僕射・判三司事<u>金致陽</u>寫成‘金字大藏經’:追加].⁷⁶⁾

[八月辛未朔^{小盡,丁酉}:追加].

[九月庚子朔^{人盡,戊戌}:追加].

[冬十月庚午朔^{人盡,己亥}:追加].

[十一月庚子朔^{小盡,庚午}:追加].

[十二月己巳朔^{人盡,辛丑}:追加].

是歲, <u>彗星見</u>.⁷⁷⁾

---

76) 이는 京都市 東山區 東山七條 京都博物館에 소장되어 있는 『大寶積經』第32의 題記에 의거하였다(金塘澤
1980년 ; 菊竹淳一 1981年 單色圖版63 ; 京都國立博物館 2004年 387面 ; 張東翼 2004년 693面 ; 張忠植
2007년 59面).
　　・題記, 菩薩戒弟子南瞻部洲高麗國應天啓聖靜德王太后 皇甫氏.」 大中大夫・尙書左僕射・判三司事□□・隴西縣開
國男・食邑三百戶金致陽.」 同心發願寫成金字大藏經.」 統和二十四年七月日謹記.」 書者崔成朔.」 用紙十六幅.」
初校花嚴業了員焜世大師曇昱.」 重校華嚴業大師緣密」.
　　・寄進記[朱書], "奉施入人寶積經一卷第三十二.」 江州金剛輪寺自覺人師御寶前.」 嘉慶二年八月五日,權律師毫憲
憲」". 이는 上記의 『大寶積經』이 1388년(昌王 卽位年, 南朝 後小松 嘉慶2) 8월 5일 僧侶 毫憲에 의해 江
州 金剛輪寺(こんごうりんじ, 現 滋賀縣 愛知郡 愛莊町 松尾寺)에 있는 天台宗 寺院)에 奉獻된 것을 기록한
것인데, 이를 통해 佛典이 일본으로 搬出된 經緯는 알 수 없다.
77) 宋에서는 3월 3일(乙巳) 新星[客星]이 남동쪽[豺狼座]에서 출현하였고, 4월 7일(戊寅) 다섯 종류의 新星
[客星]의 하나인 周伯星이 출현하였다가 11월 3일(壬寅) 다시 나타났다고 한다(『송사』 권7, 본기7, 眞宗
2, 景德 3년 3월 乙巳, 11월 壬寅, 席澤宗 2002年 38面). 또 일본에서는 3월 28일(戊子) 이래 新星[客星]
이 보였다고 한다(『日本史料』2-5冊 661面).
　　・『송사』 권52, 지5, 천문5, 客星, "客星有五, 周伯・老子・上蓬絮・國皇・溫星, 是也. 周伯, 大而黃, 煌煌然,
所見之國, 病喪, 饑饉, 民庶流亡, …".
　　・『玉壺野史』 권1(玉壺淸話). "景德三年有巨星, 見于大氐之西, 光芒如金丸, 無有識者. 春官正周克明言, 按大
文錄, 荊州占, 其星名周伯, 語曰, 其色金黃, 其光煌煌, 所見之國, 太平而昌. 又按元命苞, 此星, 一曰德星, 不
時而出, 時方朝野多歡, 六合宁定 …".
　　・『權記』, 寬弘 3년 5월, "十一日壬子, … 近日天變連々, 所中在內亂, 近臣退等事也, 仍種々御祈等間有此
事. … 六月大, … 廿四日甲午, 參內, 臨時御讀經始也, 卌口, 客星勘文被奏. 廿五日乙未, 詣左府, 參內, 奏
左府御消息之旨, 亦依仰讀申諸道勘申客星文".
　　・『御堂關白記』, 寬弘 3년 7월, "十九日己未, … 內府人星令奉仕御卜, 軒廊耳, …".
　　・『百練抄』第4, 寬弘 3년 4월, 7월, "□□^{是月}, 大星見巽方", 7월, "十三日, 諸卿定申諸道勘申客星事".

[○城登州·龜城·龍津鎭:節要轉載].78)

[→城龍津鎭五百一間, 門六. ○城龜州一千五百七間, 門九, 水口一, 城頭四十一, 遮城五, 重城一百六十八間:兵2城堡轉載].79)

[○王之從叔詢顯宗, 移寓三角山神穴寺:追加].80)

[○以左散騎常侍·參知政事柳邦憲爲金紫興祿大夫·內史侍郎平章事:追加].81)

[○德恩郡般若山石彌勒功畢:追加].82)

[○法住寺僧某等, 立天王門外, 二十八及銅龍柱:追加].83)

丁未[穆宗]十年, 契丹統和二十五年, [宋景德四年], [西曆1007年]

1007년 1월 22일(Gre1월 28일)에서 1008년 2월 9일(Gre2월 15일)까지, 13개월 384일

[春正月己亥朔小盡,壬寅:追加].

春二月戊辰朔大盡,癸卯, [某日], 契丹遣耶律延貴來, 加冊王, 爲守義·保邦·推誠·奉聖功臣·開府儀同三司·守尙書令兼政事令·上柱國·食邑七千戶·食實封七百戶.84)

· 『一代要記』, 寬弘 3년 12월, "去三月廿八日戊子, 客星入騎, 色白靑, 天文博士安倍吉昌奏之".

· 『明月記』, 寬喜 2년 11월 "五日壬辰, 霜凝, 天晴, … 奇星事先例, 寬平九年, 延長八年, 寬弘三年, 永萬·治承三年, 有此事, 甚不吉云々, 但寬弘三年全無事, 崔吉聖代歟. 八月乙未, 霜凝, 天晴. … 客星出現例, … 一條院寬弘三年四月二日癸酉, 夜以降, 騎官中有大客星, 如熒惑, 光明動耀, 連夜正見南方. 或云, 騎陣將軍星, 變本體, 增光歟".

78) 이 기사와 관련된 자료로 다음이 있다.

· 지12, 地理3, 東界, 龍津鎭, "龍津鎭, 古狐浦, 高麗初, 改今名, 爲鎭. 穆宗九年, 築城".

79) 구주성(龜州城) 현재의 평안북도 龜城市에 있다고 한다(국보유적 제60호, 梁時恩 2021년).

80) 이는 세가4, 顯宗, 總論에 의거하였다.

81) 이는 「柳邦憲墓誌銘」에 의거하였다.

82) 이는 현재 忠淸南道 論山市 恩津面 灌燭里 灌燭寺의 石造彌勒菩薩立像의 完成을 가리킨다(→광종 21년 是年].

83) 이는 다음의 자료에 의거하였는데, 添字와 같이 고쳐야 옳게 될 것이다. 이해에 法住寺에서 佛事가 크게 있었던 것 같은데, 이는 攝政을 하던 應天太后[天秋太后]에 의한 寫經發願과 어떤 關聯性을 생각해 볼 수도 있을 것이다.

· 『신증동국여지승람』 권16, 報恩縣, 佛宇, 法住寺, "… 有石槽·石橋·石甕·石鑊. 寺中有珊瑚殿金身丈六像, 門前有鑄銅幢欄甚高, 其一面刻云統和二十四年造".

· 『春洲遺稿』 권2, 南遊記, 英祖 3년(丁未) 9월 27일, "… 法住寺, 四天王門外, 有二十八及衣銅大柱, 其一面刻云'統和二十四年造', 統和內遼成宗隆緖之年號也. 宋眞宗咸平九年景德三年, 卽高麗穆宗之時9年也. 穆宗崇信異敎, 枉竭民力, 又不臣大宋, 而附麗於契丹, 用其年號, 悖謬之甚也. 寺中石槽·石甕·石鑊, 在林莽間".

[□□^{北丹}],⁸⁵⁾ 創眞觀寺九層塔.

[三月戊戌朔^{小盡,甲辰}:追加].

[夏四月丁卯朔^{小盡,乙巳}:追加].

[五月丙申朔^{大盡丙午}:追加].

[閏五月丙寅朔^{小盡,丙午}:追加].

夏六月^{乙未朔人盡,丁未}, [某日], 賜趙元等及第.⁸⁶⁾

秋七月^{乙丑朔小盡,戊申}, 戊寅^{14日}, 流平章事韓藺卿于楊州, 吏部侍郎金諾于海島.

[→御史臺奏, "慶州人<u>融大</u>, 詐稱新羅元聖王遠孫, 認良民五百餘口, 爲奴婢, 以贈宮人金氏及平章事韓藺卿·吏部侍郎金諾, 爲援, 今已按問得實, 乞罪之". 王怒, 乃流藺卿于楊州, 金諾于海島, 金氏罰銅一百斤. 聞者皆賀:節要轉載].⁸⁷⁾

[→□□^{是後}, □□□□^{以趙之遴}爲吏部侍郎·知銀臺事, 時以朋比乾沒譏之. 然視金諾·李周禎輩, <u>有間</u>:列傳7趙之遴轉載].⁸⁸⁾

[八月甲午朔^{大盡,己酉}:追加].

[九月甲子朔^{大盡,庚戌}:追加].

冬十月^{甲午朔大盡,辛亥}, 戊申^{15日}, 幸鎬京齋祭, 赦流罪以下, [蠲田租一年, 沿路州縣, 半之:節要·食貨3恩免之制轉載]. 加國內神祇^{神祇}勳號.

[是月, 城興化鎭·翼嶺·蔚珍縣:節要轉載].

[→城興化鎭·蔚珍. ○又城翼嶺縣三百四十八閒, 門四:兵2城堡轉載].

---

84) 契丹의 政事令은 漢人의 統治를 담당하던 政事省(950년 설치)의 長官인데, 이 省은 1043년(重熙12) 12월 中書省으로 改稱되었다(『요사』 권47, 지17상, 백관지3, 南面朝官, 中書省).

85) 이 위치에서 是月이 탈락되었을 것이다.

86) 이와 관련된 기사로 다음이 있는데 添字가 탈락되었을 것이다.
  · 지27, 선거1, 科目1, 選場, "^{穆宗}十年六月, 禮部侍郎高凝□□□^{知貢擧}, 取進士, 賜乙科趙元等二人·丙科四人·明經三人及第".

87) 이와 유사한 기사가 열전1, 后妃1, 穆宗妃, 宮人金氏에도 수록되어 있다.

88) 이는 다음의 기사를 적절히 變改하였다.
  · 열전7, 趙之遴, "穆宗朝, 拜吏部侍郎·知銀臺事, 時以朋比乾沒譏之. 然視金諾·李周禎輩, 有閒".

[十一月甲子朔:追加].

[十二月癸巳朔:追加].

是歲, 鎬京地震.[89]

[○耽羅奏, "瑞山湧出海中". 遣大學^{太學}博士田拱之, 往視之. 耽羅人言, "山之始出也, 雲霧晦冥, 地動如雷, 凡七晝夜, 始開霽, 出高可百餘丈, 周圍可四十餘里, 無草木, 煙氣羃其上, 望之如石硫黃, 人恐懼不敢近". 拱之, 躬至山下, 圖其形以進:節要·五行3轉載].

[→時耽羅奏, "瑞山湧出海中". 遣^{太學博士田}拱之往視. 耽羅人言, "其形狀奇異可懼". 拱之, 躬至山下, 圖其形以進:列傳7轉載].[90]

[○摠持寺主·廣濟大師弘哲造成'寶篋印陀羅尼經':追加].[91]

戊申[穆宗]十一年, 契丹統和二十六年, [宋大中祥符元年], [西曆1008年]

1008년 2월 10일(Gre2월 16일)에서 1009년 1월 28일(Gre2월 3일)까지, 354일

[春正月癸亥朔^{甲寅}:追加].

[是月戊辰^{6日}, 宋改景德五年爲大中祥符元年:追加].

[二月壬辰朔^{乙卯}:追加].

---

89) 지9, 五行3에는 이 기사가 탈락되었다. 宋에서는 7월 22일(丙戌) 益州(現 四川省 成都市, 重慶市 地域)에서, 25일(己丑) 渭州(現 甘肅省 平凉市 西部地域)에서 각각 地震이 있었다고 한다(『송사』권67, 지20, 五行5, 土). 또 일본에서는 12월 21일(癸丑) 京都에서 지진이 있었다고 한다(『日本史料』2-6冊 12面).
· 『日本紀略』後篇11, 一條院, 寬弘 4년 12월, "廿一日癸丑, 地震".
· 『御堂關白記』, 寬弘 4년 12월, "廿一日癸丑, … 戌時小地振, 又丑時又振, 大也, 兩度".

90) 이 섬은 아래의 자료로 보아 현재의 濟州道 北濟州郡 翰林邑에 소속된 飛揚島인 것 같지만, 아닐 수도 있을 것이다. 곧 飛揚島의 鎔巖類는 약 26,000년 전후에 형성되었다는 견해가 있기 때문이다(蔡雄錫教授의 教示, 전용문 2019년a,b).
· 『鳴巖集』 권3, 明月樓, 夜坐偶題, "… 飛揚島, 一名瑞山. 高麗穆宗時, 湧出海中, 遣人圖進".

91) 이는 『寶篋印陀羅尼經』卷首의 刊記에 의거하였는데(慶尙北道 安東市 陶山面 西部2里 山50-7 普光寺 所藏, 南權熙 2002년 5面), 여기에서 弘哲의 法號인 眞念은 大乘菩提心, 곧 善心, 慈悲之心을 가리킨다.
· "高麗國摠持寺主·眞念 廣濟大師·釋弘哲敬造, 寶篋印經板印施,普安 佛塔中供養,時 統和二十五年丁未歲 記".

春三月^{壬戌朔小盡,丙辰}, [某日], 賜孫元仙等及第.⁹²⁾

[夏四月辛卯朔^{小盡,丁巳}:追加].

[五月庚申朔^{大盡,戊午}:追加].

[六月庚寅朔^{小盡,己未}:追加].

[秋七月己未朔^{人盡,庚申}:追加].

[八月己丑朔^{小盡,辛酉}:追加].

[九月戊午朔^{人盡,壬戌}:追加].

冬十月^{戊子朔人盡,丁巳}, [某日], 幸鎬京齋祭. [時改軷祭爲壓兵祭:禮5雜祀轉載].⁹³⁾

[十一月戊午朔^{小盡,甲子}:追加].

[十二月丁亥朔^{人盡,乙丑}:追加].

[是年, 城通州. 城登州六百二閒, 門十四, 水口二:兵2城堡・節要轉載].⁹⁴⁾

[○以唐朝格, 州府郡縣改爲別號, 慶州改樂浪郡:追加].⁹⁵⁾

---

92) 이와 관련된 기사로 다음이 있다.
· 지27, 선거1, 科目1, 選場, "^{穆宗}十一年三月, 中樞院直學士蔡忠順□□□^{知貢擧}, 取進士, 賜甲科孫元仙等四人・乙科五人・明經二人及第".

93) 軷祭(혹은 祓祭, 袚祭)는 멀리 行次하는 길[遠行道中]에서 어떤 不祥事가 없도록 祭祀[軷祭]이다. 이는 祖道라고도 불리는데, 軷祭의 실시와 그에 이은 간단한 餞別宴을 개최하는 儀式이다.
· 『周禮注疏』 권32, "大馭, 掌馭玉輅, 以祀及犯軷, 王自左馭, 馭下祝登受轡犯軷, 遂驅之[[注, 行山曰軷犯之者, 封土爲山, 象以菩芻棘, 柏爲神主, 旣祭之, 以車轢之, 而去喩無險難也"[四庫全書本22左6行].
· 『毛詩注疏』 권3, 國風, 邶, 泉水, "… 出宿于泲, 飲餞于禰[孔穎達疏, 軷祭, 則天子・諸侯・卿・大大, 皆於國外爲之]".
· 『夢梁錄』 권5, 九月, 差官軷祭及淸道, "禋祀與郊祀, 俱差祠官軷祭, 按『周禮』^{人御大馭}, 掌玉輅, 以祀犯軷, 注曰行山, 曰軷犯之者, 封土爲山, 象以□^芐芻棘, 相^栢爲神主, 旣祭之, 以車轢之, 而去喩無險難也"[四庫全書本8左1行].
· 『자치통감』 권13, 漢紀5, 高后 8년(BC180), "春三月, 太后袚, 還, 過軷道[注, 師古曰, 袚者, 除惡之祭]".
· 『자치통감』 권22, 漢紀14, 武帝征和 3년(BC90) 5월, "初, 貳師^{李廣利}之出也, 丞相劉屈氂爲祖道[胡三省注, 祖, 軷祭也. 崔氏云, 宮內之軷, 祭古之行神^{纍祖}, 城外之軷, 祭山川與道路之神. 『記曾子問』, 諸侯適天子, 道而出. 註云祖道也, '聘禮'曰, 出祖釋軷, 祭酒脯也. 註云, 祖, 始也. 行出國門, 止陳車騎, 釋酒脯之奠爲行始也. 師古曰, 祖者, 送行之祭, 凶設宴飲. 昔黃帝之子纍祖好遠遊而死於道, 故祀以爲行臣".

94) 通州城은 현재의 平安北道 東林郡 古軍營里(옛 東林邑)에 있다고 한다(보존유적 제138호, 梁時恩 2021년).

95) 이는 다음의 자료에 의거하였다.
· 『동도역세제자기』, "統和二十六年甲辰^{戊申}, 大宋大中祥符元年, □^以唐朝格, 州府郡縣改爲別號, 慶州改樂浪

[○遣使如契丹, 獻龍鬚草席, 又遣使賀中京成:追加].[96]

[○遣使如宋, 獻方物. 帝詔有司裁定儀注:追加].[97]

己酉[穆宗]十二年, 契丹統和二十七年, [宋大中祥符二年], [西曆1009年]

1009년 1월 29일(Gre2월 4일)에서 1010년 1월 17일(Gre1월 23일)까지, 354일

春正月^{丁巳朔大盡,丙寅} 庚午^{14日}, 幸崇敎寺, 及還, 中路暴風, 折傘盖柄.[98]

壬申^{16日}, 御詳政殿, 觀燈, 大府^{太府}油庫灾,[99] 延燒千秋殿.[100] 王見殿宇·府庫煨燼, 悲嘆成疾, 不聽政. 王·國師二僧·大醫^{太醫}奇貞業·大卜^{太卜}晉含祚·大史^{太史}潘希渥·宰臣^{吏部尚書} 參知政事劉瑨· ^{吏部侍郎}中樞院使崔沆·給事中^{中樞院副使}蔡忠順等直宿銀臺. 知銀臺事^{工部侍郎}李周禎·右承宣^{殿中侍御史} 李作仁·婁臣^{知銀臺事}左司郎中劉忠正·閣門舍人^{閤門通事舍人}庚行簡等,[101] 直宿於內口^殿.[102] 親從將軍

郡". 이 자료에서 統和 26년과 大中祥符 元年은 戊申歲이므로, 甲辰은 戊申의 오자이고, 口에 以를 추가하는 것이 좋을 것이다.
· 『경상도지리지』, 慶尙道, 慶州府, "穆宗代戊申¹¹年, 降爲樂浪郡". 여기에서 別號를 붙인 것을 編纂者가郡縣의 降等으로 잘못 이해하였던 것 같다.

96) 이는 다음의 자료에 의거하였다. 이에서 中京은 1007년(統和25) 1월에 건립되기 시작하여 이해[是年]에竣工되었던 것으로 추측된다. 이는 옛 奚王의 牙帳地(斡魯朶가 있던 곳, 行宮地)를 中京 大定府(現 內蒙古 赤峰市 寧城縣 天義鎭 大明鄕의 大明城, 이는 土河, 곧 현재의 老哈河의 上流에 위치)로 改築한 것이다. 이후 契丹 皇帝의 駐蹕地로 사용되어 幸次頻度가 잦아지고, 滯在日數도 많아져 사실상의 首都役割을하게 되었다.
· 『요사』 권14, 본기14, 聖宗5, 統和 26년 5월, "丙寅^{7日}, 高麗進龍鬚草席. 己巳^{10日}, 遣使賀中京成".
· 『요사』 권70, 表8, 屬國表, "高麗進文化·武功兩殿龍鬚草地席".
· 『요사』 권115, 열전45, 二國外紀, 高麗, "統和二十六年, 進龍鬚草席及賀中京成".
· 『요사』 권14, 본기14, 聖宗5, 統和 25년, "春正月, 建中京".

97) 이는 『大常因革禮』 권84, 新禮17, 高麗國使副見辭에 의거하였는데, 이때 고려의 사신단은 正使·副使, 總管·押衙, 그리고 將軍 이하의 三部類[三節]로 구성되어 있었던 것 같다(자료는 張東翼 2000년 186面 參照).

98) 이와 관련된 기사로 다음이 있고, 이날 일본 京都에서 비가 내렸다고 한다(高麗曆과 同一, 日本史料2-6 冊 319面).
· 지8, 五行3, "穆宗十二年正月庚戌^{十四日}, 幸崇敎寺, 及還, 中路暴風起, 折傘蓋柄". 여기에서 庚戌은 庚午의오자일 것이다.
· 『權記』, 寬弘 6년 1월, "十四口庚午, 雨, 參八省, …".

99) 大府는 太府로 고쳐야 옳게 되는데, 이는 太廟를 大廟로 刻字한 것과 같은 범주에 해당한다(→원종 1년 4월 13일).

100) 이와 같은 기사가 지7, 五行1, 火, 火灾에도 수록되어 있다.

101) 添字의 관직은 『고려사절요』 권2에 보다 구체적으로 제시되어 있는데, 이는 당시에 시행되고 있었던兼職制의 運用을 잘 보여주는 자료의 하나이다.

102) 內는 內殿에서 殿이 탈락된 것으로 추측된다. 內殿은 帝王이 宰相을 불러 政務를 의논하는 殿閣을 가

庚方·中郎將柳琮柳宗·給事中卓思政·郎中河拱辰,103) 常直近殿門. 刑部尙書陳頔, 亦入內直宿. 戶部侍郎崔士威爲大定門別監,104) 閉諸宮門戒嚴, 唯開長春·大定門. 仍設救命道場於長春·乾化二殿.

[○行簡, 姿美麗, 王愛幸, 有龍陽之寵, 每宣旨, 必先問行簡, 然後施行. 由是, 怙寵驕蹇, 輕蔑百寮, 頤指氣使, 近侍視之如王. 劉忠正, 無□世伎能技能, 亦甚寵於王, 王嘗以水房人吏, 分屬二人, 出入驕從, 僭擬無極:節要轉載].105)

[甲戌18日, 雨水. 王太后入長生殿:節要轉載].106)

○王累日不豫, 常居於內, 厭見群臣. 宰臣震恐, 請入寢問疾, [行簡傳旨曰, 體氣漸平, 取別日召見, 再請:節要轉載], 不許.

[→王不豫, 行簡·忠正並直宿於內, 宰臣請入寢問疾, 行簡傳旨曰, "體氣漸平, 取別日召見". 宰相再請, 不許:列傳36庚行簡轉載].

[某日], 王與中樞院副使蔡忠順·中樞院使崔沆, 密議立嗣, 遣宣徽判官皇甫兪義, 迎大良院君于神穴寺.

[→一日, 王召宰樞, 忠順入臥內, 辟左右, 語曰卄,107) "寡人疾漸就平, 聞外間有窺覬者, 卿知之乎". 對曰, "臣試聞而未得其實". 王取枕上封書, 與之, 乃知銀臺事劉忠正所上也. 言右僕射兼□判三司事金致陽, 覬覦非望, 遣人致遺, 深布腹心, 仍求內援, 臣曉譬拒之, 不敢不奏. ○王又取書一封, 與之, 乃大良院君詢, 在三角山所上也. 云, "姦黨遣人圍逼, 兼遺酒食. 臣疑毒不進, 與烏雀, 烏雀斃. 謀危若此, 願聖上憐救". 忠順見畢, 奏曰, "勢急矣, 宜早圖之". 王曰, "朕疾漸危篤, 朝夕入地, 太祖之孫, 唯大良院君詢在.108) 卿與崔沆, 素懷忠義, 宜盡心匡扶, 使社稷不屬異姓". ○忠順出, 以語沆, 沆曰, "臣常以爲憂, 今上意如此, 社稷之福也". 忠正遣監察御史高英起, 謂沆·忠順曰, "今, 上寢疾, 姦黨伺隙, 恐社稷將屬異姓. 疾如大漸, 宜以太祖之孫爲嗣". 沆

리킨다.

103) 柳琮은 柳宗의 오자로 추측된다. 이후 中郞將 河拱辰과 거취를 같이 하던 陽城 出身의 柳宗은 1011년 (현종2) 1월 5일(己卯) 播遷하고 있던 天安府에서 顯宗을 버리고 金應仁과 함께 도망간 이후에는 찾아지지 않는다.

104) 이때 崔士威의 官職은 戶部侍郎兼侍御史였던 것 같다.
  ·「崔士威墓誌銘」, "公爲侍御史時, 方今聖考潛龍左大良院之時, 有僕射金致陽同謀呂后, 將害漢儲, 公奏差檢衛, 卑道阽危, 仍長少陽, 終登大寶者也".

105) 이 기사는 열전36, 嬖幸1, 庚行簡에도 수록되어 있는데, 添字는 이에 의거하였다. 또 伎能(기능)은 技能으로 고쳐야 옳게 될 것인데, 木匾[木]을 行書로 쓸 때 제방변[扌]과 같이 쓰는 것이 일반적이다.

106) 이와 관련된 기사로 다음이 있다.
  · 열전1, 후비1, 景宗, 獻哀王太后皇甫氏, "穆宗十二年正月, 千秋殿災, 太后入長生殿".

107) 帝王의 言辭는 詔曰, 制曰, 勅曰 등으로 표기하여야 하는데, 여기에서 '語曰'로 표기한 것은 적절하지 못할 것이다.

108) 大良院君 詢(郁의 子, 景宗妃 獻貞王后의 小生)은 穆宗에게는 父系로 從叔(혹은 從祖叔)에, 母系로 姨從四寸弟에 해당된다.

等陽驚曰, “太祖之孫安在”. 對曰, “大良院君是也, 可以主鬯”. 沆等答曰, “吾等亦聞此久矣, 當聽天所命”. 忠正更遣英起曰, “我欲躬往議之, 騶從繁夥, 恐爲旁人所疑, 冀兩君見枉”. 沆與忠順議曰, “此非私事, 實關宗社, 可往見之”. 遂詣定議. ○忠順入奏王曰, “宜擇文武各一人, 率軍校往迎”. 忠順宣於沆及英起等, 議曰, “宣徽判官皇甫兪義,[109] 志存宗社, 且其父祖, 有勳勞於國, 當不墜家業, 以盡心力, 盍遣此人”, 遂擧以聞. ○忠順等, 又議奏奉迎, 軍校多, 則行必遲, 恐姦黨, 先發謀之. 宜遣十餘人, 徑往迎來. 王然之曰, “可亟遣, 不可緩也, 予欲親禪, 付之軍國. 若予疾瘳, 如成宗封朕故事, 早定名分, 則無窺伺之人矣. 朕無子, 而繼嗣未定, 衆心搖動, 是吾過也. 宗社大計, 無大於此, 卿等其各盡心”. ○王遂泣下, 忠順亦泣, 王命忠順, 草與大良君書, 親自硏墨, 忠順曰, “臣自硏以書, 請勿勞聖體”. 王曰, “意甚忙, 不覺勞也”. 其書曰, “自古, 國家大事, 預有定分, 則人心乃定. 今予寢疾, 姦邪窺覦. 以寡人曾不慮此, 素無定分, 衆心搖動故爾. 卿太祖嫡孫, 宜速上道, 寡人未至大期, 面囑宗社, 歿無遺恨. 若有餘齡, 使處東宮, 以定群心”. 王又令書其尾曰, “道路險阻, 恐姦人潛伏, 變起不虞, 可戒愼而來”. ○時閤門令人庾行簡不欲迎立, 王慮事泄, 戒忠順, 勿令行簡知之. 以書授宣徽判官兪義・郞將文演等十人, 往迎于神穴寺. 又命開城府參軍金延慶, 領卒一百, 郊迎. ○金致陽知之, 無如之何, 首鼠數日:節要轉載].[110]

[某日], 西京都巡撿使西北面都巡檢使康兆,[111] 領甲卒而至, 遂謀廢立.[112]

[→先是, 王知毅中丞李周禎附致陽, 權授西北面都巡檢副使, 卽日發遣, 仍徵西北面巡檢使康兆入衛. 兆聞命, 行至洞州龍泉驛, 內史主書魏從正・安北都護□⿰掌書記崔昌, 曾坐事被黜, 深怨朝廷, 常欲構難⿰. 二人俱謁兆, 紿曰, “主上疾篤, 命在頃刻, 太后與致陽, 謀奪社稷. 以公在外, 手握重兵, 恐或不從, 矯命徵召. 足下, ⿰速還本道, 大擧義兵, 保國全身, 時不可失”. 兆, 深然之, 以爲王已薨, 朝廷悉被致陽詿誤, 便回⿰本營. 太后忌兆來, 遣內臣, 把截⿰岊嶺, 使遏行人. 兆父患之, 爲書, 納竹杖中, 令奴剃髮爲僧, 詭言妙香山僧, 急報兆云, “王已賓天, 姦兇用事, 可擧兵來, 以靖國難”. 奴, 晝夜急走, 至兆處, 氣竭而斃. 兆, 探得杖書, 愈信王薨, 遂與副使・吏部侍郞李鉉雲等, 領甲卒五千, 至平州, 始知王未薨, 兆喪氣, 垂頭良久. 諸將曰, “業已來矣, 不

---

109) 이때 皇甫兪義가 宣徽判官을 띠고 있는 점을 통해 볼 때 宦官으로 構成되는 宣徽使의 諸般業務를 管理하였을 判官의 才職에는 一般官僚가 임명되었던 것으로 추측된다.

110) 이와 같은 기사가 열전6, 蔡忠順에도 수록되어 있으나 字句에 차이가 있다. 또 庾行簡과 金致陽에 대한 내용은 열전36, 폐행, 庾行簡, 열전43, 叛逆1, 金致陽에 각각 수록되어 있다.

111) 巡撿使는 巡檢使로 고쳐야 옳게 된다. 『고려사절요』 권2에는 옳게 되어 있는데, 扌區은 行書에서 제방변[扌圖]으로 쓰는데, 組版할 때 刻工이 認知하지 못했을 것이다. 그리고 西京都巡檢使는 西北面都巡檢使의 別稱이다.

112) 이 기사 이후의 사실은 『고려사절요』 권2에 비해 소략하므로 『고려사절요』의 기사를 이용하는 것이 좋을 것이다.

可止也". 兆曰, "然". 於是, 決意廢立, 而知王之已迎大良君, 乃遣分司監察御史金應仁, 率兵往迎:節要轉載].[113)

二月┌亥朔小盡,┐卯, 戊子[2日], 康兆請王出御龍興·歸法寺.

[→兆, 先奏狀曰, "聖上疾漸┌甚彌留┐, 國本未定, 姦黨窺覦. 又偏信行簡等讒諛, 賞罰不明, 致此危亂. 今欲定分, 以係人心, 除惡以快衆憤. 已迎大良君, 詣闕, 恐聖情驚動, 請出御龍興·歸法寺, 卽掃盪姦黨, 然後迎入". 王曰, "所奏已知┌宜徽所奏┐". 是日, 宣徽判官皇甫俞義·分司監察御史金應仁, 俱到神穴寺, 寺僧, 疑爲姦黨所遣, 匿不出. 俞義等, 具道所以迎立之意, 於是, 院君乃出, 俞義等, 遂奉以還:節要轉載].

己丑[3日], [驚蟄]. 日色如張紅幕. [鉉雲率兵, 入迎秋門, 大譟. 王驚懼, 執行簡,[114) 送兆所, 佮寺┌十八┐思政·部中┌拱辰┐, 皆奔于兆. 兆至大初門┌太初門┐, 踞胡床. 崔沆出自省, 兆起揖, 沆曰, "古有如此事乎?". 兆不應, 於是:節要轉載], 兆兵兵士闌入宮門. 王知不免, 與太后[仰天:節要轉載]號泣, [率宮人·小豎及蔡忠順·劉忠正等:節要轉載], 出御法王寺.[115)

[〇兆, 坐軋德殿御榻下, 軍士呼萬歲, 兆驚起, 跪曰, "嗣君未至, 是何等聲耶?":節要轉載]. 俄而宣徽判官皇甫俞義等奉院君而至, 遂卽位[於延寵殿:節要轉載]. 兆廢王, 爲讓國公, [使閤門通事舍人傳巖等守之:節要轉載]. 遣兵殺金致陽父子及庾行簡等七人, [流其黨及太后親屬殿中監李周禎等三十餘人于海島:節要轉載].[116)

〇王[使崔沆, 請馬於兆, 送一匹. 又於人家, 取一匹, 王及太后乘之:節要轉載], 出自宣仁門. 侍臣, 初皆步從, 至是, 始有騎而從者. 至歸法寺, 解御衣, 換食而進. 兆召還沆等供職, 王謂沆曰, "頃府庫災, 而變起所忽, 皆由予不德, 夫復何怨? 但願歸老于鄕, 卿可奏新君, 且善輔佐". 遂向忠州. 太后欲食, 王親奉盤盂, 太后太后欲御馬, 王親執鞚.

[→後康兆殺致陽父子, 流太后親屬于海島, 又使人弒穆宗. 於是, 太后歸居黃州者, 二十一年:列傳1景宗獻哀王太后皇甫氏轉載].[117)

[→有長淵縣人文仁渭者, 悃愊無華, 久爲千秋宮使. 及致陽誅, 宮僚多連坐誅竄, 獨仁渭以兆之庇, 獲免. 官至尙書左僕射:列傳40金致陽轉載].

113) 添字는 열전40, 康兆에 의거하였다.
114) 延世大學本과 東亞大學本에는 訊으로 되어 있으나 오자일 것이다(東亞大學 2006년 28책 422面).
115) 添字는 열전40, 康兆에 의거하였다.
116) 添字는 열전40, 康兆에 의거하였다.
117) 金致陽에 관한 기사는 열전43, 金致陽에 수록되어 있다("… 及康兆廢立, 遣兵殺致陽幷其兒, 流其黨于海島").

[三月^{丙辰朔大盡,戊辰}, 戊辰^{13日:追加}],[118] 行至積城縣, 兆使人弑之.[119]

[→兆, 遣尙藥直長金光甫, 進毒, 王不肯飲, 光甫謂隨從中禁安霸等曰, "兆言, '若不能進毒, 可令中禁軍士, 行大事, 報以自刃'. 不爾, 吾與若等, 俱族矣". 夜, 霸等弑之:節要轉載]. 以王自 刎聞, 取門扇爲棺, 權厝于館. <del>兆使大以縣倉米作飯, 祭之</del>.[120]

[○太后歸黃州:節要轉載].

○王在位十二年, 壽三十. 性沈毅, 少有人君之度. 善射御. 嗜酒好獵, 不留意政事, 信狎嬖倖, 以及於禍. 踰月, 火葬縣南, 陵曰恭陵, 諡^諡宣靈, 廟號愍宗, 皆康兆所撰定. 臣民莫不痛憤, 而顯宗^{新十}未之知,[121] 至契丹問罪, 始知之. 顯宗三年□□□^{門十一月}, 移葬城東, 改陵曰義, 諡^諡曰宣讓, 廟號穆宗. 五年加諡^諡孝思, 十八年加威惠, 文宗十年加克英, 高宗四十年加靖恭.[122]

李齊賢贊曰, "慶父犯禮於魯, 不韋嫁禍於秦. 齊桓尸姜, 始皇輼毒^諡, 何救萬世之耻哉? 穆宗不 戒^諡覆車之轍, 防閑於初, 子母俱權其殃, 社稷幾至於亡. 嗚呼, 宣讓之不幸也, 抑非不幸也".[123]

[穆宗在位年間]

[○累加三重大師智宗, 光天·遍炤·至覺·智滿·圓黙等號, 又兼佛恩·護國兩寺及帝釋院住持 職, 賜繡方袍:追加].[124]

[○以^{大德}決凝爲大師:追加].[125]

[○賜法號大德海麟曰, 講眞弘道:追加].[126]

[仁同人 張東翼 校注, 增補].

---

118) 이는 『익재난고』 권9상, 忠憲王世家, "^{穆宗十二年}三月十三日, 王薨"에 의거하였다.
119) 이날은 율리우스曆으로 1009년 4월 10일(그레고리曆 4월 16일)에 해당한다. 또 이날 일본의 京都에서 는 夜間에 비가 내려 14일(己巳) 午前까지 계속 이어졌다.
   ·『權記』, 寬弘 6년 3월, "十三日戊辰, 夜雨, 十四日己巳, 朝猶雨降, 及午有晴氣, …".
120) 添字는 열전40, 康兆에 의거하였다.
121) 添字는 『고려사절요』 권2에서 달리 표기된 것이다.
122) 穆宗의 墳墓인 恭陵과 義陵은 失傳되어 현재 어디에 있는지를 알 수 없다. 또 穆宗의 御眞은 15세기 후반까지 廣明寺에 奉安되어 있었던 것 같다(『濟谿集』 권4, 廣明寺穆宗畵幀).
123) 『익재난고』 권9하, 史贊, 穆王에는 穆宗이 없고, 戒는 誡로 되어 있다. 또 毐(독)은 毒(애, 長信侯로 嫪 毐, 『익재난고』에도 同一함)의 誤字인데, 『고려사절요』 권2에는 바르게 되어 있다.
124) 이는 「原州居頓寺圓空國師勝妙塔碑」에 의거하였다.
125) 이는 「榮州浮石寺圓融國師塔碑」에 의거하였다(許興植 1984년 479面 ; 李智冠 2000년 2冊 272面).
126) 이는 「原州法泉寺智光國師玄妙塔碑」에 의거하였다.

新編高麗史全文

세가1책 태조-목종

초판 1쇄 인쇄 ｜ 2023년 05월 23일
초판 1쇄 발행 ｜ 2023년 05월 30일

지은이 ｜ 張東翼
발행인 ｜ 한정희
발행처 ｜ 경인문화사
편집부 ｜ 김지선 유지혜 한주연 이다빈 김윤진
마케팅 ｜ 전병관 하재일 유인순
출판번호 ｜ 제406-1973-000003호
주소 ｜ 경기도 파주시 회동길 445-1 경인빌딩 B동 4층
전화 ｜ 031-955-9300팩스 ｜ 031-955-9310
홈페이지 ｜ http://www.kyunginp.co.kr
이메일 ｜ kyungin@kyunginp.co.kr

ISBN 978-89-499-6706-6 94910
        978-89-499-6754-7 (세트)
값 26,000원